Hersch Mendel
Erinnerungen eines jüdischen Revolutionärs

D1296886

aus der Reihe
Rotbuch Verlag Berlin

Hersch Mendel
Erinnerungen eines jüdischen Revolutionärs

Mit einer Einleitung
von Isaac Deutscher
und einem Nachwort
von Jakob Moneta

Aus dem Jiddischen
von Nele Löw-Beer
und Jakob Moneta

Rotbuch Verlag · Berlin

Titel der Originalausgabe: *Zihronot Fun a Jidishn Rewoluzioner*
erschienen 1959 bei Peretz Library, Tel Aviv

1.–4. Tausend 1979

© dieser Ausgabe Rotbuch Verlag, Potsdamer Str. 98, 1000 Berlin 30
© der Einleitung Tamara Deutscher
Druck: Georg Wagner, Nördlingen
Bindung: Hans Klotz, Augsburg
Printed in Germany. Alle Rechte vorbehalten
ISBN 3 88022 703 9

Inhalt

Isaac Deutscher
Einleitung zur jiddischen Originalausgabe

Mit diesem Buch möchte ich die israelischen Leser auf ein außergewöhnliches Dokument der Arbeitermemoiren-Literatur aufmerksam machen. Leider kann ich schon seit Jahrzehnten die hebräische
und jiddische Literatur nicht mehr verfolgen, weiß also nicht, ob sie
an solchen Werken reich ist. Ich kann aber mit Sicherheit sagen, daß
es in der Weltliteratur nicht viele Dokumente dieser Art gibt. Vor
1939 hatten in Polen die Memoiren des Arbeiters Jakob Woitschechowski ein kolossales Echo gefunden. Sie verdienten diese Aufmerksamkeit in der Tat und behaupteten in der polnischen Literatur
ihre besondere Stellung. Aber Woitschechowski war – obwohl nicht
ohne Klassenbewußtsein, nicht ohne proletarisches Klassengefühl –
kein leidenschaftlicher Revolutionär. Hersch Mendels Erinnerungen
(und der Verfasser wird mir sicher gestatten, sein altes revolutionäres
Pseudonym zu gebrauchen) sind das Werk eines Arbeiterrevolutio-
närs, der im Laufe vieler Jahrzehnte eine bedeutende Rolle in der
Arbeiterbewegung Polens gespielt hat; mehr noch: dessen Lebens-
und Kampferfahrungen eine internationale Dimension gewonnen
haben. Noch vor dem Ersten Weltkrieg war er am Leben der polnischen und russischen Emigration in Paris beteiligt. Er war Teilnehmer der russischen Revolution, Mitkämpfer im Oktober-Aufstand in
Moskau und einer der ersten Freiwilligen nach der Gründung der Roten Armee. Im Jahre 1920 war er Mitglied des revolutionären Mili-
tärkomitees der Kommunistischen Partei Polens, das hinter dem
Rücken der Pilsudski-Armee einen Aufstand in Warschau vorbereiten sollte, als die Rote Armee auf die polnische Hauptstadt vorrück-
te. Er spielte eine wichtige Rolle im Kampf der ukrainischen und
weißrussischen Bauern und Arbeiter gegen die polnische Unterdrük-
kung. Er leitete die jüdische Sektion der Kommunistischen Partei Polens. Er wurde dann in die Organisation der Kommunistischen Internationale in Moskau übernommen und damit zum Zeugen und un-
freiwilligen Beteiligten an der stalinistischen Kollektivierung. Er
kämpfte für seine revolutionäre Ehre in den Gefängnislöchern Polens
und Österreichs und mußte dabei mehr als einmal das scharfe und ris-
kante Instrument des Hungerstreiks einsetzen. Schließlich befand er
sich ein Jahrzehnt lang – in einer überaus ereignisreichen Periode, in
der sich so viele politische Tragödien abspielten – als Genosse und
Schüler im Kreis um Leo Trotzki. Welch inhaltsreiches und intensives
Leben, trotz aller Enttäuschungen, die es begleitet haben!

Über dieses Leben erzählt Hersch Mendel in einer einfachen und unprätentiösen Sprache, die keinen Anspruch auf literarische Wirkung erhebt. In dieser Schlichtheit macht sich der Charakter des Verfassers als Arbeiter geltend, der sich stets selbst treu geblieben ist und jeden Pomp und jede Pose ablehnt. Es kommt darin aber auch seine hohe geistige Kultur zum Ausdruck. Denn Hersch Mendel ist einer der am umfassendsten gebildeten Arbeiterintellektuellen, die ich in einem Zeitraum von über 30 Jahren kennengelernt habe. Er unterscheidet sich von einem Teil der sogenannten Arbeiterfunktionäre darin, daß bei ihm der Kampf für die Interessen der Arbeiterklasse – zumindest in seinen besten Jahren – unmittelbar verbunden war mit der stetigen Fortentwicklung seiner eigenen Weltanschauung und mit dem hartnäckigen Ringen um die großen Probleme des gesellschaftlichen Lebens.

In der finsteren Dachstube seiner Eltern im jüdischen Viertel Warschaus, in den Gefängniszellen des zaristischen Rußland, im Polen Pilsudskis, in den leninistischen Kursen von Moskau, in den Diskussionszirkeln der Untergrundbewegung, überall verschlang er unersättlich alles, was ihm das klassische marxistische Schrifttum in Ökonomie, Philosophie und Geschichte, und alles, was ihm die große Weltliteratur zu bieten hatte. Für dieses Kind, das im schrecklichsten jüdischen Elend heranwuchs, war ein Brocken Wissen stets kostbarer als ein Bissen Brot.

Die erste russische Revolution des Jahres 1905 erhellte seinen Horizont wie ein Wetterleuchten. Im Lichte dieses Wetterleuchtens las Hersch Mendel die Werke von Marx, Engels, Kautsky und Plechanow, die Romane von Tolstoi, die Gedichte von Mickiewicz und die Dramen von Perez. »Wäre die Revolution von 1905 nicht gekommen«, erzählt er auf der ersten Seite seiner Erinnerungen, »wäre ich bestimmt im Sumpf der kriminellen Unterwelt der Smocza-Gasse (Warschaus) versunken.« Von da an wurde jeder große historische Umbruch auch zu einem Umbruch in seinem geistigen Leben. Hersch Mendels Memoiren sind deshalb nicht nur die Darstellung seines politischen Kampfes, sie schildern auch seinen bewegten Aufstieg aus den Niederungen seiner Jugend zu den Höhen des modernen Zeitgeistes. Einheit von Theorie und Praxis war für ihn nicht – wie für so viele andere – eine hohle Phrase. Für ihn war sie Lebensbedürfnis und er erkaufte sie sich mit Hunger und dem eigenen Herzblut. Er wollte und mußte verstehen, wofür er kämpfte, und für das kämpfen, was er verstanden hatte.

Auf seiner Wanderung begleiteten Hersch Mendel alle Schrecken des Lebens mit ihren vielen verschiedenen Gesichtern: vor allem die Grausamkeit des kapitalistischen Systems mit seiner sozialen und nationalen Unterdrückung, die Wucht und Strenge des revolutionären Sturmes in Rußland, die Qualen der sowjetischen Bevölkerung, die

8

sich in den Widersprüchen der Übergangsperiode wand. Und schließlich die Erniedrigung der Arbeiterbewegung durch Stalin – ganz zu schweigen von der Hölle, die Europa unter der Hitler-Besetzung erlebte. In jeder ihrer Phasen schlägt die Grausamkeit des gesellschaftlichen Seins ihre Klauen tief hinein in Hersch Mendels persönliche Existenz und in das Leben derer, die ihm am nächsten und teuersten sind.

Dies unbarmherzige Schicksal vermag jedoch nicht seine außergewöhnliche Empfindsamkeit und seine großherzigen Gefühle zu ersticken. Im Gegenteil, sein Mitleiden und Mitfühlen, seine Solidarität mit den Erniedrigten und Benachteiligten werden nur noch stärker. Über diesen Charakterzug redet Hersch Mendel eigentlich nie direkt – aber ungewollt scheint er immer wieder auf, wenn bestimmte Szenen und Ereignisse beschrieben werden. So etwa, wenn er mit den Augen eines kleinen Kindes auf die ausgezehrte kranke Mutter sieht, die von einer Ohnmacht in die andere sinkt, oder wenn er als politischer Häftling während eines Hungerstreiks fast bewußtlos geschlagen daliegt und sein eigenes Leiden schon nicht mehr empfindet, aber sich noch mit dem letzten Schimmer seines Bewußtseins über die Bestialität der Henker wundert, die seinen Mithäftling gepeinigt haben, einen weißrussischen Bauern, der mit ihm an dieselbe Kette geschmiedet ist. Oder in einem anderen Fall, wenn man ihn als Kommunist von Moskau aus aufs Dorf schickt, um die Kollektivierung der Landwirtschaft mit zu betreiben: er ist erschüttert von dem Anblick sinnloser Grausamkeit, die die russischen Bauern heimsucht. Empfindsamkeit für Unrecht und Schmerzen leiten alle Schritte dieses wahren Revolutionärs, sie kennzeichnen seine politische Einstellung und bilden das Rückgrat seines heldenmütigen Charakters.

Ich hoffe, daß die Leser diese Kennzeichnung nicht als Übertreibung empfinden werden. Denn Hersch Mendel ist in der Tat eine echt heroische Figur, als solche haben ihn seine ehemaligen Freunde und Genossen gekannt: als eine Gestalt, die einer Erzählung oder einer Legende entstiegen scheint, der wirklichen Legende des jüdischen Arbeiter-Warschau der Vorkriegszeit. Er ist sich seines Heldentums durchaus bewußt. Aber er kann darüber mit Humor und fast mit Selbstironie reden. Manchmal diktiert ihm dieser Humor Szenen, die an Hasek oder an Chaplin erinnern. Aber es handelt sich dabei um keinen »literarischen« Humor, sondern um einen beinahe unbewußten, der einer tiefen Wahrhaftigkeit entspringt. Man lese nur Hersch Mendels Beschreibung seines Verhaltens während der Oktoberrevolution, als er zur Verteidigung des Moskauer Sowjets eine militärische Stellung halten soll, ohne zu wissen, wie man mit einer einfachen Handfeuerwaffe umgeht. Der Reiz dieser Memoiren für den Leser liegt unter anderem darin, daß in ihnen – nicht nur an dieser Stelle – Pathos und Humor miteinander verflochten sind.

In früheren Jahren habe ich mir manchmal die Frage vorgelegt, aufgrund welcher Eigenschaften Hersch Mendel in der kommunistischen Bewegung eine so herausragende Rolle gespielt hat. Auf den ersten Blick hatte er keine der Eigenschaften, die einen Führer auszeichnen. Er war kein guter Organisator, weil er zu zerstreut und zu »romantisch« war. Und doch konnte er wie kaum ein anderer begeistern und mitreißen – und viele junge und alte Genossen für die revolutionäre Untergrundarbeit gewinnen. Er besaß weder die Wortgewalt noch die Mimik eines großen Redners und dennoch pflegten ihm die Arbeitermassen auf Versammlungen oder in Gewerkschaftssitzungen mit angehaltenem Atem zuzuhören wie sonst keinem. Er war kein Theoretiker und doch regte er die Menschen zu theoretischen Gedanken an. Als Autodidakt lernte er einige europäische Sprachen, ohne eine einzige von ihnen wirklich zu beherrschen, und reden konnte er eigentlich nur auf jiddisch. Aber mehrfach habe ich ihn im Kreise polnischer Schriftsteller und Intellektueller reden oder diskutieren hören, wobei er sich einer phantastischen Mischung von gebrochenem Polnisch und gebrochenem Russisch bediente. Wenn er redete, war der erste Eindruck schlicht komisch, aber nach einigen Minuten pflegten die Anwesenden nicht mehr auf die seltsame Sprachmixtur zu achten, die er in beiden Sprachen veranstaltete, und begannen, dem seltsamen Redner aufmerksam und respektvoll zuzuhören.

Ohne die Hilfe normaler Ausdrucksmittel hat er sich sozusagen auf seine eigenen Gedanken beschränkt und die Zuhörer damit in seinen Bann gezogen. Was aber hat Menschen aus so unterschiedlichen Bereichen an Hersch Mendel angezogen? Es war die große Anstrengung der Gedanken und des Willens, die man bei ihm herausspürte, die Flamme eines revolutionären Geistes, die in ihm brannte, und die sich auf die anderen übertrug. Hersch Mendel ist eine menschliche Flamme, er verkörpert in sich den revolutionären Charakter des untergegangenen jüdischen Arbeiters, von dem Lenin zu sagen pflegte, er habe mit seinem Blut »die Räder und Treibriemen der Revolution geölt«.

Zu Beginn sprach ich von der internationalen Dimension von Hersch Mendels politischen Erfahrungen. Aber er kam immer wieder zurück – ob aus Moskau oder aus Rostow am Don, ob aus Berlin oder aus Paris – zurück ins »Murdschel«, unser altes Stadtviertel Muranów im Herzen des Warschau der jüdischen Arbeiter. Hier war er in seinem Element. Hier gewann er sein psychisches Gleichgewicht zurück. Hier schöpfte er immer wieder Kraft, um sich mit neuer Energie wieder in die Arbeit zu stürzen. Hier gewann er auch seine eigene Sprache zurück, die mit der Sprache übereinstimmte, in der sich die Gedanken und Gefühle der jüdischen proletarischen Avantgarde ausdrückten. Diese wiederum spürte an ihm den besten Teil ihres eigenen Charakters heraus. Genau darauf beruht der Wert von Hersch Mendels Erinnerungen als historisches Dokument. Wir haben hier nicht nur sein eigenes Selbstporträt vor uns, sondern das Gesamtbild des kämpfenden jüdisch-polnischen Arbeiters.

Dieser Arbeiter ist auf tragische Weise von der Geschichte überholt worden. Für die jüdischen Leser einer neuen Generation in Israel ist er, wie ich fürchte, nicht nur eine ferne, sondern auch eine unbekannte und unverständliche Gestalt. Ich hoffe, daß sie ihnen durch diese Seiten etwas näher gebracht wird. Noch auf dem tiefsten Punkt von Elend und Unterdrückung vermochte dieser Arbeiter seinen Stolz und seinen erstaunlichen Mut zu erweisen. Eingesperrt in die engen Gassen des jüdischen Viertels und in dessen dumpfe, zwergenhaft winzige Keller-Werkstätten, oft ohne Kontakt zu den polnischen Nachbarn auf der anderen Straßenseite, erfaßte er in seiner Gedankenwelt gleichwohl den breitesten Horizont. Das Schicksal der russischen Revolution durchlebte er am ganzen Leibe und mit allen Nervenfibern. Leidenschaftlich verfolgte er den »Sturm über Asien«, die gesellschaftliche Umwälzung im fernen China. Er war tief verstört durch die Vorahnung der Katastrophe, die der Ausgang des Konfliktes zwischen der deutschen Arbeiterbewegung und Hitler bedeutete, in dem es um Leben und Tod ging. Ebenso unmittelbar betroffen fühlte er sich durch Aufstieg und Zusammenbruch der Volksfront in Frankreich und Spanien. Noch in seiner hoffnungslosen Isolation und Ohnmacht hat er als Internationalist gespürt, daß ihn all dies unmittelbar anging, und nie hat er die Hoffnung aufgegeben. So ging es damals nicht nur dem Verfasser dieser Erinnerungen, sondern auch unseren gemeinsamen Genossen, all den Natans, Isaaks, Daniels und so vielen anderen namenlosen Träumern und Kämpfern für die Revolution – all den lebendigen Menschenflammen, die in den Ghettos und in den Gaskammern Hitlers ausgelöscht wurden. Zu ihnen gehörte auch Mania Schumik, die Frau von Hersch Mendel, die aus einer kleinen Stadt stammte und eine einfache Arbeiterin mit starkem Charakter und großer Intelligenz war.

Ein Vierteljahrhundert ist vergangen, seit ich das Glück hatte, mit und unter diesen Menschen zu arbeiten. Seitdem habe ich viele andere Gruppen in verschiedenen Ländern Europas und Amerikas kennengelernt. Aber nirgendwo habe ich den breiten politischen Horizont wiedergefunden, den Idealismus, die Opferbereitschaft und den Mut dieser jüdischen Arbeiter in Osteuropa. Ich weiß, um wieviel die Welt ärmer geworden ist, als das Herz dieser Arbeiter zu schlagen aufhörte. Vielleicht wird der israelische Leser von heute beim Lesen dieses Buches etwas von diesem Herzschlag spüren, oder wenigstens ein Echo davon. Vielleicht wird er durch ihn die großen Traditionen der ehemaligen jüdischen Arbeiterbewegung erfahren und etwas davon für sich selbst übernehmen.

11

Ich möchte jedoch beim Leser nicht den Eindruck erwecken, ich würde mit Hersch Mendels heutigen Auffassungen übereinstimmen. Leider haben sich unsere politischen Wege voneinander entfernt. Ich möchte hier nicht auf unsere unterschiedlichen Auffassungen über die jüdische nationale Frage eingehen, denn dieses Problem gehört nicht zu den Themen, die Hersch Mendel in seinem Buch berührt.

(Der Leser wird sich über diese Meinungsverschiedenheiten selbst ein Bild machen können, etwa aufgrund der polemischen Kommentare, die vor gar nicht langer Zeit meiner Stellungnahme zur Politik und zu den Perspektiven Israels und der Judenfrage im allgemeinen* in der israelischen Presse gewidmet wurden.) Es wäre meinerseits auch pedantisch, wenn ich Einzelheiten in Hersch Mendels Bericht korrigieren würde, bei denen ihn sein Gedächtnis im Stich gelassen hat.** Ich kann aber diese Einleitung nicht abschließen ohne eine kurze Kritik an Hersch Mendels Einstellung zur Sowjetunion und an seinen Ansichten über die Geschichte der russischen Revolution. Denn diese Ansichten machen sich im letzten Teil seiner Memoiren negativ bemerkbar, insbesondere bei der Beschreibung unseres gemeinsamen Kampfes in den Reihen der kommunistischen Opposition Polens.

»Als wir aus der Partei ausgeschlossen wurden«, erzählt Hersch Mendel, »gerieten wir in einen tragischen Widerspruch. Politisch wußten wir bereits, daß wir vom Stalin-Regime nur das Schlimmste zu erwarten hatten... aber psychologisch waren wir nicht in der Lage, völlig mit der Sowjetunion zu brechen.« Denselben »tragischen Widerspruch« empfindet er auch bei der »politisch unverständlichen« Stellungnahme Trotzkis, der noch mitten im verbissensten Kampf gegen Stalin und den Stalinismus an »seiner Politik der unbedingten Verteidigung der Sowjetunion« gegen die kapitalistischen Staaten festgehalten habe.

Hersch Mendel hält diese Einstellung heute für absurd, und die Tatsache, daß Trotzki so hartnäckig daran festhielt, erklärt er einfach aus psychologischer Trägheit. Der Leser gewinnt den Eindruck, nach Hersch Mendels damaliger Ansicht habe die Oktoberrevolution mit einem vollständigen moralischen und sozialen Zusammenbruch geendet, und von ihren Errungenschaften sei überhaupt nichts Verteidigenswertes übrig geblieben. Mit anderen Worten, der Sieg des Stalinismus habe nichts anderes als den Triumph der Konterrevolution bedeutet, der bis zum heutigen Tage andauert. Das aber war damals nicht unsere Ansicht, als wir – einschließlich Hersch Mendel – den

---

* Mit dieser Stellungnahme ist der Artikel »Israels zehnter Geburtstag« gemeint, der im April 1958 im »Observer« erschienen ist (deutsche Übersetzung in: »Die ungelöste Judenfrage«, Berlin 1977, Rotbuch 159, S. 78 ff., d. Ü.).
** Ich will nur bemerken, daß Hersch Mendel übertreibt, wenn er über meinen Einsatz zur Unterstützung von Freunden und Genossen schreibt (J. D.).

12

Kampf gegen den Stalinismus in der Kommunistischen Partei Polens aufnahmen. Und es ist auch heute nicht meine Ansicht, nachdem ein Vierteljahrhundert vergangen ist. Wir waren davon überzeugt, daß trotz der Verbrechen und der Absurditäten des Stalinismus in der Sowjetunion die wichtigste Errungenschaft der Oktoberrevolution, das sozialisierte Eigentum an den Produktionsmitteln, davon unberührt geblieben ist. Es ist richtig, daß dies allein noch kein Sozialismus ist, aber es ist seine grundlegende Vorbedingung und ermöglicht der sowjetischen Gesellschaft eine Entwicklung hin zum Sozialismus. Wir sahen einen Widerspruch zwischen dieser fortschrittlichen Seite der Sowjetunion und dem bürokratischen Stalin-Regime, das die gesellschaftliche Entwicklung hemmte, sie teilweise zurückwarf und verkrüppelte, bzw. sie dazu zwang, jeden Schritt nach vorn mit unmenschlichen und unnötigen Opfern zu erkaufen, und das allen gesellschaftlichen Klassen einen harten Tribut zugunsten der privilegierten Bürokratie abverlangte. Wir haben diesen Doppelcharakter gesehen, diesen Widerspruch zwischen Fortschritt und Reaktion, der in allen Aspekten des Stalinismus sitzt. Wenn wir die Sowjetunion verteidigten, so verteidigten wir unserer Meinung nach die sozialistischen Elemente ihrer sozialen Struktur gegen den Klassenfeind – aber auch gegen die Sowjetbürokratie selbst.

Ich glaube nicht, daß diese unsere Einschätzung bei Trotzki und bei uns auf psychologische Trägheit, subjektivistische Spaltung oder politische Schizophrenie zurückzuführen ist. Unsere gespaltene Sicht der Sowjetunion spiegelte nur den objektiven Doppelcharakter der sowjetischen Wirklichkeit wider. Wir bemühten uns, diese Wirklichkeit so vollständig wie möglich zu begreifen und sie nicht gewaltsam in starre, einseitige und dogmatische Formeln zu pressen. Nicht wir, sondern die Tatsachen selbst redeten die Sprache der Widersprüchlichkeit. Und uns Marxisten, die wir, wie gut oder schlecht auch immer, in der dialektischen Denkweise geschult waren, konnte das nicht sonderlich überraschen. Zweifellos haben wir Fehler gemacht, auch Trotzki hat das getan. Wir haben einmal die eine, dann wieder die andere Seite dieser in sich widersprüchlichen Wirklichkeit zu scharf gesehen. Aus der Perspektive der vergangenen Jahrzehnte scheint mir, daß diese teilweisen Irrtümer eher einer Unter- als einer Überschätzung des fortschrittlichen Charakters der sozialen Struktur der UdSSR entsprangen. Trotzdem war unsere prinzipielle Position richtig. Sogar unsere teilweisen Irrtümer waren erklärlich: sie folgten aus der Tatsache, daß wir unseren Kampf in einer Epoche aufnahmen, in der die finsteren Seiten des Stalinismus am deutlichsten sichtbar wurden, in den Jahren, als die Politik der Komintern Hitler den Sieg erleichterte und als uns der Alptraum der stalinistischen Säuberungen und der Moskauer Prozesse im Nacken saß.

Trotzki aber hat, wie Hersch Mendel richtig sagt, bis zu seinem letz-

13

ten Atemzug seine »doppelte« Auffassung über die Sowjetunion verteidigt. Er hat noch im letzten Jahr seines Lebens – im Jahr 1940, als bereits all seine Söhne und Töchter umgekommen waren und der von Stalin beauftragte Mörder sich bereits in sein Haus eingeschlichen hatte – eine scharfe Polemik gegen diejenigen Trotzkisten geführt, die ihm so wie Hersch Mendel heute vorwarfen, er habe Stalin nicht konsequent genug bekämpft.

Unbeugsam hat er argumentiert, daß im Krieg zwischen der Sowjetunion und Finnland die Arbeiterbewegung die Pflicht habe, die Sowjetunion zu unterstützen, trotz Stalins wirklich bärenhafter Plumpheit und Brutalität gegenüber den Finnen. Hersch Mendel sieht in dieser Stellungnahme Trotzkis heute seine Schwäche. Ich sehe darin umgekehrt Trotzkis moralische Größe als Revolutionär und ein großartiges Beispiel für seinen heroisch klaren, durch Emotionen ungetrübten Blick auf die Weltgeschichte.

Mir scheint, daß Hersch Mendel, indem er sich von unserer Auffassung des Doppelcharakters »befreite«, einem starren emotionalen antistalinistischen Dogmatismus zum Opfer fiel, der die eigene ruhmreiche revolutionäre Vergangenheit verleugnet und die Wirklichkeit verkennt. Dieser antistalinistische Dogmatismus ist heute, in der Epoche des Kalten Krieges, modisch geworden. Ich bin jedoch sicher, daß Hersch Mendel nicht einfach ein Mitläufer dieser neuen Mode ist. Niemand hat sich nämlich sozial herrschenden Meinungen und politischen Moden so wenig unterworfen wie der Verfasser dieser Erinnerungen. Sein antistalinistischer Dogmatismus entspringt den reinsten revolutionären Motiven. Er ist ein Aufschrei der Enttäuschung und des Schmerzes eines Mitkämpfers in der Oktoberrevolution, der das Abschlachten der Führer und Teilnehmer dieses Aufstandes durch Stalin nicht vergessen will und nicht vergessen kann. Er ist der Aufschrei eines Juden, der das Unrecht, welches dem Judentum unter dem Stalinismus angetan wurde, nicht vergessen kann und nicht vergessen will. Dieses Unrecht und diese Massaker dürfen in der Tat weder verziehen noch vergessen werden. Aber Hersch Mendel ist sozusagen in seinem Schmerz versteinert geblieben und hat der Wirklichkeit seinen Rücken zugekehrt; einer Realität, die nicht versteinert geblieben ist, die vielmehr weitergeht und die – wenn auch erneut nicht ohne Widersprüche und Komplikationen – die reaktionäre Seite des Stalinschen Erbes besiegt und die progressive Seite weiter entwickelt.

In Hersch Mendels versteinertem Schmerz drückt sich aber auch seine Einsamkeit aus. Könnte sich der Verfasser dieser Erinnerungen doch noch einmal in die damalige Umgebung des Muranów-Viertels zurückversetzen – mitten unter unsere Natans und Isaaks – in unsere alten Gewerkschaften, in die warmen, von Leben und revolutionärer Leidenschaft pulsierenden jüdischen Arbeitermassen! Er würde gleich wieder seine Verbundenheit mit dem reißenden Strom der Wirklichkeit spüren, würde sein gedankliches Gleichgewicht und seinen ungetrübten Blick wiedergewinnen. Zu unser aller Unglück gibt es diese Umgebung nicht mehr. Unser »Murdschel« ist verblutet, umgekommen unter den Ruinen des Warschauer Ghettos; und Hersch Mendel – Fleisch von seinem Fleisch und Blut von seinem Blut – gehört nicht zu denen, die sich in eine andere Umgebung verpflanzen lassen.

Und doch glaube ich, daß er sein Gespür für die historische Dialektik der Revolution nicht verloren hat. Nur muß diese Dialektik sich aus ihrer derzeitigen verwickelten Lage herausarbeiten und durchsichtiger werden. Es ist übrigens nicht das erstemal, daß politische und menschliche Enttäuschungen Hersch Mendel auf den Irrweg des emotionalen Subjektivismus gebracht haben. Er selbst erzählt uns aufrichtig und voller Humor, wie er, erschüttert durch den Verrat der Zweiten Internationale im Jahre 1914 und verbittert über den Marxismus, Ausweg und Trost im Anarchismus gesucht hat; und wie er danach, von der russischen Revolution begeistert und angezogen von der Ideenwelt Lenins, wieder vom Anarchismus zum Marxismus zurückgekehrt ist.

Ich wünsche ihm, er könnte auch jetzt wieder die radikale Genesung der Arbeiterbewegung erleben (Symptome dafür sind übrigens heute wieder sichtbar), einen neuen heilsamen Sturm, der die Atmosphäre unserer Zeit reinigen würde. Ich wünschte, er könnte unter diesem Einfluß wieder seinen Weg finden, diesmal vom antistalinistischen Dogmatismus zum Marxismus.

In dieser Hoffnung lege ich dem Leser – trotz aller meiner Vorbehalte – dieses schöne Buch ans Herz.

London, 14. November 1958

Erster Teil

Meine Kindheit – Vorfrühling – Frühling – Bergab – Der Nebel wird dichter – Mein erster Streik

Meine Kindheit

Aus der Literatur kennen wir viele Schilderungen des Lebens von Kindern, die keine Kindheit hatten, denen seit ihren frühesten Kinderjahren Freude und Zärtlichkeit, Licht und Wärme fehlten. Eine solche Kindheit hatten die jüdischen Kinder in der Smocza- und Genszastraße in Warschau. Aus solchen Kindern wurden oft sozialistische Kämpfer – vor allem wenn sie das Glück hatten, in einer revolutionären Umgebung aufzuwachsen. Dann nämlich konnten sie die sozialen Ursachen der schrecklichen Armut begreifen. Dann verband sich für sie das Unrecht, das man ihnen antat, mit allen anderen Ungerechtigkeiten, die das Produkt eines bestimmten gesellschaftlichen Systems sind: sie wurden Revolutionäre. Aber aus den meisten Kindern wurden später verantwortungslose Menschen, ohne irgendeine gesellschaftliche Moral, bereit zu jedem Abenteuer. Über solche Kinder schrieb Victor Hugo einmal, man könne in Paris jederzeit dreißig von ihnen finden, die bereit seien, sich auf jeder Barrikade zu schlagen, ohne zu wissen warum und wofür. Das Leben hat für sie keinen großen Wert, als vom Schicksal Geschlagene sind sie zu allem bereit. Eben diese Umgebung bildet den Nährboden der Unterwelt. Auch meine Kinderträume gingen in diese Richtung. Aber es kamen hellere Zeiten, die meinem Leben eine ganz andere Wendung gaben. Wäre die Revolution von 1905 nicht gekommen, wäre ich bestimmt im Sumpf der kriminellen Unterwelt der Smocza-Gasse versunken.

Aus meinen ersten Kinderjahren habe ich nichts zu berichten, sie verlieren sich völlig im Abgrund der Finsternis, boten keinen Augenblick von Freude und Licht. Ich werde mit der späteren Kindheit beginnen, mit Ereignissen, die sich in meinem Gedächtnis tief eingegraben haben, die ich nachprüfen konnte und über die ich später, in den langen Jahren meiner Gefängniszeit, viel nachgedacht habe.

In den Jahren 1902-1903 wohnten wir in der Genszastraße 39. Wir lebten dort schon lange vorher, aber das sind die Jahre, die mir gut in Erinnerung sind.

Der Hof von Gensza 39 war sehr groß, das Haus wurde von vielen Mietern bewohnt – fast alles arme Leute. Die Sensation des Hofes war ein Jude, der den Rang eines Polizeiältesten hatte. Er trug einen langen Bart und als er starb, hielt man ihm anerkennend zugute, er sei eben doch ein Jude geblieben, weil er sich den Bart nicht hatte scheren lassen.

In der Ecke des großen Hofes gab es ein Tor, das zu einem kleinen Höfchen führte. Dort war das Klosett für alle Bewohner und der Müllkasten. Wenn man in die Nähe kam, überfiel einen schrecklicher Gestank und man mußte rasch vorbeilaufen. Neben der Ecke im Hof gab es einen Hauseingang, durch den man in den dritten Stock gelangte, wo wir wohnten. Zu unserer Wohnung führte ein langer schmaler Flur. Als ich 1912 verhaftet wurde und man mich ins Warschauer Pawiak* mit seinen finsteren langen Korridoren brachte, in denen sogar tagsüber Petroleumlampen brannten, erinnerte ich mich sogleich an den Korridor von Gensza 39.

Wenn man die Tür zu unserer Stube öffnete, konnte man nur schwer entscheiden, was man vor sich hatte: ein Zimmer, eine Küche oder die Fortsetzung des langen finsteren Korridors. Das Zimmer war lang und dunkel. An seinem Ende gab es ein Fenster – einfach ein Loch in der Wand, das offenbar so berechnet war, daß auch kein einziger Lichtstrahl von draußen eindringen konnte.

Das Zimmer hatte links eine Tür, die in ein kleines Stübchen führte; dort war die Werkstatt meines Vaters, aus der man ihn nur selten herauskommen sah. In der Wohnung lebten wir zu sechs Personen: Vater und Mutter, drei Söhne und meine einzige Schwester. Anfangs waren es zehn Kinder, aber sechs sind gestorben.

Mein Vater war groß, breitschultrig und gesund und hatte einen langen schwarzen Bart. Später, als er vor Leiden grau geworden war, sah er aus wie ein Apostel. Solche Gesichter habe ich später in den Moskauer Museen auf den orthodoxen Heiligenbildern wiedergesehen. Mit uns Kindern unterhielt sich der Vater niemals. Er war überhaupt ein großer Schweiger und er hatte auch nicht viel Zeit zum Reden, weil er immer arbeitete. Samstag Nacht, sofort nach der Hawdala** stürzte er sich in die Arbeit – eine ganze Woche lang. Wie spät ich auch nachts nach Hause kam, immer war er in seiner kleinen Arbeitsstube, und ebenso frühmorgens, wenn ich aufstand. Uns Kindern schien es, als arbeite er vom Ausgang des Sabbat bis zum Lichteranzünden am Freitag Abend,*** ohne jede Unterbrechung.

Der Beruf meines Vaters war die Walkerei, ein Teil der Gerberarbeit. Diese Arbeit war sehr schwer und schmutzig. Es ist mir unbegreiflich geblieben, wie er so schwer bis tief in die Nacht hinein arbeiten konnte. Er hatte keine Kleider zum Wechseln für den Sabbat und er ging zum Beten in seinem unreinen Arbeitsanzug.

* In der Pawiak-Straße lag das Gefängnis.
** Am Sabbat darf nicht gearbeitet werden. Die »Hawdala« unterscheidet durch Anzünden eines Lichtes zwischen dem heiligen Sabbat und dem profanen Wochentag, nachdem die Sterne am Himmel sichtbar sind.
*** Diese kündigen den Beginn des Sabbats an.

Anfangs wunderte ich mich darüber, daß mein Vater stets schwieg. Aber später wurde mir klar, daß ihn das Joch des schweren Lebens zum Schweigen gebracht hatte. Trotz der harten Arbeit meines Vaters lebten wir in der Stube in großer Not, die meine Mutter krank machte: sie bekam ein schweres chronisches Leiden. In seiner Familie war mein Vater der erste und einzige Arbeiter. Darum schätzten ihn alle gering. Mein Großvater war einer, der die heiligen Schriften studierte, Besitzer eines Hauses in der Wolinski-Straße. Als er bereits über sechzig Jahre alt war, heiratete er nochmals, weil er nicht wollte, daß ein einfacher Arbeiter die Totengebete sprechen sollte, wenn er gestorben war. Seine ganze Familie wollte meinem Vater nicht verzeihen, daß er ein Arbeiter war. Warum er Arbeiter wurde, habe ich nie erfahren. Ich wußte nur, daß er sich beschämt und bedrückt fühlte und daran gelitten und geschwiegen hat.

Im Gegensatz zu meinem Vater war meine Mutter klein und schwach. Die Perücke, die sie trug, deckte sie völlig zu. Ich habe mich oft gefragt, woher sie die Kraft nahm, die Perücke auf dem Kopf zu tragen.* Trotz ihrer Schwächlichkeit war sie das Haupt der Familie und die Kinder liebten sie sehr. Aber sie hatte eine schwere Krankheit, die uns alle bedrückte. Bei jeder Aufregung fiel sie in Ohnmacht. Wenn man versuchte, sie wiederzubeleben, ihr die Schläfen massierte, dauerte es manchmal Minuten, bis sie wieder zur Besinnung kam. Sehr oft schien es, als würde sie überhaupt nicht mehr zu sich kommen.

Mein älterer Bruder Schlomo glich sehr stark meinem Vater – ein großer, gesunder, ehrlicher Arbeiter. Später, nach seiner Heirat wurde er ein guter und herzlicher Vater. Aber in der Zeit, die ich jetzt beschreibe, führte er ein Leben voller Widersprüche. Einerseits war er ein ehrlicher Proletarier, der mit meinem Vater zusammenarbeitet, aber andererseits waren seine Freunde Menschen aus der Unterwelt. Den Grund dafür habe ich später verstanden. In unserem von großer Not geprägten Leben, bei der schweren Arbeit und dem Mangel an jeder Bildung und Kultur, schien die Unterwelt eine Welt der Freiheit zu sein. Alle gültigen Traditionen, Gesetz und Moral hatten für meinen Bruder und seinesgleichen keinen Wert. Sie führten ein verantwortungsloses Leben, hatten Angst vor niemanden, und das zog die Kinder aus den Kellern und Dachstuben an. Mein Bruder geriet in diese Umgebung hinein und wurde von ihr beherrscht. Freitag abend, wenn der Vater vom Händler kam und meinem Bruder den Wochenlohn auszahlte, warteten seine Freunde bereits auf ihn und wir wußten, daß sie sich nicht auf den Weg zur Synagoge machten um zu beten, sondern in ihre Kneipen gingen. Samstag

* Streng orthodoxe Jüdinnen schneiden nach der Hochzeit ihr Haar ab und tragen eine Perücke.

brachte er das ganze Geld durch und am Sonntag versetzte er seinen Sabbat-Anzug bis zum nächsten Sabbat.

Im Jahre 1902 wurde ich neun Jahre alt. Ich ging in die Talmud-Schule* in der Neuen Mühlestraße 63. Dort wurde kostenlos unterrichtet. Ich kann mich nicht an eine einzige frohe Stunde dort erinnern. Mein Lehrer verstand offenbar nicht viel vom Unterrichten. Er liebte einen guten Tropfen und hatte eine rote Nase. Die Frau des Lehrers verdiente durch Handel dazu und verkaufte den Kindern Bonbons und Plätzchen. Alles kostete einen Groschen. Der Lehrer hielt eine Hundepeitsche in der Hand, wenn er auch nur sehr selten zuschlug. Er unterrichtete viele Kinder zusammen, sagte uns etwas vor, das wir ihm nachplappern mußten. Da er wollte, daß wir ihn alle hören sollten, schrie er sehr laut und wir alle schrieen ihm nach. War ich ein guter Schüler? Ich glaube ja, denn der Lehrer beschimpfte mich nie. Und am Sabbat, wenn man mich zum Großvater führte, damit er mich den Wochenabschnitt aus der Tora abhörte, beehrte dieser mich stets mit einem Gläschen Wein. Als mein Vater mich aus der Schule herausnahm und zu seinem Gehilfen machte, kam mein Onkel gerannt (der übrigens sonst nie zu uns kam, weil mein Vater ein Arbeiter war), riß die Tür auf und brüllte:»Mosche, du hast eine große Sünde begangen. Du hast Hersch-Mendel vom Unterricht weggeholt. Wisse, daß im Himmel darüber ein Sturm entstanden ist.« Sprachs und schlug die Tür zu. Seit damals haben wir ihn bei uns nie wiedergesehen. Aus all dem wird mir klar, daß ich kein schlechter Schüler war, obwohl ich das, was ich in der Religionsschule lernte, schnell vergessen habe.

Der Unterricht in dieser Schule dauerte den ganzen Tag; nur mittags gab es eine Pause. Zum Mittagessen ging ich stets mit Herzklopfen nach Hause. Ich dachte nicht ans Essen, sondern daran, ob meine Mutter in Ohnmacht fallen würde, oder nicht. Wenn sie nicht ohnmächtig wurde, war meine Freude groß, und das Stückchen Brot mit Hering war ein Festessen für mich. Fand ich sie aber in einem Ohnmachtsanfall, dann konnte ich keinen Bissen herunterschlucken. Um sieben Uhr abends kam ich gewöhnlich von der Schule nach Hause, aß einen Bissen – Brot mit einer sauren Gurke oder mit Hering – und half danach meinem Vater bis spät in die Nacht hinein.

Wenn ich so meinem Vater im schwachen Schein des kaum Licht spendenden Petroleumlämpchens bei der Arbeit half, sehnte ich mich nach etwas, was mir ein wenig Freude im Leben geben konnte. Mehrmals unternahm ich den Versuch, am Sabbatnachmittag in die Schule zu gehen. Dort kamen Jugendliche zusammen, sangen und tanzten auf den Tischen. Aber auch das hat mich nicht befriedigt. Da suchte ich mir etwas anderes: Jeden Samstag prügelte ich mich mit den polnischen Jungen. Nicht immer waren sie die Angreifer.

* Religiöse Elementarschule.

In jener Zeit habe ich meinen Bruder und seine Freunde sehr beneidet. Sie gingen am Sabbat mit Stöcken in den Händen spazieren und fuhren in Droschken.* Dieser Wagemut hat mich angezogen. Mein Traum damals war, schnell älter zu werden, damit auch ich am Samstag in einer Droschke fahren konnte, ohne vor irgendjemand Angst zu haben.

Meine Schwester, die älter war als ich, war sehr schön; ihr Charakter ähnelte dem meiner Mutter. Besondere Fähigkeiten hatte sie nicht. Es kam auch gar nicht in Frage, sie arbeiten zu schicken, das hätte den Schandfleck auf der Familie noch vergrößert. Sie erhielt selbstverständlich auch keine Bildung; das erschien allen unnötig. Darum tat sie das gleiche wie alle armen Mädchen: sie ging jeden Sabbat zum Tanz in den Tanzsaal, wo sie ihre Freunde und Freundinnen traf, die auch keinerlei Änderung in unser schweres Leben hineinbringen konnten.

Erst später, als ich Revolutionär wurde und Aktivist im Bund,** erfuhr ich, daß diese Organisation im Jahre 1903 in Warschau bereits ein weitverzweigtes Netz von Arbeiterzirkeln geschaffen hatte. Es gab auch zionistische Gruppen, aber bei uns in der Genszastraße waren sie unbekannt. Uns hatte noch kein Lichtstrahl erreicht, zu uns war noch kein Ton gedrungen. Wir lebten noch in tiefer Finsternis.

Vorfrühling

Im Jahre 1904 begann sich unsere materielle Lage zu bessern. Dafür gab es zwei Gründe: erstens den Krieg mit Japan und zweitens den Beginn der Streikbewegung.

Vom Krieg mit Japan haben wir fast nichts gespürt. Er spielte sich in der fernen Mandschurei ab, und wir in Warschau lebten am anderen Ende des russischen Imperiums. Überhaupt sprach man in unserer Stube nicht von diesem Krieg. Lediglich kleine Ereignisse erinnerten daran, daß Krieg geführt wurde. Gegenüber unserem Tor in der Genszastraße war eine große Kaserne. Dort war ein Regiment aus Wolhynien einquartiert. Von Zeit zu Zeit rückten von dort Soldaten an die Front aus und man sprach darüber, daß sie in den Krieg gegen Japan zögen. Mag sein, daß man bei uns nicht viel über den Krieg redete, weil niemand aus unserer Familie im Militärdienstalter war. Nicht nur, daß wir diesen Krieg als nichts Schlechtes wahrgenommen haben; aufgrund des Krieges wurde im Gegenteil unsere materielle

* Am Sabbat ist dies durch Religionsgesetz verboten.
** Der Bund war die bedeutendste Organisation des jüdischen Proletariats in Polen, Litauen und Rußland (Vgl. John Bunzl: »Klassenkampf in der Diaspora«. Zur Geschichte der jüdischen Arbeiterbewegung, Europaverlag, Wien 1975).

21

Lage sehr viel besser. Mein Vater verfertigte Leder für Militärstiefel, und weil es mehr Arbeit gab, stellte er noch zwei Arbeiter ein. Später, als ich die Geschichte der russischen revolutionären Bewegung studierte, konnte ich feststellen, daß nicht nur bei uns, sondern in ganz Rußland ein wirtschaftlicher Aufschwung einsetzte, und in der marxistischen Literatur stellte man sich die Frage: wie ist in einem solchen ökonomischen Aufschwung eine Revolution möglich?

Leo Trotzki stellte die Behauptung auf, daß in Zeiten wirtschaftlichen Aufschwungs für die Arbeiterklasse die Bedingungen revolutionärer Kämpfe besser sind. In der Zeit der Krise führt der Arbeiter einen Kampf der Verzweiflung, während er sich in Zeiten ökonomischen Aufschwungs selbstbewußter fühlt. Er verbessert seine materielle Lage und dadurch entsteht in ihm das Gefühl der Würde, das den Revolutionär aktiv macht.

Aber all diese Probleme waren mir damls noch fremd; ich sah nur, daß wir neue Arbeiter aufnahmen und daß man besser verdiente.

Der zweite Grund für die materielle Verbesserung war die Streikbewegung. Die Spuren dieser Bewegung in den Arbeitervierteln waren augenfällig, obwohl man bei uns in der Stube vorläufig noch nicht streikte; weder mein Bruder und ich als Gehilfe noch die beiden neuen Arbeiter gehörten zur Vorhut der Streikenden. Aber unsere Löhne wurden erhöht. Das erklärte sich aus der spezifischen Lage unseres Berufszweiges, mit seinen vielen kleinen Werkstätten, in denen drei bis sechs Arbeiter beschäftigt waren. Da die Gewerkschaft sicher sein wollte, daß die Arbeiter tatsächlich den vollen festgelegten Tarif erhielten, legte sie auch einen Tarif für die »Kommissionäre«, die Zwischenmeister, fest, den diese bei den Händlern zu fordern hatten. Um Konkurrenz zu vermeiden, war auch verboten, daß ein Händler Arbeit an einen anderen Zwischenmeister vergab. Auf diese Weise profitierten von diesem Streik nicht nur die Arbeiter, sondern auch die Meister. So auch mein Vater, der wie alle anderen Meister in diesem Wirtschaftszweig in den Genuß der neuen Tarife kam.

Die Verbesserung der materiellen Lage unserer Familie war gleich zu erkennen. Mein Vater zog jetzt am Sabbat seine schmutzige Arbeitshose aus und eine samstägliche Hose an. Mir kaufte man einen Samstags-Anzug. Wir setzten am Freitag nicht mehr Töpfe mit Wasser auf den Herd, um den Nachbarn vorzumachen, wir bereiteten die Sabbat-Gerichte vor. Zu Beginn des Sabbat sprach der Vater seinen Segen nicht mehr über das Weißbrot.* Meine Mutter konnte jetzt den Sabbat wie alle anderen Hausfrauen vorbereiten, er war nicht mehr ein Tag der Seufzer und Tränen, sondern der Freude und Ruhe. Wir begannen sogar, an eine bessere Wohnung zu denken. Der Bruder verlobte sich, auch die Schwester wuchs heran, und wir brauchten

* Dieser Segensspruch soll über den Wein gesprochen werden. Wenn man zu arm ist, Wein zu kaufen, spricht man ihn über das geflochtene Weißbrot.

eine schönere Wohnung, damit die Braut meines Bruders und der künftige Bräutigam meiner Schwester uns besuchen konnten, ohne daß wir uns schämen mußten.

Unsere neue Wohnung in der Pawiastraße 51 war im Vergleich zu der Wohnung in der Genszastraße ein Paradies: eine große Stube mit einem breiten Fenster und dazu noch eine große Küche. Eine Hälfte der Küche wurde für die Werkstatt meines Vaters abgeteilt.

Es war hell und warm um uns herum, obwohl die neue Wohnung einen großen Mangel hatte: Das Klosett und der Müllkasten befanden sich an beiden Seiten des Fensters. Aber wir waren so glücklich über die Geräumigkeit und Helligkeit der neuen Wohnung, daß uns das nicht kümmerte. Ende 1904 heiratete mein Bruder, dadurch gab es noch mehr Platz in unserer Stube.

Auch unser kulturelles Niveau verbesserte sich. Wir begannen bereits täglich eine Zeitung zu kaufen, denn wir wollten wissen, wie die Lage an der Front war. Der Umbruch kam nicht mit einem Schlag, aber wir spürten jeden Tag, daß sich etwas zum Guten änderte.

Im Alter von 12 Jahren war ich bereits ein guter, ja sogar ein qualifizierter Arbeiter. Ich konnte schon die Stelle eines Erwachsenen ausfüllen. Während der Arbeit erzählte mein Bruder Geschichten, wie ich sie früher nicht gehört hatte. Im allgemeinen liebte er es, Heldentaten seiner Freunde aus der Unterwelt zu berichten, aber auf einmal handelten seine Reden von anderen Themen; darin zeigte sich der moralische Umbruch bei meinem Bruder Schlomo. Er erzählte uns, in Rußland hätten sich geheime Gruppen organisiert, deren Mitglieder zum Teil sogar vom kaiserlichen Hof stammten, die hätten sich vorgenommen, den Kaiser zu ermorden, die Minister und die Reichen zu töten und alles an die Arbeiter zu verteilen. Gerade die primitive Form der Erzählungen machte einen ungeheuren Eindruck auf mich und nahm mich gefangen. In der gleichen Zeit kamen zu uns Jungen vom selben Hof und sangen ein Lied, in dem jede Strophe mit den Worten endete: »Schlagt das Schwein, den großen Helden«. Das war eine Satire gegen den Zaren, der von den Japanern besiegt worden war. Aber mich hat dieses Lied stark beeindruckt. Ich war erstaunt, daß es tatsächlich Menschen gab, die es wagten, selbst den Kaiser ein Schwein zu nennen. Und wenn mein Vater sich über die Lieder aufregte und die Bande hinaustrieb, erhöhte das bei mir ihre Bedeutung nur noch mehr. Auf diese Weise ist meine Sehnsucht nach der Unterwelt zerronnen, denn welche Bedeutung konnte für mich der Traum von einem Sabbatspaziergang mit einem Stock in der Hand oder der Traum von einer verbotenen Droschkenfahrt verglichen mit der Idee haben, den Zaren zu verprügeln?

Solche moralischen Änderungen vollzogen sich nicht nur bei mir und bei meinem Bruder, sondern auch in der Umgebung meiner Schwester. Die Freundinnen, die sie bis dahin in die Stube gebracht hatte, waren einfache Mädchen, die sich für nichts als Tanzen interessierten. Auf einmal begann sie, neue Freundinnen von ganz besonderer Art nach Hause zu bringen, die zwar auch jeden Sabbat tanzen gingen, deren Gespräche jedoch bereits ganz andere Themen berührten. Sie redeten über Politik, über Streiks, und vor allem: sie sangen revolutionäre Lieder. Das erste Lied, das ich von ihnen hörte, war der alte bundistische Schwur.* Der Schwur beeindruckte mich gewaltig, und er war überdies auch das erste revolutionäre Lied, das ich je hörte. So wurde es für mich eine natürliche Vorstellung, daß Bund und Revolution ein und dieselbe Sache seien.

Die revolutionäre, sozialistische Stimmung drang durch den kleinsten Spalt und kehrte all unsere Gefühle, unser ganzes Denken um und um. Und doch blieben viele Dinge in alter Gewohnheit bestehen. Es dauerte noch viele Monate, bis sich in unserer Stube alles radikal geändert hatte, bis mein Bruder und seine Freunde entschlossen zur Seite der Arbeiter übergingen.

In der Zwischenzeit kamen zu meinem Bruder immer noch die alten Freunde aus der Unterwelt. Nach der Arbeit setzte er sich mit ihnen zum Kartenspielen zusammen. Interessant war, daß wir alle diese Bande liebten. Mein Vater und meine Mutter, ehrliche arbeitende Menschen, brachen in Tränen aus, wenn einer von ihnen »hereinfiel«, also bei einem Diebstahl festgenommen wurde. Selbst ich, der ich bereits völlig von revolutionären Gedanken erfüllt war, fühlte mich mit ihnen verbunden. Mag sein, weil wir bei ihnen in Augenblicken der Gefahr Hilfe fanden.

Auf dem Hof unserer neuen Wohnung wohnte eine polnische Frau mit ihrem Mann, der Russe war. Sie holte bei uns Wäsche zum Waschen ab. Fast immer, wenn sie die Wäsche zurückbrachte, kam auch ihr russischer Mann mit, der besoffen war und randalierte. Er schlug um sich, schrie und tobte. Auf dem gleichen Hof wohnten auch noch andere Polen, große Antisemiten. Wenn meine Schwester ihre Freundinnen und Freunde nach Hause mitbrachte, warfen die Polen oft Steine ins Fenster. Als der Russe gerade einmal wieder seinen Auftritt hatte, schlossen sich ihm die Polen an und begannen, die Tür einzuschlagen und Scheiben zu zertrümmern. In diesem Augenblick kam mein Bruder und als er sah, was los war, lief er schnell seine Freunde holen. Sie kamen angestürmt, machten sich sogleich an die Arbeit und teilten Prügel aus. Danach hat uns nie wieder jemand belästigt. Jeden Tag kam die Bande um sich zu erkundigen, ob man uns in Ruhe ließ. Wer weiß, wie lange bei uns die Liebe zur Revolution mit unserer Kumpanei mit der Unterwelt einhergegangen wäre, wenn nicht Ereignisse eingetreten wären, die uns gezwungen hätten, Stellung zu nehmen: für die Revolution – oder für die Unterwelt.

* Der »Schwur« war eine Hymne des Bund. Sie beschwört die Treue zur Arbeiterbewegung und beginnt: »Mir schwejren, mir schwejren mit Blit un mit Trejren...«.

24

Als sich im Jahre 1904 die Streikbewegung auszubreiten begann, verschärfte sich der Kampf der Arbeiter mit der Unterwelt. Der Grund dafür war, daß in der Unterwelt eine besondere Gruppe von »Tribut-Eintreibern« entstand. Jeden Freitag, wenn die Meister den Arbeitern ihren Lohn auszahlten, paßten die »Tribut-Eintreiber« sie ab und forderten ihren Anteil. Die Arbeiter zahlten den »Tribut«, wie man diese Abgabe nannte. Die »Tribut-Eintreiber« waren eine schreckliche Plage, eine richtige Pest. Sie waren echte Parasiten, und die Arbeiter hatten Angst vor ihnen; sie mußten ihnen einen Teil ihres Lohnes abtreten. Als die Streiks begannen, bestachen die Meister die »Tribut-Eintreiber«, damit sie die Arbeiter terrorisierten und zur Arbeit zurückzugehen zwangen. Klar, daß die Arbeiter, wo immer sie in Streik traten, sofort mit der Unterwelt aneinandergerieten. Anfangs gingen die Arbeiter aus Angst an die Arbeit zurück, aber mit der Zeit, als die Streikbewegung zu einer Massenerscheinung wurde, kam es zu einem immer stärkeren Konflikt mit der Unterwelt, und zwar nicht nur bei einfachen Arbeitern, sondern auch bei gewerkschaftlich Organisierten. Die aus der Unterwelt waren zu primitiv, um das Neue verstehen zu können – die große Kraft, die den Arbeitermassen zugewachsen war – sie hatten keine Lust, ihre Privilegien aufzugeben. Das führte dazu, daß der Kampf gegen die Meister zugleich zum Kampf gegen die Unterwelt wurde. Der Kampf vertiefte und verschärfte sich von Tag zu Tag, bis es zu offenen und massenhaften Auseinandersetzungen kam.

Das geschah beim ersten großen Streik, in dem die Arbeiter aller Berufe die Arbeit niederlegten und auf die Straße zogen, um gegen die Unterwelt anzutreten. Eine solche Schlägerei dauerte im Jahre 1905 einige Tage lang. Die Arbeiter haben damals alle Bordelle verwüstet, alle Hehler blutig geschlagen, und die Unterweltler anhand von Listen zu Hause aufgesucht. Nicht selten wurden Diebe und Zuhälter aus den Fenstern geworfen. Die Unterweltler wurden gezwungen, sich aus dem Zentrum Warschaus zu verziehen. Sie setzten sich in der Altstadt fest, wo sie tatsächlich nur schwer aufzuspüren waren. Deshalb nannten sie ihren Schlupfwinkel »Port Arthur«.*

Die Polizei verhielt sich in diesen Kämpfen anfangs neutral. Sie glaubte, die Arbeiter würden unterliegen. Aber als sich später herausstellte, daß die Arbeiter siegten, stellte sich die Polizei auf die Seite der Unterwelt und gemeinsam begannen sie, Massenverhaftungen von Arbeitern durchzuführen. Das ging damals so, daß eine Soldaten-Patrouille, angeführt von einem Polizisten, die Straßen durchkämmte, und ein Unterweltler mit einem Revolver in der Hand sie begleitete und zeigte, welche Arbeiter man festnehmen solle. Das zog sich bis 1907 so hin, also bis zum völligen Sieg der Reaktion.

* Eine Festung im russisch-japanischen Krieg.

Ich erinnere mich an die Diskussionen bei uns zu Hause, mit wem man zusammengehen solle, mit den Arbeitern oder mit der Unterwelt. Mein Bruder und mein Schwager (der Mann meiner Schwester) kamen mit dieser Frage nicht zurecht. Mit den Arbeitern gehen, argumentierten sie, würde bedeuten, sich mit den eigenen guten Freunden zu schlagen; aber gegen die Arbeiter könne man sich auch nicht stellen, weil die Arbeiter für das Wohl aller Arbeitenden kämpften und darum auch für sie. Monate lang konnten sie zu keinem Entschluß darüber kommen, auf welche Seite sie sich schlagen sollten.

Aber als sich herausstellte, daß die Arbeiter allmählich siegten, daß die revolutionäre Bewegung immer breitere Schichten der Arbeiter und der Bevölkerung überhaupt erfaßte, trat nicht nur ein Wandel bei meinem Bruder und meinem Schwager ein, sondern bei allen, die regelmäßig zu uns nach Hause kamen. Alle stellten sich auf die Seite der Arbeiterbewegung, sie wurden Sozialisten, ein Teil von ihnen beteiligte sich später aktiv an den Kämpfen. Mein Bruder blieb sein ganzes Leben lang ein treuer Sozialist.

Frühling

Der Frühling, der mit dem Aufstieg der revolutionären Bewegung kam, war nicht der große Frühling, der den Volksmassen in Rußland die Freiheit brachte. Der Frühling war sehr kurz und vernebelt. Alles ging durcheinander: Freiheit und Schlächtereien, Halblegalität und Pogrome. Es war ein Frühling voller Schrecken. Bereits zu Beginn des Jahres 1905 lebten wir Kinder in Hoffnung und Erwartung. Ich sage: wir Kinder, weil ich damals schon zwei Freunde auf dem Hof hatte: zwei Jungens, die zur Schule gingen. Wie es dazu kam, daß wir uns anfreundeten, kann ich schwer begreifen. Der intelligenteste von uns war Schlomo. Er las viel und verstand mehr als wir. Später stellte sich heraus, daß sein Vater zu Hause eine kleine mechanische Einrichtung besaß, in der er Briefmarken »wusch«.* Wir erfuhren das, als dort ein Brand ausbrach. Schlomo stahl seinem Vater gesäuberte Marken und verkaufte sie. Darum hatte er immer die Taschen voll mit Geld. Uns führte er auch ins Theater oder ins Café, wo er uns Käsekuchen und Kaffee spendierte. Solche Köstlichkeiten habe ich zu Hause nicht einmal in guten Zeiten gegessen.

Ich stelle hier meinen Freund Schlomo nicht nur wegen der guten Dinge vor, die er mir gab, sondern auch wegen der schönen Geschichten, die er mir erzählte. Er klärte mich auch darüber auf, was es mit

* Von gebrauchten Briefmarken wurden erst die Stempel abgewaschen und dann die Marken verkauft.

26

der Revolution auf sich habe, natürlich auf seine kindliche Weise. Als sich im Januar 1905 der »blutige Sonntag« ereignete, jene berühmte Demonstration, die vom Geistlichen Gapon angeführt wurde, waren wir davon stark aufgewühlt. Wir wußten natürlich nicht, wer Gapon war. Mein Freund Schlomo versuchte, mir das Ereignis auf seine Art begreiflich zu machen. Gapon habe sich nur als Geistlicher verkleidet; er sei zu den Arbeitern entsandt worden, habe sich eigens einen langen Bart wachsen lassen, und nach dem Sieg der Revolution werde er Präsident von Rußland werden. Schlomo brachte mir ein kleines Foto von Gapon, das man damals zum Verkauf anbot. Ich weiß bis heute nicht, wer dieses Foto hergestellt hat: die revolutionäre Bewegung oder ein privates Unternehmen.

Bei den kindlichen Reden, die sich zwischen uns über unseren Anteil an der Revolution entspannen, gab es Meinungsverschiedenheiten. Meine zwei Freunde, die Schüler, träumten davon, nach Petersburg zu fahren, in die studentischen Organisationen einzutreten und mitzuhelfen, die Minister zu ermorden; meine Träume gingen in eine ganz andere Richtung. Die Führer unserer Gewerkschaft waren Bundisten. Die Freunde meiner Schwester auch. Mein Bruder und mein Schwager waren mit Bundisten befreundet. So beschloß ich natürlich auch Bundist zu werden.

Mittlerweile begannen die Generalstreiks. Der Generalstreik vom Oktober war nicht der erste dieses Jahres. Im Verlauf des Jahres 1905 hatten wir in Warschau mehrere solcher Streiks. Ich kann mich daran erinnern, daß in jeder Straße Komitees ins Leben gerufen wurden. Auch in der Pawiastraße gab es ein solches Komitee. Während der Zeit des Generalstreiks sammelte es in den Läden Lebensmittel und verteilte sie an die arme Bevölkerung. Ich sah zu, wie die Krämer widerspruchslos die Waren herausrückten und begriff, daß sie sich bereits mit dem Gedanken angefreundet hatten, man müsse sich für die Revolution eine Steuer auferlegen. Jedenfalls blieb ihnen keine andere Wahl. Sie hatten mehr Respekt vor der Revolution als vor der Regierung. Das Sammeln und die Verteilung der Lebensmittel geschah am Tage. Abends blieb man zu Hause und spielte Karten. Nachts war es unmöglich auszugehen. Tagsüber zogen Gruppen von Arbeitern durch die Straßen und zerschlugen die Gaslaternen, die die Straßen beleuchteten. Darum hüllte sich nachts ganz Warschau in tiefe Dunkelheit. Aber das konnte niemand erschrecken. Der Schrecken begann erst später, in den Tagen der Pogrom-Gefahr. Zunächst aber weckte die Finsternis der Nacht Hoffnung und erfüllte mit Freude. Man wußte: die Revolution erforderte, daß es nachts dunkel war. Nur die zaristische Reaktion fürchtete sich vor der Dunkelheit. So verging die Zeit. Tagsüber half mein Bruder, die Gaslaternen zu zerschlagen und ging zu Demonstrationen, nachts spielte man Karten.

Der Generalstreik vom Oktober dauerte viel länger als die früheren und bei uns zu Hause brach mit Macht der Hunger aus. Die Demonstrationen auf den Straßen wurden täglich größer, bis die Nachricht kam, der Zar habe ein Manifest an die Bevölkerung herausgegeben, in dem er Freiheit für alle versprach.

Am Morgen nach dem Erscheinen des Manifestes herrschte große Freude; kaum jemand blieb zu Haus. Bei uns in der Pawiastraße, in der viele Polen wohnten, fanden auf den Höfen Massenversammlungen statt. Die Kampfgruppen der Polnischen Sozialistischen Partei PPS marschierten in den Demonstrationszügen mit, die Waffe in der Hand. Ich erinnere mich an große Massendemonstrationen jüdischer Arbeiter auf allen Straßen Warschaus. Ob außer dem Bund andere Organisationen diese Demonstrationen anführten, weiß ich nicht. Ich war immer dabei und bemerkte keine anderen Demonstrationen als die des Bund.

Ich kann mich nicht mehr daran erinnern, wie lange der Generalstreik weiterging, nachdem das Manifest veröffentlicht war. Ich weiß nur, daß danach ziemlich viele Tage nicht gearbeitet wurde. Ich wünschte mir, das möchte so lange wie möglich andauern... Für uns Kinder war das etwas ganz Besonderes. Man fühlte sich auf der Straße wie zu Hause. Wer die russische Revolution vom Februar 1917 mit ihren Massenversammlungen auf den Straßen von Petersburg und Moskau erlebt hat, kann sich ein Bild davon machen, wie die Straßen von Warschau im Oktober 1905 aussahen. Mit dem Unterschied natürlich, daß die Straßen Rußlands im Jahr 1917 voll von Soldaten waren, die sich mit dem Volk verbrüderten, wogegen im Oktober 1905 in Warschau kein einziger Soldat zu sehen war. Man hielt sie in den Kasernen eingeschlossen. Nur einige polnische Polizisten waren dabei.

Die Freude dauerte einige Tage, bis die Polizei ein furchtbares Feuer auf die Demonstration am Theaterplatz eröffnete, wobei es viele Tote und Verletzte gab. Man wußte jetzt, daß die Freiheit noch nicht gesichert war, daß der Zarismus noch die Kraft hatte anzugreifen. Und jetzt wurde auch klar, warum man die Soldaten in den Kasernen eingesperrt hatte.

In meinem Kopf gingen die Gedanken durcheinander und ich konnte nicht mehr verstehen, was sich hier abspielte: einerseits hatte die Revolution gesiegt und andererseits schoß man wieder auf Arbeiter. Die Lage wurde noch bedrückender, als Nachrichten über die furchtbare Pogromwelle eintrafen, die Rußland und alle Städte und Städtchen* überflutete, in denen es eine jüdische Bevölkerung gab. Und dennoch schien es, als habe die Freiheit gesiegt. Denn die Arbeiter kamen immer wieder in die Arbeitsbörsen** und blieben von der Polizei unbe-

* Das »Stetl« war der Wohnort der jüdischen Massen.
** Unter dem Vorwand der Arbeitssuche wurde in diesen Börsen oft die illegale Arbeit organisiert.

28

helligt. Es wurden ökonomische Streiks durchgeführt, wurden Parteiaufrufe frei verteilt und Parteizeitungen verkauft, niemand versuchte zu stören. Ich war zu jung, um all das zu begreifen. Die Lage war seltsam: man freute sich über die Revolution und hatte zugleich Angst vor dem morgen. Später, beim Studium der Geschichte der russischen Revolution, konnte ich feststellen, daß alle politischen Parteien damals gemischte Gefühle aus Freude und Schrecken durchlebten. Genau diese Gefühle kamen in den Aufrufen und politischen Resolutionen zum Ausdruck, aber bei mir, einem dreizehnjährigen Jungen, war es einfach ein instinktives Empfinden von Angst. Die Angst wuchs noch, als die Pogrom-Stimmung durch die Aufrufe der reaktionären National-Demokraten auch zu uns nach Warschau hineingetragen wurde. Wer die polnischen National-Demokraten (die ›Endekes‹) waren, wurde mir erst viel später bewußt. Sie wollten mit dem Zarismus in Frieden leben, weil sie glaubten, der Zar erstrebe nur die Expansion im Fernen Osten. Deshalb glaubten sie, für Polen sei der Zarismus weniger gefährlich als Deutschland, das darauf abziele, die osteuropäischen Länder zu erobern. Die National-Demokraten sahen in der zaristischen Macht auch eine Stütze im Kampf gegen die Arbeiterklasse im eigenen Land.

Das wurde mir später klar, aber im Jahre 1905 habe ich es nicht verstanden. Ich dachte, die Pogromisten müßten aus Rußland kommen, und wenn sie ihre Arbeit dort erledigt hätten, würde der Zar sie zu uns nach Polen schicken. Daß sie aus Rußland kommen müßten und keine einheimischen Polen sein könnten, schloß ich u. a. daraus, daß an der Selbstschutzorganisation auch polnische Arbeiter beteiligt waren. In der Pawiakstraße waren im Selbstschutz mehr polnische als jüdische Arbeiter. Die polnischen Arbeiter versicherten uns stets, Polen sei nicht Rußland und hier werde es keine Pogrome geben.

Jeder Hof hatte sein Komitee; auch bei uns auf dem Hof gab es ein solches Haus-Komitee. Nachts wurde das Tor verschlossen. Die Selbstschutzgruppen hielten sich an bestimmten Punkten auf, und auf den Straßen zogen Späher umher. Ich erinnere mich, daß von Zeit zu Zeit, wenn Alarm ausgelöst wurde, die Selbstschutzgruppen sich rasch in Droschken warfen, die speziell bereit standen, und zu den bedrohten Plätzen losfuhren. Außer dem aktiven Selbstschutz gab es auch Hilfsgruppen von allen Einwohnern des Hofes, insbesondere von den jüdischen. Man bewaffnete sie mit allem, was man hatte: mit Äxten, Beilen, Messern. Jeder Beruf kam mit seinen Arbeitsinstrumenten bewaffnet an. Auch mein Vater war in einer solchen Hilfsgruppe. Wenn das Tor auf dem Hof verschlossen wurde, stellte sie sich im Toreingang auf und wartete. Ihre Aufgabe war es, im Falle eines Angriffs das Tor zu verteidigen.

Ich stand ganze Nächte neben meinem Vater und schaute auf ihn –

mein Vater mit einer Axt in der Hand! Ich wußte, daß mein Vater, wenn etwas geschehen würde, seine Axt gegen niemanden erheben würde, ebensowenig wie die anderen Juden. Ich hatte das Gefühl, wir seien in Wirklichkeit schutzlos; wenn man uns überfiele, was Gott verhüten möge, würde man uns ermorden. Ich ging mit schwerem Herzen umher, obwohl es auf der Straße Arbeitergruppen gab, die zum Kampf bereit waren. Mir war bereits damals so viel klar, daß der Arbeiter-Selbstschutz uns nur gegen die Progromisten verteidigen könnte – was aber würde geschehen, wenn die Polizei die Pogromisten unterstützte? Würden dann die Arbeiter-Kampfgruppen Widerstand leisten können? Diese Gedanken quälten mich und ich fühlte, daß zusammen mit der Freiheit eine große Angst gekommen war.

Bergab

Im Jahr 1906 wurde klar, daß es mit der Revolution schnell bergab ging. Im Sommer dieses Jahres fanden Wahlen zur ersten Reichsduma statt, aber wir merkten nichts davon, weil die Arbeiter an den Wahlen nicht teilnahmen, und der einzige Abgeordnete, den die Polen wählten, ein Reaktionär war. Im Jahre 1906 wußte ich noch nichts von der Diskussion, die unter den russischen Marxisten über die Rolle der Duma geführt wurde. Die Menschewisten hofften, die Reichsduma schrittweise in ein normales Parlament verwandeln zu können. Die Bolschewisten jedoch wollten die Duma in eine revolutionäre Tribüne verwandeln, um eine neue Revolution vorzubereiten. Ich wußte von all dem nichts. Ich fühlte nur, daß es immer finsterer und unheimlicher wurde, daß alles auseinanderfiel.

Auch bei uns zu Hause begann es sich zum schlechteren zu wenden, und Ende des Jahres 1906 kam es zu einer wirklichen Katastrophe. Ehe ich aber diesen schweren Abschnitt meines Lebens schildere, sei mir erlaubt, ein paar Worte zu einem anderen Thema zu sagen. Man hat mir oft vorgeworfen, daß ich mich niemals um mein persönliches Leben, um meine eigene Existenz gekümmert hätte. Immer wenn ich diese Vorwürfe höre, denke ich mit Wehmut, daß dies vom Schicksal so gut wie vorausbestimmt war. Nicht nur mein Leben, sondern auch das Leben meiner ganzen Familie war stets durch die politischen Bedingungen bestimmt worden. Wenn ein Freiheitslüftchen zu wehen begann, wurde es heller auf den Gassen der Armut und Not – wurde es auch in unserer Stube anheimelnder; verbesserte sich die materielle Lage, hellten sich auch die Gesichter auf. Als im Jahre 1906 die schwere Zeit der Reaktion kam, wurde unser Familienleben zerstört. Als der Erste Weltkrieg ausbrach, ist fast meine ganze Familie eines schrecklichen Todes gestorben. Wahr ist, daß es zwischen mir und den übrigen Mitgliedern meiner Familie einen großen Unterschied gab. An sie trat all dies von außen heran, sie waren passiv, sowohl im Augenblick des revolutionären Aufschwungs als auch im Moment des Niedergangs. Bei mir war es umgekehrt: ich war ein aktiver Teilnehmer am Geschehen und habe meinen Weg bewußt gewählt, aber auch meine freie und bewußte Wahl wurde durch die Geschehnisse bestimmt.

Als ich Revolutionär wurde, geriet ich bald unter den Einfluß des russischen Marxismus. Der russische Marxismus war aufgrund der russischen Realität der revolutionärste. Nicht nur die Bolschewisten, sondern auch die Menschewisten waren viel revolutionärer als alle sozialdemokratischen Parteien Westeuropas. Die Hauptursachen hierfür lagen in der Geschichte der russischen Revolutionsbewegung.

Bereits in der zweiten Hälfte des 19. Jahrhunderts, als die russischen studentischen revolutionären Zirkel von der reinen Kulturarbeit zum revolutionären Kampf gegen die zaristische Ordnung übergingen, waren sie sich völlig darüber im klaren, wie schwach ihre Kräfte waren. Sie stützten sich auf ihre moralische Festigkeit, obwohl sie wußten, daß sie in dem ungleichen Kampf umkommen würden. Wie unterschiedlich ihre Organisationen und politischen Anschauungen auch sein mochten, das moralische Credo für ihre Mitglieder war bei allen: »Wenn du in die revolutionären Reihen eintrittst, dann mußt du dein persönliches Leben aufgeben. Gib dein ganzes Leben der Revolution.«

Es ist bekannt, welche kritische Stellung Marx zu den Kampfmethoden solcher russischer Revolutionäre wie Bakunin und Nietschaiew einnahm. Aber er hat mit Bewunderung und Verehrung von den heldenhaften Kämpfen der Narodniki* geschrieben, und die Organisatoren wie auch die Theoretiker der ersten marxistischen Zirkel in Rußland waren Menschen, die von den Narodniki herkamen. Man muß nur an solche Namen wie Plechanow, Deutsch, Sassulitsch und Axelrod erinnern. Lenin war stolz auf die revolutionäre Tradition der alten Narodniki-Generation. Beide Flügel des russischen Marxismus, die Bolschewisten wie die Menschewisten, waren von diesem revolutionären Idealismus durchdrungen.

Als ich im Jahre 1911 Bundist wurde, fand ich eine Umgebung vor, die durchaus von diesem moralischen Credo beherrscht war. Alle, wie jung sie auch waren, träumten davon, ihr Leben für die Revolution zu geben. Und so sind sie auch geblieben. Ich kann mich nicht an einen einzigen Genossen aus jener Zeit erinnern, der aus der Arbeiterbewegung ausschied, um sich in seinem Privatleben einzurichten. Das trifft sowohl auf jene zu, die dem Bund treu blieben, als auch auf jene, die zu anderen Arbeiterparteien übertraten.

* »Volkstümler« – Vertreter eines Agrarsozialismus.

Ich mußte ein wenig bei der revolutionären Moral des russischen Marxismus verweilen, um klar zu machen, warum ich, ein Arbeiter aus der Smoczastraße, niemals an mein persönliches Leben gedacht habe. So war die Umgebung, in der ich meine sozialistische Erziehung erhielt. Ich glaube, daß es bei den anderen jüdisch-sozialistischen Parteien ebenso war. Nicht umsonst hat die zweite Einwanderungswelle nach Palästina solche Kader dorthin gebracht. Mein persönliches Leben wurde zu einem Teil sozialistischer Aktivität, zu einem Teil unter vielen.

Wie gesagt verschlechterte sich die materielle Lage bei uns zu Haus im Jahre 1906. Hierfür gab es zwei Hauptgründe: erstens ging der russisch-japanische Krieg zu Ende und man brauchte kein Leder mehr für die Militärstiefel der Armee. Zweitens wurde unser Beruf modernisiert. Eine bessere Qualität von Leder wurde hergestellt und dafür brauchte man neue Werkzeuge. Mein Vater aber hatte dafür kein Geld. Die illegale Gewerkschaft wurde immer schwächer. Die Händler begannen die Löhne zu drücken. Mit einem Wort: es kam knüppeldick von allen Seiten.

Mein älterer Bruder hatte Arbeit in der Fremde suchen müssen, und ich nahm seine Stelle ein. Da ich die Arbeit nicht so gut kannte wie er, arbeitete ich jeden Tag bis elf, zwölf Uhr nachts. Ich wollte auf keinen Fall zulassen, daß das Haus meines Vaters verfiel. Es erfüllte mich mit Wehmut, zu sehen, wie mein Vater vor Kummer grau wurde und meine Mutter wieder anfing zu kränkeln.

Ich war damals schon vierzehn Jahre alt und ein richtiger Arbeiter. Ich beschloß, zur Arbeitsbörse zu gehen. Wahr ist, daß damals von der Arbeitsbörse nur noch wenig übriggeblieben war, es kamen nicht mehr viele Arbeiter hin. Aber ich beschloß, ein aktives Mitglied der Gewerkschaft zu werden.

Eines schönen Tages zog ich los. Aber niemand auf der Arbeiterbörse wollte mit mir reden. Ich war doch ein »Fabrikanten-Sohn«. Ich merkte, daß die Arbeiter sich gegenseitig Zigaretten anboten, also kaufte ich am Tag darauf ein Paket Zigaretten und ging wieder zur Börse. Ich dachte, die Arbeiter würden schon mit mir reden, wenn ich ihnen Zigaretten anböte. Aber niemand wollte meine Zigaretten. Sie fürchteten, ich sei gekommen, um sie auszuspionieren und alles meinem Vater zu hintertragen. Viele Arbeiter konnten echte Vorwürfe erheben – mein Vater war ihnen Geld schuldig geblieben. Ich spürte, daß man mich einfach von der Börse verjagen wollte. Beschämt und verzweifelt ging ich fort und beschloß, nicht mehr wiederzukommen.

Danach befand ich mich eine zeitlang zwischen Feuer und Wasser. Ohne daß ich es wollte, kam es dazu, daß ich meinem Vater großes Unrecht antat. Die Arbeiter hatten mich beschämt, mein Vater beleidigte mich, und ich litt sehr darunter.

Anfang 1907 war die Gewerkschaft bereits sehr stark geschwächt. Sie hatte keine Kraft mehr, allgemeine Streiks durchzuführen. Aber es gab noch Streiks in einzelnen Werkstätten, in denen die Händler die Preise drücken wollten. In solchen Fällen gaben die Händler die Arbeit anderen Zwischenmeistern, die ihrerseits wieder nicht verrieten, woher diese Arbeit kam.

Einmal brachte mein Vater eine solche Arbeit nach Hause. Mir wurde schrecklich übel im Magen, aber als ich den grauen Bart meines Vaters anschaute und das bleiche Gesicht meiner Mutter, hatte ich nicht den Mut, zur Arbeitsbörse zu gehen und sie zu verraten. Bei uns in der Stube herrschte wirklich große Not. Durch Zufall kamen Streikende zu uns nach Hause und fragten, ob wir nicht vielleicht ihre Arbeit angenommen hätten. Mein Vater antwortete mit nein. Als sie schon wieder fortgehen wollten, rief ich sie zurück und zeigte ihnen, wo die Arbeit lag. Mein Vater wurde sehr aufgeregt und haute mir mit voller Kraft eine Ohrfeige runter. Er traf meine Nase, die begann zu bluten. Als die Arbeiter das sahen, meinten sie, sie würden sich nicht in einen Streit zwischen Vater und Sohn einmischen. Mir wurde übel und ich mußte mich ins Bett legen. Meine Mutter weinte und schrie meinen Vater an, er habe mich erschlagen.

Ich kann mich nicht daran erinnern, daß mein Vater je die Kinder geschlagen hätte – mich ganz gewiß nicht. Was konnte er gegen mich haben? Seit meiner Kindheit hatte ich schwer gearbeitet. Bemerkenswert war, daß mich mein Vater, obwohl er selbst fromm war, nicht zum Beten zwang. Er wußte, daß mir die Zeit zu schade war, daß ich mit der Arbeit vorankommen wollte. Er hatte wohl an diese neue Arbeit große Hoffnungen geknüpft, die ich zerstört hatte.

Am nächsten Tag begab ich mich an die Arbeit. Weder ich noch mein Vater verloren ein Wort darüber, was zwischen uns vorgefallen war. Trotz allem mochten wir uns sehr gern.

Alle meine Mühe, meinen Vater zu retten, hat nichts gefruchtet. Wir blieben ohne Arbeit und auch ohne Lebensunterhalt. Der Hauseigentümer setzte uns aus der Wohnung. Wir mußten mit Sack und Pack in ein kleines Stübchen in der Schmale-Mielestraße 11 umziehen. Arbeit zu finden war schwer. Die Gewerkschaft war völlig zerfallen, die Arbeiterbörsen lösten sich auf. Das war im Jahr 1907.

Nachdem er lange Zeit in Warschau Arbeit gesucht hatte, fuhr mein Vater in die Provinz, in die litauischen Städtchen. Dort war damals das Zentrum der Gerbereien. Mein Bruder ging nach London. Ich fand Arbeit in Warschau und wurde zum einzigen Ernährer der Familie. Meine Schwester heiratete und zog zu uns in das kleine Stübchen. Später, als ein Kind hinzukam, wurde es schrecklich eng in der winzigen Dachkammer. Meine Mutter bekam wegen der stickigen Luft in der Stube Erstickungsanfälle, vor allem nachts. Darum gingen wir spät nachts, wenn die Tore bereits abgeschlossen waren, auf die

Straße hinunter und setzten uns auf die Stufen eines Ladens. So hat meine Mutter die Nächte durchschlafen – auf der steinernen Schwelle liegend mit ihrem Kopf in meinem Schoß. Wenn es hell wurde, gingen wir wieder in die Stube und ich an die Arbeit.

Ich weiß nicht, ob es etwas gibt, was die Menschen so eng verbindet wie gemeinsame Not. Bei mir entwickelten sich besondere Gefühle für meine Mutter. Ich liebte sie, wie nur ein Sohn seine Mutter lieben kann. Ich dachte ganze Tage und Nächte an sie und kam ins Zittern, wenn sie nur das Gesicht verzog. Ich war wirklich bereit, mein Leben dafür zu geben, daß auf ihrem Gesicht ein Lächeln erschien. Auch meine Mutter gab mir ihre ganze Liebe zurück. Ihre mütterliche Liebe war grenzenlos, nicht nur für mich, sondern für alles um mich herum. Als ich später Bundist war, wurde sie eine Mutter für alle Bundisten in Warschau, vor allem für die illegal lebenden.

Die Sorge um das Zuhause, die schwere Arbeit und die Gefühle für meine Mutter machten in mir die Sehnsucht nach dem Sozialismus nicht schwächer. Sie wuchs im Gegenteil täglich. Ich wollte gern Sozialisten begegnen, mit ihnen reden, bei ihnen Trost finden und Aufschluß über ihre Gedanken und Hoffnungen auf eine neue Revolution. Aber ich wußte nicht, wo ich sie treffen konnte. Ich beschloß, sie zu suchen. Es war doch unmöglich, daß es auf der Welt keine Sozialisten mehr gab!

Ich hörte, daß Sozialisten lange Haare trügen, schwarze breite Hüte und schwarze Blusen. Ich ging auf die Straßen, um Menschen zu suchen, die so gekleidet wären. Stundenlang lief ich umher, aber ich traf niemanden, der so aussah. Später wurde mir gesagt, daß sie sich versteckten, daß sie sich mit jüdischen Hüten und langen Röcken verkleideten, damit man sie nicht erkennen sollte. Juden mit langen Röcken traf ich viele in Warschau, aber wie sollte ich herausfinden, wer ein Frommer war und wer ein verkleideter Sozialist?

Die einzigen geistigen Inhalte sozialistischer Herkunft waren für mich in jener traurigen Zeit die Reden, die der berühmte sozialdemokratische Abgeordnete Zeretelli in der Duma hielt. Ich las sie mit heiliger Begeisterung. Später, als ich ein Schüler Lenins wurde und mich mit seiner Kritik der Reden von Zeretelli vertraut machte (besonders mit seiner Kritik auf dem Londoner Kongreß der russischen Sozialdemokraten 1907), wurde mir schwer ums Herz. Ich wußte, welche Rolle Zeretellis Reden in meinem Leben gespielt hatten.

Die Lage bei uns zu Hause wurde noch schlimmer. Meine Schwester und ihr Mann zogen aus der Stube aus, mein Vater war in Litauen auf Arbeitssuche. Zu Hause blieben nur die Mutter, ich und mein kleiner Bruder, ein sechs Jahre altes Kind.

Es war an einem Vorabend des Sabbat, als meine Mutter mit dem jüngeren Bruder zu Besuch zur Schwester meiner Mutter abgereist war. Ich blieb alleine in der Stube. Es muß in jenen schweren Tagen der Arbeitslosigkeit gewesen sein. Es war kein Geld im Haus; Mutter hatte nicht mehr als 10 Kopeken zurücklassen können. Das reichte gerade für ein Brot. Ich ging hinunter, um mir das Brot für den Sabbat zu kaufen und kam an einem Zeitungskiosk vorbei. Dort sah ich ein Büchlein von Andrejew »Die sieben Gehenkten«. Ich fragte nach dem Preis, und als die Verkäuferin mir sagte, daß es 20 Kopeken kostete, blieb ich ganz verlegen stehen. In der Tasche hatte ich nicht mehr als 10 Kopeken. Wie erstaunt war ich, als sie mir vorschlug, mir die restlichen 10 Kopeken zu leihen. Vielleicht spürte sie, daß ich mein ganzes Vermögen ausgab. Das ist schwer zu wissen, aber ich hatte einen seltsamen Sabbat voller Wehmut und Erhabenheit. Ich habe sehr geweint, aber ich fühlte mich glücklich. Andrejews Erzählung sollte eine große Rolle in meinem Leben spielen. Ich wußte bereits, daß ich ein sozialistischer Kämpfer werden würde. Ich war mir sicher, daß mich niemand von diesem Weg abbringen könnte, was auch immer um mich herum geschehen sollte. Jeder der fünf Revolutionäre in dem Buch und jeder der sieben Gehenkten, die auf ihren Tod gewartet hatten, waren mir lieb und teuer. Für jeden von ihnen hätte ich damals mein Leben geopfert. Besonders stark wirkte auf mich die jüngste, das Mädchen Mussia. Ich weinte und war glücklich, daß es Menschen wie sie auf der Welt gab, in den Reihen der Revolutionäre. Wie sie darum gebeten hatte, den Tod aller großen revolutionären Märtyrer erleiden zu dürfen, so bat ich in meinem Herzen darum, würdig zu sein für die Fortsetzung des Kampfes, für den sie so heldenhaft gestorben war.

Später, in meinen lagen Gefängnisjahren, besonders in den schweren Augenblicken, da es mir unmöglich schien, durchzuhalten, dachte ich an Mussia und daran, daß man als Gefangener des Feindes sich nicht aufgeben darf, daß man ehrenhaft standhalten muß.

Der Nebel wird dichter

Es wurde finster und neblig im zaristischen Rußland in der zweiten Hälfte von 1907. Es war wie auf einem Schiff, das durch den dichten Nebel einer dunklen Nacht fährt – du stehst und schaust, willst ein Zeichen sehen, einen Lichtstrahl. Aber alle Anstrengungen sind umsonst. Die Finsternis erdrückt dich und erfüllt dich mit schwerer Angst. Es scheint, als würde das Schiff selbst von einer dunklen Kraft getragen – so sehr hatte die Dunkelheit ganz Rußland eingehüllt und einen Schrecken verbreitet, der einem im Herzen Angst machte.

In den Junitagen jagte Stolypin die Reichsduma nach Hause, startete er seine Provokation gegen die sozialdemokratische Fraktion. Die gesamte Presse beschuldigte die Regierung öffentlich der Provokation, aber die Reaktion fühlte sich bereits so sicher, daß sie die öffentliche Meinung nicht mehr beachten mußte. Diese Ereignisse haben mich sehr stark berührt, weil Zeretelli zu Zwangsarbeit (Katorga) verurteilt wurde. Ich konnte jetzt seine Reden nicht mehr hören, für mich die einzigen Laute, die das Schweigen um mich herum durchbrachen, Hoffnung weckten und Trost brachten. In der dritten Duma traten häufig linke Kadetten wie Radischtschew und Schingerieew sehr militant gegen Stolypin auf. Einen starken Eindruck machte auf mich die Rede von Radischtschew, in der er sagte, daß die zukünftigen Generationen der Polen jene traurigen Tage als die Zeit von Stolypins »Krawatten« im Gedächtnis behalten würden. Damit wollte er Stolypin als Henker kennzeichnen. Aber das waren nicht meine Volksvertreter, denn manchmal traten sie auch gegen die revolutionäre Bewegung auf.

Ende 1908 änderte sich meine Lage ein wenig. Mein Vater kehrte aus seinem »Exil« in Litauen zurück. Er hatte über ein Jahr Arbeit gesucht und fast keine gefunden. Er kam völlig zermürbt nach Hause, gedrückt und ganz grau geworden. Wieder herrschte bei uns große Not. Mein Verdienst reichte kaum für meine Mutter, für mich und meinen jüngeren Bruder, und mit der Rückkehr meines Vaters begann für uns wirklich der Hunger.

Mein Vater konnte damals in Warschau keine Arbeit bekommen. Darauf bemühte er sich um Arbeit für mich. In der Zeit gab es Werkstätten, in denen man das ganze Jahr hindurch arbeitete und auch besser verdiente. Wenn es mir gelingen würde, solch einen Arbeitsplatz zu ergattern, würden wir bescheiden leben können. Darum machte sich mein Vater auf, solch einen Platz zu suchen – und er fand ihn. Ob der Meister wirklich einen Arbeiter brauchte, oder ob er mich nur aus Mitleid mit meinem Vater einstellte, weiß ich nicht.

Die Arbeit in der Fabrik brachte mir viel Freude, nicht nur weil ich dort gut verdiente und den Hunger zu Hause vertreiben konnte, sondern auch, weil ich dort in eine Umgebung kam, die wie geschaffen schien, mich in die sozialistische Bewegung einzuführen.

Der Meister war ein aufgeklärter und intelligenter Mensch, der einzige intelligente Meister in seinem Beruf. Die Stube in der wir arbeiteten war groß, hell und rein. Bis dahin hatte ich eine solche Werkstatt in unserem Berufszweig noch nicht gesehen. Die Produktion war von guter Qualität, darum war der Arbeitslohn dort höher als in anderen kleinen Fabriken. Man arbeitete nicht bis spät in die Nacht wie anderswo, sondern von 7 Uhr früh bis 7 Uhr abends. Auch die Arbeiter waren besonders ausgewählt: in erster Linie ehemalige Sozialisten, die der Sozialismus aber inzwischen wenig interessierte. Sie machten eher den Eindruck von Andrejews Gestalten: müde Menschen, die sich nach einem stillen und ruhigen Familienleben sehnten, bei denen aber ein Rest der sozialistischen Tradition übriggeblieben war. Jedenfalls waren sie intelligent und nett. Die Unterhaltung bei der Arbeit drehte sich um kulturelle Dinge. Man sprach über Literatur und kam oft auf die Revolution von 1905 zurück. Mir gegenüber verhielten sich die Arbeitskollegen sehr gut.

Auch junge Arbeiter waren dort beschäftigt, die später das Glück haben sollten, an der sozialistischen Bewegung teilzunehmen. Einer von ihnen, Schmelke, der aktiver Bundist wurde, ist deshalb nach Sibirien verschickt worden. In der Ukraine trat er später zusammen mit Rafes* in die kommunistische Bewegung ein. Ein anderer, den wir den kleinen Abraham nannten, wurde auch Bundist und ging nach Rußland. Ich weiß nicht, was aus ihm wurde. Der dritte, Itsche, ein Bundist, wurde später in Deutschland Kommunist. Als ich ihn 1934 wiedertraf, war er bereits ein Brandlerianer.**

Es kam auch ein Bundist dorthin, der nur ein Bein hatte. Das andere hatte er bei einer Demonstration des Jahres 1905 verloren. Das war ein seltsamer Kerl: ein feuriger Revolutionär, ein treuer Sozialist, aber ein sehr einfaches Gemüt. Er selbst hatte offenbar eine andere Meinung von sich. Er hielt uns stets Referate über wissenschaftliche und philosophische Themen. Von ihm hörte ich zum ersten Mal eine Lektion über Darwin, weiß jedoch nicht, ob sie wirklich zu verstehen war. Ich bezweifle, daß er jemals etwas von Darwin gelesen hatte. Und hätte er ihn gelesen, waren Zweifel angebracht, ob er ihn verstanden hatte. Wahrscheinlich hatte er einmal gehört, Darwin vertrete die Ansicht, der Mensch stamme von einem menschenähnlichen Tier ab und um uns die Theorie auf einfache und verständliche Weise zu erklären, sagte er, wenn der Mensch von einem Tier abstamme, müsse das Tier doch von einer kleineren Art von Tier abstammen. Daraus gehe hervor, daß der Mensch vom Floh abstamme. Wir lachten und hatten unseren Spaß am Zuhören. Seine philosophischen Lektionen hatten auch kein höheres Niveau. Überflüssig zu sagen, daß er sich für einen historischen Materialisten hielt. Die bekannte Formel von Marx, daß das Sein das Bewußtsein bestimme, popularisierte und deutete er auch in der ihm eigenen Art. Wenn er die Theorie des historischen Materialismus entwickelte, wandte er sich an uns mit folgenden Worten: »Ihr dürft nicht glauben, daß ich, du, und alle anderen besondere Menschen sind. Wir sind ein Mensch, nur mit vielen Füßen, Köpfen und Händen.« Es war natürlich schwer, sich solch einen Menschen vorzustellen, aber ihm verziehen wir alles. Auf der gleichen Stufe standen seine Propagandamethoden. Sein beliebtestes Beispiel war es, den Menschen mit Stroh zu vergleichen. Seine Aufklärung ging folgendermaßen: »Wenn man einen Strohhalm nimmt, kann man ihn zerreißen, aber aus einem Bündel Stroh kann man

---

* Einer der Führer der jüdischen Kommunisten Polens.
** Anhänger der »rechten« kommunistischen Opposition (KPO), geführt von Brandler und Thalheimer.

schon eine Matratze machen und darauf schlafen. So ist es auch mit dem Arbeiter – allein ist er schwach, verbunden mit der Gewerkschaft ist er stark.« Hierin lag immerhin noch ein verständlicher Gedanke, aber es war schwer zu begreifen, welcher Zusammenhang zwischen einer Matratze und einer Gewerkschaft bestehen sollte. Trotz allem mochten wir ihn gern und behandelten ihn mit Respekt. Wir wußten, daß er für die Revolution ein Bein verloren hatte und daß er bereit war, für sie sein Leben zu geben. Er kannte persönlich Dserschinskij,* mit dem er zusammen in Sibirien gewesen war. Später, als er nach Rußland fuhr, hat ihm Dserschinskij viel geholfen. Sein Name war Benjamin, man nannte ihn allgemein Benjamin Speicher.**

In dieser Umgebung konnte ich freier atmen. Meine Stimmung wurde viel besser; und als deshalb die Nachricht kam, Asew*** sei als Provokateur entlarvt worden, und einige Revolutionäre daraufhin aus Scham und Enttäuschung Selbstmord begingen, habe ich darauf ganz anderes reagiert. Allerdings kannte ich die Partei der Sozialrevolutionäre nur sehr wenig. Ich war bis dahin noch keinem von ihnen begegnet. Ich wußte nur, daß diese Partei politischen Terror ausübte. Das Aufdecken von Asew als Provokateur war für mich ein Beweis, daß die finsteren Zeiten zu Ende gingen, daß man die Verräter los wurde. Es war ein Zeichen, daß die revolutionäre Bewegung zu sich kam. Es dauerte dann doch noch lange – zwei Jahre mußten wir noch warten – aber ich war voller Hoffnung.

Inzwischen arbeitete ich ruhig und zufrieden. Die Arbeiter in der Fabrik sangen oft revolutionäre Lieder. Es waren Lieder, in denen die Religion verspottet wurde. Häufig gaben sie mir auch Bücher zu lesen. Ich weiß nicht, warum das erste dieser Bücher Geschlechtskrankheiten behandelte; wahrscheinlich glaubten sie, man müsse mich im voraus davor warnen.

Dann geschah etwas Wichtiges; etwas, was mein Leben veränderte. In den ersten Frühlingstagen des Jahres 1911 bemerkte ich eine seltsame Unruhe unter den Arbeitern. Sie flüsterten miteinander, sie waren aufgeregt. Nur mit mir redete keiner, obwohl ich bereits achtzehn Jahre alt war. Bald danach war alles klar: man organisierte einen Streik. Mein Meister war begeistert und half mit seinen Ratschlägen. Fast das gesamte Streik-Komitee bestand aus Arbeitern unserer Werkstatt und der kleine Abraham wurde zum Führer des Streik-Komitees bestimmt. Inzwischen begann man sich zu organisieren.

Ich habe früher bereits erwähnt, daß auch die Zwischenmeister in einem Streik der Arbeiter ihre Lage verbessern konnten. Und gerade

---

* Wurde 1917 Vorsitzender der Tscheka, der sowjetischen »Außerordentlichen Kommission zum Kampf gegen Konterrevolution und Sabotage«.
** Spitzname – wahrscheinlich, weil er sehr groß war.
*** Sozialrevolutionärer Führer, der an terroristischen Attentaten teilnahm.

damals brauchten sie eine solche Verbesserung. Zusammen mit den Arbeitern hatten sie schwer geschuftet und auch Not gelitten. Darum stellten sie uns ihre kleinen Fabriken zur Verfügung, um dort illegale Versammlungen abzuhalten. Man versammelte die Arbeiter aus den kleinen Werkstätten der Umgebung in einer dieser Fabriken. Einige Arbeiter blieben auf der Straße und standen Schmiere. So wurden Versammlungen abgehalten, so wurde beschlossen zu streiken, und so wurde das Streik-Komitee gewählt.

Die Vorbereitungen dauerten einige Wochen, bis der Monat Juni kam und wir in den Streik traten.

Mein erster Streik

Im Juni 1911 brach endlich der Streik aus, der Bewunderung, Schrecken und Begeisterung hervorrief. Seit dem Jahre 1907 hatte man in Warschau von Streiks nichts mehr gehört. In diesem Zeitraum hatte es in Litauen noch Streiks gegeben, bei den Bürstenmachern und der Gerbergewerkschaft, aber in Warschau war es ruhig gewesen. Mit unserem Streik im Juni 1911 durchbrachen wir die angstvolle Stille dieser Jahre der Reaktion und genau darum hatte der Streik nicht nur ökonomische Bedeutung. Er war auch das Signal zu einer neuen Epoche des politischen Kampfes. Die Furcht vor Stolypins Henkern begann zu schwinden und die revolutionären Kräfte rückten nach und nach zusammen.

Warum war gerade mein Berufszweig dazu bestimmt, der erste Verkünder der neuen Epoche zu sein? Mir scheint, daß hier drei Faktoren zusammenwirkten. Der erste war die allgemeine wirtschaftliche Besserung in ganz Rußland, der zweite, daß dem Walker-Beruf nur wenige, etwa 200 Arbeiter angehörten, und der dritte, daß die Walker in größeren Werkstätten arbeiteten, so daß es leichter war, sich zu organisieren.

Da dieser Streik erst nach langen Jahren der Reaktion kam, war es ein schwerer und erbitterter Streik, der sechs Wochen anhielt. Beide Seiten zeigten Härte.

Bereits in den ersten Streiktagen besuchten uns zwei Führer des Bund, um uns im Kampf zu helfen. Das war natürlich; obwohl sich der Bund bereits zum Menschewismus hin entwickelt hatte, waren seine organisatorischen Prinzipien denen der Bolschewisten ähnlich. Ich würde sagen, daß der Bund damals trotzkistisch war – nur im umgekehrten Sinne. Trotzki vertrat in politischen Fragen einen Standpunkt, der Lenin nahe war und stand zu ihm nur in organisatorischen Fragen im Gegensatz, während der Bund damals bereits ideologisch menschewistisch gesinnt war, aber im organisatorischen Aufbau den Bolschewiki nahestand.

Von allen sozialistischen Parteien im damaligen russischen Reich haben nur die Bolschewiki und der Bund das Prinzip der Parteilichkeit der Gewerkschaften anerkannt. Der Stempel unseres Vereins, mit dem wir unsere Unterschrift besiegelten, trug in der Tat die Aufschrift: »Gewerkschaft der Walker-Arbeiter in Warschau unter der Führung des Bund«.

Die zwei Genossen, die uns der Bund schickte, waren Bernhard Goldstein und Leiser Lewin, oder Leiserke, wie wir ihn damals nannten. Leiser Lewin wurde faktisch zum Propagandisten und Organisator der Streiks. Er reiste in den litauischen Städtchen umher, wo die Gerberei-Fabriken waren, um Geld für uns zu sammeln. Wenn mich mein Gedächtnis nicht trügt, haben wir auch aus dem Ausland Unterstützung erhalten.

Das Aussehen von Leiserke, der breite Hut, die schwarze Bluse und die langen Haare entsprachen dem Typ des revolutionären Sozialisten, den ich 1907 auf den Straßen Warschaus gesucht hatte. Er war ein guter Redner mit einer saftigen jiddischen Sprache, ein wenig Phraseologe, ein wenig aufgeblasen – aber die beiden letzten Eigenschaften sind mir erst später aufgefallen, als er seine Reden vor einfachen Arbeitern mit den Worten begann: »Der berühmte Philosoph Spinoza hat gesagt…« Später rief das ironisches Lächeln hervor. Man wußte, daß Leiser sich aufspielte und einen verblüffen wollte. Damals habe ich ihn vergöttert wegen seiner schönen Reden, wegen seiner flammenden revolutionären Phrasen und auch deshalb, weil ich ihn nicht verstand, wenn er von Philosophie sprach…

In der Zeit des Streiks brachte Leiser uns viel Geld und verteilte es unter die Streikenden. Jede Woche wurde eine Streikunterstützung ausgezahlt, die zwischen einem und drei Rubel ausmachte, je nachdem, wie groß die Familie war. Ohne die Hilfe, die Leiser uns brachte, wäre es nicht möglich gewesen, sechs Wochen lang zu streiken.

In diesem Streik bestand ich meine erste revolutionäre Probe – vorläufig nur auf dem Gebiet des ökonomischen Kampfes, aber auch meine politische Tätigkeit ließ nicht lange auf sich warten.

Wie bereits beschrieben profitierten auch die Zwischenmeister von unserem Streik. Deswegen halfen sie uns oft und stellten ihre kleinen Betriebe für illegale Versammlungen zur Verfügung. Aber als der Streik sich hinzog, brach ihre Unterstützung zusammen. Sie waren alle ungeheuer arm und erhielten kein Geld aus unserer Streikkasse, sodaß sie schließlich damit anfingen, auf sich allein gestellt, ohne die Arbeiter, zu arbeiten. Jeder Zwischenmeister hatte eine Familie, Frau und Kinder, die er während der Zeit des Streiks zur Arbeit einspannen konnte, sodaß etwa die Hälfte der Produktion hergestellt werden konnte, die normalerweise von den Arbeitern gefertigt wurde. Das war natürlich eine große Gefahr. Der Streik drohte zu einem Mißerfolg zu werden. Man mußte besondere Maßnahmen ergreifen, um die Arbeit zu unterbinden.

Alle Arbeiter des Berufszweiges wurden mobilisiert um überall hinzugehen und zu kontrollieren, ob nicht doch etwa gearbeitet wurde. Die Arbeiter saßen tagsüber viele Stunden in den kleinen Werkstätten und paßten auf die Zwischenmeister auf. Aber diese fanden einen Ausweg: um 10 Uhr nachts, wenn die Hausmeister die Tore schlossen, und die Meister sicher waren, daß sie niemand stören würde, machten sie sich an die Arbeit.

Man mußte Mittel finden, diese Arbeit zu stören. Darum organisierte sich eine Gruppe junger Arbeiter, die es übernahmen, die Nachtarbeit zu kontrollieren. Man nannte auch uns die »Nacht-Arbeiter«. Unsere Aufgabe war schwer und gefährlich. Wir sollten die Meister daran hindern, nachts zu arbeiten. Aber wie tut man das? Die Tore waren geschlossen, die Hausmeister zumeist bestochen – und es kam noch eine besondere Schwierigkeit hinzu.

Während des Sommers, in der großen Hitze, wenn die größeren Familien in der Enge der kleinen Wohnungen zu ersticken drohten, gingen viele von ihnen in die Treppenhäuser, um dort zu schlafen. Sie schlugen dort ihr Nachtlager auf und schliefen durch bis zum Morgen. Wenn wir nachts im Finstern die Stockwerke hochliefen, um die Türen aufzureißen und zu verhindern, daß jemand arbeitete, traten wir auf menschliche Körper. Das Gejammer war schrecklich, man verfluchte uns mit tausend Flüchen.

Das schlimmste aber waren die verschlossenen Tore. Wie sollte man sie öffnen? Anfangs narrten wir einfach die Hausmeister. Wir klingelten, und wenn der Hausmeister öffnete, drängten wir uns ins Haus hinein und stellten die Arbeit bei den Meistern ab. Aber die Hausmeister wurden klüger und wollten nicht öffnen, wenn wir nicht sagen konnten, zu wem wir wollten. Wir konnten aber doch nicht die Namen der Meister nennen. Darum gingen wir tagsüber herum und notierten die Namen von anderen Bewohnern. Aber auch dieser Trick scheiterte. Die Meister arbeiteten und die Lage wurde katastrophal. Da beschlossen wir, zu den extremsten Mitteln zu greifen.

Wir rückten nachts mit Äxten aus und hackten einfach die Tore auf. Mit den gleichen Äxten öffneten wir auch die Türen der kleinen Werkstätten und vernichteten oft die aufgearbeitete Ware. Das aber taten wir nur, wenn wir es mit besonders böswilligen Meistern zu tun hatten.

Diese nächtliche Arbeit hat mich sehr mitgenommen. Außerdem waren meine Schuhe schnell zerschlissen, und ich schämte mich, tagsüber auf die Straße zu gehen. Ich ging nur zur »Nachtarbeit«. Die Polizei begann sich ebenfalls einzumischen. Ich wurde gesucht und mußte von zu Hause fort und woanders schlafen. Tagsüber saß ich bei einem Meister, der zum Streik hielt. Ich schämte mich, weil ich praktisch barfuß herumlief. Geld um Essen zu kaufen hatte ich auch nicht und der Meister war selbst sehr arm – da war es mir wirklich schwer ums Herz. Eines aber war klar: der Streik mußte um jeden Preis gewonnen werden. Und nach sechs Wochen harten Kampfes wurde er gewonnen.

Nach dem Streik hatte ich in meinem Beruf einen Namen. Die Arbeiter redeten freundlich mit mir und begegneten mir mit großer Herzlichkeit. Ich war doch der Organisator und Anführer der »Nachtarbeit«. Sie wußten, daß sie mir weitgehend den Sieg zu verdanken hatten. Diese warme Beziehung zu den Arbeitern bewegte mich tief; ich war ja keiner, der von draußen kam, ich hatte selbst schon das bittere Los des jüdischen Proletariers der damaligen Zeit getragen. Ich hatte die Tragödie meines Vaters, die Not meiner Mutter erlebt. Ich war mir schon damals darüber im klaren, daß diese Solidarität nie aufhören würde, daß ich den Kampf für die Sache des jüdischen Proletariats erst begonnen hatte und daß der Weg lang und schwer sein würde.

Bald nach Beendigung des Streiks – das war Ende Juli – wurde ich in den Gewerkschaftsausschluß gewählt und zum Kassierer des Vereins gemacht.

Diese Wahl zum Kassierer der Gewerkschaft hatte für mich große Bedeutung – ich befreite mich dadurch von der letzten Spur meiner Kumpanei mit der Unterwelt. Allerdings muß man sagen, das dies nicht allein meine Entscheidung war, denn so verhielten sich damals alle Arbeiter. Wovon ich spreche, ist das Kartenspielen. In den Jahren 1907 bis 1908, als wir sehr hungerten, kam mein älterer Bruder Schlomo oft zu uns, und kaum hatte er herausbekommen, daß ich ein paar Groschen in der Tasche hatte, überredete er mich, mit ihm Karten zu spielen. Natürlich gewann er jedesmal, dann lief er sofort hinaus in das Lädchen und kaufte ein Brot für die Kinder. Ich nahm mir das Verlorene später bei meinem jüngeren Bruder zurück, der noch ein Kind war. Ein paar Groschen gewann ich immer bei ihm.

Das Kartenspielen wurde bei uns zur Pest. Trotz allem, was ich durchgemacht hatte, konnte ich mich nicht davon befreien. Sogar in der Zeit, die ich gerade geschildert habe, habe ich immer noch Karten gespielt.

An einem Freitagnachmittag saßen wir Arbeiter einmal herum und warteten darauf, daß der Meister von der Straße käme, um uns die Löhne auszuzahlen; zum Zeitvertreib spielten wir Karten. Ich hatte die Gewerkschaftskasse bei mir. In diesem Augenblick rief man mich zu einer Sitzung der Kommission. Natürlich mußte ich dort das Geld der Gewerkschaft abrechnen, das ich bei mir hatte. Obwohl damals die Kasse in Ordnung war, hat der bloße Gedanke, daß ich dieses, von den Arbeitern zusammengekratzte Geld, hätte verspielen können, mir einen solchen Schlag versetzte, daß ich sofort beschloß: Ich spiele nicht mehr. Das war mehr als ein Entschluß, es war ein Schwur. Und tatsächlich habe ich seit damals – es sind über 45 Jahre her – keine Karte mehr in der Hand gehalten. Ich konnte es nicht einmal mehr ausstehen, wenn andere spielten.

Die Tatsache, daß ich Kassierer der Gewerkschaft wurde, bedeutete, daß ich sofort in eine halblegale Lage geriet. Den Stempel des Verbandes, der den Namen des Bund trug, führte ich bei mir, denn ich mußte die Mitgliedsbücher stempeln, wenn ich die Beiträge kassierte.

Bald aber war es so, daß die Führer des Verbandes sich in alle Winde zerstreuten. Der kleine Abraham mußte seinen Militärdienst ableisten. Einer flüchtete vor polizeilichen Repressionen, andere zogen fort, um in der Provinz zu arbeiten, so daß ich faktisch der Führer unseres Verbandes wurde. Als wir den sechswöchigen Streik gewonnen hatten, gewann ich nicht nur die Anerkennung der Arbeiter meines Verbandes, sondern auch Aufmerksamkeit in den Parteikreisen des Bund. Leiser Lewin bat mich stets zu einem Tee, Bernhard Goldstein lud mich in den Rasierladen ein, in dem er arbeitete. Beide unterhielten sich lange mit mir. Ich verstand sehr wohl, worum es ging, und war auch bereit, es zu tun. Aber ich wollte nicht den ersten Schritt machen. Ich schämte mich, hatte das Gefühl, ich sei dazu noch nicht würdig. Schließlich kam es, wie es kommen mußte. Ich wurde Bundist.

Zweiter Teil

Ich werde »Bundist« – Meine erste Mai-Demonstration –
Mein zweiter Streik – Die Warschauer Konferenz des Bund
im Juli 1912 – Der Streik meines Vaters – Der sächsische
Garten – Meine erste Verhaftung – Im Pawiak-Gefängnis –
Mein Prozeß – Auf dem Weg ins Gefängnis von Lomźa –
Meine Freilassung – Historische Tage für das jüdische Volk
– Meine erste illegale Reise – In Paris ohne ein Dach über
dem Kopf

Ich werde »Bundist«

Als ich Sozialist wurde, gingen meine Gefühle und Gedanken sehr
durcheinander. Man hätte meinen sollen, dieses Lebensereignis hätte
mich aufgerüttelt. Hatte ich nicht mein ganzes Leben darauf gewartet, war ich nicht in den Straßen herumgelaufen, um Sozialisten zu
finden, hatte ich nicht geweint, als ich die Geschichte des Martyriums
der russischen Revolutionäre las, und bedauert, daß ich an ihren
Freuden und Leiden nicht teilnehmen konnte? Doch als der erhoffte
Augenblick kam, als ich in die Kampf-Reihen eintrat, hat mich das
nicht erschüttert, sondern ich nahm es als etwas Natürliches, als
selbstverständlich hin. So wie die ausgetrocknete Erde den Regen
erwartet und ihn aufnimmt, und so wie dies normal, gesetzmäßig er-
scheint und niemanden überrascht, so verhielt es sich mit mir im Jahre
1911, als ich in den Bund eintrat. Dieser Schritt war die natürliche
Zusammenfassung meines früheren Lebens. Ich legte mir über alle
Gefahren, die mich erwarten würden, Rechenschaft ab. Es ist allerdings wahr, daß ich an Bürgerkriegsfronten damals nicht gedacht
habe. Darüber hatte ich nirgendwo etwas gelesen, darüber hatte niemand mit mir gesprochen. Aber all die Schwierigkeiten, die ich mir
ausmalen konnte, haben mich nicht beunruhigt, vielmehr wollte ich
sie bewußt auf mich nehmen. Das war der natürliche Preis, den jeder
Revolutionär für seine sozialistische Idee zahlen mußte.
Ende 1911 wurde ich zum ersten Mal zu einer illegalen Konferenz des
Bund eingeladen und begegnete zum ersten Mal dem bekannten Führer des Bund, Mosche Rafes. Es ging um die bevorstehenden Wahlen
zum Warschauer Stadtrat. Mosche Rafes imponierte mir sehr. Der
Eindruck, den er damals auf mich machte, hat sich niemals verwischt.
Ich bin ihm sehr häufig begegnet, sowohl als er Führer des Bund war,
wie auch später, in der Zeit da er als Kommunist gegen die jiddische
Sprache und für vollständige Assimilation eintrat. Auch wenn ich
nicht mit ihm einverstanden war, bewunderte ich ihn doch stets we-

gen seiner eisernen Logik. Er gehörte zu jenem Siebengestirn der bundistischen Führer, dem es vergönnt war, nicht nur in der jüdischen Arbeiterbewegung eine große Rolle zu spielen.

Obwohl die erste illegale Konferenz in meinem Gedächtnis keine starken Spuren hinterließ – vielleicht weil die Wahlaktivität nur sehr schwach war und ich an ihr keinen Anteil nahm – spielte sie doch in meinem Leben eine große Rolle. Aus dieser Konferenz habe ich die für mich selbst nötigen Folgerungen gezogen: Ich begriff, daß der gute Wille nicht genügt, um Revolutionär zu werden, daß man vielmehr auch die gesellschaftlichen Probleme begreifen, sich orientieren können muß. Es genügt nicht, den Sozialismus zu wollen, man muß auch wissen, welche Wege zu ihm hinführen. Deshalb beschloß ich, zu lesen und zu studieren.

Heute, 45 Jahre später, fällt es mir schwer zu verstehen, wie ich das geschafft, wie ich schließlich alle Schwierigkeiten überwunden habe. Meine Zeiteinteilung sah so aus: tagsüber arbeitete ich, nach der Arbeit ging ich nach Hause, um etwas zu essen, dann zur Arbeitsbörse und danach gewöhnlich in den Konsum-Verein. Der Konsum-Verein war mein zweites Zuhause, es war unmöglich, auch nur einen Tag nicht hinzugehen. Dort erledigten wir die Parteiarbeit und ich wurde mit einer Gruppe wundervoller Genossen bekannt, die mir bis zum heutigen Tage teuer geblieben sind. In den Konsum-Verein kamen sehr viele Arbeiter, Aktivisten der verschiedensten Parteien, aber es fand auch so etwas wie eine natürliche Auslese statt: dort schlossen sich Genossen zusammen, die bereit waren, füreinander ihr Leben zu opfern.

Wenn wir mit der Arbeit im Konsum-Verein fertig waren, begleiteten wir uns gegenseitig nach Hause, denn wir hatten keine Lust auseinanderzugehen. Soweit ich mich erinnern kann, sprachen wir niemals von persönlichen Dingen, obwohl wir alle Jugendliche waren und jeder von uns seine eigenen Träume hatte. Die Genossen, die sich enger aneinander anschlossen, waren Awreml Stricker, Joschke Metalowiec, Schwarzer Katz, Weisser Max, Ascher Meir, Mendl Kamaschenmacher, Itschele Kamaschenmacher, Awreml Prikastschik und ich.

Wenn ich nach Hause in die Smocza-Gasse kam, in unsere Kellerstube, begann ich zu lesen. Unsere Wohnung im Keller bestand aus einer Stube und einer Küche. In der Stube schlief die ganze Familie; in der Küche stand ein kleines Bett, das war mein Lager. Kam ich spät nachts nach Hause, zündete ich eine Kerze an und las.

Oftmals öffnete mein Vater die Tür, und wenn er sah, wie ich ins Lesen vertieft war, blieb er stehen und brummte vor sich hin. Es war schwer zu verstehen, was er brummte. Aus einzelnen Worten, die an mein Ohr drangen und die ich verstand, sprachen Furcht und Verzweiflung. Sicherlich fühlte er instinktiv, daß mein Lesen nicht einfach Zeitvertreib war, sondern Gefahren in sich trug. Was ich aus seinem Gebrumm heraushörte, klang denn auch etwa so: »Du wirst verkommen und niemand wird sich um dich kümmern.« Dann schloß er wieder die Tür. Später hörte ich, wie er sich von einer Seite auf die andere wälzte und nicht einschlafen konnte. Morgens hatte ich rote verquollene Augen, weil ich nicht geschlafen hatte, und auf der Gasse stieß ich mit dem Kopf an die Straßenlaternen.

Ich las damals sehr viel belletristische und wissenschaftliche Literatur. Am meisten liebte ich die Schriftsteller, die ihre Begabung in den Dienst des Befreiungskampfes stellten, vor allem die russischen. Von ihnen waren mir Andrejew, Gorki, Tolstoi die liebsten, von den französischen Hugo, Zola, Mirabeau, von den deutschen Heine und Hoffmann, von den polnischen Zeromski und Konopnicka, von den jiddischen Perez. Ihn habe ich vergöttert.

Von der wissenschaftlichen Literatur zu sozialen Problemen las ich zuerst die anarchistische. Sie übte zwar erst später in der Zeit meiner Emigration und nach dem Zusammenbruch der Zweiten Internationale einen gewissen Einfluß auf mich aus, aber schon damals las ich Kropotkin mit Vergnügen. Seine tiefe Menschlichkeit, sein Glaube an die Gutartigkeit der menschlichen Natur, sein revolutionärer Idealismus, sein schöner und zarter Stil, selbst wenn er über wissenschaftliche Probleme schrieb, mußten auf jeden jungen Menschen wirken, auch wenn er nicht zum Anarchisten wurde. Bakunin dagegen übte keine Wirkung auf mich aus; ich spürte nur ein bombastisches Revoluzzertum, das einem Arbeiter fremd sein mußte. Seine berühmte Formel: »...der Geist der Zerstörung ist an sich der Geist des Schaffens« befriedigte mich nicht. Ich wollte vorher wissen, warum ich kämpfte, was ich aufbauen wollte, damit ich mich daran machen konnte, das zu zerstören, was zerstört werden mußte. Stirner habe ich gehaßt. Mir schien als würde in seiner neuen Gesellschaft die Welt in einen Dschungel verwandelt, in dem sich die Menschen wie wilde Tiere gegenseitig auffräßen. Mir schien als schriebe da ein wild gewordener, abnormer Mensch.

Hingegen hatte die marxistische Literatur sofort eine große Wirkung auf mich. Möglicherweise lag das an meiner neuen Umgebung, die durchaus marxistisch war. Von den marxistischen Autoren, die ich damals las, machten Plechanow, Kautsky und später Engels den größten Eindruck auf mich. Von Marx konnte noch nicht die Rede sein. Kautsky mochte ich aus zwei Gründen: erstens verstand er es gut, Marx volkstümlich darzustellen und einen anzuspornen, den Marxismus selbständig zu studieren. Zweitens mochte ich ihn wegen seines Kampfes gegen die Revisionisten und seiner Verteidigung der historischen Notwendigkeit der sozialen Revolution (damals waren wir alle, das heißt der ganze bundistische Kreis, erfüllt vom Glauben an die soziale Revolution).

Näher noch als Kautsky stand mir Plechanow, weil er konkret von der russischen Revolution sprach. Wir gehörten sozusagen zur gleichen Familie und außerdem spürte man bei ihm die größte Begeisterung. Mir schien er reicher und tiefer als Kautsky zu sein. Ich wußte noch nicht, daß sogar Lenin, damals politischer Gegner von Plechanow, ihn als einen der größten marxistischen Philosophen anerkannte, zumindest auf theoretischem Gebiet. Ich spürte aber sehr wohl, daß mir Plechanow mehr als Kautsky half, zu einem theoretischen Verständnis des historischen Materialismus zu kommen.

Ich las sehr viel und diskutierte mit Genossen, aber auch mit Gegnern (denn auch sie gab es). Nach einem Jahr hatte ich mich zu einem verhältnismäßig bewußten Vertreter des historischen Materialismus entwickelt und war schon fähig, darüber öffentlich zu diskutieren. Im allgemeinen ist es so, daß Jugendliche zuerst in die Jugendbewegung eintreten und erst von dort zur Partei kommen. Bei mir war es umgekehrt: nachdem ich bereits eine Zeitlang in der Partei war, lud man mich zu einer Konferenz der Jugendorganisation »Zukunft« ein. Die »Zukunft« war damals noch keine rein bundistische Organisation; es gehörten ihr auch Menschen aus anderen sozialistischen Bewegungen an. Als ich im Jahre 1913 mit dem später bekannt gewordenen bundistischen Führer Schaffran im Gefängnis saß, war dieser noch ein Gegner des Bund. Er erklärte, er werde nach seiner Freilassung entweder in die linke PPS* oder in die Sozialdemokratische Partei Polens eintreten; an eine Mitarbeit im Bund dachte er gar nicht. Und doch war er einer der Führer der Jugendorganisation »Zukunft«. Aber die meisten Führer der »Zukunft« wurden später Bundisten.

Als eine »Zukunft«-Konferenz auffiog und zusammen mit ihr alle Führer, war das ein so schwerer Schlag für die Organisation, daß man sie völlig neu aufbauen mußte. Der Führer der Organisation war damals Ascher Meier, ein überzeugter Bundist. Er schlug vor, die »Zukunft« bei der Gelegenheit als eine rein bundistische Organisation aufzubauen. Daraufhin wurde eine Sonderkonferenz im Zimmer einer Genossin in der Karmelicka-Straße einberufen. (Wir nutzten die Zeit aus, in der ihr Vater im Bethaus war). Dort wurde beschlossen, die »Zukunft« zur Jugendorganisation des Bund zu erklären. Wenn ich mich nicht irre, war dies am Versöhnungstag des Jahres 1911.** An diesem Tag wandte sich Ascher (sein Deckname war Alec) mit einer Bitte an mich: nach der Verhaftung der »Zukunft«-Aktivisten war ein großes Archiv zurückgeblieben, und zwar an einem Ort, der nicht sicher war. Nun sollte ich es an mich nehmen, weil es bei mir einen geeigneten Platz dafür gab.

* Polnische Sozialistische Partei.
** Der »Versöhnungstag« (Jom Kippur) ist der höchste jüdische Feiertag, an dem gefastet und den ganzen Tag gebetet wird.

Wir wohnten damals in der Smocza-Straße Nr. 28. Zu diesem Haus gehörten zwei Höfe. Auf dem zweiten Hof, rechts in der Ecke, war ein Eingang; im Keller darunter lebten wir. Der Keller war lang und finster. Am Ende des Korridors lag unsere Wohnung. Außer uns wohnte dort unten niemand. Im ganzen Keller-Korridor befanden sich Verschläge, in denen die Hausbewohner altes Gerümpel und Kohlen für den Winter aufbewahrten. Unserer Stube gegenüber lag unser Verschlag, in dem man vieles verstecken konnte.

Spät in der Nacht ging ich zu dem von allen im Haus benützten Klosett und nahm mir von da das lange und schwere Eisen, mit dem der Hausmeister im Winter das Eis auf der Straße aufhackte. Mit diesem Eisen hob ich eine Grube aus und legte dort das Archiv hinein. Ich habe nicht nachgesehen, was alles in diesem Archiv enthalten war. Unter anderem fielen mir zwei Fahnen auf, Stempel und Notizblöcke zum Sammeln von Mitgliedsbeiträgen. Da die Beiträge wöchentlich bezahlt wurden, und nicht monatlich, wie es sonst üblich war, legte ich Blöcke und Stempel gleich obenauf hin, damit man sie leicht jede Woche herausnehmen konnte. Bei dieser Gelegenheit habe ich gleich auch den Stempel der Gewerkschaft versteckt. Auch einen Revolver bat mich Alter Schuster zu verstecken. Alter Schuster stellte sich später als Spitzel heraus, wie mir Genossen des Bund berichteten, als ich 1919 nach Polen kam.

Auf jeden Fall war mein Archiv durchaus keine legale Einrichtung, und wenn es aufflog, dann drohten ganz sicher ohne weiteres ein paar Jahre Katorga. Wie wir noch sehen werden, trat diese Gefahr später durchaus auch ein und ich wurde nur durch einen Zufall gerettet.

Als ich einmal, spät nachts gerade beim Graben war – wahrscheinlich wollte ich die Beitragsbücher herausnehmen – hörte ich, daß jemand in den Keller herunterging. Ich dachte, das sei bestimmt ein Spitzel, aber es war schon zu spät, alles wieder zuzuschütten. An den sich nähernden Schritten erkannte ich, daß es mein jüngerer Bruder war. Ich begriff, daß er bereits etwas bemerkt hatte, und wenn ich jetzt meine Geheimnisse vor ihm bewahrte, würde er selbst nachforschen und viel Ärger machen. Darum rief ich ihn in den Verschlag, erzählte ihm alles und zeigte ihm, wo alle Sachen lagen. Ich sagte ihm, wenn er mich ins Gefängnis bringen wolle, brauche er das nur weiter zu erzählen; da er das aber doch sicher nicht möchte, dürfe er niemandem gegenüber auch nur ein einziges Wort fallen lassen. Wie sich später erwiesen hat, war meine Überlegung richtig. Solange es nicht nötig war, hat er keinem ein Wort erzählt. Später, als ich im Zusammenhang mit der Ersten-Mai-Demonstration des Jahres 1912 verhaftet wurde, hat die Tatsache, daß er über mein Geheimnis Bescheid wußte, mich vor sicherer Zwangsarbeit bewahrt.

Meine erste Mai-Demonstration

Es kam der Tag des Ersten Mai 1912. Ihn hatte ich mit Herzklopfen erwartet, sollte ich doch zum ersten Mal an dem großen proletarischen Feiertag teilnehmen. Bis dahin hatte ich vom Ersten Mai nur in den Zeitungen gelesen oder erzählen gehört – jetzt würde ich selbst aktiver Teilnehmer sein.

Noch aus einem anderen Grund war nicht nur ich, sondern alle Genossen gehobener Stimmung. Wir spürten alle, daß nach der langen Zeit der Reaktion eine neue Epoche vor uns lag. Wir waren sicher, daß Stolypins Henker ihren Schrecken verloren hatten. Wir hörten bereits die Klänge, die den neuen Aufmarsch der herannahenden Revolution ankündigten.

Damals versetzten die Ereignisse in den Gold-Bergwerken von Lena das Land in Erregung. Die Antwort, die der damalige Justizminister Schtscheglowitow auf die Anfrage der sozialdemokratischen Fraktion in der Regierungs-Duma gab:»So war es, und wird es sein«, rief im ganzen Land einen Sturm hervor. Die Arbeiter der Petersburger Fabriken reagierten mit Massenaktionen. Wir, die damalige Jugend des Bund, hießen jedes Donnergrollen willkommen, das die herannahenden Gewitter ankündigte, und gingen dem Sturm mit ausgestreckten Händen entgegen. Mit Freude erwarteten wir den Ersten Mai, den Tag der Mobilisierung der kämpfenden Lager.

Auch in Warschau gab es Anfang 1912 große Massenstreiks, die vor allem ökonomischen Charakter hatten. Wir spürten aber sehr wohl, daß die politischen Kämpfe nicht lange auf sich warten lassen würden. Wir wollten dem Ersten Mai ein revolutionäres Gepräge geben und an diesem Tag einen Generalstreik durchführen. Das war unser größter Traum.

Was schließlich geschah, war mehr als ein Generalstreik. Im April kamen die Aufrufe des Zentralkommittees des Bund heraus, die zum Generalstreik am Ersten Mai aufforderten. Wir verteilten den Aufruf in allen kleinen jüdischen Werkstätten, riefen auf den Arbeitsbörsen zum Streik auf, versammelten auf den Straßen Gruppen von Arbeitern, die wir über die Bedeutung des Tages aufklärten.

Früh am Morgen des Ersten Mai hatten wir, d. h. die Aktivisten des Bund, uns auf der Nalewki-Gasse verabredet, um von dort aus loszugehen und die Arbeiter von ihren Arbeitsplätzen wegzuholen. Ich weiß bis heute nicht, warum sich dieser Brauch eingebürgert hatte. Ich glaube, die Arbeiter hatten Angst die Arbeit von selbst hinzuwerfen, aber wenn man kam um sie zu holen, dann hatten sie ein Alibi für den Fall, daß sich die Polizei einmischen sollte. Ich bin aber nicht sicher, daß dies der einzige Grund war. Den Arbeitern, die von der Arbeit weggeholt wurden, sagte man, sie sollten nach Hause gehen. Es fiel niemandem von uns ein, sie an diesem Tag zur Arbeitsbörse zu bestellen. Um 10 Uhr vormittags war der Streik auf den jüdischen Arbeiter-Gassen vollständig im Gang.

Wir saßen im Konsum-Verein und wurden ein wenig nervös. Jeder fragte sich: und was jetzt? Wir hatten keine Lust, nach Hause zu gehen und im Konsum-Verein zu sitzen war gefährlich. Die Polizei konnte jeden Augenblick einen Überfall machen. Am Tage des Generalstreiks auf den Straßen herumzulaufen war auch nicht sicher. Hinzu kam unsere rastlose Unruhe: vielleicht geschah doch etwas in Petersburg oder in Moskau? Vielleicht gab es dort kämpferische Arbeiterdemonstrationen? Und wir sollten an einem solchen Tag herumsitzen und uns langweilen und nichts tun! Von der Partei gab es keine Anweisungen für uns.

Wir wollten aber etwas tun. Awreml Drucker, ein netter Genosse, den alle gern hatten, machte einen Vorschlag. Wir sollten auf die Straße gehen, Flugblätter in die Luft werfen, ein paar Losungen rufen, dann sofort in eine andere Straße überwechseln und dort das gleiche tun. Er schlug also eine fliegende Demonstration vor. Das befriedigte die Anwesenden nicht. Wir wollten mehr, wir wollten etwas tun, was ein Echo finden sollte. Wenn am nächsten Tag zu lesen sein würde, daß in Petersburg Demonstrationen und Prügeleien mit der Polizei stattgefunden hätten, dann sollte dasselbe auch von uns jüdischen Arbeitern geschrieben werden. Wir wollten nicht hinter Petersburg zurückstehen. Der weiße Max schlug vor, wir sollten eine richtige Demonstration organisieren. Erst wußte keiner von uns, wie wir das anstellen sollten: die Arbeiter saßen in ihren Stuben, eine Fahne hatten wir nicht. Zwar hatte ich bei mir im Keller rote Fahnen versteckt, aber das waren Fahnen der Jugendorganisation und nicht der Partei. Und selbst wenn wir diese Fahnen hätten nehmen wollen, wäre es unmöglich gewesen, sie mitten am Tag auszugraben, ohne daß der Hausmeister oder meine Familie es bemerkt hätten.

Aber wenn man etwas unbedingt will, findet man auch einen Weg. Wir hatten eine Genossin, die Täubchen hieß; wir nannten sie die »Bund-Schwester«. Sie kümmerte sich um alle Genossen. Mußte jemandem ein Knopf angenäht oder ein Hemd gewaschen werden, machte sie es. Wurde einer verhaftet, besorgte sie gleich ein Eßpaket. Sie baten wir darum, den roten Bezug von ihrem Kissen herunterzunehmen. Einen Schildermaler hatten wir; obwohl er kein echter Bundist war, ging er in seine Stube und malte ein paar Losungen auf (ich kann mich nicht mehr erinnern, welche es waren). Ich ging auf die Straße und kaufte für 12 Kopeken einen Stock, und wir beschlossen, die Demonstration auf der schmalen Mila-Gasse beginnen zu lassen.

Im Konsum-Verein war eine kleine Gruppe versammelt, sicher kaum zwanzig Menschen. Aber wir glaubten, daß sich uns bei Beginn der Demonstration Menschen von der Straße anschließen würden. Darin haben wir uns tatsächlich nicht geirrt.

Wir hatten absichtlich die schmale Mila-Gasse gewählt, weil sie klein war. Sie begann bei der Dzika-Gasse und endete am Muranów-Platz. Dort war das vierte Kommissariat, dorthin wollten wir vordringen und die Polizei provozieren, weil nur dann die Zeitung etwas schreiben und das ganze Land wissen würde, daß der Bund eine Demonstration durchgeführt hatte.

Unter dem Gesang der Internationale und des bundistischen Schwur begannen wir in Richtung des Polizeikommissariats zu marschieren. Da geschah etwas völlig Unbegreifliches: uns begegnete keine Polizei. Sie war einfach nicht da, sie war auf eine Demonstration nicht vorbereitet, sie hatte wohl auch keine Vorstellung davon, wieviel wir waren. Die Polizei telefonierte mit dem Ober-Polizeimeister, und bevor dieser mit seinen Kosaken kam, hatte sie einfach Angst, sich aus dem Kommissariat herauszurühren.

Das aber erfuhren wir erst später. Im Augenblick konnten wir nicht begreifen, was vor sich ging. Wir machten kehrt und führten die Demonstration zurück zur Dzika-Gasse. Auf dem Rückweg waren wir bereits einige hundert Menschen. Aus vielen Fenstern wurden wir begrüßt, die Tore und die Geschäfte wurden geschlossen, und unsere Begeisterung kannte keine Grenzen. Als wir wieder zur Dzika-Gasse zurückkehrten und immer noch keine Polizei auftauchte, marschierten wir wieder zum Muranów Platz. Und da stießen wir auf die Polizei mit den Kosaken.

Ehe die Kosaken den Kampf aufnahmen, versuchten wir, der Polizei Widerstand zu leisten, aber als dann die Kosaken mit ihren Peitschen losprügelten, mußten wir auseinanderlaufen. Ich war der Fahnenträger und steckte die Fahne in die Tasche. Es gelang mir, in die Nalewki 39 hineinzulaufen. Dort gab es einen Durchgangshof zur Kopiezka-Straße. Den Hof nannte man »Krols-Hof«. Es gelang mir, noch nach Hause zu kommen und die Fahne im Keller zu verstecken. Später stellte sich heraus, daß andere weniger Glück hatten, als ich: die Polizei riegelte rasch den Durchgangshof ab und viele Genossen wurden verhaftet.

Ich blieb inzwischen zu Hause. Meine Mutter und mein Bruder berichteten mir, was draußen geschah. Auf allen Straßen waren Patrouillen, die Leute verhafteten, weil es eine Demonstration gegeben hatte. Ich, der ganz ruhig auf seinem Bett lag, wurde überhaupt nicht verdächtigt, etwas damit zu tun zu haben. Die Mutter bat mich, jetzt zu Hause zu bleiben, was ich ihr versprach.

Es war aber leichter, ein solches Versprechen zu geben, als es zu halten. Was sagten die Leute auf der Straße? Wer von den Genossen war verhaftet? Diese und andere Fragen quälten mich und zogen mich von zu Hause fort. Und als die Mutter die Stube verließ, ging ich weg, um zu sehen, was auf der Straße los war. Als ich zum Rog Gence auf der Nalewka kam, begegnete mir eine Patrouille und verlangte meine

Papiere. Der Spitzel steckte die Papiere ein und forderte mich auf, zum Kommissariat mitzugehen. Warum er dies tat, verstand ich nicht. Es waren doch bereits ein paar Stunden seit den Ereignissen vergangen, und meine Papiere waren in Ordnung. Vielleicht gefiel ihm meine schwarze Bluse mit dem schwarzen Hut nicht, die Uniform aller Sozialisten.

Wer sich an die Polizei-Kommissariate Polens von damals erinnert, weiß, daß sie aus zwei Teilen bestanden: Im Parterre gab es ein Büro und alle anderen Einrichtungen und im Keller einen großen Raum, dessen Fenster vergittert waren. Diesen Teil nannte man die »Ziege«. Dorthinein wurden alle Verhafteten gebracht, ehe das Protokoll aufgenommen wurde. Mich brachte man in das vierte Kommissariat, also genau zu den Polizisten, die wir so frech herausgefordert hatten.

Ich wurde gleich zur »Ziege« hinuntergebracht. Dort traf ich viele Genossen und viele zufällig Festgenommene. Bald stellte sich heraus, daß wir zwei wichtige Probleme zu lösen hatten:

Als ich den Genossen erzählte, was bei mir zu Hause versteckt war – und es bestand gar kein Zweifel daran, daß man alles bei einer Haussuchung finden würde und ich dann keine geringere Strafe als Zwangsarbeit bekäme – begann mein Herzens-Genosse Joschek Metalowiez mich abzuküssen und bat mich, ihn in den Prozeß mithineinzuziehen, den man mir machen würde. Ich sei noch sehr jung, und die Zwangsarbeit würde sehr schwer für mich sein; zu zweit wäre es leichter. Mein Versuch, ihm zu erklären, daß es mit ihm zusammen zwar sicher leichter wäre, ich aber dennoch nicht zum Denunzianten werden könnte, weil dies gegen unsere revolutionäre Moral sei, half nichts. Er blieb bei seiner Meinung. Daraufhin schlugen die übrigen Genossen einen Kompromiß vor: wir sollten abwarten, welche Wendung der Prozeß nehmen würde, und dann entscheiden.

Die andere Frage war sehr schwer: es ging darum, einen zweiten Genossen vor sicherer Zwangsarbeit zu retten. Er war kein Bundist, sondern Sozialrevolutionär, ein Metallarbeiter; man nannte ihn auch Josef Metalowiez. Er kam oft in den Konsum-Verein und war ein eigenartiger Mensch.

Als er gehört hatte, daß wir eine Demonstration veranstalten wollten, lief er nach Hause und brachte eine Fahne seiner Partei. Gott allein weiß, wo er sie her hatte. Wir wußten nicht einmal, was er zu tun beabsichtigte. Aber als wir die Fahne des Bund auf der Demonstration entfalteten, tat er das gleiche mit seiner Fahne, obwohl er nur Sozialrevolutionär war. Wir waren froh, daß er den Mut dazu hatte.

Als man ihn in die »Ziege« brachte, hatte er die Fahne bei sich. Er fürchtete sich davor, sie einfach hinzuwerfen – andere hätten darunter leiden können. Wenn er die Fahne aber in der Tasche behielt, drohten ihm viele Jahre Zwangsarbeit. Die Lage war schwierig und wir mußten rasch handeln.

Wir beschlossen, unsere Karten offen zu legen. Wir wandten uns an den zusammengewürfelten Haufen der Anwesenden und warnten sie vor jeder Denunziation. Wir waren damals schon so stark, daß wir wußten, unsere Warnung würde wirken. Dann berieten wir, was zu tun war.

Wir wußten, daß nach dem zaristischen Gesetz ein Mensch nur dann verurteilt werden konnte, wenn die Fahne an seiner Person gefunden wurde, daß man ihm aber nichts tun konnte, wenn sie neben ihm gefunden wurde, und sei es neben seinen Füßen. Darum beschlossen wir, die Fahne einfach hinzuwerfen. Der weiße Max schlug vor, die Fahne an den Gitterstäben der »Ziege« hinauszuhängen (Maxl war Meister in solchen Kunststücken). Der Vorschlag gefiel uns allen. Wir wußten, daß dafür niemandem der Prozeß gemacht werden würde; schlimmstenfalls würde man uns die Hucke vollhauen. Und das, so fanden wir, sollte uns dieses kleine Spiel wert sein.

So wagten wir es. Ich kann auch heute noch nicht ruhig daran denken: am Ersten Mai, nachts, nach einer Demonstration des Bund hängten Bundisten aus dem Polizeikommissariat eine Fahne der Sozialrevolutionäre, und die rote Fahne flatterte in die finstere Nacht. Gewiß, es dauerte nicht lang, aber dieser kurze Augenblick versetzte uns in große Begeisterung.

Als die Polizisten merkten, was wir getan hatten, begannen sie herumzurennen, zu pfeifen und auf echt russische Art zu fluchen. Mit Herzklopfen warteten wir, was geschehen würde. Sie holten die Fahne ein und taten nichts. Wir konnten das nicht begreifen.

Erst spät in der Nacht begannen die Verhöre. Einzeln rief man uns in die Büroräume. Dort saßen besoffene Spitzel und Polizisten und das Prügeln ging los. Ich muß jedoch zugeben, daß die Prügel durchaus maßvoll ausfielen. Man hatte den Eindruck, daß nur lustlos draufgeschlagen wurde, um dem Üblichen Genüge zu tun. Es wurde mehr gebrüllt als geprügelt. Bis zum Morgen waren wir alle wieder freigelassen. Einige Tage darauf brachte die radikale Zeitung »Der Freund« die Meldung, daß die bolschwistische »Prawda« von der Demonstration begeistert war, und daß diese ihrer Meinung nach die bolschewistische These rechtfertigte, wonach wir in eine neue Epoche revolutionärer Kämpfe eintraten.

Als ich nach Hause kam, erfuhr ich, warum man mich freigelassen hatte.

Während ich verhaftet und ins Kommissariat gebracht wurde, liefen Genossen, die dies bemerkt hatten, zu mir nach Hause, um die Stube zu säubern. Mein Bruder war daheim. Er grub die Grube im Keller auf und entfernte alles, was dort war. Man mußte das Ganze schnell an einen anderen Ort bringen, aber auf den Straßen fanden große Razzien statt, und die Genossen hatten Angst, solche Dinge wegzutragen. Daraufhin nahm meine Mutter einen Teil der Sachen unter ihren Busen, andere in ein Körbchen, und in mehreren Gängen wurden sie an einen sicheren Ort gebracht. Das war eine ausgezeichnete Idee. Keinem Spitzel wäre es jemals eingefallen, eine Jüdin, die eine Perücke trug, von der ihr ganzes Gesicht bedeckt wurde, zu untersuchen.

Als ich nach Hause kam und mir die Genossen, die in der Stube auf mich warteten, dies erzählten, stand meine Mutter daneben und ihr Gesicht strahlte vor Freude, als hätte ein göttlicher Strahl es erleuchtet. Von da an wurde sie oft für solche Dinge in Anspruch genommen. Sie war für alle illegalen Bundisten eine Mutter. Wer immer von ihnen nichts zu essen hatte oder nicht wußte, wo er schlafen sollte, fand in der Stube meiner Mutter stets einen Happen und einen Platz, wo er seinen Kopf hinlegen konnte. Später, als ich »Die Mutter« von Maxim Gorki las, hatte ich das Gefühl, als habe er meine Mutter beschrieben. Ich war stolz darauf, daß meine Mutter eine bundistische Mutter geworden war.

Mein zweiter Streik

Die große Freude über die Erste-Mai-Demonstration dauerte nicht lange. Im gleichen Monat brach der zweite Streik in unserem Gewerbe aus. Beim ersten Streik, im Jahre 1911, hatten wir viel erreicht, aber die Errungenschaften von 1905 waren noch nicht wieder erobert. Dies zu tun stellten wir uns jetzt im zweiten Streik zur Aufgabe. Aber wir erlitten eine Niederlage. Wahrscheinlich herrschte in unserem Berufszweig eine große Krise. Die Händler nutzten die Lage aus; sie wollten die Gewerkschaft vernichten. Nach den ersten zwei Streikwochen beendete ein Teil der Gewerkschaftskommission den Streik und die Arbeit wurde zu den alten Bedingungen wieder aufgenommen. Mir wurde nichts davon gesagt, obwohl ich der Sekretär der Gewerkschaft war. Als ich auf die Straße kam, teilten mir Arbeiter mit, daß der Streik beendet und verloren sei. Darüber war ich zornig und entwickelte den Verdacht, daß Verrat im Spiel sein könnte. Den Streik zu verlieren bedeutete, daß auch das verloren ging, was wir 1911 erkämpft hatten. Ich wollte den Streik unbedingt weiter fortsetzen. Auf der Straße traf ich zwei Arbeiter, von denen ich wußte, daß sie halb Arbeiter waren und halb zur Unterwelt gehörten: waren die Arbeitsbedingungen gut, dann arbeiteten sie, verschlechterte sich die Lage, dann lebten sie vom Diebstahl.

An diese beiden appellierte ich: ich erzählte ihnen von dem Verrat und bat sie, mitzuhelfen, den Streik durchzusetzen. Wir drei begaben uns zu einem Meister, der bereits zu arbeiten begonnen hatte. Wir packten die Ware ein und brachten sie in einer Droschke zum Händler zurück. Dieser hieß Meir Parech (d. h. der Krätzige) und als wir ihm die Ware zurückbrachten, saßen Kunden bei ihm im Geschäft. Absichtlich laut fragten wir: wohnt hier Meir Parech?, dann warfen wir die Ware auf den Fußboden. Es schien, als hätten die Arbeiter nur auf dieses Signal gewartet, denn noch am gleichen Tage wurde der Streik gewonnen. Aber sehr viel Freude hatten wir nicht daran. Die wirtschaftliche Krise in dieser Branche hat alles zerstört, die Gewerkschaft blieb bis zum Ersten Weltkrieg in einer sehr schwierigen Lage.

Es war klar, daß ich arbeitslos wurde. Dazu kam, daß es in meinem Beruf viele Meister gab, die selbst aus der Unterwelt stammten. Sie taten sich zusammen und lauerten mir vor der Wohnung auf. Mir wurde zugetragen, daß sie mit mir abrechnen wollten. Obwohl ich damals bereits keine Angst mehr vor ihnen hatte, war mir die Sache doch unangenehm. Ich fürchtete, daß bei einem Konflikt mit ihnen die Polizei etwas von meiner Arbeit im Bund erfahren könnte. Darum beschloß ich, den persönlichen Kampf mit ihnen zu meiden.

Diesmal fiel es mir nicht schwer, die Arbeitslosigkeit durchzustehen, weil mein Vater gerade etwas von meinem Großvater geerbt hatte. Die Hälfte des Erbes erhielten mein Bruder und meine Schwester, aber die 1000 Rubel, die uns als Anteil blieben, ließen uns meine Arbeitslosigkeit durchhalten, ohne daß wir hungern mußten.

Meine Arbeitslosenzeit füllte ich damit aus, daß ich politische Ökonomie studierte und mich mit der nationalen Theorie des Bund vertraut machte. Zum »Kapital« von Marx war ich noch nicht vorgestoßen, aber Kautskys ökonomische Lehre verstand ich bereits und kannte sie auswendig. Später, in meinen Gefängnisjahren, war mir das sehr von Nutzen, denn diese Einführung machte es mir möglich, das »Kapital« von Marx zu studieren, und ich wurde zu einem der besten Lehrer auf diesem Gebiet im Gefängnis. Die trockenen ökonomischen Formeln hatten für mich einen großen poetischen Reiz. Nirgends in der revolutionären Literatur, nicht einmal bei den anarchistischen Theoretikern, spürte ich eine solche revolutionäre Leidenschaft wie im »Kapital« von Marx. Jede trockene mathematische Formel verwandelte sich für mich in ein notwendiges historisches Gesetz, das zur Vernichtung des Kapitalismus führte.

Ich kannte auch die Broschüre »Die nationale Frage und die Sozialdemokratie« auswendig, in der Medem die Theorie der national-kulturellen Autonomie begründet. Mir schien, daß dort die Synthese zwischen dem internationalen Sozialismus und der jüdischen nationalen Frage gefunden wurde, und ich war dem Bund tief dankbar dafür, daß er mich zu einem stolzen Juden und leidenschaftlichen Sozialisten gemacht hatte. In jener Zeit wurde diese Frage allerdings schon breit diskutiert. Die Zionisten-Sozialisten versuchten zu beweisen, daß der Bund diese These von Otto Bauer übernommen habe. Der Bund erwiderte, Medem habe seine Broschüre geschrieben, noch ehe die österreichische Sozialdemokratie die national-kulturelle Autonomie in ihr Programm aufgenommen hatte. Für mich war all das nicht wichtig, wichtig war nur, daß ich im Bund Sozialismus und meine Zugehörigkeit zum jüdischen Volk vereinigen konnte. Später, als ich schon Kommunist war und Lenins Kritik am nationalen Programm der österreichischen Sozialdemokratie las, die mir richtig erschien, machte ich immer noch einen Unterschied zwischen den Programmen der österreichischen Sozialdemokraten und des Bund. Die österreichischen Sozialdemokraten stellten dem Streben der Völker, sich völlig von Österreich loszulösen und zu eigener staatlicher Selbständigkeit zu kommen, die Theorie der national-kulturellen Autonomie entgegen; aber die Juden in Rußland konnten von territorialer Selbständigkeit nicht einmal träumen. Darum war die Theorie der national-kulturellen Selbständigkeit sehr fortschrittlich, und wie mir damals schien, vom sozialistischen Standpunkt aus die einzige Möglichkeit. Heute wissen wir, daß die national-kulturelle Autonomie die nationale Existenz nicht absichern konnte. Als Beweis dafür kann die national-kulturelle Autonomie während der Herrschaft der ukrainischen Rada dienen. Damals aber wußte ich eines: ich war ein stolzer Jude und ein stolzer Sozialdemokrat.

Die Zeit meiner Arbeitslosigkeit nutzte ich auch für eine aktivere Parteitätigkeit. Ich arbeitete damals schon maßgeblich in den »Zukunft«-Gruppen mit und nahm regen Anteil am Parteileben des Bund in Warschau. Bei allen politischen Aktionen wurde ich zur Beratung hinzugezogen und so lernte ich die Führer des Bund in Warschau näher kennen. Das waren drei Genossen: Leiser Lewin, Henech Beinisch und Maxim. Leiser Lewin hatte ich schon früher gekannt, aber jetzt wurden wir enge Freunde. Ich hatte viel durchzumachen, als das Zentralkomitee des Bund Leiser verdächtigte, ein Provokateur zu sein und ihn nach Argentinien schickte. Später stellte sich heraus, daß er unschuldig war. Er war ein Opfer der Spitzeltätigkeit von Henech Beinisch, aber bis man ihn rehabilitierte, mußte er viel über sich ergehen lassen.

Der zweite, Henech Beinisch, war damals noch kein Spitzel; das wurde er erst später, im August 1912. Aber schon damals machte er keinen guten Eindruck auf mich. In seinen Handlungen war etwas Zynisches, Vulgäres, und besonders qrob waren seine Beziehungen zu unseren Genossinnen. Aber er war intelligent. Theoretisch waren meine Kenntnisse nicht geringer als seine, politisch aber war ich im Vergleich zu ihm ein Kind. Er war in der Tat *der* illegale Funktionär des Bund in Warschau. Die Nähe zu ihm half mir sehr in meinem politischen Reifeprozeß.

Der dritte war Maxim. Über ihn waren im Bund zahlreiche Legenden im Umlauf. Man hielt ihn für einen Heiligen und tatsächlich sah er mit seinem jungen Gesicht und seinem langen breiten schwarzen Bart wie ein Heiliger aus. Aber sein theoretisches und politisches Niveau erwiesen sich als sehr niedrig. Ich stand vor einem Rätsel: ein Mensch, den alle vergötterten und für einen großen Führer hielten – der sollte eine Null sein? Später begegnete ich ihm in der Sowjetunion, als er bereits ein Kom-Bundist* war. Ich war neugierig herauszufinden, ob mein erster Eindruck richtig gewesen war. Zu meinem Bedauern mußte ich feststellen, daß ich recht gehabt hatte. All die komplizierten Probleme, die von der russischen Revolution aufgeworfen wurden, brachten ihn nur noch mehr durcheinander, und er erwies sich als ein abgestumpfter Mensch.

Sehr kompliziert war damals das Gebäude der bundistischen Organisation. Der Bund hatte bereits seine bolschewistische Kinderkrankheit überwunden, an der er in der Zeit der ersten russischen Revolution im Jahre 1905 sehr gelitten hatte. Jetzt, im Jahre 1912, stand er bereits in einer Reihe mit den Menschewisten und nahm aktiv an der Organisation des August-Blocks aller sozialdemokratischen Gruppen teil, die sich der bolschewistischen Partei widersetzten. Und doch blieb der Bund organisatorisch tief in den bolschewistischen Prinzipien stecken. Er trat weiterhin für parteigebundene Gewerkschaften ein. Das Zentralkomitee bestimmte die örtlichen Komitees. In den Städten wurden zwar auf den Konferenzen der Aktivisten des Bund Führungskollektive gewählt, aber die Kollektive führten die Bewegung nur de facto. Neben den Kollektiven gab es Partei-Komitees, die vom Zentralkomitee ernannt waren. Dadurch entstand folgende Lage: verhaftet wurden stets die Genossen aus dem Kollektiv, denn sie waren bekannt. Ich kann mich aber nicht erinnern, jemals gehört zu haben, daß Mitglieder vom Warschauer Komitee des Bund verhaftet wurden. Daß es doppelte Instanzen gab, war mir klar, denn an den Wahlen des Partei-Kollektivs habe ich teilgenommen; im Jahre 1913 wurde ich selbst gewählt. Aber alle Parteiaufrufe, außer denen des Zentralkomitees, waren vom Warschauer Komitee des Bund unterschrieben, das ich niemals gewählt habe.

So schuf der Bund einen komplizierten Apparat: einen streng zentralistischen nach bolschewistischem Muster, ergänzt durch einen gewählten, der das demokratische Selbstverwaltungsrecht der Parteimassen ausdrücken sollte.

---

* Kommunistischer Bundist.

Die Warschauer Konferenz des Bund im Juli 1912

Am ersten Samstag des Juli 1912 fand in Warschau eine Konferenz der Aktivisten statt. Als Vertreter der Partei kam Mosche Rafes, der offenbar für die polnische Region des Bund zuständig war. Ich hatte mich über alle Fragen der Tagesordnung schon vorher gut unterrichtet, und die Tagesordnung war sehr umfassend: ein Referat zur Lage im Land, das Verhältnis zur neugegründeten bolschewistischen Partei, die Wahlen zur Regierungsduma, die Wahlen zur Konferenz des Bund, die in Wien stattfinden sollte. Ich kann mich nicht erinnern, ob auch die Frage der Beteiligung am »August-Block« behandelt wurde, wohl aber daran, daß Rafes nicht in allen Punkten eine Konferenzmehrheit hinter sich hatte.

Eine Niederlage erlitt er in der Frage der Einschätzung der politischen Lage im Land. Alle fühlten damals bereits, daß sich die Arbeiterbewegung im Lande wiederbelebt hatte, und daß diese Wiederbelebung nicht vorübergehend war, sondern das Antlitz des Landes verändern würde. Bei der Frage, was das nächste Ziel der neuerstarkenden Arbeiterbewegung sein sollte, bildeten sich drei Richtungen heraus (außer der Gruppe von Trotzki, die wir wenig kannten und über deren Theorie wir nie diskutierten). Die Bolschewiki waren der Ansicht, die Regierungsduma habe kein einziges der Probleme gelöst, die von der Revolution 1905 gestellt worden waren, weshalb es wie im Jahre 1905 notwendig sei, sich für den bewaffneten Aufstand zu rüsten. Sie meinten auch, die Regierungsduma könnte unter bestimmten Bedingungen Rußland auf den Weg der Entwicklung einer kapitalistischen Wirtschaft bringen und eine Reihe konstitutioneller Reformen einführen. Da aber nicht sicher sei, welche Richtung Rußland im Zweifelsfall einschlagen werde, müsse eine proletarisch-revolutionäre Partei einen revolutionären Kurs steuern. Die Duma von Stolypin könne den Friedensschluß zwischen Zarismus und Kapitalismus mit dem Ziel herbeiführen, die Arbeiterbewegung mit vereinten Kräften zu erdrücken; darum sei es wünschenswert, den bewaffneten Aufstand vorzubereiten, der sofort die drei Hauptforderungen der Revolution erfüllen müsse: erstens eine demokratische Republik, zweitens den Achtstundentag, drittens die Agrarreform. Die Bolschewiki vertraten die Ansicht, man müsse wie im Jahre 1905 den bewaffneten Aufstand nicht nur predigen, sondern sofort vorbereiten. Sie beriefen sich auf die Politik von Marx in der deutschen Revolution. Auch er vertrat damals die Meinung, Bismarck werde Deutschland auf einen kapitalistischen Weg führen unter Beibehaltung der reaktionären preußischen Monarchie; dagegen wollte Marx die Entwicklung des Kapitalismus auf revolutionärem Weg, das heißt, nicht auf dem Bismarcks, sondern auf dem amerikanischen. Lenin wußte, daß die Menschewiki den so skizzierten Weg nicht beschreiten würden. Darum betrieb er in den Sommermonaten des Jahres 1912 eine radikale Spaltung der Partei und gründete in Prag eine selbständige bolschwistische Partei. Er spaltete auch die sozialdemokratische Parlamentsfraktion in der Regierungsduma. Die Menschewiki gaben offiziell ihre alte Kampflosung »demokratische Republik« nicht auf. Sie meinten aber, man dürfe nicht den Irrweg der Vorbereitung von Aufständen beschreiten. Sie unterstellten den Bolschewiki eine putschistisch-blanquistische Taktik. Man müsse vielmehr vorläufig für jene Forderungen kämpfen, für die alle Arbeiter schon jetzt kampfbereit waren – der Rest werde sich später von selbst ergeben. Bei den Menschewiki bildete sich ein rechter Flügel, die »Liquidatoren«, die noch sehr viel weiter gingen. Sie waren wirklich bereit, mit einem »Bismarck-Regime« in Rußland ihren Frieden zu machen. Ein leidenschaftlicher Verfechter dieser Richtung im Bund war Mosche Rafes. Das wurde mir aus seinem Referat auf dieser Konferenz klar.

Es entstand große Aufregung als er aufzeigte, daß in Deutschland, obwohl das Parlament nur begrenzte Macht hatte – die entscheidende Macht blieb beim Kaiser und das Junkertum behielt viele Privilegien – die deutsche Sozialdemokratie sich dennoch zu einer gewaltigen Kraft entwickelt hatte. Ihm schien es nicht übel, wenn Rußland den gleichen Weg beschritte.

Damals kannte ich noch nicht die scharfe Kritik, die Engels an den Sozialdemokraten übte, weil sie die Losung der deutschen Republik aufgegeben hatten. Bei uns, das heißt bei der Mehrheit der Versammlung, war der Aufstand gegen das Referat von Rafes eher psychologischer Natur. Vom ersten Augenblick an, als wir zum Bund kamen, hatten wir von der Revolution in Rußland geträumt – und nun kam Rafes und verleugnete die Revolution! Wir griffen ihn scharf an, unterstützten aber seine Resolution gegen Lenin. Wir wollten unbedingt eine einheitliche sozialdemokratische Partei.

Zu einer heftigen Diskussion kam es über die Wahlen zur Regierungsduma. Vor uns stand die Frage, mit wem wir zusammengehen sollten. Rafes schlug vor, mit der linken PPS zusammenzugehen, weil diese versprochen hatte, die national-kulturelle Autonomie zu unterstützen. Die sozialdemokratische Partei hingegen wollte davon nichts hören. Die Wahlen zur Duma nahmen eine Wendung, die niemand von uns vorausgesehen hatte. Warschau, die Hauptstadt Polens, hatte das Recht, zwei Abgeordnete zu wählen: einen Polen und einen Russen. Die polnischen Reaktionäre hatten die Juden oft gewarnt, daß es zu einer blutigen Abrechnung kommen werde, wenn sie den Polen ihr einziges Mandat der Hauptstadt wegnehmen würden. Bei der Wahl der Delegierten, die den Abgeordneten wählen mußten (es gab keine direkte Wahl) stellte sich heraus, daß die jüdische Gruppe die größte Zahl von Delegierten hatte. Die Lage war ernst. Aus Angst vor den

Polen beschlossen die Juden, ihre Stimme für einen polnischen Sozialisten abzugeben. Die sozialdemokratische Partei Polens weigerte sich, mit Hilfe bürgerlicher Stimmen gewählt zu werden, darum stimmte sie für den gemeinsamen Kandidaten der PPS – Linken und des Bund. Henech wurde zum Vermittler zwischen dem bundistischen Wahlkomitee und dem der PPS bestimmt.

Schlimm gingen die Wahlen auf dem Wiener Kongreß aus, das heißt, als schlimm erwies sich das Ergebnis erst später; damals nahmen wir es mit großer Freude auf. Gewählt wurden Alter Schuster, der damals bereits ein Spitzel war und Henech, der es einige Tage später wurde.

Als ich 1917 als politischer Emigrant aus Frankreich nach Rußland kam, führte mich der alte Bundist Mattes Schneider zu einem Rechtsanwalt, der, wie sich herausstellte, ein aktiver Bundist war. Sein Name war, wenn ich nicht irre, Winiawer. Wir gingen die Materialien zu Henechs Spitzel-Tätigkeit durch, und ich war erschüttert, mit welcher Genauigkeit er über alles informiert hatte, was sich in jener Zeit im Bund abspielte! Er verriet auch alles, was er über die linke PPS wußte, mit der er zur Zeit der Wahlen zusammengearbeitet hatte. Eine Knechtseele von Provokateur! Für seine Arbeit erhielt er 30 Rubel im Monat, so jedenfalls war es dort verzeichnet. Interessant ist, wie er zum Spitzel wurde; in den Berichten der Gendarmerie wird das genau erzählt. Nachdem Henech in Warschau als Delegierter zum Kongreß gewählt worden war, erwischte man ihn bei dem Versuch, illegal über die polnisch-österreichische Grenze zu gehen. Möglicherweise ist er vom zweiten Delegierten, der bereits ein Spitzel war, verpfiffen worden.

Als man ihn verhaftete und in dem kleinen Grenzstädtchen verhörte, wurde er zum Agenten der Ochrana, und das blieb er, bis Verdacht auf ihn fiel und man ihn aus der Arbeit zurückzog. Das erfuhr ich allerdings erst, als ich 1919 nach Warschau zurückkam. Aber schon vorher, in Moskau, hatten wir ein Urteil gegen ihn unterschrieben, in dem er als Spitzel angeprangert wurde. Unterzeichnet war das Dokument von Rechtsanwalt Winiawer, Mattes Schneider und mir.

Eines ist mir bis zum heutigen Tag ein Rätsel: warum er eine Anzahl Genossen, deren Tätigkeit er genau kannte, und die von der Ochrana ständig gesucht wurden, nicht denunziert hat. Zum Beispiel war die Ochrana stets auf der Suche nach Rafes, und er unterrichtete die Polizei jedesmal, wenn Rafes nach Warschau kommen sollte. Er beschrieb Rafes so genau, daß sogar ein Blinder ihn hätte erkennen können – und doch konnte Rafes Warschau immer unbehelligt wieder verlassen. Auch mit mir kam er eng zusammen, und als mich die Polizei nach der Aktion während des Beilis-Prozesses* suchte, traf ich ihn jeden Tag. Als das Warschauer Komitee des Bund beschloß,

* Ein damals berühmter Ritualmord-Prozeß (vgl. dazu S. 93 f.).

daß ich verschwinden müsse, war er auf dem Abschiedsabend, den die Genossen für mich veranstalteten, dabei wußte er, daß man mich suchte – und hat mich trotzdem nicht denunziert. Wer kann in die finstere Seele eines Denunzianten hineinschauen?

Es gab damals vier Spitzel in der Warschauer Organisation des Bund: Henech oder Beinisch, Alter Schuster, den blonden Mordechai und noch einen mit Namen Nachimson, ein Führer der Kooperativbewegung. An ihn kann ich mich nicht erinnern. Diese vier Spitzel hatten eine verheerende Wirkung. Fast jeden Monat wurden Konferenzen abgehalten, wahrscheinlich nur mit dem Ziel, sie hochgehen zu lassen. Verhaftungen erfolgten sehr häufig im Café des Konsum-Vereins, damals in der Dzika-Gasse 21. Die besten Genossen gingen ins Netz: Abraham Prikastschik, Joschke Metallowiec, Schmelke Walker, Ascher Meir, Jechiel Neumann und Dutzende andere. Aber wir setzten unseren Weg fort und taten weiter unsere Arbeit im großen Glauben an den endgültigen Sieg.

Der Streik meines Vaters

Zwischen der Konferenz und meiner ersten Verhaftung vergingen zehn Wochen. Während dieser Zeit war ich sehr mit Parteiarbeit beschäftigt; ich trat in das Wahlkomitee für die Regierungsduma ein. Es gab damals nur wenige Helfer, denn die Spitzeltätigkeit von Henech machte sich stark bemerkbar. Ich bekam auch wieder Arbeit in meinem Beruf. Plötzlich brach völlig unerwartet das Unglück über uns herein, besser gesagt doppeltes Unglück auf einmal.

Unter den Menschen, die in den Konsum-Verein kamen, organisierte sich eine Gruppe von pessimistischen Selbstmördern. Sie nannten sich wirklich einfach »Selbstmörder«. Ihre Anführerin war Basche, in deren Stube sie sich trafen. Dort blieben die Fenster Tag und Nacht geschlossen; nachts wurde eine Kerze angezündet. Basche ging stets mit zerzaustem Haar herum und sah aus wie eine Hexe. Einmal war ich bei ihr, hingeführt von meinem engen Freund, dem schwarzhaarigen Katz, genannt Kätzchen. Zu meinem großen Erstaunen und Kummer war auch er ein Mitglied dieser Gruppe, obwohl er ein guter Parteigenosse war. Wir behandelten diese ganze Sache höchst leichtfertig und nahmen sie nicht ernst. Aber eines Tages stürzten sich zwei aus der Gruppe, junge Arbeiter, aus dem Fenster und blieben tot auf dem Pflaster liegen. Jetzt mußte etwas geschehen. Wir diskutierten das Problem in unseren Zirkeln und verboten den Parteigenossen dieser Gruppe anzugehören.

Im Jahre 1912 spaltete sich vom Bund eine Gruppe von Anarchisten ab. Sie nannten sich die »Rote Hand«. Diese Gruppe hatte überhaupt keinen Bezug zum ideologischen Anarchismus, sondern war einfach eine Bande, die mordete, raubte und sich ein vergnügtes Leben machte. Für uns wurde sie zu einer großen Gefahr, weil die Polizei wußte, daß ihre Mitglieder in den Konsum-Verein kamen, und uns deshalb stärker zu beobachten begann. Wir hatten auch Angst, daß noch weitere Genossen hineingezogen würden. Wir hielten besondere Referate über Anarchismus und Marxismus. Das war mein Lieblingsthema; ich kannte mich damals bereits gut aus in den theoretischen Unterschieden zwischen den beiden Bewegungen. Wir boykottierten die anarchistische Gruppe, kein Genosse durfte sich mit ihr treffen. Sie, die Anarchisten, wollten unbedingt die Beziehungen zu uns aufrechterhalten. Ich erinnere mich daran, daß ich einmal mit dem weißen Max (oder Maxl, wie wir ihn nannten) auf der Dzika-Gasse war, und sie zu uns kamen und uns Unterstützung anboten. Sie wollten entweder die Partei oder jeden von uns besonders unterstützen. Sie wußten ganz genau, daß es bei uns stets hungrige Genossen gab. Wir lehnten sofort ab, und baten sie, nicht mehr in unsere Gegend zu kommen. Ich habe mich einfach davor geekelt, zu ihnen irgendeine Beziehung zu haben. Tag für Tag meldete die Presse Erschießungen und Raubüberfälle, die von der anarchistischen Gruppe »Rote Hand« ausgeführt wurden. Sie ging so vor: zuerst schrieb sie einem Kaufmann oder einem Handwerker einen Brief, daß er an einen bestimmten Platz kommen und so und soviel Geld mitbringen solle, zugleich teilten sie mit, daß er zum Tode verurteilt sei, wenn er nicht käme. Zum festgelegten Zeitpunkt kundschaftete die Gruppe aus, ober der Angeschriebene kam und ob er nicht etwa die Polizei mitbrachte. Viele hatten tatsächlich Angst und bezahlten, aber andere, die nicht zahlen wollten, wurden erschossen.

Einmal befand ich mich in einer unangenehmen und ungemütlichen Lage: Ich habe bereits erwähnt, daß Alter Schuster, der Spitzel, mir einen Revolver gegeben hatte, um ihn zu verstecken. Nach der Konferenz, auf der er als Delegierter zum Wiener Kongreß des Bund gewählt worden war, gab er mir ein Paket mit Kugeln, das ich verstecken sollte. Ich nahm es an mich und legte es nachts unter das Kopfkissen. Als ich morgens zur Arbeit ging, vergaß ich, das Paket zu verstecken. Mein jüngerer Bruder, der im allgemeinen etwas später zur Arbeit ging, bemerkte das Paket mit den Kugeln, und da er Angst hatte, es in der Stube zu lassen, steckte er es in seine Manteltasche und ging so zur Arbeit.

Bei uns in der Fabrik mußte man sogar im Sommer, in der größten Hitze, ein starkes Feuer unterhalten, damit das Leder schnell trocknete. Als mein Bruder zur Arbeit kam, hatte er Angst, seinen Mantel abzulegen und machte sich in seinem schweren Paletot an die Arbeit. Die Arbeiter fragten sich, was das wohl bedeuten sollte; es war doch unmöglich bei solch einer Hitze im Paletot zu arbeiten! Aber mein

Bruder gab keine Antwort. Auch mir war nicht klar, worum es ging, denn ich hatte die Kugeln vollkommen vergessen. Die Arbeiter kamen aber darauf, daß er etwas in der Tasche versteckt haben mußte. Der Meister ging zu ihm hin, tastete ihn ab, und alles wurde aufgedeckt. Ich wußte, daß es meinem Bruder übel ergehen konnte, wenn die Sache überall bekannt würde. Darum erklärte ich den Arbeitern, daß die Kugeln mir gehörten, worauf sich alle beruhigten und niemand mehr davon sprach.

Aber einige Tage darauf hörten wir einen Schuß, alle liefen ans Fenster und sahen, wie jemand mit zwei Revolvern in den Händen davonrannte und auf Polizisten schoß, die ihm nachliefen. Viele der Arbeiter hatten mich oft mit dem Davonrennenden sprechen sehen, bevor er Anarchist geworden war. Da begann man mich zu verdächtigen. Die Arbeitskollegen waren sicher, daß die Kugeln, die man bei meinem Bruder gefunden hatte, mit den Überfällen in Zusammenhang stünden. Ich fühlte mich so beschämt und moralisch erschlagen, daß ich den Arbeitern die ganze Wahrheit sagen mußte.

In der gleichen Zeit trat auch ein Ereignis ein, das mich damals stark mitgenommen hat und über das ich später in den schweren Tagen meines Gefängnisaufenthaltes oftmals nachdachte. Jeder Revolutionär hat im Gefängnis seine schwer zu ertragenden Tage, und an solchen Tagen erinnerte ich mich oft an dieses Ereignis und es wurde mir warm ums Herz. Ich bekam neuen Mut und frische Kraft.

Es geschah im Juli, oder sogar im August 1912. Ich war bei der Arbeit und jemand kam zu mir, um mir auszurichten, daß mein Vater nach mir verlange. Allein das war für mich eine Überraschung, denn mein Vater hatte mich vorher niemals gerufen. Ich kann mich noch nicht einmal daran erinnern, daß er mit mir geredet hätte. Wie sich später herausstellte, hat er mich sehr geliebt, aber gesprochen hat er darüber niemals. Als er begriffen hatte, daß ich Revolutionär geworden war, brummte er nur unzufrieden einige Worte und zwar, als er mich dabei traf, wie ich Perez las.* Perez war zu jener Zeit Angestellter der jüdischen Gemeinde. Mein Vater sagte: »Perez ist ja ein ganz guter Jude, aber es wäre besser, wenn er sich nicht durch Bücherschreiben zum Narren machen würde«. Das war das einzige Mal, daß mein Vater seine Meinung kundtat.

Als ich hörte, daß mein Vater auf mich wartete, war mir klar, daß etwas passiert sein mußte. Mit Herzklopfen ging ich zu ihm. Ich fand ihn mit Tränen in den Augen und schrecklich niedergeschlagen. Ich spürte wie die Beine mir wegknickten; ich hatte meinen Vater noch niemals weinen gesehen. Er erzählte mir schlicht und einfach, daß die Chefin, bei der er arbeitete, ihn des Diebstahls bezichtigte.

---

* Jizchak Leib Perez, 1851–1915, jiddischer Dichter, gilt als einer der Begründer der modernen jiddischen Literatur. Er behandelt erstmals die Welt des Chassidismus literarisch; in seinen Dramen herrschen mystisch-symbolistische Züge vor.

In der damaligen Zeit hielten es viele Meister folgendermaßen: sie zahlten den Arbeitern nicht jede Woche den gesamten Lohn aus, sondern nur einen Teil des Geldes. Die endgültige Abrechnung wurde gemacht, wenn die Saison zu Ende ging. (Ich glaube, daß dies sogar im Nachkriegspolen noch praktiziert wurde). Die Chefin meines Vaters hatte einen originellen Einfall: wenn die Saison zu Ende ging, behauptete sie, die Arbeiter hätten gestohlen, um ihnen das Geld nicht auszahlen zu müssen, das sie ihnen schuldete.

Mein Vater erklärte mir unter Tränen: »Es geht mir gar nicht mehr um das Geld, aber verstehst du, auf meine alten Tage macht sie mich zum Dieb, ich schäme mich meines grauen Bartes...« Mehr konnte er nicht sagen. Trotz meines Kummers war ich auch voller Freude: bedeutete dies, daß mein Vater begriffen hatte, welchen Weg ich ging? Hatte er verstanden, daß die Beleidigten und Benachteiligten zu den Sozialisten gehen mußten; daß diese sich aller Gepeinigten annahmen? Ich beschloß, alles gegen das ihm angetane Unrecht zu tun. Ich war sogar bereit, mich schlimmstenfalls an die anarchistische Gruppe zu wenden. Aber dazu kam es nicht.

Ich ging zur Fabrik zurück und erklärte, ich würde heute nicht arbeiten, sondern mich im Konsum-Verein mit Genossen treffen. Unter ihnen war Viktor Schuster, ein alter Bundist, der einmal nach Sibirien verbannt worden war. Er erzählte immer dieselben Geschichten, nur waren sie jedesmal anders. Wenn wir uns einen Spaß machen wollten, baten wir ihn, uns die Geschichte seiner Verbannung zu erzählen. Diesen Viktor und noch einige andere nahm ich mit, und wir gingen zu der Chefin meines Vaters. Die Türe stand offen, sie war auf unser Kommen nicht vorbereitet. Wir nahmen die fertige Ware an uns und erklärten, sie würde die Ware zurückbekommen, wenn sie das Geld ausgezahlt hätte. Plötzlich sah ich Viktor die Schubladen des Tisches aufreißen, und als ich ihn fragte, was er da mache, antwortete er, er suche Streikbrecher. Ich brach in schallendes Gelächter aus – das war ganz Viktor mit seinen Possen. Wir kamen dann jeden Tag einige Male vorbei, um zu kontrollieren, ob nicht Streikbrecher die Arbeit aufgenommen hatten. Als der Streik länger dauerte, setzten wir Genossen hinten in die Stube, die verhindern sollten, daß jemand etwas kaufte.

So gingen etwa zwei Wochen vorüber. Eines Morgens, um sieben Uhr früh, als ich noch im Bett lag, kam die Chefin an und erklärte, sie sei gekommen, um mich zu verhaften. Mir war klar, daß sie log, denn hätte sie mich wirklich verhaften wollen, dann hätte sie die Polizei schicken können, ohne selbst dabei sein zu müssen. Ich wußte, daß sie gekommen war, um die Angelegenheit friedlich zu bereinigen und machte mich ein wenig über sie lustig.

Ich bat sie, eine Minute hinauszugehen, weil ich mich anziehen und zur Arbeit gehen müsse. Da sie sich aber nicht vom Bett fortrühren wollte, blieb mir nichts anderes übrig, als mich in ihrer Anwesenheit anzuziehen. Dabei wurde sie schon etwas weicher und schlug vor, einen Teil des Geldes auszuzahlen. Und als ich die Hand an der Türklinke hatte, war sie bereit, das ganze Geld auszuzahlen – aber nur für meinen Vater. Ich bat meinen Vater, das Geld nicht anzunehmen, bis sie auch alle übrigen Arbeiter auszahlen würde.

Mein Vater tat dies auch nicht. Schließlich zahlte sie noch am gleichen Tag allen Arbeitern ihr Geld aus und veröffentlichte in der Zeitung eine Entschuldigung. Damit war die Sache erledigt. Ich glaube nicht, daß sie später noch einmal solche Kunststücke versucht hat.

Bei uns zu Hause war das ein echter Festtag, denn auf einmal hatten alle ein anderes Verhältnis zu mir. Ich war glücklich, die Ehre meines Vaters gerettet zu haben und die aller anderen, die mit ihm zusammen arbeiteten.

Der Sächsische Garten

Der Sächsische Garten spielte damals in unserem Leben eine große Rolle. Nach dem Konsum-Verein war er unser zweites Zuhause. Wir gingen jeden Abend hin. Dafür gab es verschiedene Gründe. Erstens trafen wir dort alle jene Menschen, die in den Konsum-Verein nicht kommen wollten oder konnten, und zweitens war dies auch ein Ort, an dem wir uns ein wenig auslebten. Der schwarzhaarige Katz pflegte dort seine herzergreifenden Lieder zu singen, die wir sehr gerne hörten. Er war ein meisterhafter Sänger dieser kleinen Liedchen. Als ich ihn später in Moskau traf und wir ganze Nächte lang auf dem Worobiow-Berg spazieren gingen (das war Leonid Andrejews Platz der Träume) sang er ebenso herzzerreißend russische Lieder, aus denen so viel Sehnsucht klang.

Wenn wir also im Sächsischen Garten spazieren gingen, bat ihn ich oft, etwas zu singen und ich spürte, daß sein Gesang einen großen Teil unserer Freundschaft ausmachte. Ich liebte den Garten besonders an den Herbsttagen, wenn der polnische Himmel grau ist, vernebelt, und die Blätter von den Bäumen fallen. Ich setzte mich auf eine Bank und eine tiefe Sehnsucht erfaßte beklemmend mein Herz. Wonach sehnte ich mich damals? Nach dem verschwundenen Sommer? Oder nach einem schöneren und besseren Leben? Oder vielleicht nach dem Leben überhaupt, das ich auf dem Altar der Revolution zu opfern bereit war? All dies zusammen erzeugte in mir eine starke Sehnsucht, und diese Stimmung habe ich sehr gerngehabt.

Im Sächsischen Garten gab es zwei Alleen, die parallel liefen: die »proletarische« und die »literarische«. Das waren natürlich nicht die wirklichen Namen der Alleen, aber wir nannten sie so, denn in der einen gingen gewöhnlich die jüdischen Schriftsteller spazieren und in der anderen die jüdischen Arbeiter – oder vielmehr die jüdischen Sozialisten.

Perez kam jeden Samstag morgen in den Garten, und das war für uns Grund genug, auch zu dieser Zeit hinzukommen. Er ging nicht gleich auf die literarische Allee zu, sondern wandte sich erst in unsere Richtung, denn er wußte, daß wir dort auf ihn warteten. Er lächelte uns mit herzlicher Freundschaft zu. Ja, Perez liebte uns. Das hat er oftmals öffentlich erklärt. Er, der Dichter der großen Träume, konnte unseren kämpferischen Charakter richtig einschätzen. Wir mochten ihn nicht weniger gern; es war eine große gegenseitige Liebe, wenn sie auch voller Polemik und Streit war. Die Polemik nahm oft dramatische Züge an, aber sogar in den schärfsten Auseinandersetzungen fühlten wir noch, daß Perez unsere Köpfe und Seelen beherrschte.

Besonders scharf griff Perez in jener Zeit den Marxismus an; er nannte ihn ein Schmuggelgut, das von draußen zu uns hereingetragen worden war. Wir waren bereit, bis aufs Äußerste für dieses Gut zu kämpfen, denn der Marxismus war für uns das Licht in der großen Finsternis. Die marxistische Theorie hatten wir uns in Hunger und Not, in schwerem Kampf erworben, und wir waren bereit, sie gegen jeden zu verteidigen, der sie bekämpfte. Und Perez bekämpfte den Marxismus auf seine Art.

Ich erinnere mich, wie Perez damals einen Vortrag hielt über sein Drama »Nachts auf dem alten Markt«. Er sprach allerdings wenig über das eigentliche Thema (daran waren wir schon gewöhnt), sondern entwickelte seine Lieblingstheorie über die hohen Berge und die Alleen in der Ebene. Auf den Alleen spazieren die kranken und schwachen Menschen, denen es in der Höhe schwindlig und wirr im Kopf wird. Aber in den hohen Bergen klettern die Menschen mit gesundem Geist und Körper, die furchtlos und kühn sind. Er forderte uns dazu auf, nicht wie Kranke und Schwache zu gehen, sondern auf die hohen Berge zu klettern. Soweit waren wir entzückt von seiner Rede, aber bald sprang Perez zu einem anderen Thema – zum Marxismus. Er beschimpfte ihn als dem jüdischen Leben fremd, als eine von Deutschland hereingeschmuggelte Idee. Wir wurden zornig und machten laute Zwischenrufe. Und als er rief, daß man allen, die den jüdischen Arbeitern Marxismus predigen, ins Gesicht spucken müsse, gab es einen Riesenskandal und sogar eine Schlägerei. Der weiße Max prügelte sich mit den zionistischen Freunden seines Bruders. Der Vortrag von Perez wurde unterbrochen. Dann sprach Perez weiter, aber vor einem leeren Saal – wir waren fortgegangen. Am anderen Tag schrieb ein Mitarbeiter des »Freund« in der Zeitung: »Jüdische Arbeiter, nehmt euch die Spucke von Perez nicht zu Herzen. Von diesem Anspeien werdet ihr noch reiner werden.«

Unsere Auseinandersetzung wurde noch schärfer, als Perez am Vorabend des Versöhnungstages (Jom Kippur) 1913 seinen berühmten Artikel schrieb, in dem er die jüdischen Arbeiter aufforderte, in die Synagoge beten zu gehen. Wir drückten unseren Protest auf originelle Weise aus, was später in den literarischen Zirkeln ein häufiges Gesprächsthema war. Perez soll sehr bekümmert gewesen sein, er sagte, die jüdischen Arbeiter hätten ihn falsch verstanden.

Die Geschichte spielte sich so ab: Als der Artikel von Perez, ich glaube in der Zeitung »Moment« veröffentlicht wurde, wollten wir, eine Gruppe von Genossen, Perez unsere Meinung dazu sagen. Darum wurde beschlossen, ihm am Versöhnungstag, wenn er wie gewöhnlich durch unsere Arbeiter-Allee spazierte, ein Gebetbuch zu überreichen. Das sollte ausdrücken, daß wir ihm das Geschenk zurückgeben wollten, das er uns mit seinem Artikel gemacht hatte. Wir waren vier Genossen: der schwarze Katz, der weiße Max, Jossele Beutelmacher und ich.

Wir warteten auf Perez morgens früh im Garten. Als er durch unsere Allee kam, überreichte ihm der weiße Max das Gebetbuch und sagte ihm, es sei ein Geschenk der jüdischen Arbeiter, weil man sie dazu aufgefordert hatte, in die Synagoge zurückzugehen. Perez nahm das Geschenk an, wurde etwas blaß, und seine Antwort bestand aus zwei Worten: »Schönen Dank«. Wir wußten damals nicht, daß dieser Vorfall Perez so beeindruckte, daß er ihn noch oft danach erwähnte. Aber trotz allem ließ unsere Liebe zu ihm nicht nach. Wir warteten auch weiterhin jeden Samstag morgen im Garten auf ihn.

Der Sächsische Garten diente uns als Ort für revolutionäre Übungen, was die Polizei auch sehr wohl wußte. Unsere Allee war gewöhnlich voll von Spitzeln, die wir alle kannten, wie sie uns auch. Wenn wir spazieren gingen, und sie uns entgegenkamen, begrüßten wir einander mit einem Lächeln, und dann setzte jeder seinen Weg fort.

Die revolutionären Übungen bestanden darin, daß wir vor Massenaktionen im Garten Demontrationen veranstalteten. Um acht Uhr abends, wenn es läutete, weil die Tore des Gartens geschlossen wurden, und die vielen Menschen zum Ausgang strömten, verteilten wir uns in Gruppen an jedem Tor. Im Gedränge mischten wir uns unter das Publikum, warfen unsere Flugblätter und riefen Losungen, die zu der jeweiligen Aktion paßten, die wir durchführen wollten.

Bei solchen Demonstrationen zeichnete sich besonders der weiße Max aus. Er konnte Hunderte von Flugblättern so zwischen den Fingern halten und dann hoch werfen, daß jedes Flugblatt woanders hinfiel. Dabei verriet er abenteuerliche Neigungen. Da er wußte, daß die Spitzel ihm nichts anhaben konnten, wenn sie nichts bei ihm fanden, wartete er ab, bis ein Spitzel kam, warf dann die Flugblätter über seinen Kopf weg, und der Spitzel mußte so tun, als habe er nichts gesehen.

Ich kann mich nicht daran erinnern, daß die zaristische Polizei je den

Sächsischen Garten umstellt und die Tore geschlossen hätte, um Massenverhaftungen vorzunehmen (wie das später die polnische Polizei tat) obwohl Provokateure dorthin kamen, die sicherlich über jede von uns geplante Aktion informiert waren.

Meine erste Verhaftung

Der Vorabend des Versöhnungstages war für uns jüdische Arbeiter außerordentlich seltsam. Uns war die Mentalität des Bittens und Betens zuwider, wir waren voller Kampfesstimmung. Aber um uns herum bereitete man sich auf den Feiertag vor und alles wurde anders. Der Meister, bei dem ich arbeitete, war an diesem Tag besonders gut aufgelegt. Das ganze Jahr über fluchte er in der Gaunersprache, war grob zu den Arbeitern und sogar zu seiner eigenen Frau. Aber an diesem Tag verwandelte er sich in einen völlig anderen Menschen, wurde sanft wie Gras, gut zu allen und besonders zu seinen Arbeitern. Die Eltern bei uns zu Hause wurden auch ganz besonders liebevoll. All das schuf eine eigenartige Atmosphäre; keine Versöhnungstagstimmung, aber ein Gefühl von Feierlichkeit.

Am Kol-Nidre Abend* des Jahres 1912 wollten wir, eine Gruppe von Genossen, in die Oper gehen. Morgens hatten wir bereits ein Essen in einem polnischen Restaurant vorbestellt. (Der Versöhnungstag, der am Abend vorher beginnt, ist der höchste religiöse Fastentag). Die Besitzer der polnischen Gaststätten waren schon so sehr daran gewöhnt, daß am Jom Kippur Juden zu ihnen zum Essen kamen, daß sie sich bereits vorher fragten: »Wann kommt eigentlich wieder der Tag, an dem die Juden so viel essen?«

Am Tag vor Jom Kippur arbeiteten wir nur einen halben Tag. Nach der Arbeit ging ich nach Hause, wusch mich und aß eine Kleinigkeit, ehe die letzte Mahlzeit vor dem Fastenbeginn eingenommen wurde. Dann ging ich hinaus und wie stets schlug ich den Weg zum Sächsischen Garten ein.

Wie schon geschildert liebte ich die Herbststimmung, und damals war auch so ein trüber Herbsttag. Die Blätter fielen haufenweise von den Bäumen. Es war kühl und nebelig. Die anderen Genossen waren nicht gekommen, so daß ich allein dasaß und träumte. Solch ein trüber Herbsttag ist die beste Zeit, um sich den eigenen Gefühlen zu überlassen. Ich verfiel in meine Träumereien und vergaß völlig, daß ich illegale Wahlaufrufe in der Tasche hatte, die von beiden Zentralkomitees, dem des Bund und der der linken PPS, unterschrieben wa-

* Vorabend des Versöhnungstages, an dem in den Bethäusern der Kol-Nidre-Gesang ertönt.

69

ren. Da die Genossen nicht kamen, beschloß ich, beim Konsum-Verein vorbeizugehen, ehe ich zur »Fastenmahlzeit« nach Hause ging.

Als ich in den Konsum-Verein kam, waren dort bereits eine Menge Leute. Ich habe schon erwähnt, daß sich der Verwalter später als Spitzel herausstellte. Damals aber wußten wir das noch nicht (als man uns zur Ochrana führte, sagten einige Genossen, man habe ihn, ehe die Polizei kam, hinausgehen sehen, aber wir nahmen den Verdacht nicht ernst). Jeder von uns hatte die Taschen voll mit Wahlmaterial. Plötzlich kam die Polizei. Alle leerten ihre Taschen und warfen alles auf den Boden, nur ich schaffte es nicht. Möglich, daß mich die Spitzel bereits im Auge hatten, vielleicht war ihnen auch meine Kleidung verdächtig, der typische Aufzug eines Revolutionärs – breiter Hut und schwarze Bluse. Wie immer das gewesen sein mag – sie stürzten sich gleich auf mich und hielten mich am Mantelkragen fest, durchsuchten mich und fanden natürlich die Flugblätter. Bei keinem anderen wurde etwas in den Taschen gefunden. Man führte mich gleich in eine Ecke und hielt mich fest.

Ich verfiel in eine traurige Stimmung, nicht weil ich wußte, daß ich einen Prozeß bekommen und ganz sicher verurteilt werden würde; darauf war ich vorbereitet. Mich machte etwas anderes traurig. Die mich am Mantelkragen packten, waren Spitzel in Stiefeln und mit Mützen mit ledernem Schirm. Ich erinnerte mich daran, daß so die Männer der Kampfabteilungen der PPS im Jahre 1905 gekleidet gewesen waren. Viele von ihnen wurden in der Tat Provokateure. Jetzt hatten sie mich verhaftet. Das machte mein Herz beklommen und ich war tief betroffen. Die Spitzel bemerkten das und haben es sicherlich auf ihre eigene Weise gedeutet.

Sie versuchten, mich durcheinanderzubringen. Jede Minute rief einer dem anderen zu: »Der dort ist es!« Dann führten sie schließlich den Kommissar des dritten Polizeikommissariats zu mir. Später, als der Polizeipräsident kam, wiederholte sich das Spiel. Ich fühlte, wie meine Verwirrung wuchs, und begann meine Schuhriemen zuzubinden, damit ich sie nicht anschauen mußte. Das tat ich dann die ganze Zeit, bis sie mit ihrer Durchsuchung fertig waren, uns alle in Reih und Glied aufstellten, um uns ins Kommissariat abzuführen. Wir hatten damals eine Absprache, daß Genossen, die verhaftet und ins Gefängnis abgeführt wurden, auf dem Weg revolutionäre Lieder singen sollten. So kam es dann, daß wir, statt in die Oper zu gehen, von der Polizei an einem regnerischen Herbstabend durch die Straßen geführt wurden und die Klänge unserer revolutionären Lieder in der nächtlichen Finsternis erschallen ließen.

Man führte uns in die »Ziege« des Zirkelhofs. Dort hatten wir sofort einen Zusammenstoß mit Verhafteten aus der Unterwelt, von denen einige auf den Pritschen saßen. Der Genosse Eli Becker hatte einen steifen Hut auf, und einer von ihnen versetzte ihm einen Schlag auf den Hut. Das war bei den Unterweltlern so üblich. Aber unsere Genossen stürzten sich auf sie und es dauerte nicht lange, bis sie unter den Pritschen lagen. Dann setzten wir uns auf die Pritschen und überlegten, was wir beim Verhör sagen sollten.

Für alle anderen war die Sache leicht und einfach, denn bei ihnen hatte man nichts gefunden, darum mußten sie nur sagen, sie wüßten von nichts. Bei mir war die Sache komplizierter, denn bei mir hatte man, in eine Zeitung eingepackt, ein Paket Flugblätter gefunden. Darum mußte ich eine Ausrede erfinden. Es wurde beschlossen, daß ich mich so verteidigen sollte:»Ich ging in den Sächsischen Garten. Da kam auf mich ein Genosse zu, ich gab ihm etwas zu lesen, und er gab mir die Zeitung. Da es dunkel wurde, habe ich die Zeitung in die Tasche gesteckt und nicht nachgeschaut, was drinnen war.«Klar, daß dies eine schwache Verteidigung war, aber etwas besseres fiel uns nicht ein.

Früh am anderen Morgen, das heißt am Jom Kippur, brachte man uns zur Ochrana. Durch die Gitter des Gefängniswagens, der Grünen Minna, sah ich meine Eltern. Wir hatten früher einmal beschlossen, die ganze Zeit über die»Internationale«zu singen, wenn wir im Gefängniswagen abtransportiert würden. Das taten wir jetzt auch. Wir gerieten durch die revolutionären Lieder in Begeisterung – ob jedoch meine Eltern so begeistert waren, bezweifle ich. Ihren Kummer verstand ich sehr gut, aber ich bemühte mich, nicht daran zu denken.

Als man uns ins Gefängnis der Ochrana gebracht hatte, wuschen wir uns und zogen frische Wäsche an. Jeder erhielt eine Schüssel mit einem Löffel. Wir kamen alle in eine Zelle. Sie war groß und hell. Wir waren zu vierzig Genossen und fühlten uns nicht beengt. Man kann auch nicht sagen, daß wir Angst verspürt hätten. Zunächst einmal waren dort einige persönliche Freunde – Awreml Stricker, Eli Becker und andere. Und die anderen waren doch alle bekannte und nahe Parteigenossen. Das Essen war auch nicht schlecht, und gleich am nächsten Tag erhielten wir von draußen Pakete.

Eines beunruhigte mich: was sollte ich den Eltern sagen? Für mich bedeutete es eine große Qual, daß gerade ich, der ich meine Mutter so sehr liebte und für sie zitterte, ihr soviel Kummer bereiten sollte. Ich fürchtete mich vor dem Augenblick, da sie zu mir kommen würde, um mich zu sehen. Nun, sie ist gekommen, aber statt daß ich sie trösten mußte, hat sie mich getröstet. Sie brachte auch eine Freundin von mir mit, von der sie wußte, daß ich sie sehen wollte. Auch mein Vater war bei diesem Besuch dabei – und wie gewöhnlich redete er überhaupt nicht. Als meine Mutter das zweite Mal alleine kam, und ich sie fragte, warum mein Vater nicht mitgekommen sei, antwortete sie, der Vater habe Angst gehabt, er würde in Tränen ausbrechen, darum schäme er sich. Wie herzlich und gut doch meine Eltern waren!

Ich dagegen habe ihnen schreckliches Unrecht zugefügt. Meine Eltern hatten noch ein wenig Geld aus der Erbschaft übrig, womit sie sich ihre alten Tage etwas erleichtern wollten. Wegen meiner Verhaftung sind sie das bißchen Geld losgeworden. Viele Jahre konnte ich mir das nicht verzeihen, und selbst heute, während ich dies schreibe, schmerzt mich das noch sehr.

Bei uns in der Zelle ging alles ganz friedlich zu, obwohl wir auch dort eine Auseinandersetzung mit den Unterweltlern nicht vermeiden konnten. Als man uns einmal zum Waschen hinausließ, überfielen sie einige unserer Genossen und verprügelten sie gewaltig. Anderntags zahlten wir es ihnen heim. Die Gefängnisverwaltung nahm daraufhin eine strenge Trennung zwischen uns und ihnen vor, und sie tat gut daran.

Inzwischen geschah nichts, was unsere gute Stimmung hätte verderben können, und so blieb es einen ganzen Monat. Was aber danach passierte, erschütterte uns alle. H., ein alter Parteigenosse erklärte uns schlicht, er sei bereit, zum Denunzianten zu werden, wenn wir keinen Weg fänden, ihn freizubekommen. Ehe ich etwas über die Wege sage, die er vorschlug, muß ich zunächst einige Worte über die zaristischen Gesetze der damaligen Zeit sagen.

Es gab zwei Strafen für politische Delikte: Erstens administrative Verbannung, zweitens ein gerichtliches Urteil. In Untersuchungshaft konnte man nur drei Monate gehalten werden, danach mußte eine dieser beiden Strafen ausgesprochen werden, oder man kam frei. Selten saß jemand drei Monate lang in Untersuchungshaft. Diejenigen, denen man einen Prozeß machen wollte, kamen nach einem Monat in das Gefängnis, in dem die Verhöre durchgeführt wurden, in Warschau ins Pawiak-Gefängnis. Diejenigen, die nicht verbannt wurden, denen man aber auch keinen Prozeß machen konnte, wurden nach Ablauf des ersten Monats freigelassen. Die Ochrana war also eine Art Untersuchungshaft.

Als wir verhaftet wurden, waren wir 40 Genossen. Bis zum Monatsende wurden 23 freigelassen. Es blieben nur noch 17. Darum entstand bei allen der Eindruck, daß man diesen 17 den Prozeß machen würde. Dieser Eindruck verstärkte sich dadurch, daß alle Freigelassenen keine Parteigenossen waren. Unter den 17 Verbliebenen waren die Parteiaktivisten, darunter ein bei uns allen beliebter Genosse: Awreml Stricker, Mitglied des Warschauer Führungsgremiums des Bund. Wir waren alle sicher, daß man uns einem gerichtlichen Verhör unterziehen würde. Genosse H. erklärte uns nun, er habe draußen eine Braut, die er heiraten wolle, und er würde eine Verurteilung nicht durchstehen. Darum wollte er, daß wir für seine Freilassung sorgten. Das ging aber nur, wenn einer der 17 Genossen alle Vergehen auf sich nahm. Er schlug vor, daß entweder ich die ganze Schuld auf mich nehmen sollte, da ich ohnehin einen Prozeß bekommen würde, oder Awreml Stricker, der ein Mitglied der Warschauer Führung sei. (Das war übrigens der gleiche H., der später Kom-Bundist wurde und danach in die Kommunistische Partei eintrat. Während des Krieges brachte er sich mit Spekulationen durch und heute ist er einer der aktivsten stalinistischen Funktionäre in Paris). Wenn wir uns nicht auf seine Vorschläge einließen, werde er alle denunzieren. Wir waren äußerst betroffen, darauf war keiner von uns vorbereitet. H. wurde von uns geschnitten, viele wollten ihn verprügeln. Wir forderten, daß er aus unserer Zelle wegverlegt wurde, aber noch als er dann in einer Einzelzelle saß, ließ er uns täglich wissen, daß er fest zur Denunziation entschlossen sei, wenn er nicht freigelassen würde. Wir wußten wirklich nicht, was wir tun sollten. Während meines erstens Verhörs durch einen polnischen Offizier sagte dieser nichts über einen Prozeß. Er erklärte mir lediglich, daß er mir kein einziges Wort glaube, aber alles so notiere, wie ich es sagte, weil ihm nichts anderes übrig bliebe. Wir wurden unruhig, und so entstand bei mir und Awreml der Plan, den ganzen Prozeß auf uns zu ziehen. Damit wollten wir zwei Ziele erreichen: erstens die Schande zu verdecken, daß es unter uns einen Provokateur gab, und zweitens die aktiven Genossen zu retten, damit sie die Arbeiter weiter führen konnten.

Ich war noch aus einem weiteren Grund beunruhigt. Mir schien, daß Awreml Stricker die Absicht hatte, die ganze Schuld allein auf sich zu nehmen. Das wäre für ihn der sichere Tod gewesen. Er war schwindsüchtig, spuckte ständig Blut, und jeder Tag im Gefängnis war für ihn gefährlich. Außerdem war er mir ein lieber persönlicher Freund. Als Kind armer Eltern hatte er sich viel Wissen angeeignet, er war ein leidenschaftlicher Revolutionär und ein guter Mensch. Ich wollte auf keinen Fall zulassen, daß er sein Leben ließ. Darum beschloß ich, die Schuld auf mich zu nehmen.

Damit drohte mir Sibirien. Ich wollte nach Hause schreiben, man solle mir eine Wattejacke und warme Wollsocken schicken. Ich trug mich auch mit dem Gedanken, auf jeden Besuch meiner Mutter zu verzichten. Ich wußte, daß sie das nicht überstehen würde, aber ich hatte nicht den Mut sie wiederzusehen. Heute noch schaudert es mich bei dem Gedanken: warum war ich bereit, das Leben meiner Mutter aufs Spiel zu setzen? Dennoch habe ich damals so und nicht anders entschieden.

Als ich den Genossen meine Absicht mitteilte, stieß ich auf erbitterten Widerstand, und sie verboten mir, sie auszuführen. Besonders Awreml Stricker widersetzte sich. Ganze Tage hat er mit mir gesprochen. Er erzählte mir seine Lebensgeschichte und ließ mich keinen Moment allein. Ich verstand, daß er mir alles ausreden und Zeit gewinnen wollte. Zuletzt wurde ein Kompromiß beschlossen. Vorläufig dürfe ich nichts unternehmen, aber wenn sich herausstellen sollte, daß man mir einen Prozeß machen wollte, dann würden die Genossen mir erlauben, die ganze Schuld auf mich zu nehmen.

Ende des zweiten Monats kam der Gendarmerieoberst, rief mich zu einem Verhör und überreichte mir den Paragraphen 132 der Strafprozeßordnung, den leichtesten für politische Prozesse. Er erklärte mir, man werde mich anderntags ins Pawiak-Gefängnis schicken. Da man sonst niemanden rief, war es klar, daß alle anderen freigelassen würden. So geschah es dann auch. Ende des zweiten Monats waren alle außer mir frei. Die Genossen waren jedoch gedrückter Stimmung, sie fühlten sich unwohl dabei. Ich war immerhin der jüngste an Jahren und auch der Jüngste in der Bewegung.

Meine Stimmung dagegen war gut, ich erkämpfte beim Gendarmerieobersten das Recht, jiddisch sprechen zu dürfen und sah darin einen Sieg für die national-kulturelle Autonomie. Als der Gendarmerieoberst zum letztenmal kam, weil ich das Protokoll unterschreiben sollte, weigerte ich mich. Ich hatte gehört, daß sie oftmals nicht das vorlasen, was sie schrieben, sodaß man hinterher viele Schwierigkeiten haben konnte. Russisch verstand ich damals nur schlecht, und der Gendarm konnte kein Polnisch. Ich stellte die Forderung auf, daß das Protokoll ins Jiddische übersetzt werden müßte. Ich wußte, daß er dafür politische Häftlinge um Hilfe bitten müßte, die in anderen Zellen saßen. Genau das wollte ich.

Anfangs wollte er überhaupt nichts davon hören. Er erklärte mir, ich sei nicht in Palästina, und wenn ich stur bliebe, werde man mich eben weiter in Untersuchungshaft halten. Er verstehe kein Jiddisch, und überhaupt stelle man eine solche Forderung zum ersten Mal an ihn. Als ich ihm aber erklärte, ich verstünde kein Russisch und würde nicht unterschreiben, und dabei aufstand, um in meine Zelle zurückzugehen, wurde er weich und rief einen Genossen heraus, an dessen Namen ich mich nicht erinnere, obwohl ich ihn später am Don wiedergetroffen habe. Er blieb stets Menschewik und ist zuletzt im Lager umgekommen.

Der Oberst las das Protokoll vor, und währenddessen haben wir uns unterhalten. Als der Oberst fertig war, hatte ich alles erfahren, was für mich wichtig war. Ich unterschrieb das Protokoll, obwohl ich kein einziges Wort davon verstanden hatte.

Früh am nächsten Tag verabschiedete ich mich. Ich kam ins Pawiak-Gefängnis und die anderen Genossen wurden tags darauf freigelassen. Awreml Stricker habe ich nicht mehr gesehen, denn als ich freikam, war er schon wieder verhaftet. Viele andere Genossen traf ich später in Rußland wieder.

Im Pawiak-Gefängnis

Als ich ins Pawiak-Gefängnis kam, spürte ich gleich den Unterschied. Im Untersuchungsgefängnis war es hell und geräumig gewesen, und die ganze Zeit über saß ich mit den eigenen Genossen und engen Freunden zusammen. Hier war es ganz anders. Das Gefängnis hatte finstere lange Korridore und versetzte mich in düstere Melancholie. Das Verhalten mir gegenüber war hier auch viel strenger, und die Personenuntersuchungen brutaler. Noch schlimmer wurde es, als man mich in meine Zelle brachte, die fünf Schritt in der Länge maß und etwas mehr als drei Schritt in der Breite. Zunächst hatte ich mich gefreut und geglaubt, nun wäre der ganze Schrecken bald vorbei, ich würde mit Genossen zusammen sein, weil politische Häftlinge in besonderen Zellen saßen. Im Pawiak-Gefängnis waren es damals schon viele, darunter eine kleine Anzahl von Sozialdemokraten, eine noch kleinere vom PPS, das heißt von der Pilsudski-Richtung*. Es saß auch eine Gruppe der »Vereinigten« (Arbeiterpartei) mit Mordechai Kastenmacher an der Spitze. Der Bund übertraf sie alle zahlenmäßig um ein Vielfaches. Die Politischen hatten bereits gewisse Rechte erkämpft. Der Leiter der politischen Häftlinge war einer der Führer der »Zukunft«, ein Bundist; Schpinak-Josefowitsch. Später wurde er in Rußland zu einem von Losowskis** nahen Mitarbeitern in der Kommunistischen Gewerkschaftsinternationale. Schon als wir noch in Freiheit waren, wußten wir, daß im Gefängnis wichtige Kulturarbeit geleistet wurde. Darum wollte ich gerne mit den eigenen Genossen zusammen sein, und meine Enttäuschung war entsprechend groß, als man mich gemeinsam mit zwei Kriminellen in eine Zelle steckte. Ich kann mich heute noch an diese beiden erinnern. Einer von ihnen war barfüßig, mit ungekämmtem Haar lief er in der Zelle auf und ab und pfiff sich dazu ein Lied. Er saß wegen der Vergewaltigung eines jungen Mädchens. Der zweite war groß, hatte Stiefel an und ein keckes Hütchen auf dem Kopf; ein gewöhnlicher Dieb. Sie freuten sich, als ich kam, weil sie wußten, daß Politische von draußen Essen erhielten, und vor allem Zigaretten. Darin täuschten sie sich nicht. Ich erhielt alsbald ein Paket und teilte es mit ihnen. Vom ersten Augenblick meines Gefängnislebens hielt ich mich an den Grundsatz: mit wem auch immer ich in Haft sein sollte, ich würde in einer Kommune mit ihm leben. Auch mit diesen beiden ersten Haftgenossen habe ich es so gehalten. Sie waren zufrieden, aber ich war unglücklich. Ich wußte, daß im gleichen Gefängnis gute und wunderbare Genossen saßen. Sie hatten ihren eigenen Hofgang, gaben eine Gefängnis-

---

* Der spätere Marschall und Staatschef Polens, Josef Pilsudski, war in seiner Jugend Sozialist.
** Alexander Losowski war bis zu Beginn der 30er Jahre Generalsekretär der Roten Gewerkschafts-Internationale.

zeitung heraus, lernten viel – und ich mußte mit zwei miesen Verbrechern zusammensitzen. Als ich zum Spaziergang gebracht wurde, stellte sich meine Lage als noch schlimmer heraus. In der ganzen Abteilung gab es nur vier Politische, die zusammen mit den Kriminellen auf den Hof geführt wurden, während in anderen Abteilungen sehr viele Politische waren. Mir war klar, daß ich nicht um einen Konflikt herumkommen würde. Über einen Monat blieb ich mit den Kriminellen zusammen. Ich weiß nicht, warum ich dann in eine Zelle verlegt wurde, in der ein gewisser Sussmann von den »Vereinigten« saß. Danach kam Mendel Kamaschenmacher hinzu, bzw. Mendel Prager, wie er auch genannt wurde.

Als wir drei Genossen zusammen waren, fühlten wir uns schon heimischer, aber wir blieben immer noch von den übrigen Genossen isoliert. Außerdem regte uns auch Sussmann auf. Im allgemeinen war er ein herzlicher und guter Genosse. (Übrigens wurde ich zum ersten Mal durch ihn mit dem Programm der Vereinigten Arbeiterpartei bekannt). Er hatte jedoch eine schreckliche Manie: er fing Mäuse, von denen es in den Pawiak-Zellen mehr als genug gab, und hängte sie an den Köpfen auf. Wenn sie zu zittern und zu quietschen begannen, lief mir ein Schauer den Rücken hinunter. Man konnte ihn nicht dazu bewegen, dieses besondere Vergnügen aufzugeben. Wir atmeten auf, als er endlich verlegt wurde.

Wir blieben zu zweit zurück – ich und Mendel Prager. Es wurde noch ein wenig einsamer. Wir kamen auf den Gedanken, durch einen Hungerstreik zu fordern, daß wir in eine andere Abteilung verlegt wurden. Der Plan wurde jedoch erst einige Wochen später reif.

Ich schrieb bereits über den Kampf zwischen den jüdischen Arbeitern und der Unterwelt, aber in den polnischen Stadtvierteln tobte er noch heftiger. Dort haben die Kampftruppen der PPS die Leute aus der Unterwelt tatsächlich massenweise erschlagen, und der Haß zwischen beiden war schrecklich. Im Gefängnis wurden die jüdischen politischen Häftlinge noch geschont, wann immer aber polnische Genossen kamen, wurden sie von den polnischen Leuten aus der Unterwelt schrecklich verprügelt und manchmal auch totgeschlagen.

Eines Tages wurde ein polnischer Genosse gebracht. Er saß nicht in unserer Zelle, sondern wir trafen ihn, als wir spazieren gingen. Wir freuten uns und versorgten ihn gleich mit allem Nötigen, bemerkten aber, daß die polnischen Kriminellen untereinander flüsterten. Wir wußten gleich, was das bedeutete, nämlich daß sie einen Überfall auf den polnischen Genossen vorbereiten. Anderntags, auf dem Hofgang, sonderten wir uns von den anderen ab und nahmen den polnischen Genossen in die Mitte, um ihn zu verteidigen, wenn es nötig sein sollte. Während des Hofgangs blieb alles friedlich, aber als wir auf dem Weg zurück in den engen, schmalen und finsteren Korridor des Pawiak-Gefängnisses kamen, überfielen sie uns. Es begann eine Schlägerei, bei der wir natürlich den kürzeren zogen, denn wir waren nur zu viert, und sie eine Meute professioneller Schläger. Blutüberströmt gingen wir in die Zelle zurück, und ich beratschlagte mit Mendel Prager, was wir tun sollten. Wir erwarteten, daß uns alle politischen Häftlinge unterstützen würden, wenn wir eine Aktion begännen. In der Zelle neben uns saß ein polnischer Genosse, ein Sozialdemokrat. Wir verständigten uns mit ihm, aber er wollte von einem Hungerstreik nichts wissen. Als wir den neuen polnischen Genossen verteidigt hatten, war er abseits geblieben und hatte sich nicht eingemischt. Mit ihm zusammen saß ein bundistischer Genosse, ein hinkender Arbeiter aus einer Schneiderei. Er war bereit, sich dem Hungerstreik anzuschließen. So beschlossen wir, die drei Bundisten und der neu eingetroffene polnische Genosse, einen Hungerstreik mit der einzigen Forderung zu erklären, daß wir in eine andere Abteilung verlegt würden.

Das war mein erster Hungerstreik. Ich kann nicht behaupten, daß er mir leicht gefallen wäre. Die Gefängnisverwaltung versuchte mit allen Mitteln, den Streik zu brechen. Immer wieder wurde uns Essen in die Zelle hineingeschoben. Da neben uns in der Zelle der Genosse saß, der ebenfalls streikte, entstand ein seltsamer Kampf. Hatten sie uns das Essen in die Zelle hineingeworfen und öffneten dann die Zelle des zweiten Genossen, haben wir das Essen wieder hinausgeworfen. Und wenn sie das Essen wieder zu uns hineinschoben, hat der andere Genosse sein Essen wieder hinausgeworfen. Das Spiel wurde so lange fortgesetzt, bis die Zellenschließer es müde wurden und kapitulierten.

Der Hungerstreik dauerte bereits fünf Tage. In der Zelle stand eine Schüssel mit Wasser zum Waschen. Sie stand schon seit vier Tagen da. Im Laufe der Zeit bedeckte sich das Wasser mit einer Staubschicht. Am fünften Tag des Streiks glühte ich vor Durst und stürzte mich fast bewußtlos auf die Schüssel, um das Wasser auszutrinken. Ich spürte, daß ich eine Art Klumpen hinunterschluckte und bekam gleich Fieber.

Am selben Tag ging der Streik zu Ende. Mich verlegte man in die zweite Abteilung, in die Zelle des Führers der »Zukunft«, des Genossen Schaffran, der heute Bundist ist und in Amerika lebt. Diese Zelle war genau das, was ich brauchte. Erstens gab es dort eine strenge Disziplin. Es gab bestimmte Stunden, in denen man reden und diskutieren konnte und andere zum Lesen und Lernen. Schaffran lehrte uns die polnische Sprache und polnische Literatur. Er unterrichtete mich und einen weiteren Genossen namens Chaskele. Damals lernte ich die polnische Literatur wirklich kennen: Mickiewicz, Slowacki, Ozeschkowa und Zeromski wurden zu meinen Lieblingsschriftstellern, Krasinski mochte ich nicht, weil seine Werke reaktionär waren.

Die Zeit verging sehr produktiv; neben der Beschäftigung mit der schönen Literatur setzte ich das Studium des Marxismus fort.

In der gleichen Zeit kam mich meine Mutter besuchen und brachte mir die freudige Nachricht, daß der Kandidat der Liste von Bund und PPS, Jagello, gesiegt hatte. Dies wurde die Sensation des Tages und ein Fest für alle politischen Häftlinge, besonders die Bundisten.

Kurz darauf wurde ich krank. Unter dem rechten Arm entwickelte sich ein Furunkel, das jeden Tag größer wurde. Als ich ins Hospital ging, war der Gefängnisarzt nicht da, er war im Urlaub. Der Feldscher (Sanitäter, d. Ü.) sagte, man müsse das Furunkel aufschneiden, sonst drohe die Gefahr, daß der Eiter sich weiter nach unten ausbreite und man dann operieren müsse. Ich wollte mit dem Schnitt auf die Rückkehr des Doktors warten, aber der Feldscher war damit nicht einverstanden. So blieb mir denn nichts anderes übrig als zuzustimmen.

Die Genossen Joschke und Josefowitsch waren gerade anwesend; sie hielten meine Hand fest, sodaß der Feldscher einen Kreuzschnitt mit dem Messer machen konnte. Das Blut schoß heftig aus der Wunde; der Feldscher war eher ein Schuster, so schlecht hatte er geschnitten.

Nach der Operation verschlimmerte sich die Krankheit, noch mehr Eiter sammelte sich an. Der Feldscher versuchte die verschiedensten Mittel, aber es wurde immer schlimmer. Dauernd machte er Einschnitte in die Wunde, damit der Eiter abfließen sollte. Damit brachte er mich so herunter, daß man mich zum Verbinden tragen mußte.

Der Gefängniswärter im Hospital meinte, ich sei bestimmt kein Jude, denn ein Jude hätte solche Schmerzen gar nicht ausgehalten, sondern losgebrüllt, während ich schwieg. Er ließ mir keine Ruhe und wollte unbedingt wissen, was das hebräische Wort »Lecho-Daudi« bedeutet. Ich versuchte ihm zu erklären, daß dies ein Lied sei, das die Juden sängen, um den Sabbat zu begrüßen. Er glaubte mir nicht, weil für ihn feststand, daß »Lecho-Daudi« ein besonderer Jargonausdruck jüdischer Krimineller sei, hinter dem irgendein Geheimnis steckte.

Neben mir lag ein Dieb, ein sehr intelligenter Mensch, Sohn eines Bankiers. Er liebte es, über den Sinn des menschlichen Lebens zu philosophieren. Er wollte mich davon überzeugen, daß jeder Mensch als Verbrecher geboren werde, was sich bei den verschiedenen Menschen nur unterschiedlich ausdrücke: der eine begehe kriminelle Verbrechen, der andere politische, aber sie stammten alle aus der gleichen Quelle, der menschlichen Natur. Er war ein sehr guter Mensch, denn als ich dalag und mich nicht rühren konnte, fütterte er mich und gab mir zu trinken, als ob ich ein kleines Kind wäre. Er sang sehr gerne, was man im Gefängnishospital leise durfte, und er sang auch sehr schön und keineswegs die Lieder der Kriminellen.

Mit mir im Hospital lag auch einer aus dem Prozeß der »Vereinigten.« Er war verrückt geworden. Sein Wahnsinn drückte sich darin aus, daß er im Zimmer hin und her lief und jedem alle Gegenstände an den Kopf warf, die ihm in die Finger kamen. Einmal nahm er seinen heißen Tee und schüttete ihn dem Wärter ins Gesicht. Der Wärter fiel ihn an und hat ihn furchtbar verprügelt. Mir war klar, daß der Wärter dies in einem Augenblick der Erregung getan hatte. Ich hätte die ganze Geschichte verschwiegen, fürchtete jedoch, daß der Wärter Bericht erstatten werde und man dann den Kranken in die Irrenanstalt gesteckt hätte, aus der er nicht mehr herausgekommen wäre. Ich hatte darum keinen anderen Ausweg, als einen Skandal zu inszenieren und den Wärter zu beschuldigen, er habe die Szene provoziert.

Ich verlangte, den Aufseher zu rufen und stellte ihm die Sache in einem falschen Licht dar. Ich erzählte ihm, der Wärter habe einen geisteskranken Menschen überfallen und geschlagen. Daß der Kranke ihn mit heißem Tee begossen hatte, verschwieg ich. Ich erklärte, wenn der Wärter nicht bestraft werde, dann würde ich die Behandlung unterbrechen und in den Hungerstreik treten. Das war der einzige Weg, wie man den Geistesgestörten retten konnte. Dem Wärter gelang es nicht sehr gut, sich zu verteidigen. Der Aufseher warf ihm echt russische Flüche an den Kopf: »Deine Mutter war eine das-und-das, und du bist ein Hundesohn!« Der Wärter stand stramm, mit der Hand am Mützenschirm und antwortete: »So ist es, Euer Wohlgeboren...« Mir tat die ganze Sache schon leid.

Im Hospital lag auch ein Terrorist aus der PPS Er war zum Tode verurteilt, aber das Urteil konnte nicht vollstreckt werden, weil er krank geworden war. Er litt an galoppierender Schwindsucht, hatte keine Kraft mehr zum Sprechen, und jedes Wort kam bei ihm als ein heiseres Quietschen heraus. Man fütterte ihn mit Hundefett. Er war außerordentlich nervös und wollte mit niemandem über sein Urteil sprechen. Ich habe es einige Male versucht, aber es ist mir nur selten gelungen. Für uns, die jüdischen Sozialisten, hatte er kein Verständnis. Die Unabhängigkeit Polens war das A und O seines Denkens. Den Bund haßte er, weil der Bund in der Frage der Selbständigkeit Polens den Standpunkt der polnischen Sozialdemokraten teilte. Mir machte er dennoch Komplimente, vielleicht, weil ich noch sehr jung war, und weil alle glaubten, daß es mit meiner Krankheit schlecht ausgehen werde. Es gab tatsächlich genügend Anzeichen, die nichts Gutes ahnen ließen, darum hatte er Mitleid mit mir.

Bald darauf ist er gestorben. Für mich war das ein furchtbarer Tag. Ich sah zum ersten Mal einen politischen Häftling im Gefängnis sterben, und es war mir so schwer ums Herz, als ob ein alter guter Freund gestorben wäre. Vielleicht beeindruckte mich auch sein Tod so sehr, weil ich glaubte, auch ich müsse mich bald davonmachen.

Ich wurde immer noch ständig schwächer. Wenn ich irgendwo hin mußte, wurde ich hingetragen. Tagelang hatte ich nicht mehr gegessen und getrunken. Ich fühlte meine Kräfte schwinden und lag fast ohne Bewußtsein.

Nachts kamen einmal zwei Feldscher an mein Bett, der polnische und ein russischer. Der Doktor war immer noch nicht da. Sie unterhielten sich miteinander über meine Krankheit und meinten, daß man mich operieren müsse, und zwar entweder den Arm amputieren, oder die Seite aufschneiden und dort den Eiter abziehen. Mir war es völlig egal, welche Operation sie machen würden. Ich war absolut sicher, daß ich in meinem Zustand keine Operation überstehen würde. Das war das erste Mal, daß ich im Gefängnis geheult habe. Es war kein gewöhnliches Weinen, die Tränen flossen einfach unaufhörlich aus den Augen. Ich hatte keine Angst um mich. Als ich Sozialist wurde, war ich auf alles vorbereitet. Es gab später viele Situationen, in denen ich sicher war, die Welt verlassen zu müssen, ohne daß ich weinte, sogar ohne daß es mich traurig machte. Aber damals dachte ich an meine Mutter: was würde sie tun, wenn sie zu Besuch käme und man ihr sagte, daß ich nicht mehr lebte? Ich war sicher, daß sie das nicht überstehen würde. Und das machte mich so schwach, daß die Tränen von alleine flossen. Später erinnerte ich mich daran, daß ich doch bereit gewesen war, die ganze Schuld im Prozeß auf mich alleine zu laden, obwohl ich damit die Mutter gewiß zu Tode gebracht hätte. Warum war ich damals dazu bereit, und jetzt tat es mir so leid? Eine Antwort darauf konnte ich nicht finden.

Bald darauf aber kam der Doktor aus dem Urlaub zurück, und er hat mich gerettet. Er beschimpfte die Feldscher gewaltig wegen der Art, in der sie mich behandelt hatten. Er erklärte, man dürfe nichts mehr an meinem Arm tun, sondern mir nur leichte Umschläge auf die Wunde machen, sonst nichts. Einige Tage darauf ging es mir soviel besser, daß ich bereits wieder in meine Zelle gehen konnte.

Bevor ich in meine Zelle hinaufging, bemerkte ich noch einen skandalösen Vorfall. Ich stand am Fenster und schaute auf den Hof hinunter. Es war die Stunde, in der man die Eßpakete von draußen brachte. Als der Gefängniswärter das Tor aufmachte und meine Mutter sich mit ihrem Paket durchschlängeln wollte, stieß er sie vor die Brust, um sie zurückzudrängen. Ich forderte den Aufseher an und verlangte von ihm, den Schläger zu bestrafen, was er versprach.

Zu dieser Zeit lernte ich eine Gruppe von Anarchisten kennen, die im Pawiak saßen. Auch sie nannten sich die »Rote Hand« und auch sie vergossen bei ihren Aktionen eine Menge unschuldiges Blut. Aber sie unterschieden sich dennoch sehr von den Anarchisten der »Roten Hand«, die ich früher geschildert habe. Die anderen hatten nur geraubt und gemordet, aber die Gruppe, die ich im Gefängnis traf, führte auch politische Aktionen durch. Sie machten Überfälle auf Polizisten, die politische Häftlinge schlecht behandelt hatten, sie terrorisierten die Polizeioffiziere, die Häftlinge folterten, kurz, bei ihnen gab es ein kombiniertes System von politischer und krimineller Tätigkeit. Der Führer der Gruppe hieß Herschel Blaschke. Über ihn werde ich noch berichten. Hier will ich nur festhalten, daß er auf seine Weise Revolutionär geblieben ist. Die Gefängnisaufseher hatten furchtbare Angst vor ihm. Als seine Frau, die in der gleichen Zeit in der Frauenabteilung saß, ihn wissen ließ, daß die Verwaltung sie schlecht behandle, teilte er dem Gefängnisleiter mit, wenn dies nicht aufhöre, werde er ihn zum Tode verurteilen. Der Leiter hatte wirklich Angst vor ihm, weil Blaschke schon einmal ein Attentat auf ihn verübt hatte. Er erkannte Herschel im Gefängnis, hinterbrachte es aber nicht der Staatsanwaltschaft. In der Gruppe gab es auch einen namens Leipziger, der in strenger Isolierung gehalten wurde, weil er sich keinem Verhör unterziehen ließ. Wenn der Staatsanwalt zu ihm in die Zelle kam, kehrte er ihm den Rücken zu. Alle Anarchisten sprachen voller Achtung von Leipziger.

Auch einen Spitzel gab es unter ihnen; der allerdings erst nach der Verhaftung zum Spitzel geworden war. Er ließ sich einen langen blonden Bart wachsen und ging den ganzen Tag lang in den Gebetmantel (Talit) gehüllt herum und betete. Später sind mir im Gefängnis noch viele ähnliche Typen begegnet, die mit solchen Mitteln ihre Freilassung erreichen wollten.

Als ich einmal vom Hofgang zurückkam, ging der Spitzel gerade in die Kanzlei. Herschel lief auf ihn zu, packte ihn am Hals und begann, ihn zu würgen. Es dauerte eine Zeit, bis es den Wärtern gelang, ihn von seinem Opfer loszureißen. Ein anderer an seiner Stelle hätte das teuer bezahlen müssen, aber Herschel geschah nichts.

Mein Prozeß

Inzwischen war der Termin für meinen Prozeß gekommen. Andere mußten viel länger als ich sitzen und auf ihre Prozesse warten, aber bei mir ging es sehr schnell. Das kam daher, daß der Prozeß nur gegen mich allein angestrengt wurde und der Paragraph, unter dem ich angeklagt war, ein mildes Strafmaß erwarten ließ. Mehr als drei Jahre Festungshaft konnte man damit nicht bekommen. Darum ging die Untersuchungszeit rasch zu Ende. Ich wartete mit Herzklopfen auf den Prozeß, denn das war doch mein erster Auftritt. Zum ersten Mal mußte ich reden, zwar nichts gestehen, aber doch eine ehrenhafte Haltung zeigen, wie es sich für einen jungen Revolutionär gehört.

81

Außerdem war es verlockend für mich, wieder die Straßen zu sehen und Menschen zu begegnen, die in Freiheit waren. Oft hatten wir drei – Schaffran, Chaskele und ich – halbe Nächte lang wachgelegen und hatten gehört, wie Menschen auf der Straße gingen und redeten. Wir versuchten zu erraten, wovon die Menschen redeten. Dachten sie wohl daran, daß hier drei junge Menschen lagen und von der Freiheit träumten? Wußten sie überhaupt, daß hier Revolutionäre waren, von den jeder seine nahen, teuren Freunde hatte, nach denen er sich sehnte, und daß sie »freiwillig« das Gefängnis auf sich genommen hatten, um die Freiheit für alle zu erkämpfen? So unterhielten wir uns, besonders in den Nächten, in denen Chaskele die Füße schmerzten und er nicht einschlafen konnte. Wir lagen auf den kleinen Gefängnismatratzen und sehnten uns nach draußen. Darum bereitete man sich auf die Gelegenheit, in der Freiheit herumzufahren – und sei es nur im Gefangenenwagen – wie auf einen großen Feiertag vor. Und die Fahrt zum Prozeß war wirklich ein Fest. Es gab aber auch noch einen anderen Grund, warum die Fahrt zum Prozeß eine gehobene Stimmung auslöste. Ich glaube, wer noch nie im Gefängnis saß, kann dies nicht verstehen; denn das hängt mit der Psychologie des Häftlings zusammen.

Vor dem Prozeß weiß ein Häftling nie, wann es zu Ende geht, wann er darauf hoffen kann, frei zu werden. Aber auch wenn er mit einem schweren Urteil rechnet, weiß er, daß er nach dem Urteilsspruch beginnen kann, die Zeit zu zählen: erst geht eine Woche vorbei, dann eine zweite. Und Häftlinge sind Meister in der Kunst, die Wochen zu beschleunigen, damit sie schneller vorübergehen. Die Rechnung, die man aufmacht, geht so: Heute ist Sonntag, morgen ist Montag – nun, das braucht man schon nicht mitzurechnen. Also muß man nur Dienstag, Mittwoch und Donnerstag rechnen. Freitag ist doch bereits der Vorabend des Sabbat, zählt darum auch nicht. So hatte die Woche nur drei Tage.

Mein Prozeß fand im März 1912 statt. Als der Tag des Prozesses kam, hatte ich zwei große Sorgen: Erstens, daß ich mich richtig glatt rasieren konnte. Gewiß, die Gefängnisverwaltung schickte jede Woche einen Barbier, aber es passierte immer wieder, daß er nicht zur rechten Zeit kam. Wenn wir für unsere Besucher rasiert sein wollten, mußten wir es selbst tun. Unsere Rasiermesser waren die Schnalle einer Weste oder eine Schreibfeder, die wir selber scharf schliffen. Andere benutzten einfach ein Stückchen Glas von einer Scheibe. Man braucht wohl nicht zu sagen, wie sehr man sich damit das Gesicht zerschnitt. Jedesmal wenn man mit diesen Geräten über das Gesicht fuhr, hinterließen sie Wunden, die mit Toilettenpapier verklebt wurden. Wenn der Inspektor oder die Aufseher nachts einen Appell abhielten, mußten sie furchtbar lachen. Morgens rissen wir das Papier vom Gesicht ab. Unsere Besucher sahen die Wunden nicht, weil wir weit voneinander entfernt standen. Zum Prozeß aber konnte ich nicht mit einem solchen Gesicht kommen.

Zweitens mußte ich einen Kragen mit Krawatte anziehen. Bis dahin hatte ich niemals einen Kragen getragen. Ehe ich Sozialist wurde, war das ganz einfach: Das gleiche Hemd, in dem man zur Arbeit ging, trug man auch nach der Arbeit, und nachts hat man in ihm geschlafen. Dieses Hemd hatte keinen Kragen. Als ich Sozialist wurde, zog ich eine schwarze Bluse mit hohem Kragen an und dazu brauchte ich auch keine Krawatte. Jetzt aber, zum Prozeß, mußte ich zum ersten Mal einen Kragen mit Krawatte tragen. Natürlich haben mir die Genossen dabei geholfen.

Zum Gericht fuhr ich im Gefängniswagen. Als ich aus dem Wagen herauskam und sah, daß viele Genossen vor dem Gebäude auf mich warteten, nahm ich den Hut vom Kopf und rief: »Es lebe der Bund.« Die Genossen antworteten: »Er lebe!« Die Polizisten packten mich sofort unter den Armen und trugen mich ins Gericht hinein. Ich konnte nur noch bemerken, daß sich meine Mutter an den Kopf griff. Sie glaubte bestimmt, man würde mich dort totschlagen. Im Gericht hatte ich, ehe der Prozeß begann, einen Streit mit meinem Anwalt.

Meine Eltern waren wieder bettelarm geworden, von ihrem Erbe war nichts übrig geblieben. Man stellte mir einen Pflichtverteidiger; wie ich später erfuhr, ein polnischer Reaktionär. Er wollte mich dazu überreden, ein Geständnis abzulegen, weil dann das Urteil milder ausfallen würde. Sollte ich das nicht tun, müsse er jegliche Verantwortung ablehnen. Ich lehnte sein Ansinnen ab, worauf er mir versicherte, ich würde eine langjährige Haftstrafe erhalten. Ich blieb aber bei meinem Standpunkt, der unserer allgemeinen Einstellung zur zaristischen Gerichtsbarkeit entsprach: alles abzustreiten.

Ehe die Richter eintraten, sah man mir offenbar meine gute Stimmung an, denn meine Mutter gab mir dauernd durch Winken zu verstehen, ich solle ein trauriges Gesicht machen; sogar die Genossen sahen traurig drein. Der Prozeß dauerte nicht lange, er war offensichtlich von geringer Bedeutung. Nach den formellen Fragen gaben die Spitzel ihre Erklärungen ab. Der Staatsanwalt und der Rechtsanwalt hielten nur kurze Reden, und dann bekam ich das letzte Wort. Da ich nicht zugab, dem Bund anzugehören, war auch meine Rede nur kurz. Ich sagte lediglich, ich könne nicht verstehen, daß es Menschen gebe, die gewissenlos Falschaussagen machten, und daß es sehr traurig sei, wenn die Freiheit eines Menschen von den Eiden solcher Leute abhinge.

Als sich die Richter zur Beratung zurückzogen, bemerkte ich, daß sogar die Genossen unruhig wurden. Möglicherweise waren sie nicht vom Inhalt meiner Rede erschreckt, sondern von deren Ton. Mein Vater saß völlig betäubt da. Sicher hatte er es sich nicht vorstellen können, daß ich es einmal wagen würde, solch großen Leuten zu widersprechen.

Das Urteil war in Wahrheit milde – ein Jahr Festungshaft. Und da ich ein Jugendlicher war, wurden gleich vier Monate davon abgezogen. Der Anwalt rümpfte die Nase und ich war wirklich zufrieden, daß ich seinen Rat nicht befolgt hatte.

Kaum war ich wieder im Gefängniswagen, begann ich den »Schwur« des Bund und die Internationale zu singen. Ich sang den ganzen Weg über bis ich wieder zurück im Pawiak war.

Dort stellte sich mir ein neues Problem. Ich war zu Festungshaft verurteilt worden, und das bedeutete eine ganze Reihe von Privilegien. Ich konnte den ganzen Tag spazierengehen oder tagsüber auf dem Bett liegen. Im Pawiak war das aber unmöglich. Das war nur ein gewöhnliches Gefängnis und man konnte für mich keine Ausnahme machen. Als zur Festungshaft Verurteilter stand mir auch ein doppelt so hoher Betrag für Essen zu wie der für gewöhnliche Häftlinge. Für die wurden 9 Kopeken ausgegeben, für mich standen 20 Kopeken täglich zur Verfügung. Es ging mir nicht um das bessere Essen, in unserer Zelle aß man ohnehin sehr gut. Ich und Chaskele erhielten gute Pakete, Schaffran noch bessere. Er bekam sein Essen jeden Tag von draußen. Ich war also nicht auf besseres Essen aus, mich ärgerte nur, daß der Gefängnischef täglich an mir 11 Kopeken verdienen sollte. Deshalb forderte ich, in eine Festung verlegt zu werden.

Der Chef des Gefängnisses, der eigentlich ein guter Mensch war, versuchte mir zuzureden, doch im Pawiak zu bleiben. Er sagte, daß es mir doch sehr gut ginge, sogar eine eigene Zeitung hätte ich. Damit wollte er zeigen, daß er sehr wohl wußte, daß wir eine Gefängnis-Zeitung herausgaben. Er konnte mich dennoch nicht überzeugen – ich blieb bei meiner Forderung. Mir schien es unmoralisch für einen Revolutionär, wenn er es zuläßt, daß sich ein zaristischer Beamter auf seine Kosten bereichert.

Auch meine eigenen Genossen wollten mich davon abbringen, das Gefängnis zu wechseln. Der Grund für ihre Bedenken war folgender: Die Regierung verlegte gewöhnlich nicht von einem Gefängnis direkt in ein anderes, sondern es gab besondere Verlegungsgefängnisse, von denen aus dann die Häftlinge erst an ihren Bestimmungsort gebracht wurden. Eine solche Anstalt war in Praga. Man blieb dort nur wenige Tage, deshalb waren die Beziehungen sowohl zwischen der Gefängnisverwaltung und den Häftlingen als auch zwischen den Häftlingen untereinander äußerst ungeregelt. Keiner konnte dort einen anderen anzeigen, denn bevor die Anzeige weitergeleitet wurde, hatte man die Anstalt schon verlassen. Man erzählte mir, in diesem Gefängnis gebe es viele Zuchthäusler, die jeden Häftling bestehlen und junge Burschen vergewaltigen würden. Verständlicherweise haben mich diese schrecklichen Geschichten beeindruckt und bedrückt. Aber es war bereits zu spät und ich genierte mich meine Bitte zurückzunehmen. Ich wollte daher nur noch eines: um alles in der Welt die Prüfungen in Ehren bestehen.

Ich konnte mir zwar dann allein helfen, aber es war furchtbar, sich auch nur zwei Tage lang in dieser Umgebung aufzuhalten. Das Gefängnis von Praga habe ich niemals vergessen.

Auf dem Weg ins Gefängnis von Lomźa

Ich mußte erleben, daß die Berichte über die Schrecken dieses Gefängnisses nicht übertrieben waren. Auf dem Gefängnishof herrschte die konzentrierte Unmenschlichkeit. Dort befanden sich stets einige hundert Menschen, die man gerade hingebracht hatte oder die weiterfahren mußten. Obwohl es März und die Tage noch kalt waren, wurde jeder nackt ausgezogen. Ich war schon daran gewöhnt, daß man bei der Durchsuchung ausgezogen wurde, aber hier war ich ganz allein unter hunderten fremden Menschen, und darum fühlte ich mich beschämt und erniedrigt. Auf dem Hof war ein schrecklicher Dreck, man konnte kaum atmen. Die Verwaltung sprach jeden mit du an und ich merkte, daß viele Häftlinge sich darüber gar nicht wunderten; es schien, als wären sie daran schon gewöhnt.

In der Zelle bot sich ein noch schrecklicheres Bild, wie ich es weder früher noch später je gesehen habe. Auf den Pritschen standen Menschen der privilegierten Schichten: alte Zuchthäusler. Die anderen lagen auf dem Boden, auf dem nicht einmal Platz war, um einen Fuß hinzusetzen. Die auf den Pritschen standen, säuberten ihre Hemden mit einer Hingabe, als übten sie eine heilige Handlung aus. Den Dreck warfen sie auf die hinunter, die auf dem Boden lagen. Niemand protestierte. Es schien, als hätten die Leute sich damit abgefunden, daß die auf den Pritschen die Starken und Privilegierten seien, die auf Alles ein Recht hätten.

In der Zelle gab es einen großen Ofen. Der Ofen war heiß und daneben stand ein großes Faß, das dazu diente, die natürlichen Bedürfnisse zu verrichten. Man kann sich wohl vorstellen, was für einen fürchterlichen Gestank es ausströmte. Als ich in die Zelle kam, mußte ich mich gleich so sehr übergehen, daß mir die grüne Galle hochkam. Ich fühlte mich einer Ohnmacht nahe und hatte Tränen in den Augen.

Ich bemerkte aber gleich, daß meine Schwäche von den Kriminellen auf ihre Weise gedeutet wurde; das heißt, sie sahen, daß ich noch ein Grüner war. Und mit Grünen gehen sie umbarmherzig um. Ich beobachtete, daß sie über mich flüsterten, und bald darauf kamen auch zwei Diebe und steckten die Hände in das Säckchen, in dem ich mein

85

Essen verwahrt hatte. Ich begriff, daß ich verloren war, wenn ich mir das gefallen ließe. Man würde mir zuerst alles rauben und sich dann an mich selbst heranmachen. Eine Sekunde lang zögerte ich, eine Schlägerei anzufangen, aber dann entschied ich mich, daß es sich lohnte, weil sonst alles noch schlimmer werden würde. Ich ging auf die beiden Burschen zu und schleuderte den einen nach rechts, den anderen nach links. Das führte zunächst einmal dazu, daß sie mich in Ruhe ließen. Aber sie gaben ihr Spiel nicht auf, sondern dachten sich etwas Neues aus. Daraufhin öffnete ich selbst das Päckchen und lud einige der Stärksten zum Essen ein. Damit hatte ich den Kampf gewonnen. Den Zuchthäuslern imponierte das: ich ließ mir von niemandem etwas fortnehmen, aber ich teilte freiwillig, was ich hatte. Von da an wagte niemand, sich an mein Essen heranzumachen. Als es dunkel wurde, schlugen sie mir vor, mich mit ihnen auf die Pritsche zu legen. Das war ein Ausdruck der Anerkennung. Ich lehnte aber ab, denn mich ekelte einfach davor, neben ihnen zu liegen. Die ganze Nacht über saß ich zusammen mit zwei alten Leuten, einem Juden und einem Polen. Ich wußte, daß sie in dieser unmenschlichen Umgebung die schwächsten waren, darum bot ich ihnen ein Abendbrot an. Der alte Pole wußte überhaupt nicht, wie er mir danken sollte. Er sagte mir, seine Tochter sei Dienstmagd in einem Haus, wo hohe Herrschaften verkehrten. Ich bräuchte nur meinen Namen anzugeben, dann würde er mich in einigen Tagen freibekommen. Der Jude war ein einfacher Bettler, fühlte sich aber ein wenig mit mir verwandt. Was der Pole redete, verstand er überhaupt nicht, aber er flüsterte mir dauernd ins Ohr:»Sollen sie doch reden, bis sie platzen, aber wir Juden wissen, was wir zu tun haben...« Mir machte die Unterhaltung großen Spaß, und ich verbrachte mit den beiden Alten einen vergnüglichen Abend. So ging es drei Tage lang. Tagsüber pflegte ich die Freundschaft mit den Banditen und nachts mit den zwei alten Leuten.

Als man mich aufrief, um mich auf den weiteren Weg zu bringen, kam mir sogar der schmutzige Hof schon wie ein Paradies vor. Ich war glücklich, daß ich jetzt die Gesellschaft dieser Banditen los war.

Der Weg von Praga nach Lomźa dauerte einen ganzen Tag: von der Bahnlinie bis zum Gefängnis mußte man einige Stunden laufen.

Beim Eintritt in das Gefängnis vom Lomźa begann ich etwas freier zu atmen. Das Gefängnis war groß und sauber, stand in einem Feld hinter der Stadt, und drinnen war es überall hell. Auch die Behandlung durch die Verwaltung war besser und menschlicher. Die Korridore waren sauber und ordentlich, die Zellen fast doppelt so groß wie im Pawiak, und in jeder Zelle saß nur eine Person. Der Fußboden war aus Brettern. Kurz: es sah halb wie ein Gefängnis aus, halb als wäre man schon in Freiheit.

Als meine Personalien im Büro aufgenommen wurden, fragte mich der Aufseher, ob ich von draußen Essen bekäme oder die Gefängniskost essen wolle. Ich rechnete mit einem Essen, das die 20 Kopeken wert wäre, die mir zustanden, darum war ich mit Gefängniskost einverstanden. Ich fühlte mich gut, obwohl ich sehr bald merkte, daß ich das gleiche Essen bekam wie alle übrigen Häftlinge. Meine Zelle hatte ein Fenster, das so groß war, daß ich mich auf das Sims setzen und ins Feld hinausschauen konnte. Gegenüber war eine Bauernkate. Bei Regen stellte sich der Bauer davor und guckte auf sein Feld, wie das Getreide heranreifte und wuchs. Ich beneidete ihn sehr, obwohl ich mir nicht klar darüber war warum. Vielleicht weil ich bis dahin noch nie einen Bauern bei der Arbeit gesehen hatte, oder vielleicht, weil er ein freier Mensch war, sich frei bewegen konnte und nicht auf Schritt und Tritt überwacht wurde. Ich lehnte mein Gesicht an die Eisenstangen, und der Wind blies mir beruhigend ins Gesicht.

Ich war das erste Mal außerhalb Warschaus, und Warschau bedeutete für mich die Kellerstube auf der Smocza-Gasse. Hier auf dem Feld gab es Luft und Licht; vor mir öffnete sich eine neue Welt, und eigenartigerweise ausgerechnet durch ein Gefängnisfenster.

Etwas hat mich jedoch für einige Tage vom Fenster verjagt. Auf einer Stelle im Hof wuchs hohes Gras, und dort versteckten sich die Katzen. Ein Zellennachbar warf Brotstückchen hinunter, um die Vögel anzulocken, die dann angeflogen kamen und von den Katzen geschnappt wurden. Ich machte dem Nachbarn einen Krach. Es stellte sich heraus, daß auch er ein politischer Häftling war, aber ich konnte von ihm nie erfahren, worin denn seine politische Tätigkeit bestanden hatte. Er war sehr primitiv und konnte kaum zwei zusammenhängende Worte sprechen.

So gingen denn die Tage ganz friedlich hin, aber ich war voller Sehnsucht. Ich mußte noch ungefähr zwei Monate absitzen und wartete ungeduldig auf die Zeit, da ich meine Eltern und meine Genossen wiedersehen konnte. Meine Eltern hatten damals kein Geld mehr, um mich besuchen zu kommen.

Mit dem Gefängnisleiter sprach ich nie über die Privilegien, die mir als politischem, zu Festungshaft verurteiltem Gefangenen zustanden. Ich nahm sie mir einfach selbst. Mein Bett blieb den ganzen Tag über aufgedeckt, und wann immer ich wollte, legte ich mich hin.

Am ersten Sabbat, als ich so auf dem Bett lag, rief mich der Wärter heraus. Ich wußte nicht warum, und ging hinaus, ohne die Mütze aufzusetzen. Es stellte sich heraus, daß er mich zum Beten führte. Wir Politischen gingen prinzipiell weder in die Synagoge noch in die Kirche, deshalb wollte ich sofort zurückgehen, als ich die Betstube sah; aber ein Anarchist, der zu zehn Jahren Gefängnis verurteilt war, hielt mich zurück, und bat mich zu bleiben. Ich tat es ihm zuliebe, aber ich war sehr verlegen, denn ich stand mit bloßem Kopf da.*

* Beim Beten müssen die Juden den Kopf bedecken.

Die Juden legten mir ein Tüchelchen auf den Kopf und ich blieb.

Hier offenbarte sich mir eine ganz neue Welt. Die Unterwelt, die ich bis dahin kennengelernt hatte, hatte weder in der Kleidung noch im Benehmen mit dem Judentum etwas zu tun. Hier aber traf ich Kriminelle eines neuen Typus, Juden mit langen Bärten, jüdischen Hüten und langen Röcken. Zuerst dachte ich, sie seien unschuldige Menschen, die die Antisemiten zu Unrecht verurteilt hätten. Aber als ich mich mit ihnen unterhielt, stellte sich heraus, daß sie wirklich Schmuggler und Diebe waren. Für mich war es äußerst seltsam, wenn ein Jude mit langem breitem Bart und jüdischem Hut, der eben gerade innigst gebetet hatte, mir in echtem Rotwelsch von seinen Diebstählen erzählte. Klar, daß ich mich mit dem Anarchisten anfreundete. Er saß schon lange und war fast blind geworden. Er war ein sehr guter und stiller Mensch. Worin sein Anarchismus bestand, war mir unklar. Mit den Banditen von der »Roten Hand« hatte er nichts gemeinsam, eher sah er aus wie ein Tolstoijaner. Später hörte ich, daß er zwei Wochen nach seiner Freilassung gestorben ist. Nur dem Anarchisten zuliebe durchbrach ich meine Grundsätze und ging jeden Sabbat ins Bethaus.

Sonst ging alles normal und ruhig seinen Gang, aber plötzlich gab es Krach. Es kam ein neuer Wärter, der mit der Lage nicht vertraut war. Er wußte nicht, daß mir wirklich laut Gesetz die Rechte zustanden, die ich mir selbst genommen hatte. Er wollte mir verbieten, tagsüber auf dem Bett zu liegen. Da er dies auf eine nicht sehr feine Art tat, gab ich ihm eine grobe Antwort.

Abends beim Appell teilte mir der Oberaufseher mit, ich dürfte tagsüber nicht mehr das Bett aufdecken, weil ich den Wärter beleidigt hätte. Ich sagte ihm, daß ich das Recht hätte, das Bett aufgedeckt zu lassen, worauf er antwortete, Lomża sei keine Festung, sondern ein Gefängnis. Daraufhin forderte ich, man solle mich entweder in eine Festung verlegen, oder mir hier meine Recht einräumen. Als er sich weigerte, erklärte ich, daß ich in den Hungerstreik treten würde, und daß er auch dafür sorgen müsse, daß ich von draußen Essen für 20 Kopeken bekäme, weil mir soviel für meine Ernährung zustehe. Der Hungerstreik dauerte sechs Tage. Diesmal hielt ich ihn schon besser aus und habe auch nichts getrunken. Kein Gedanke daran, daß mir mein »politischer« Nachbar etwa geholfen hätte. Er verstand nicht einmal, was ein Hungerstreik ist. Jeden Tag kam der Aufseher zu mir und wollte mich überreden zu essen. Als das nichts nutzte, gab er am siebten Tag nach. Er rief alle Wärter zusammen und sagte ihnen, daß sie mir nicht einmal mehr ein wenig heißes Wasser umsonst geben dürften. Ich schrieb jeden Tag alle Eßwaren auf, die ich für 20 Kopeken haben wollte.

Inzwischen war die Zeit meiner Freilassung näher gerückt. Ich hatte kein Geld für eine Fahrkarte, um nach Hause zu fahren. In solch einem Falle konnte einen zwar der Gefängnisdirektor auf Regierungskosten nach Hause schicken. Dann hätte ich aber in Etappen von einem Gefängnis zum anderen fahren und immer darauf warten müssen, bis ein entsprechender Transport abging. Die Fahrt von Lomźa nach Warschau dauerte damals einen Tag, aber etappenweise – von einem Gefängnis zum anderen – einen ganzen Monat. Meine Eltern um eine Fahrkarte zu bitten, hatte ich nicht den Mut. Mir kam eine Idee: Da mir pro Tag 20 Kopeken fürs Essen zustanden, würde ich nur 10 Kopeken ausgeben und die restlichen 10 Kopeken täglich sparen. So könnte ich in einem Monat drei Rubel zusammenbringen. Ein Billett von Lomźa nach Warschau kostete zwei Rubel und sechs Kopeken.

Genau so machte ich es. Jeden Tag schrieb ich auf, daß ich ein Brot für neun Kopeken habe wollte und jede Woche für die restlichen sieben Kopeken einen Brotbelag. Das kleine Brot aß ich immer sofort auf, wenn man es mir brachte. Wie oft ich auch beschloß, es so einzuteilen, daß es für mehrere Mahlzeiten am Tag langte, ich brachte es nicht fertig. So lief ich denn den ganzen Tag hungrig herum und sehnte mich nach dem Tag der Freilassung, wenn ich zu einem Bauern gehen und mir Brot und Milch kaufen konnte.

Je näher die Freilassung kam, desto stärker wurde die Sehnsucht, meine Eltern und die Genossen in die Arme schließen zu können. Tag für Tag ging ich in der Zelle auf und ab und dachte daran. Aber wie heißt es doch? Der Mensch denkt und Gott lenkt. Drei Tage vor meiner Freilassung sah ich durchs Fenster, wie mein Genosse Josef Kreitmann zum Hofgang geführt wurde. Ich hatte Josef Flugblätter zum Verteilen gegeben und er war damit aufgeflogen; dafür saß er ein Jahr und wurde dann freigelassen. Ich hatte seine Verhaftung auf dem Gewissen. Als ich in Lomźa ankam, war er gerade freigekommen, und ich verstand nicht, was inzwischen geschehen war. Als er mich am Fenster sah, gab er mir ein Zeichen, daß er rauchen möchte. Ich schrieb sofort einen Zettel für Rauchwaren und Essen aus. Mittags kam mein Wärter und erzählte, man habe Kreitmann irrtümlich verhaftet, jetzt wolle man ihn freilassen, darum bäte er mich, ihm einen Rubel zu übertragen. Wenn ich das nicht täte, müsse er auf »Etappen«fahrt gehen. Ich ging zum Gefängnisdirektor und bat ihn, von meinem Geld Kreitmann eine ganze Fahrkarte zu geben. Als er sagte: »Du wirst doch in zwei Tagen freigelassen. Was wirst du dann tun?«, antwortete ich ihm, das sei nicht seine Sache. Er war beleidigt und sagte mir, daß alles nur von seinem guten Willen abhänge. Wenn er wolle, würde er Kreitmann mit der »Etappe« schicken. Ich begriff, daß ich überzogen hatte und bat ihn höflich, mir einen Gefallen zu tun und mein Geld auf Kreitmann zu übertragen. Dieser würde mir das Geld telegrafisch zurückschicken.

Als ich zur Zelle zurückkam, ging ich auf Kreitmanns Tür zu und ermahnte ihn, mir das Geld sofort telegrafisch zurückzuschicken, wenn er nicht wolle, daß nun ich mit der »Etappe« gehen müsse. Darauf sagte er, daß er Gefängnisschuhe anhabe und bat mich, ihm meine zu geben. Mir war nicht recht verständlich, wo er denn seine Schuhe hingetan hatte, aber es war keine Zeit zum Nachdenken. Die Unterhaltung war nicht erlaubt. Ich zog meine Schuhe aus und warf sie ihm durch die Klappe in der Tür hinein.

Als ich in meine Zelle hinaufging, machte sich der Wärter über mich lustig: »Du hast gestreikt, Geld gespart für eine Fahrkarte, und nun wirst du mit der »Etappe« und barfuß nach Hause gehen«. Ich aber war sicher, daß mir Kreitmann alles zurückgeben würde. Er hat es nicht getan.

An einem Sabbat im Juli 1913 kam ich raus. Kreitmann war Mittwoch entlassen worden. Als ich bis Donnerstag nichts von ihm bekommen hatte, war ich etwas verwundert. Ich hatte keine Lust, einen ganzen Monat lang mit der »Etappe« nach Hause zu reisen. Als ich am Freitag zum Spaziergang hinauskam, wurde auch Mendel Prager herausgeführt, der gerade angekommen war. Er hatte keinen Groschen Geld, aber die Schuhe nahm ich von ihm an und verabschiedete mich von ihm.

Freitag Nacht konnte ich nicht einschlafen. Ich meinte, ich hätte gar kein Recht auf Freilassung, wo doch so viele gute Genossen in den Gefängnissen schmachteten. Ich kam mir selbst minderwertig vor. Der Zarismus quälte so viele Revolutionäre, so viele nahe Freunde, und mich ließ er frei. Wie stark auch immer ich mich bis jetzt nach Freiheit gesehnt hatte, jetzt wollte ich nicht mehr freikommen. Ich wollte lieber mit allen nach Sibirien gehen, gerade so wie Joschke es hatte tun wollen, als er dachte, man wolle mich zu Zwangsarbeit verurteilen. Ich machte mir aber klar, daß es für einen Revolutionär ungehörig war, so zu denken. Man muß danach streben, frei zu sein, weiter zu arbeiten und den Platz der Verhafteten einzunehmen. Das sagte mir mein Verstand, aber mein Herz zog es zu den gefangenen Genossen hin.

Vormittags wurde ich entlassen. Ich wartete ungeduldig: was würde der Gefängnisleiter tun? Würde er mich mit der »Etappe« schicken, oder mich freilassen? Und wenn er mich freiließe, wo bekäme ich dann das Reisegeld nach Warschau her? Endlich war es so weit und ich wurde ins Büro hinuntergerufen. Der Gefängnisleiter tat so als wüßte er nicht, daß ich kein Geld hatte, um nach Hause zu fahren. Als ich ihm für seine Freundlichkeit dankte, bevor ich ging, sagte er: »Stockfisch, komm nicht wieder. Wir sind nicht gut miteinander ausgekommen«. Ich antwortete: »Das hängt nicht von mir ab...«.

Meine Freilassung

Nun war ich frei und wußte nicht, was ich anfangen sollte. Ich hatte keinen Groschen in der Tasche, keinen Bekannten in Lomźa. Ich ging auf die andere Seite des Bürgersteigs und schaute auf das Gefängnisgebäude zurück. Seltsam, ich hatte gar nicht das Gefühl, daß ich hier einige Monate gesessen hatte. Mir war, als ginge ich nur zufällig hier vorbei. Aber fortgehen konnte ich nicht, einfach weil ich nicht wußte, wohin ich gehen sollte. Plötzlich kam ein junger Mann auf mich zu und fragte, ob ich Hersch Mendel sei. Als ich dies bejahte, sagte er, er sei Mitglied des Bund und Josef Kreitmann habe ihm Nachricht gegeben, daß ich heute freikommen würde. Wir gingen in die Stadt und dort erwartete mich bereits ein Sabbat-Essen. Viele Genossen kamen, um meine Freude zu teilen. Ich war wirklich froh, denn ich sehnte mich danach, etwas Gekochtes zu essen, und mit Genossen als freier Mensch zu reden. Aber meine Freude dauerte nicht lange, denn als wir das Haus zu einem Spaziergang verließen, zeigte sich, daß Spitzel auf der Straße standen. Uns wurde klar, daß mich am Gefängnistor nicht nur bundistische Genossen erwartet hatten, sondern auch Geheimagenten. Wir probierten verschiedene Methoden aus, um sie abzuschütteln, liefen durch einige Durchgangshöfe, aber es half uns nichts. Als wir am Teich einen Kahn nahmen, um hinüberzurudern, begleiteten sie uns auf beiden Seiten des Ufers. Ich konnte in keine Stube mehr hineingehen und blieb darum auf der Straße, bis mein Zug nach Warschau ging. Als ich in Warschau ankam, erwarteten mich meine Eltern bereits am Bahnhof. Zu Hause standen die Gerichte auf dem Tisch, die ich eigentlich in der Nacht meiner Verhaftung als letzte Mahlzeit vor dem Jom Kippur-Fasten hätte essen müssen.

Die Mutter führte mich zu meinem Bett und versicherte mir, es sei keine einzige Nacht leer gewesen. Alle Genossen, die gesucht wurden und keinen Schlafplatz hatten, konnten dort ihren Kopf zur Ruhe betten, und das Herz einer Mutter sorgte für sie.

Bald kamen Genossen an. Ich aß zu Ende und ging mit ihnen auf die Straße. Wer hätte damit rechnen können, daß ich am gleichen Abend wieder festgenommen würde? Allerdings war es diesmal nicht für lange, sondern nur für eine Nacht. Als ich an der Ecke Dzika- und Wolinska-Straße stand, neben dem Konsum-Verein, und mich mit dem weißen Maxl und meinem Bruder unterhielt, kam eine Jüdin auf uns zu und sagte:»Kinderchen, lauft fort, es gibt Verhaftungen...«. Kaum hatte sie das letzte Wort gesagt, wurden wir bereits von einer Gruppe von Spitzeln umzingelt und einer von ihnen sagte auf jiddisch:»Schon geschnappt«. Man führte uns ab ins fünfte Kommissariat. Unterwegs gelang es Max, alles Belastungsmaterial fortzuwerfen. Im Kommissariat erkundigte man sich nach den Ausweispapieren und alle wurden freigelassen. Als der Kommissar meine Papiere verlangte, zeigte ich ihm meinen Entlassungsschein, den ich tags zuvor im Gefängnis von Lomźa erhalten hatte. Ich war sicher, daß alles völlig in Ordnung sei, da diese Papiere doch erst einen Tag zuvor von einer Regierungsbehörde ausgestellt worden waren. Aber der Kommissar dachte anders darüber: gestern erst war ich freigekommen und heute schon kroch ich wieder da herum, von wo man sich besser fernhielt. Solch einen Vogel durfte man nicht freilassen. Er schickte mich in die »Ziege« hinunter und erklärte, er werde mich am anderen Morgen ins Gefängnis auf der Danilowitschowska-Straße, d. h. zur Ochrana schicken.

Es war ein Glück, daß man meinen Bruder und den weißen Max sofort freiließ. Sie suchten einen »Macher« (Vermittler) auf, der mich früh am anderen Morgen herausholte.

In jener Zeit sollte eine Zusammenkunft der kooperativen Bewegung Rußlands stattfinden. Unser Konsumverein war zu arm, um einen Delegierten schicken zu können. Die bürgerliche jüdische kooperative Bewegung schlug vor, wir sollten ihr unser Mandat übertragen, und sie würde unsere Prinzipien verteidigen. Nachumson und der gelbe Mordechai (beide waren Spitzel) meinten, wir sollten unser Mandat übertragen, aber alle Parteigenossen waren dagegen. In der Woche nach meiner Freilassung wurde eine allgemeine Versammlung durchgeführt, die in dieser Frage einen Beschluß fassen sollte. Die Genossen stellten mich als Hauptredner heraus. Sie waren sicher, daß ein Mensch, der gerade aus dem Gefängnis kam, einen gewissen Eindruck machen würde. So war es auch. Es war mein erster öffentlicher Auftritt. Wir übertrugen unser Mandat nicht, aber wir hatten auch kein Geld, um selbst zu fahren.

In dieser Zeit wurde ich im Warschauer Bund populär. Ich hatte bereits eine Strafe abgesessen, hatte mich in einem Hungerstreik ausgezeichnet und mein Verhalten gegenüber Kreitmann im Gefängnis von Lomźa war zu einer Legende geworden. Ganz besonders war die Popularität meiner Mutter gewachsen. Sie half weiterhin, illegale Literatur zu verstecken und von einem Platz zum anderen bringen. Das stärkte mein Ansehen bei den Genossen noch mehr.

Dann kam die Beilis-Affäre. Als klar wurde, daß man Beilis wirklich den Prozeß machen würde, wurden wir unruhig. Inzwischen wurden Unterschriften für Petitionen gesammelt, die an die Sozialdemokratische Partei-Fraktion der Regierungsduma gerichtet waren. Beim Organisieren der Aktion für die Petition spielte ich bereits eine führende Rolle. Wir warfen jetzt öfter unsere Aufrufe in den Sächsischen Garten und organisierten fliegende Demonstrationen. Wir, die jüdischen Arbeiter, waren die einzigen, die zu Aktionen gegen den Beilis-Prozeß aufriefen und sie auch durchführten.

Historische Tage für das jüdische Volk

Im Jahre 1913 wurde ganz Rußland durch die schändliche Provokation aufgerüttelt, die der Zarismus mit einem Ritualmord-Prozeß gegen die jüdische Bevölkerung richtete. Wir hatten von solchen Ritualmord-Prozessen im Mittelalter gelesen und Schmerz und Pein gefühlt bei dem Gedanken, daß Menschen so etwas tun konnten. Obwohl solche Ritualmord-Prozesse sich auch in der neueren Zeit wiederholt hatten, waren wir doch sicher, daß es sich nur um Rückfälle ins Mittelalter handeln konnte. Für uns war unvorstellbar, daß so etwas auch im 20. Jahrhundert vorkommen könnte. Doch tatsächlich geschah damals eine solche schändliche zaristische Provokation und wühlte die gesamte russische Gesellschaft auf. Von den gemäßigten Liberalen bis zu den sozialistischen Parteien entstand eine gemeinsame Front gegen die russische Reaktion, die mit dem Anzetteln des Beilis-Prozesses das ganze russische Volk mit Schande bedeckte. Gegen den Protest der russischen Gesellschaft verfügte das Zarensystem, den Beilis-Prozeß durchzuführen. Als nach der Revolution die Archive der Ochrana geöffnet wurden, wurde klar, daß all dies direkt von Petersburg, vom Büro des damaligen russischen Justizministers aus geleitet und organisiert worden war. Aber wir jüdischen Arbeiter mußten wie die ganze liberale russische Gesellschaft nicht erst warten, bis die Revolution die Archive der Ochrana öffnete. Wir wußten sofort, woher der Wind wehte, welches die Ursachen waren, die den Zarismus zu diesem schändlichen Verbrechen bewogen, und was er damit erreichen wollte.

Wie bereits gezeigt, war das zaristische Rußland schon 1912 nicht mehr ruhig; der Streik der politischen Häftlinge in den Goldgruben von Lena in Sibirien, den die zaristische Gendarmerie in Blut ertränkt hatte, rief im ganzen Land einen Sturm hervor. Nicht nur die Arbeiterparteien protestierten, sondern auch die gesamte liberale Öffentlichkeit. An die sozialdemokratische Fraktion in der Regierungsduma wurden zu tausenden Protesttelegramme von Arbeitern und Intellektuellen gerichtet. In vielen Betrieben führten die Arbeiter Proteststreiks durch, und in den Hochschulen wurden Massenversammlungen veranstaltet, genau wie es in den revolutionären Jahren 1904/1905 der Fall gewesen war. Und als auf Anfrage der sozialdemokratischen Fraktion der Justizminister die Antwort gab: »So ist es immer gewesen, und so wird es immer sein«, war die Wirkung, als hätte er Öl ins Feuer geschüttet.

Wir fühlten, daß wir in eine neue Epoche eintraten – eine Epoche des aktiven revolutionären Kampfes; wir fühlten, daß die Zeit der Reaktion und des Stillstandes vorbei war. Und wir, die revolutionären jüdischen Arbeiter, gingen dem Sturm entgegen. Der Zarismus hatte sich vorgenommen, den erneuten revolutionären Aufschwung durch den Beilis-Prozeß in einem Blutbad zu ersticken. Darum wuchs bei uns der Wille, für die Ehre und die nationalen Rechte des jüdischen Volkes und für den Sieg des Sozialismus zu kämpfen. Uns war klar geworden, daß der jüdische Arbeiter am Tag des Beilis-Prozesses die Herausforderung durch den Zarismus mit einer revolutionären Aktion beantworten mußte. Wie wir das machen würden, wußten wir selbst noch nicht. Wir warteten jetzt auf die Weisung der Partei.

Einige Wochen vor dem Beilis-Prozeß kam Rafes nach Warschau. Er kam zu uns mit dem Vorschlag, eine Konferenz der Warschauer Aktivisten des Bund zu organisieren, um zu diskutieren, wie die Protestaktion an dem Tag aussehen sollte, an dem der Beilis-Prozeß eröffnet würde. Eingeladen wurden bundistische Aktivisten aus den Gewerkschaften. Ich war Delegierter meines Berufszweiges. Wir versammelten uns an einem Treffpunkt in der Nalewkastraße, als es schon dunkel war. Man schickte uns einzeln in eine Wohnung in der Twarda-Straße, nicht weit entfernt vom Gzibow Platz. Die Wohnung war völlig leer, sodaß man sich nirgends hinsetzen konnte, obwohl die Konferenz die ganze Nacht dauerte. Es wurden Kerzen angezündet und auf den Fußboden neben die Wand gestellt. Die Fenster wurden verhängt, damit kein Lichtstrahl nach draußen drang. Um elf Uhr nachts, als die Tore geschlossen wurden, begannen wir mit der Konferenz. Die leere Stube, die Dunkelheit des Raumes, die Kerzen an der Wand, die verhängten Fenster – all dies entsprach unserer Stimmung und der Arbeit, die wir in dieser Nacht zu tun hatten.

Zunächst gab Rafes einen Bericht über die Arbeit, die im Zusammenhang mit dem Beilis-Prozeß geleistet worden war. Er berichtete uns, das Zentralkomitee des Bund habe für den Tag der Eröffnung des Prozesses eine revolutionäre Massenaktion beschlossen. Darum hatte sich das Zentralkomitee an die russische Sozialdemokratie, die Sozialdemokratie Polens und die linke PPS gewandt, um eine gemeinsame Aktion durchzuführen. Alle diese Parteien lehnten mit der Begründung ab, die polnischen und russischen Arbeitermassen würden die Notwendigkeit solch einer Aktion nicht begreifen, deshalb würde sie ein Fehlschlag werden. Sie schlugen vor, daß stattdessen die Sozialdemokratische Fraktion am Tag des Beilis-Prozesses von der Tribüne der Regierungsduma herab protestieren solle, damit müsse man sich eben begnügen. Der Bund ging darauf nicht ein und beschloß, selbständig eine Aktion durchzuführen. Rafes räumte ein, daß nach Ansicht des Zentralkomitees die beste Art des Protestes ein Generalstreik der jüdischen Arbeiterklasse wäre, da man aber nicht sicher sein könnte, daß alle Organisationen einen solchen Streik durchzuführen imstande wären, sollte nach dem Zentralkomitee jede Organisation selbst bestimmen, auf welche Weise sie reagieren wolle. Nach einer langen Diskussion wurde beschlossen, daß die Warschauer Organisation einen allgemeinen Generalstreik der jüdischen Arbeiter durchführen sollte.

Die zweite Frage war, wen man zur Durchführung der Aktion um Hilfe bitten könnte. Die Meinung von Rafes war, daß der Zarismus mit dem Beilis-Prozeß zwar der gesamten revolutionären Bewegung in Rußland einen Schlag versetzen wolle, mit seiner vollen Schärfe sei dieser aber eigentlich nur gegen das jüdische Volk gerichtet. Darum müsse man auch die jüdische Bourgeoisie in die Aktion miteinbeziehen und die bürgerliche Presse ausnutzen. Der größte Teil der Konferenz war gegen den Vorschlag von Rafes. Die Mehrheit vertrat die Meinung, wenn man sich der bürgerlichen Presse bediente, werde es unmöglich, an die Arbeiterklasse der anderen Völker zu appellieren. Es wurde beschlossen, einen Aufruf an die polnischen Arbeiter herauszugeben, der sie nicht nur über den nationalen, sondern auch über den sozialistischen Sinn unserer Aktion aufklären und sie dazu aufrufen sollte, dort wo sie mit jüdischen Arbeitern zusammenarbeiteten, aus Klassensolidarität gemeinsam mit den jüdischen Genossen zu streiken. Zum Schluß wurde ein Streikkomitee von fünf Genossen gewählt, bestehend aus Abraham Drucker, dem weißen Max, einer Genossin aus Litauen, mir selbst und Henech, dem Spitzel.

Bald nach der Konferenz wurde eine Sitzung des Komitees abgehalten und die Arbeit eingeteilt. Jeder Genosse mußte vier bis fünf Berufsgewerkschaften übernehmen, vor allem aber seinen eigenen Berufszweig. Eine Ausnahme bildete nur Abraham Drucker, der in einer großen Druckerei arbeitete und fürchtete, seine Arbeit zu verlieren. Darum habe ich die Druckereien übernommen.

Wir wußten nicht, ob der Streik Erfolg haben würde, aber allein schon wenn die Zeitungen nicht erschienen, könnte das großen Eindruck machen. Das reizte mich, und darum übernahm ich diese Aufgabe.

Der Plan war in folgender Weise ausgearbeitet: jedem Genossen aus dem Streikkomitee wurden vier oder fünf Genossen zugeteilt, die Funktionäre in Berufsgewerkschaften waren und für diese die Verantwortung übernehmen sollten. Es wurde eine Liste der Betriebe von fünf Berufszweigen zusammengestellt und festgehalten, welche Straßen besucht werden müßten. Jeder Genosse aus dem Streikkomitee mußte mit Hilfe der Genossen aus den einzelnen Berufen alle Fabriken aufsuchen. Das ging so vor sich: Man kam in die Werkstatt hinein, das Führungsmitglied des Streikkomitees hielt eine Rede über die Bedeutung der Aktion und ein Genosse aus dem entsprechenden Berufszweig verteilte Flugblätter. Was und wie ich damals geredet habe, kann ich selbst schwer beurteilen. Aber aus der Reaktion der Genossen, der Arbeiter und sogar der Meister spürte ich, daß meine Rede ihnen zu Herzen ging.

Die größte Sorgfalt widmete ich den Zeitungen. In Warschau erschienen damals drei jiddische Tageszeitungen: »Moment«, »Heint« (Heute) und »Freind«. Der »Freind« war eine ganz linke, radikale Zeitung, bei ihr waren wir sicher, daß sie streiken würde. Schlimmer stand es mit dem »Heint« und dem »Moment«. In der Redaktion des »Heint« sagte man mir einen Streik zu, wenn auch der »Moment« in den Streik träte; in der Redaktion des »Moment« versicherte man mir, daß die Zeitung nicht erscheinen werde. Als ich aber am letzten Tag vor dem Beilis-Prozeß in den Konsum-Verein kam, erzählten mir Arbeiter, im »Moment« werde gerade die Ausgabe gesetzt, die anderntags erscheinen sollte. Ich ging in die Druckerei und appellierte an die Arbeiter, sie sollten die Arbeit niederlegen. Die Arbeiter wollten meiner Aufforderung nicht folgen und sagten, sie würden die Arbeit niederlegen, wenn die Redaktion ihnen Anweisungen gebe. Man muß bedenken, daß die Zeitungsdrucker eine privilegierte Kaste waren; sie verdienten gut und gehörten nicht der illegalen Gewerkschaft an.

Als ich sah, daß hier im Guten nichts auszurichten war, wandte ich mich an einige Schuster, Bäcker und Tischler aus anderen Werkstätten und forderte sie auf, sofort in den Konsum-Verein zu kommen. Ich hatte den Plan, mit ihrer Hilfe das Erscheinen der Zeitung dadurch unmöglich zu machen, daß wir den Satz durcheinanderwarfen. Mitten in der Unterhaltung mit den Arbeitern kam Henech, der Spitzel herein und machte einen Vorschlag, der mir glücklich zu sein schien. Er riet davon ab, mit einer Gruppe von Arbeitern in die Redaktion des »Moment« einzudringen, denn die Straße sei mit Spitzeln übersät. Man würde uns sicher verhaften, was für den morgigen Streik fatal wäre. Er schlug vor, wir sollten uns stattdessen zu zweit, von den Spitzeln unbemerkt, in das Haus des »Moment« stehlen und an die Redaktionsmitglieder appellieren, die Arbeit niederzulegen. Genau das taten wir auch.

Wir waren sicher, daß uns niemand bemerkte, aber als wir in den Hof der Redaktion kamen, wurde das Tor hinter unserem Rücken zugeschlagen. Da unsere Verhaftung jetzt ohnehin sicher war, beschlossen wir zunächst in die Redaktion hinaufzugehen und unsere Mission durchzuführen. Wir wußten nicht, daß uns eine Gruppe von Arbeitern gefolgt war. Als sie sahen, daß das Tor zugeschlagen wurde, gingen sie hin und wollten es wieder aufreißen. Da wurden sie von der Polizei umstellt und festgenommen, und bei zweien von ihnen fanden sich Flugblätter. Die beiden bekamen hinterher einen Prozeß und wurden verurteilt.

Aber wir wußten nicht, was auf der Straße passierte. Wir gingen in die Redaktion hinauf und trafen auf etwa zwei Dutzend Menschen, die um einen langen Tisch saßen. Einer hatte einen jüdischen Hut auf und trug ein blondes Bärtchen. Als Henech im Namen des Warschauer Komitee des Bund dazu aufforderte, die Arbeit niederzulegen, antwortete der kleine Jude mit dem Bärtchen:»Ihr könnt uns mal…« Ich erklärte ihnen, sie seien für zwei Verbrechen verantwortlich: für die Zerschlagung der Protestaktion der jüdischen Arbeiter und für unsere Verhaftung. Dann verließen wir die Redaktion. Mir war damals nicht verständlich, warum Henech so schnell vorauslief und mich auf der Treppe zurückließ. Als ich alleine weiterging, kam mir der Redakteur Itschale entgegen und schlug mir vor, zu ihm ins Redaktionsbüro hinaufzugehen. Er hatte offenbar erfahren, warum ich gekommen war. Wenn Polizei käme, würde er sagen, ich sei wegen einer Redaktionsangelegenheit gekommen, sodaß ich der Verhaftung entgehen könnte. Ich antwortete ihm, wenn er glaube, auf diese Weise die Verbrechen der Redaktion decken zu können, sei er im Irrtum. Mir sei es lieber, von der russischen Ochrana verhaftet zu werden, als mich in der Redaktion des »Moment« zu verstecken.

Ich ging auf den Hof hinunter. Dort war es ruhig, nur Henech lief herum. Das Tor war noch versperrt und wir beschlossen, daß ich in einen Eingang des Hofes hineingehen würde und er in einen anderen. Er wollte mich wohl loswerden, um sich mit der Polizei zu verständigen, damit sie das Tor öffnete. Nachdem ich im Eingang längere Zeit gewartet hatte, wurde ich ungeduldig und ging wieder auf den Hof. Das Tor war bereits offen und die Polizei fort. Ich wunderte mich, daß die Polizei nicht gekommen war, um uns auf dem Hof zu verhaften, da sie doch wußte, daß wir dort waren. Heute ist mir klar, daß Henech das damals so abgemacht hatte. Wir gingen weiter, diesmal in eine jüdische Metallfabrik auf der Bonifraten-Straße, wo einige Dutzend jüdische Arbeiter beschäftigt waren. Dort sprach Henech über die Bedeutung des Streiks, der für den kommenden Tag geplant war, und dann machten wir uns auf den Heimweg.

Wir hatten beschlossen, am Donnerstag früh, am Tag des Beilis-Prozesses, alle jüdischen Arbeiter von der Arbeit wegzuholen und, falls möglich, eine Massendemonstration zu organisieren. Ich weiß nicht, warum meine Mutter etwas davon erfahren hatte. Ich hatte ihr natürlich nichts erzählt. Meine Mutter war wirklich die Mama der Bundisten in Warschau, aber ich stand ihr dennoch am nächsten, und sie wollte nicht, daß ich wieder verhaftet würde. Nachts versteckte sie alle meine Sachen. Als ich morgens aufstand, fand ich meine Kleider nicht. Niemand war zu Hause. Wie ich mir dann Kleider zusammengesucht und was ich angezogen habe, weiß nur Gott allein. Mein Aufzug muß sehr komisch gewesen sein, aber an meine Kleidung dachte ich damals nicht.

Um sieben Uhr früh versammelte sich das Streik-Komitee im Konsum-Verein. Dorthin kamen bundistische Aktivisten aus allen Berufen. Sie erhielten Listen, um alle Arbeiter von der Arbeit wegzuholen und sie in die Dzika-Straße zu schicken. Diese Straße war sehr günstig: sie hatte viele Höfe, über die man verschwinden konnte. Um zehn Uhr morgens war die ganze Dzika-Straße und alle umliegenden Straßen mit tausenden von Arbeitern überfüllt. Als wir sahen, daß eine so große Menge gekommen war, befahlen wir ihnen sofort, sich in Reihen aufzustellen. Einer, ein jugendlicher Metallarbeiter (heute ist er in Argentinien), schwenkte die Fahne des Bund, und unter dem Gesang der »Internationale« begannen wir mit der Demonstration. Interessant war die Haltung des jüdischen Bürgertums während der Demonstration. Wenn wir die Losung riefen: »Nieder mit dem Beilis-Prozeß« oder »Es lebe das jüdische Volk«, öffneten sie alle Fenster und die Demonstration wurde begrüßt. Aber wenn wir die Losung ausgaben: »Nieder mit dem Zarismus! Es lebe die sozialistische Revolution« schlossen sie die Fenster und verschwanden, als sei es der Vorabend eines Pogroms.

Es gelang uns, bis zur Gencza-Straße zu ziehen. Dort kam uns der Kommissar des vierten Kommissariats entgegen, mit einer Gruppe von Polizisten, die ihre Säbel zur Hand hatten und sich auf die Demonstranten stürzen wollten. In diesem Augenblick ertönte der Ruf: »Stehenbleiben, nicht fortlaufen!« Wir begannen wieder die »Internationale« und den »Schwur« zu singen. Der Gesang wirkte wie ein Zauber, die Massen rührten sich nicht vom Fleck. Der Kommissar und die Polizisten waren völlig durcheinander und zogen sich zurück, bis Polizei vom dritten und fünften Kommissariat zu Hilfe kam. Dann griffen sie uns gemeinsam an. Wir führten die Menge zur Nalewka-Straße zurück, und dort formierte sich der Demonstrationszug von neuem. Als dann eine große Demonstration nicht mehr möglich war, wurden Demonstrationen in Gruppen von jeweils einigen Dutzend Menschen organisiert. So rangen wir mit der Polizei, bis es Nacht wurde. Hätten wir uns darauf vorbereitet, Barrikaden zu errichten, wären wir ohne Zweifel in der Lage gewesen, im ganzen jüdischen Viertel einen Wald von Barrikaden zu errichten.

Als der Tag zu Ende ging, kam das Streikkomitee zu einer Beratung zusammen. Ein Teil war dafür, den Streik weiter fortzusetzen. Da aber anderntags der Vorabend von Jom Kippur war, war dies unmöglich, und es wurde beschlossen, den Streik abzubrechen.

Wie aber reagierten wir auf die schändliche Handlungsweise des »Moment«? Zunächst organisierten wir eine größere Gruppe von Arbeitern, die sich frühmorgens am Tor der Redaktion versammelte. Als versucht wurde, die Zeitungen auszuliefern, haben wir sie an Ort und Stelle zerrissen. Später belegten wir die Mitarbeiter des »Moment« mit einem Boykott. Wo immer sie versuchten, auf literarischen Veranstaltungen aufzutreten, wurden diese sofort gesprengt. Das hat sie anscheinend stark beeindruckt, jedenfalls schickten sie eine Delegation in den Konsum-Verein, um sich nach meiner Person zu erkundigen. Woher sie meinen Namen kannten, weiß ich nicht. Sie boten 300 Rubel an, wenn wir den Boykott gegen sie aufheben würden. Ich gab ihnen überhaupt keine Antwort, sondern öffnete lediglich die Tür und befahl ihnen hinauszugehen. Dem Boykott gegen den »Moment« schlossen sich später alle jüdischen Kulturorganisationen an.

Meine erste illegale Reise

Vor meiner Reise nach Paris wohnte ich illegal beim Genossen Josef Kreitmann. Seine Wohnung auf der Wolinka-Straße bestand aus einer kleinen Dachstube. In der Zeit meiner Illegalität wurden die Zusammenkünfte unserer Genossen in diese Dachkammer verlegt. Wenn jemand ein paar Kopeken hatte, kauften wir ein Brot, machten Feuer im Ofen und kochten Tee. Dabei entwickelte sich ein derartiger Rauch, daß es ganz finster im Stübchen wurde und uns die Tränen aus den Augen flossen. Noch schlimmer war, daß der Rauch das ganze Haus verdüsterte, was bei den Nachbarn Verdacht erregte. Auch schliefen einige Genossen in der Kammer, und das wurde offenbar dem Hauswirt hinterbracht.

Als wir einmal auf unseren Lagern ausgestreckt waren, klopfte der Hauswirt an die Tür. Als er hereinkam, war er baß erstaunt. Im Bett schliefen zwei Genossen, neben dem Bett auch zwei, und auf dem Tisch der Wohnungsinhaber – Josef Kreitmann. Die Situation war für ihn wie für uns sehr unangenehm. Wir erwarteten einen Krach. Plötzlich sah er das Bild von Karl Marx neben dem Fenster. Da wurde er blaß, stammelte einige Worte und ging – offenbar hatte er Angst, sich mit Leuten anzulegen, bei denen ein Bild von Karl Marx an der Wand hing.

Obwohl wir wußten, daß er uns nicht denunzieren würde, war die Wohnung nicht mehr konspirativ. Es wurde beschlossen, daß ich möglichst schnell wegfahren müsse.

Ich muß gestehen, daß es mich sehr nach Paris hinzog. Ich hatte einmal bei Maxim Gorki gelesen, daß jeder Revolutionär nach Paris fahren und dort die Bastille besuchen müsse, und damals hatte ich beschlossen, einmal nach Paris zu fahren. Jetzt aber tat mir das Fortgehen leid, denn ich wollte mich nicht von meinen Eltern trennen, nicht von der Bewegung und vor allem nicht von den Genossen. Ich konnte mir nicht vorstellen, daß ich irgendwo anders solche Genossen finden würde.

Vor meiner Abreise quälte mich wiederum die Sache mit dem Kragen. Ich mußte doch die schwarze Bluse ausziehen, damit ich nicht auffiel. Ich war mir noch immer nicht sicher, ob ich alleine mit Kragen und Krawatte fertig werden würde... In Warschau half mir mein Genosse Katz. Aber dann in dem Grenzstädtchen, wo ich bei einem Bauern auf dem Ofen übernachtete, legte ich den Kragen nicht ab – ich war nicht sicher, ob ich ihn alleine wieder anziehen könnte.

Ich hatte mit den Genossen ausgemacht, daß mich niemand zum Zug begleiten sollte. Auch von meiner Mutter habe ich mich zu Hause verabschiedet. Das war das Allerschrecklichste, obwohl ich ganz sicher war, daß ich bald wieder zurück sein würde. Nur mein Vater ging mit mir zur Bahn. Er kaufte mir eine Fahrkarte bis Bendin. Von dort mußte ich schwarz über die Grenze gehen. Später erschütterten mich die Erinnerungen von Abramowitsch, dem Führer der russischen Menschewiki, in denen er schilderte, wie sein Vater ihn an die Hand nahm und zu seiner ersten revolutionären Emigration auf den Weg brachte, und wie er selbst seinen Sohn begleitete, als dieser abreiste, um im spanischen Bürgerkrieg zu kämpfen. Sie erinnerte mich daran, wie mein Vater mich an die Hand nahm und in das Abteil hineindrängte. Wie schwer ist es doch, Bilder aus längst vergangenen Zeiten zu vergessen, wenn sie so tief im Herzen eingegraben sind! Wer hätte damals gedacht, daß er zwei Jahre später einen schrecklichen Hungertod erleiden würde!

Als ich schon im Abteil saß, kamen die Genossen. In Zweierreihen Arm in Arm, marschierten sie an meinem Waggon vorbei, ohne mich anzusehen. Die schweigende Demonstration der Freundschaft dieser wundervollen Genossen werde ich nie vergessen.

Nachdem ich mich durch die Grenze geschmuggelt und Mislowiec erreicht hatte, ein Städtchen, das damals zu Deutschland gehörte, gab es neue Schwierigkeiten für mich. Der Agent, der mich über die deutsche Grenze gebracht hatte, war wahrscheinlich auch Agent einer deutschen Schiffahrtsgesellschaft, und diese stand in Verbindung mit der deutschen Polizei. Mein Agent brachte mich ins Büro dieser Gesellschaft, und dort erklärte man mir, ich müsse eine Schiffskarte kaufen, sonst würde ich zurückgeschickt. Es half mir gar nichts, daß ich erklärte, ich brauche keine Schiffskarte, denn ich führe nach Paris und hätte kaum das Geld für die Bahn. Sie glaubten es nicht und drohten, mich zurückzuschicken.

Ich begriff, daß die einzige Rettung war: abhauen. Aber zur Bahn laufen und wegzufahren war gefährlich. Ich konnte auf dem Weg nach Berlin aus dem Zug geholt und zurückgeschickt werden. So ging ich in die Stadt und schaute mich um, wo ich mich verstecken könnte. Der Agent ging hinter mir her, aber ich tat so, als würde ich ihn nicht sehen. Auf einer Straße bemerkte ich eine jüdische Gaststätte, dort wollte ich mich verstecken, bis der Agent meine Spur verlöre. Ich konnte mich von ihm unbemerkt in das Restaurant stehlen, und mich zwei Tage lang dort verstecken. Dann ging ich zur Bahn, kaufte eine Fahrkarte und fuhr nach Paris.

Als ich durch Belgien reiste, schloß ich mit einem jungen Mann Bekanntschaft, der sich auch nach Paris schmuggelte. So reisten wir zusammen.

An einem kalten, finsteren Abend erreichten wir die belgisch-französische Grenze. Man befahl uns den Waggon zu verlassen. Da ich an die zaristischen Bräuche gewöhnt war, glaubte ich, man würde mich verhaften. Es stellte sich aber heraus, daß es nur eine Zollkontrolle war. Als ich meinen Koffer öffnete und dem Beamten mein Vermögen vorwies: zwei Stück Wäsche und eine schwarze Bluse, konnte er nicht verstehen, warum ich ihm das zeigte. Er sagte immer wieder, ich solle ihm doch meine Sachen vorzeigen. Als er sich endlich davon überzeugt hatte, daß dies meine Sachen waren, schaute er mich seltsam an, ich weiß nicht, ob aus Mitleid oder aus Neugier.

Spät in der Nacht kamen wir in Paris an. Die Straßen waren leer. Mir war von der Reise ein halber Franken übriggeblieben und mein Mitreisender besaß ebensoviel. Wir beschlossen, mit diesem Franken ein Hotelzimmer zu mieten, um die Nacht über zu schlafen. Nach langem Suchen fanden wir ein Hotel. Habe ich in jener Nacht geschlafen? Ich kann mich nicht daran erinnern. Aber schwer ums Herz war mir bestimmt. Was würde ich tags darauf tun?

Die Nacht über lagen wir also im Hotel, dann gingen wir auf die Straße. Wir konnten weder ein Wort französisch sprechen noch verstehen. Mein Begleiter wußte nur den Namen einer Straße zu nennen: Rue de Rosiers. Jedesmal, wenn uns einer begegnete, der ein Jude zu sein schien, fragten wir nach der Rue des Rosiers. Jeder gab uns irgendeinen Bescheid, aber wir verstanden nur wenig. Anscheinend kamen wir aber doch dem Ziel näher, denn als wir uns das letzte Mal erkundigten, führte uns jemand bis zu der Straße hin. Von da ab verlor ich meinen Mitreisenden.

Auf der Rue des Rosiers war es wirklich ein wenig heimischer. Dort sah man nur Juden, Menschen, die man etwas fragen konnte. In Wirklichkeit hatte ich aber kaum etwas zu fragen. Ich hatte weder eine Adresse noch Bekannte, und Geld zum Essen hatte ich auch nicht. Dennoch unterhielt ich mich mit den Leuten. Sie erkannten gleich, daß ich ein »Grüner« war.

Zur Mittagszeit, als die Arbeiter auf die Straße kamen, traf ich völlig unerwartet zwei Bekannte: Arie Schuster und Paulus von der »Roten Hand«.

Arie Schuster war ein seltsamer Typ: ein alter Bundist, und doch kein enger Freund. Durchaus intelligent, aber seine Intelligenz erschöpfte sich in leerem Gerede. Er hielt sich für etwas Besonderes, aber nahe Freunde hatte er in unseren Reihen nicht; man hatte Respekt vor ihm, aber man nahm ihn nicht ernst. Niemand von uns in Warschau hatte gewußt, daß er weggefahren war; er hatte uns nichts davon gesagt. Als er mich sah, freute er sich und lud mich zum Mittagessen ein. Er wußte, daß ich keinen Platz zum Schlafen hatte und verabredete

sich mit mir für den Abend im gleichen Restaurant, kam aber nicht.
Am Abend traf ich dafür Paulus wieder, am selben Ort wie am Tag. Ich wäre lieber mit Arie Schuster zusammengewesen, jetzt aber hatte ich keine andere Wahl und mußte mich an ihn halten. Wir aßen zusammen zu Abend und gingen dann auf den Boulevards spazieren. Die Fröhlichkeit auf den Pariser Straßen diente mir später dazu, die Beklemmung zu vertreiben, die mich in Stunden großer Einsamkeit und Not befiel.
Nach dem Spaziergang nahm er mich mit ins Hotel. Ich hätte eine Weile bei ihm bleiben können, jedenfalls bis ich woanders untergekommen wäre. Aber als ich ihn nachts fragte, wovon er denn lebe, bekannte er, daß er sich schlicht von Diebstahl ernähre. Da wollte ich mich nicht mehr mit ihm treffen.
Meine Lage war verzweifelt. Ich wußte, daß es in Paris ein Rotes Kreuz gab, das politische Emigranten unterstützte. Ich ging in den bundistischen Klub, der in einem Gäßchen neben der Rue des Rosiers war, in der Ferdinand Duval-Straße. Dort erhielt ich die Adresse des Vertreters des Bund im Roten Kreuz, Lazar. Er nahm mich nicht sehr höflich auf, gab mir etwas Geld und bat mich, Beweise zu erbringen, daß ich wirklich ein politischer Flüchtling sei – sonst könne er mir kein Geld mehr geben. Möglicherweise hatte er recht, schließlich nützen nicht wenige Menschen solche Institutionen aus und betrügen sie. Aber das Mißtrauen gegen mich stieß mich vor den Kopf. Daß er meine Zugehörigkeit zum Bund infrage stellte, schien mir so unmenschlich, daß ich beschloß, nicht mehr zu ihm hinzugehen.
Für das Geld, das ich von diesem Lazar erhalten hatte, konnte ich ein Hotelzimmer zwei Wochen im voraus bezahlen. Als diese Zeit vorüber war, begannen für mich Tage voller Sorgen und großer Not. Früher hätte ich mir überhaupt nicht vorstellen können, daß man so etwas durchstehen kann.

In Paris ohne ein Dach über dem Kopf

Ich begann Arbeit zu suchen, aber erfolglos. Von zu Hause war ich gewöhnt, daß der Meister Arbeiter einstellte, die ihm von der Gewerkschaft geschickt wurden. In Paris war das anders. Arbeit mußte man sich selber suchen, und erst wenn man Arbeit gefunden hatte, konnte man Mitglied einer Gewerkschaft werden.
Ich sammelte Adressen und suchte Arbeit. Jeder Arbeitgeber schaute mich von Kopf bis Fuß an, so wie man Pferde auf dem Marktplatz begutachtet. Das ärgerte mich natürlich, und meine Antworten waren nicht so, wie es sich gehört hätte. Niemand nahm mich zur Ar-

beit an, und die Suche wurde mir rasch leid. Schließlich ging ich mit den Adressen in der Hand nur bis zur Tür und kehrte wieder um, ohne auch nur anzuklopfen. Es tat mir weh und verletzte mich, daß die illegalen kleinen jüdischen Gewerkschaften in Warschau offenbar wirklich eine größere Macht hatten als die Gewerkschaften im freien Frankreich. Ich begann, mich sehr nach Hause zu sehnen. Ich hatte keine Arbeit und schämte mich zu sagen, in welcher Lage ich mich befand. Wochenlang habe ich einfach nichts gegessen. Ich schlief auf der Straße neben den Metro-Stationen zusammen mit allen Clochards. Ich kann mich noch daran erinnern, wie ich in den Winternächten in den Straßen herumstreifte und der Regen mich peitschte. Ich fühlte jeden Tropfen wie einen Stein, der mir auf den Kopf fiel. Irgendwo habe ich gelesen, daß es bei den Chinesen eine Art der Todesstrafe gab, die so vollzogen wurde, daß man dem Verurteilten tropfenweise Wasser auf den Kopf fallen ließ. Die Tropfen, die mir auf den Kopf fielen, konnten mich vielleicht nicht töten, aber verrückt machen konnten sie mich bestimmt. Wenn ich an einer Bäkkerei vorbeikam, blieb ich stehen und atmete lange den Geruch des Brotes ein.

Einmal gelang es mir, in einen Park hineinzuschlüpfen, und auf einer Bank einzuschlafen. Das ist in Frankreich verboten. Die ganze Nacht herumlaufen darf man – schlafen aber nicht. Es kam auch wirklich bald ein Polizist, weckte mich und gab mir mit beredten Gesten zu verstehen, daß man mich verhaften könne. Da ich Angst hatte, wieder einzuschlafen, ging ich auf den Boulevard, der von der Bastille zum Zoologischen Garten führte. Dort traf ich einen Genossen, einen Anarchisten, der noch verschreckter aussah als ich selbst. Als ich ihn nach dem Grund seiner Aufregung fragte, erzählte er mir, daß ihm eine reiche Dame einen Franken geben wollte, als er auf dem Boulevard ging. Er hatte den Franken nicht genommen und die Dame nicht gerade sehr sanft behandelt, aber ihre Geste hatte ihm doch schrecklich wehgetan. Dieser Genosse war ein wilder Anarchist; wegen dieses Franken, den man ihm angeboten hatte, hätte er am liebsten Paris mit Dynamit in die Luft gesprengt.

Inzwischen fand ich in der Rue de la Manche ein Amphitheater, ein Überbleibsel aus den Zeiten des römischen Kaiserreichs. Hier konnte ich nachts auf einer Bank schlafen. Das Theater machte einen furchterregenden Eindruck – die Menschen vermieden es, dorthin zu gehen. Die Steinbänke, die Steinbühne, die Leere jagten Schrecken ein. Es schien, als geisterten noch die Seelen der ermordeten und gequälten Sklaven herum, die dort zur Belustigung der römischen Diktatoren zerrissen worden waren.

In dieser Zeit kam ich manchmal in die anarchistische Bibliothek. Ich konnte dort drei Bücher täglich ausleihen. Wo ich die Kraft und die Geduld hernahm, so viel zu lesen, ist mir selbst ein Rätsel. Ich glaube aber, daß die Quelle meiner Kraft darin lag, daß sich beim Lesen der marxistischen und anarchistischen Literatur meine Überzeugung festigte, daß die kapitalistische Welt ihrem Untergang entgegenging und nicht mehr lange bestehen würde. Inzwischen kamen die Märztage, in denen das französische Proletariat den Jahrestag des Aufstandes der Pariser Kommunarden feiert. Ich besorgte mir ein Metro-Billet und fuhr zum Père Lachaise.* Dort wußte ich aber nicht, wo ich die sozialistische Gruppe finden konnte. Als ich ganz verwirrt herumstand, kam ein französischer Arbeiter auf mich zu, legte mir die Hand auf die Schulter und winkte mir, mit ihm zu kommen. Er führte mich wirklich zur Demonstration hin. Die Hand des französischen Arbeiters auf meiner Schulter erfüllte mich mit Freude; er verstand mich, ohne mit mir auch nur ein Wort zu reden. Ich glaube, daß ich heute noch diese Hand auf meiner Schulter spüre. Und vielleicht hatte dieses Erlebnis für meinen Weg zum internationalen Sozialismus eine größere Wirkung als die Theorien von Marx und Kropotkin.

Ich weiß nicht, wie meine Mutter erfuhr, in welcher Lage ich mich befand. Sie schickte mir jedenfalls Geld, damit ich nach London zu meinem älteren Bruder Schlomo fahren konnte; das Geld reicht gerade für eine Fahrkarte.

Ende März fuhr ich ab, aber bis London kam ich nicht. Frei nach England hereingelassen wurden nur die Passagiere der zweiten Klasse; die der dritten wurden einem Verhör unterzogen. Ich habe den Beamten offenbar nicht gefallen, denn sie schickten mich zurück, aber nur bis Dieppe, das heißt nur mit dem Schiff bis zum Hafen. Von Dieppe nach Paris hätte ich auf eigene Rechnung fahren müssen. Ich hatte kein Geld und blieb deshalb in Dieppe stecken. Da beschloß ich, zu Fuß nach Paris zu gehen. Hätte ich mich auf französisch verständigen können, wäre mir das wohl geglückt. Aber ich konnte nicht reden und noch viel weniger verstehen, was man mir sagte. Immer wenn ich die Stadt verlassen hatte und den Weg nach Paris einschlagen wollte, kam ich nach einem langen Marsch wieder an den Ausgangsort zurück. Nach mehreren solchen Versuchen habe ich die Idee aufgegeben, aber ich wußte nicht, was ich nun anfangen sollte. Ich beschloß nicht mehr darüber nachzudenken, weil das ohnehin nichts hilft, wenn man im Voraus weiß, daß einem nichts mehr einfällt. Ich ging in die Stadt und verließ mich auf den Zufall: »Irgendetwas wird doch passieren müssen. Ich werde doch nicht ewig ohne einen Groschen in einer fremden Stadt bleiben.«

Ich ging auf den Fischmarkt und schaute zu, wie die frischgefangenen Fische verkauft wurden. Als ich von diesem Anblick genug hatte, ging ich zum Bahnhof zurück. Zufällig kam ein Arbeiter aus dem Depot heraus, ein Bulgare, der etwas russisch verstand. Ich erzählte ihm, in

* Friedhof in Paris, wo viele Tote der Pariser Commune begraben liegen.

welcher Lage ich sei, und er gab mir den Rat, zum russischen Konsul in Dieppe zu gehen. Als ich ihn darüber aufklärte, daß ich Sozialist und ein politischer Emigrant sei, hieß er mich warten. Einige Minuten später kam ein älterer französischer Arbeiter heraus und verabredete sich mit mir für vier Uhr nach der Arbeit.

Da ging ich fröhlich in die Stadt zurück. Ich hielt es für ein gutes Zeichen, daß mir jedesmal, wenn ich in Not war, Arbeiter entgegenkamen, deren Sprache ich nicht einmal verstand, und mir weiterhalfen. Diese Tatsache freute mich mehr als die Hilfe selbst. Ich spürte nicht einmal mehr den Hunger. Pünktlich um vier wartete ich bereits am vereinbarten Ort, der Arbeiter kam, und wir gingen zu ihm nach Hause. Unterwegs kamen wir in ein Café, in dem noch mehr Arbeiter waren, und jeder spendierte mir ein Gläschen Wein, so daß ich schon betrunken war, bevor mein Helfer mich nach Hause brachte. Im Heim dieses französischen Arbeiters erlebte ich Tage voller Freude.

Das war nicht nur eine proletarische, sondern eine wirklich sozialistische Familie. Als ich die Stube betreten, mich gewaschen und gegessen hatte, kam der Schwiegersohn herein – ein Rumäne, der eine Zeitlang in Rußland gewesen und dort Sozialist geworden war. Er freute sich und sprach mich gleich als Genosse an.

Nach dem Abendbrot wurde das Grammophon aufgezogen und die »Internationale« gespielt. Der alte Arbeiter und seine Frau, die Tochter und der Schwiegersohn sangen im Chor die »Internationale« mit. In diesen frohen Stunden beneidete ich sie. Das erste Mal in meinem Leben hörte ich jemanden zu Hause die »Internationale« singen. Wie anders war das doch in meiner Familie, in meiner alten Heimat! Unsere Eltern hatten Angst vor dem Lied, das ihnen unverständlich war. Hier spürte ich die Kraft eines Volkes, das vier Revolutionen in einem Jahrhundert durchgemacht hatte, und bei dem das sozialistische Ideal Großväter und Enkelkinder vereinte.

Nachdem wir fertig gegessen und einige sozialistische Lieder gesungen hatten, schlugen sie mir vor, ich solle versuchen, in Dieppe Arbeit zu finden. Solange ich keine Arbeit hätte, könne ich bei ihnen wohnen. In Dieppe gibt es, wie in jeder Hafenstadt, viele Hotels. Sie gaben mir die Adressen, damit ich wußte, wo ich hingehen sollte. Ich bekenne, daß ich sie beschwindelt habe: ich wußte, daß ich zu dieser Arbeit nicht taugen würde – ich würde keinen Menschen bedienen können. Aber es war mir unangenehm, ihren Vorschlag abzulehnen. So ging ich ein paar Tage lang auf den Straßen herum und tat so, als würde ich Arbeit suchen. Nach drei Tagen kauften sie mir ein Billett nach Paris und ich fuhr zurück.

In Paris begann für mich das alte Elend. Ich begegnete jedoch einem Genossen, bei dem mir klar wurde, daß meine Leiden, verglichen mit dem, was er erlebt hatte, ein Kinderspiel waren.

Als ich einmal abends über die Rue de Rivoli ging, kam mir Leiser

Lewin entgegen, den die Partei verdächtigt hatte, ein Spitzel zu sein. Er hatte vom Zentralkomitee den Auftrag erhalten, nach Argentinien zu gehen, bis seine Sache geklärt sei. Wir alle waren sicher, daß er sich dort befände, und nun sah ich ihn ausgerechnet in Paris! Ich wußte nicht, ob ich ihm die Hand reichen sollte, aber sein Aussehen erweckte in mir solches Mitleid, daß ich auf ihn zuging. Er erzählte mir, er sei in Argentinien verfolgt worden, man wolle ihn ermorden – darum sei er nach Paris geflohen! In der Nähe war der Klub des Bund und ich führte ihn hinauf. Es fand gerade ein Diskussionsabend über den Wirtschaftsboykott der Polen gegen die Juden statt, der als Rache dafür gedacht war, daß die Juden bei den Wahlen dem Sozialisten Jagello zu seinem Mandat verholfen hatten. Wir hörten der Diskussion zu, aber das Niveau der Diskutierenden machte auf uns einen schlechten Eindruck. Es gab dort genug intelligente Menschen, aber offenbar kannten sie die Verhältnisse nicht und redeten wie Menschen, die weit von dem Land entfernt waren, um das es ging. Wir ergriffen beide das Wort. Leiser war kein schlechter Redner und die Leute waren zufrieden mit unseren Beiträgen. Esther Iwinska, die Schwester von Viktor Alter,* machte mir Vorwürfe, daß ich nicht in den Klub käme und keinen Anteil an der Arbeit nähme. Als man eine Kommission wählte, die eine Resolution gegen den Boykott ausarbeiten sollte, schlug sie uns beide vor. Ich sah, daß Leiser seine schwierige Situation verschwieg und war darüber sehr verärgert. Gewiß, seine Schuld war nicht bewiesen worden, es war nur ein Verdacht gewesen, aber er hätte dies selbst berichten müssen. Ich rief die Iwinska zur Seite und erzählte ihr die Geschichte. Ich sagte wahrheitsgemäß, daß dies nur ein Verdacht sei, und bat sie, die Sache so weit wie möglich geheim zu halten. Aber draußen hat man dennoch davon erfahren und Leiser erging es übel. Ich kann aber mit reinem Gewissen sagen, daß ich keinen Anteil an diesem schmutzigen Geschäft hatte, und Leiser wußte und schätzte das. Er drückte mir mehr als einmal seinen Dank aus, nicht nur damals in Paris, sondern auch später in Warschau, als er wieder Mitgleid der Partei war.

Im Mai bekam ich Arbeit in einer speziell von Rothschild errichteten Fabrik. In dieser Fabrik konnte man nur drei Monate arbeiten, das heißt, bis man einen Beruf erlernt hatte. Ich lernte die Tischlerei. Man verdiente dort drei Franken am Tag, das war nicht viel, aber für mich war es eine Menge. Ich konnte sehr bescheiden essen und das Hotel bezahlen. Die Organisation der Fabrik wies alle Mängel einer philantropischen Anstalt auf und das Verhältnis zu den Arbeitern war sehr schlecht.

Wir fühlten, daß man auf uns herabsah wie auf Arme, denen man in der Not half, und die Verwaltung wollte, daß wir uns ständig daran er-

* Ein bekannter Führer des Bund, den Stalin zusammen mit Ehrlich ermorden ließ.

innern und dafür dankbar sein sollten. Am schlimmsten war es, wenn Delegationen kamen und uns mitleidig und voller Stolz auf ihr Werk anschauten. Ich habe nicht schlecht gearbeitet und hätte den Beruf vielleicht erlernt, wenn nicht etwas Unvorhergesehenes eingetreten wäre, was mich die Arbeit aufzugeben zwang.

In die Fabrik kam ein neuer Arbeiter aus der Ukraine, ein politischer Emigrant. Er redete gern über Politik und sang auch schön russische Lieder. Später erfuhr ich, daß er seine Frau hatte zu Hause zurücklassen müssen. Seine ganze Sehnsucht legte er in seine Lieder. Er machte auch den Eindruck eines Menschen, der nicht gesund war. Aus all diesen Gründen hat er vielleicht nicht so fleißig gearbeitet und hatte so ständig Konflikte mit der Verwaltung. Als ihn der Verwalter einmal beleidigte und fortschickte, war ich sehr erregt. Ich wußte zwar ganz genau, daß es auch in einer philantropischen Institution ein Verbrechen war, nicht fleißig zu arbeiten, andererseits kannte ich auch seine Qualen. Er war ein russischer Sozialdemokrat, ein Anhänger von Plechanow, und er sehnte sich nach der Arbeiterbewegung, die er hatte zurücklassen müssen. Ich war sicher, daß eine Entlassung sein Todesurteil sein würde.

Ich teilte dem Verwalter mit, daß ich mit dem Genossen mitgehen würde, wenn er ihn fortschicken würde. In einer philantropischen Fabrik war eine solche Handlungsweise offenbar neu. Der Verwalter sah mich entgeistert an, beleidigte mich sogar, riet mir aber doch zu bleiben, weil ich gut arbeiten und Facharbeiter werden könnte. Mag sein, daß es ihm damit ernst war, aber ich fühlte mich diesem Genossen so sehr verbunden, daß ich unmöglich ohne ihn an dem Arbeitsplatz bleiben konnte.

Als wir die Fabrik verließen, fühlten wir uns beide sehr beklommen. Jeder von uns hatte drei Franken in der Tasche, was hieß, daß wir bereits am folgenden Tag nicht mehr das Hotel bezahlen konnten. Also hatten wir alle Aussicht, wieder auf den Boulevards zu schlafen.

Der Genosse David – so hieß er – nahm sich die Sache mehr zu Herzen als ich; ihm lastete das Ganze auf dem Gewissen. Er wußte, daß ich seinetwegen ohne Arbeit war, und es blieb ihm nicht verborgen, daß ich mit der Arbeit auch gleich das Dach über dem Kopf verloren hatte.

Glücklicherweise bekam er bald Arbeit in einer Anstreicherei. Jeden Abend kam ich zu ihm und wir gingen zusammen in die russische Garküche auf der Avenue des Gobelins.

Daß ich auf diese Weise in das russische Restaurant kam, freute mich sehr, denn dort begegnete ich zum ersten Mal Führern der russischen revolutionären Bewegung. Dorthin kamen Plechanow, Martow, Trotzki, Lunatscharski und von den Sozialrevolutionären Awsienkow. Ich freundete mich mit Antonow-Owssejenko an, dem berühmten Helden des Bürgerkriegs, damals noch Menschewik und ein herzlicher und guter Mensch. Ich freundete mich auch mit einem Grischa an, einem Bolschewiken, der später Vorsitzender des Moskauer Sowjets wurde. Wie Owssejenko wurde auch er von Stalin ermordet.

In der Garküche lernte ich auch die Streitigkeiten in der russischen Sozialdemokratie kennen und gewann aus den ständigen Diskussionen ein Bild der fraktionellen Unterschiede zwischen den Bolschewiki und den Menschewiki. Ich wunderte mich darüber, daß die Menschewisten in den Diskussionen nicht weniger revolutionäre Leidenschaft zeigten als die Bolschewisten – Antonow-Owssjenko war nicht weniger revolutionär als Grischa, und ich gewann sie beide gleich lieb.

Aber wie lange kann man einem Genossen auf der Tasche liegen? Obwohl mir David sehr verbunden war, wollte ich nochmals mein Glück versuchen und nach London fahren. Die Genossen, die mich damals an die Bahn begleiteten, sind heute in Israel. Wie erinnern uns oft an den Verlauf meiner damaligen Reise und lachen zusammen darüber.

Es war im Juli 1914. In den Julitagen bekam man verbilligte Fahrkarten für Ausflugsreisen von Frankreich nach England. Die Genossen legten zusammen und kauften mir ein Billet. Als sie mich am Bahnhof zum Zug bringen wollten, stellten sie fest, daß ihnen mein Aufzug nicht gefiel; der sah überhaupt nicht nach Ausflug aus. So streifte einer seinen Kragen mitsamt Schlips ab und gab ihn mir, der zweite tauschte mit mir seine Schuhe, ein dritter steckte mir ein sauberes Taschentuch in die Tasche. Mit einem Wort, ich wurde völlig neu ausgestattet. Aber das nutzte alles nicht. Nach London wurde ich wieder nicht hineingelassen. Der Kontrolleur, der mich das erste Mal zurückgeschickt hatte, erkannte mich und hielt mich fest. Meine Einwände, daß ich meinen Bruder über die Feiertage besuchen wollte, haben nichts geholfen. Er war der Auffassung, wer bereits einmal zurückgeschickt würde, dürfte nicht mehr nach England reisen.

Diesmal verlief meine Rückreise ganz normal. Ich hatte auch ein Rückreise-Billett. Am Abend traf ich wieder in Paris ein und mußte auf der Straße übernachten.

Damals habe ich mir vorgenommen, nie wieder nach England zu fahren. Als ich ausrechnete, wie lange ich für das Geld, das die zwei Karten nach London gekostet hatten, in einem Hotel hätte schlafen können, geriet ich über meine närrischen Reisen in Wut.

Dritter Teil

Am Vorabend des Krieges – Der Kriegsausbruch – Ich verlasse Paris – Ich fahre nach Paris zurück

Am Vorabend des Krieges

Als ich von meiner zweiten erfolglosen Reise nach London zurückgekommen war, wurde meine materielle Lage noch schwieriger. Ich beschloß Arbeit anzunehmen, ganz gleich zu welchen Bedingungen. Für einen Franken am Tag arbeitete ich bei einem Hutmacher. Die Ausbeutung war grauenvoll. Ich mußte nicht nur in der Werkstatt arbeiten, sondern die Ware auch noch an die Geschäfte ausliefern. Von dem Franken, den ich verdiente, konnte ich gerade überleben, nicht aber mich sattessen. Schlafen mußte ich bei einem Genossen, bei einem Bruder von Max. Sonntags, oder an anderen Feiertagen, an denen ich nicht arbeitete, mußte ich einfach fasten. Am 14. Juli, am französischen Nationalfeiertag, nahm ich an einem Ausflug nach Versailles teil, wofür ich einen Franken zahlen mußte. Da ich aber nicht mehr als diesen Franken besaß, konnte ich den ganzen Tag weder essen noch trinken. Einige meiner Bekannten bemerkten das aber und luden mich zum Essen ein.

Aber meine materielle Lage war damals nicht das wichtigste. Dunkle Wolken zogen am Himmel über Europa auf. Der Schuß von Sarajewo erschütterte alle, denn man spürte, daß es sich hier um keinen Zufall, keinen individuellen terroristischen Akt handelte, daß vielmehr finstere, mächtige Kräfte am Werk waren, die das Attentat ausnützen würden, um die Völker in die große Menschen-Schlächterei zu führen, der man später den Namen »Erster Weltkrieg« gab. Der Juli war unruhig und jeder wartete darauf, daß etwas geschehen würde.

Auf dem Ausflug am 14. Juli war der drohende Krieg unser Hauptgesprächsthema. Was wird geschehen, wenn der Krieg ausbricht? Wir konnten noch nicht glauben, daß die herrschenden Klassen ein solch großes weltweites Morden riskieren würden. Und wenn sie es dennoch täten? Wie würde die Antwort des Weltproletariats aussehen?

Wir waren sicher, daß das Weltproletariat zu den Beschlüssen des Basler Kongresses der Zweiten Internationale über den Kampf gegen den Krieg stehen würde. Wenn ein Krieg ausbrechen sollte, würde die Internationale diese Krise zum Kampf gegen den Kapitalismus ausnutzen.

Wir teilten die These von Lenin von der Umwandlung des Krieges in den Bürgerkrieg nicht. Aber die Baseler Resolution würde ausreichen, um der herrschenden Klasse Angst einzujagen und die revolutionäre Stimmung unter den Arbeitern, ihren Mut und ihren Glauben an die Kräfte der internationalen Arbeiterklasse zu stärken. Es gab Anzeichen dafür, daß diese Hoffnungen in Erfüllung gehen würden. Als im Jahre 1912 der Konflikt zwischen Deutschland und Frankreich in der Marokko-Frage ausbrach und es so aussah, als stünden wir bereits an der Schwelle der Katastrophe, rettete die Zweite Internationale mit einer sehr entschiedenen Stellungnahme gegen den Krieg beide Völker vor dem Zerstörungskampf. Wir waren sicher, daß angesichts des drohenden Weltkriegs die Haltung der proletarischen Internationale noch entschlossener sein würde.

Mein persönlicher Glaube an den proletarischen Internationalismus war sehr stark. Ich kannte die Erklärung von Wilhelm Liebknecht und August Bebel im Preußischen Parlament zur Zeit des Kriegsausbruchs zwischen Frankreich und Preußen 1870, die ausdrückte, daß ihre proletarische Solidarität mit den französischen Arbeitern höher stehe als die Interessen der deutschen Kapitalisten. Über das Donnern der Kanonen hinweg entsandten sie der französischen Arbeiterklasse ihren Gruß. Es stimmt zwar, daß Marx gegen diese Erklärung war, aber für uns junge Marxisten wurde sie zu einem heiligen Vermächtnis, wie man in Zeiten des Krieges handeln mußte. Für uns gab es keinen Zweifel, daß die ganze deutsche sozialdemokratische Partei auch jetzt so handeln würde. Dieser Glaube war stark, darum war die Enttäuschung umso schrecklicher.

Wir glaubten auch an den Internationalismus des französischen Proletariats, an die Tradition der Pariser Kommune. Schließlich hatten doch die Kommunarden während der Zeit der Pariser Kommune demonstrativ deutsche Sozialisten in ihre leitenden Gremien gewählt. Das war die prachtvolle Antwort des Pariser Proletariats auf die Grußworte von Liebknecht und Bebel. Ich wußte, daß die syndikalistische Bewegung in Frankreich anarchistisch, das heißt absolut gegen den Staat war und sicherlich den Krieg nicht mitmachen wollte, daß sie gemäß ihrer Theorie und Praxis gleich am ersten Tag der Kriegsmobilmachung einen Generalstreik ausrufen mußte.

Die Syndikalisten sprachen sich sehr scharf gegen den Krieg aus, sie drohten mehrfach mit einem Aufstand. Bei den Sozialisten übertraf Jaurès sich selbst. Ich habe ihn einige Male gehört, wenn er in Versammlungen auftrat. Obwohl ich nur sehr schlecht französisch verstand, genügte es, Jaurès auf der Tribüne zu sehen und ihn reden zu hören, um zu spüren, daß hier ein großer Kämpfer stand. In innerparteilichen Diskussionen zwischen Guesde und Jaurès stand ich auf Seiten von Guesde, aber Jaurès habe ich geliebt. Obwohl er kein Marxist war, vereinigte er in seiner Person die Tradition der Jakobiner mit einer tiefen menschlichen, moralischen Weltanschauung. Jaurès konnte man lieben, auch wenn man nicht mit ihm einig war.

Uns erreichten auch Nachrichten aus Rußland: dort hatte eine neue Periode politischer Streiks begonnen, und in Petersburg gab es gelegentlich Barrikadenkämpfe. Wir russischen Revolutionäre waren sicher, daß die russische Arbeiterklasse, gestützt auf ihre europäischen Genossen, die Kraft haben würde, heftigen Widerstand gegen den Krieg zu leisten. Ich konnte mir auch nicht vorstellen, daß die österreichischen Sozialdemokraten zu Sozialpatrioten werden könnten. In diesem Land mit seiner vielfältigen nationalen Zusammensetzung schien mir Sozialpatriotismus etwas absurdes zu sein. Alle Anzeichen sprachen dafür, daß das Proletariat für den Fall, daß die herrschenden Klassen sich in ein Kriegsabenteuer einließen, seinen Kampf für den Sozialismus zu verstärken versuchen würde. Die ganze Kolonie russischer Revolutionäre erwartete die Ereignisse voller Ungeduld. Alle waren sicher, daß mit dem Krieg in Frankreich die Revolution kommen würde. Aus den Gesprächen, die ich im russischen Restaurant an der Avenue des Gobelins anhörte, erfuhr ich, daß die russischen Sozialdemokraten aller Richtungen in enger Verbindung mit der französischen sozialistischen Partei standen.

Nach dem Mord an Jaurès wurde deutlich, daß dies der direkte Auftakt zum Weltkrieg war.

Soweit ich erfahren hatte, war ein Beschluß gefaßt worden, sich am Tage der Mobilmachung der Armee in den Lokalen der sozialistischen Parteien und der Gewerkschaften zu versammeln und auf den Befehl zu warten. Daß der Befehl zum Kampf kommen würde, war jedermann klar, obwohl wir nicht genau wußten, welchen Charakter dieser Kampf annehmen würde.

Der Kriegsausbruch

Am 4. August wurde die allgemeine Mobilmachung ausgerufen; der Krieg begann. Um zwei Uhr nachmittag kam der Meister zu mir, forderte mich auf, die Arbeit einzustellen und zahlte mir den halben Franken für den halben Arbeitstag aus. Als er merkte, daß mich das nicht aufregte, sah er mich voller Verwunderung an und fragte, warum ich so ruhig sei. Mag sein, daß ich wirklich innerlich ruhig blieb und die Mobilmachung keinen Eindruck auf mich machte, weil ich schon vorher gewußt hatte, daß der Krieg kommen würde. Meine Gedanken waren daher mit etwas anderem beschäftigt: was wird die sozialistische Partei tun? Werden morgen wirklich Barrikadenkämpfe beginnen? Aber dem Meister gab ich zu Antwort, daß es für mich nicht schlimmer kommen könne, weil es nichts schlimmeres gebe, als die Arbeit mit einem halben Franken in der Tasche zu beenden.

111

Ich ging in das russische Restaurant um etwas zu essen und herauszubekommen, was zu tun sei.

Das Restaurant war vollgepackt mit Menschen. Alle waren in der gleichen Stimmung wie ich, alle fragten sich: wie wird die Antwort der sozialistischen Partei aussehen? Was wird der morgige Tag bringen? Um keinen Anlaß für Provokationen zu bieten, beschlossen wir, das Lokal zu verlassen und anderntags, daß heißt am 5. August, ganz früh zu erscheinen und auf Direktiven zu warten.

Als wir uns am anderen Morgen in der Frühe versammelten, kamen die Genossen – ich glaube, auch Antonow-Owssejenko war dabei – und übermittelten uns die düstere Botschaft, daß die Führer der sozialistischen Partei uns rieten, ruhig auseinanderzugehen, wenn wir keine Repressalien gegen uns provozieren wollten. Die Führer der Partei hatten beschlossen, das Land zu verteidigen und die Regierung zu unterstützen, weil die deutschen Sozialdemokraten Verrat geübt hatten.

Man kann kaum schildern, wie diese Nachricht auf uns wirkte. Vielen standen die Tränen in den Augen, keiner war auf derartiges vorbereitet. Erschlagen, enttäuscht, moralisch gebrochen gingen wir auseinander. Am zweiten Tag platzte noch eine Bombe: Plechanow rief die russischen Sozialisten auf, in den Krieg zu ziehen und die Rechnung mit dem Zarismus später zu begleichen. Mein Genosse David, mit dem ich bei Rothschild gearbeitet hatte, war ein glühender Anhänger von Plechanow; er weinte wie ein kleines Kind. Wenn sogar Plechanow zum Verräter wurde, dann verlor er den Glauben an den Sozialismus. Er dachte daran, nach Rußland heimzufahren und dort die Genossen über Plechanows Verrat aufzuklären. Schließlich trat er als Freiwilliger in die französische Armee ein. Als ich ihn fragte, warum er das getan hatte, antwortete er mir, ihm sei jetzt alles gleich. Einige Wochen darauf ist er gefallen, als Freiwilliger in einem Krieg, den er mit ganzem Herzen haßte.

In jenen Tagen fand auch eine Versammlung im Lokal des »Bund« statt. Es ging darum, welche Haltung die Pariser Organisation des Bund zum Krieg einnehmen sollte. Genosse Lasar referierte. Er erklärte, er habe persönlich Frankreich viel zu verdanken und sein Gewissen verlange von ihm, an die Front zu gehen. Für die anderen Genossen forderte er die freie Wahl: jeder sollte tun, was er wollte. Mich befriedigte dieser Standpunkt nicht, ich trat für eine prinzipielle Ablehnung des Krieges ein. Sehr scharf gegen den Krieg wandte sich auch Leiser Lewin. Die Versammlung ging auseinander ohne einen Beschluß zu fassen, obwohl erkennbar war, daß die Mehrheit der Versammlung gegen den Krieg war. Als ich die Versammlung verließ, stürzte ein Genosse auf mich zu, zerrte mich am Rockaufschlag und schrie, er werde nicht zulassen, daß ich zu Hause bliebe, während er sich bereits zum Kriegsdienst gemeldet habe. Es stellte sich heraus, daß er gar nicht an die Front kam. Heute ist er Stalinist und lebt in Paris. Seinen Namen möchte ich nicht nennen.

Frankreich war nicht wiederzuerkennen. Die Sozialisten vertauschten die Losung »Kampf dem Krieg« mit der Losung »Krieg bis zum Sieg«. Die Syndikalisten schrieben in ihrer Zeitung, die Arbeiter sollten in den Krieg ziehen, sie würden dennoch gute Syndikalisten bleiben. Der alte linke Sozialist, Gustave Hervé, der eine eigene Zeitung »Der soziale Krieg« herausgab, machte den schlimmsten reaktionären Elementen in Patriotismus Konkurrenz; selbst anerkannte anarchistische Führer wie Jean Grave und der große Schriftsteller Octave Mirbeau wurden große Patrioten.

Das alles war wie ein furchtbarer Alptraum. Es schien, als ob alles vernichtet, als ob das sozialistische Ideal unter dem eisernen Stiefel der Soldateska zertreten worden war.

Im jüdischen Wohnviertel demonstrierten jüdische Freiwillige unter der Parole »Nach Berlin«. Ich stand da und schaute mir die Demonstration an. Ich wußte, daß unter ihnen viele waren, die erst vor kurzem nach Paris gekommen waren und keine Existenzmittel hatten. Weil sie sich aber zum Kriegsdienst gemeldet hatten, erhielten sie in der Rothschildschen Küche ein Mittagessen. All diese Demonstrationen bewegten sich auch wirklich in Richtung der Rothschildschen Küche. Ich ging auf die andere Straßenseite und die Tränen schossen mir aus den Augen. Das bemerkte der Verwalter der Küche, der gerade vorüberging. Er interpretierte die Tränen völlig falsch, kam auf mich zu und wollte mir einen Essenbon geben. Ich habe ihn gewaltig beschimpft. Jetzt, da ich diese Zeilen schreibe, tut es mir leid, weil es durchaus möglich ist, daß sein Verhalten von einem edlen Gefühl diktiert war.

Das Leben wurde traurig und schwer. In den ersten Tagen war es für einen jüngeren Ausländer unmöglich, auf die Straße zu gehen. Geld, um auch nur einen einzigen Tag zu überleben, hatte ich nicht; Arbeit konnte man in den ersten Tagen der Mobilmachung nicht bekommen. Ich stand vor der Wahl, mich entweder an die Front zu melden oder Hungers zu sterben. Ein dritter Weg zeigte sich nicht.

Ich wohnte damals beim Genossen Felix, dem Bruder von Max. Dieser hatte anarchistische Neigungen. Da es gefährlich war auf die Straße hinunterzugehen, weil jeder überfallen wurde, der im militärdienstpflichtigen Alter war und nicht zur Armee ging, beschlossen wir beide, im Zimmer zu bleiben – und wenn wir am Hunger eingehen sollten.

Die Tage waren noch sonnig. In der Dachkammer, in der wir wohnten, war es zum Ersticken heiß. Wir machten die Tür ein wenig auf, Felix legte sich aufs Bett. Da dort für zwei kein Platz war, legte ich mich auf den Fußboden. So blieben wir ein paar Tage liegen, dann begann Felix für kurze Zeit auf die Straße zu gehen. Ich beschloß wei-

113

terhin in der Stube zu bleiben. Es war besser, die Papiere, die ich hatte, keinem zu zeigen.

So ging das mindestens eine Woche lang. Plötzlich änderte sich unsere Lage auf sehr geheimnisvolle Weise. Als ich am sechsten oder siebenten Tag aufstand, fand ich auf dem Tisch ein Stück Brot und Weintrauben, mittags wieder das gleiche. Das wiederholte sich einige Tage hintereinander. Wir konnten uns überhaupt nicht erklären, wessen Engelshand uns da jeden Tag versorgte, und dies auf so geheimnisvolle Weise, so menschlich und edel, daß wir nicht erfahren sollten, wer es war. Einige Tage darauf, als ich wieder auf die Straße ging, begegnete ich im Korridor einer Französin, einer älteren Frau mit grauem Haar, die einige Schritte von uns entfernt wohnte. Als sie mich erblickte, umarmte und küßte sie mich und sagte: »Geh dich nicht melden. Genug, daß sie mir den Sohn genommen haben...« Da wußte ich, wer uns jeden Tag mit Brot und Trauben versorgte.

Ich ging auf die Straße hinunter. Es war stiller geworden. Die Jagd auf die Fremden hatte aufgehört, das Leben hatte sich etwas normalisiert. Ich begann darüber nachzudenken, wie ich Arbeit bekommen könnte.

Die Deutschen rückten auf Paris zu. Die Lage wurde kritisch und die Regierung siedelte nach Bordeaux über. Sie beschloß, die politischen Emigranten des zaristischen Rußland nicht vor die Wahl zu stellen, entweder in die Armee einzutreten oder nach Hause zu fahren, sondern verschickte uns in die Provinzen, wo wir auf Kosten der Regierung leben sollten. Jeder erhielt einen Franken pro Tag. In den Dörfern, in denen wir lebten – und wir lebten in Kommunen – reichte ein Franken aus. Ich kam mit meinem Genossen Felix in ein Dörfchen bei Tours. Für mich war das wirklich eine Erlösung, ich konnte essen und trinken und hatte Zeit zum Nachdenken, konnte zu gewissen Ergebnissen kommen. Sie waren zwar ganz falsch, aber meine Irrtümer waren das Produkt des bedrückten Gemüts eines jungen Menschen, der den Boden unter den Füßen verloren hat und sich doch nicht zerbrechen lassen will.

Ich verlasse Paris

Im Herbst 1914 schickte man uns aus Paris fort. Die Gruppe, mit der ich fuhr, setzte sich ausschließlich aus Juden zusammen, in anderen Gruppen gab es auch viele Russen. Wir fuhren in die Dörfer in der Umgebung von Tours. In dem Dorf, das unsere Gruppe aufnahm, empfing uns der Bürgermeister und hieß uns herzlich willkommen. Es war Radikalsozialist, das heißt ein bürgerlicher Radikaler, und war dennoch erfreut, in seinem Dorf russische Revolutionäre aufzuneh-

114

men. Er zeigte sich befriedigt darüber, daß uns die Regierung nicht nach Rußland zurückgeschickt hatte, denn er war sicher, daß man uns dort sofort verhaftet hätte. Er stellte uns eine ganze Villa zur Verfügung und wir richteten dort unsere eigene Kommune ein. Wir waren ungefähr zwanzig Menschen. Ich war der einzige Bundist, die anderen waren fast alle Anarchisten. Einige aus dieser Gruppe lohnt es sich zu beschreiben.

Einer von ihnen, Selig Alter aus Rußland, machte den Eindruck eines nicht ganz normalen Menschen. Er ließ sich den Bart wachsen, hatte langes Haar und lange Nägel. Seine Theorie war, daß der Mensch alles, was die Natur ihm gibt, voller Liebe annehmen müsse. Man dürfte nicht gegen die Naturgesetze angehen. Er war ein großer Bluffer und wir wußten alle, daß man ihm nichts glauben durfte. Bald stellte sich heraus, daß unsere Einschätzung richtig war. Er verliebte sich in ein Mädchen aus einer anderen Gruppe und kurz danach schnitt er sich die langen Haare ab, rasierte sich den Bart und schnitt sich die Nägel. Er hielt jetzt dauernd Reden darüber, daß es die Aufgabe des Menschen sei, gegen die Natur zu kämpfen, die den Menschen versklave. Der Mensch werde niemals groß werden, wenn er die Ursachen seiner Sklaverei nicht bekämpfe, also die Eigenschaften, die die Natur im Menschen entwickelt habe. Eines der Mittel im Kampf gegen die Natur müsse es sein, nicht mehr zu schlafen: die Natur fordere vom Menschen Ausruhen, Schlaf zu bestimmten Zeiten, darum müsse der Mensch sich dagegen zur Wehr setzen, sich vornehmen nicht mehr zu schlafen. Damit sei er auf dem sicheren Weg zum Übermenschen.

Es gab auch einen gewissen Michael, ebenfalls ein Anarchist, der die Marxisten für die ärgsten Schwindler der Welt hielt. In seinem »Kapital« zeige Marx auf, wie die Kapitalisten reich werden, und die Marxisten, die das »Kapital« läsen, erführen auf diese Weise das Geheimnis, wie man sich bereichern könne. Er hielt nichts vom Klassenkampf, denn wenn der Arbeiter etwas durch einen Streik gewinnen würden, müßten sich die Waren sofort wieder verteuern und es bliebe fast gar nichts übrig. Hiergegen gebe es nur ein einziges Mittel: Sabotage. Und Sabotage begriff er in seiner Art auf die einfachste Weise: man muß den Fabrikanten bei der Arbeit bestehlen.

Es gab noch einen Anarchisten – an seinen Namen kann ich mich nicht mehr erinnern – der ein Anhänger von Oscar Wilde war. Er vertrat die Ansicht, man müsse den Arbeiter auf die Höhe ästhetischer Ideen erheben. Ein Arbeiter, der Kunst, Literatur und Musik liebe, werde niemals Sklave sein wollen. Nicht Revolutionen, sondern Aufstieg zur Schönheit – das sei der Weg der Erlösung. Unter uns lebte auch eine Frau Buse. Zu Hause hatte sie eine Familientragödie mitgemacht und war dann nach Paris gekommen. Dort war sie zur Mutter für alle Arbeiter geworden, die wegen ihrer revolutionären Ideen gelitten hatten. Mich behütete sie sehr und achtete darauf, daß ich sauber angezogen war und zu festen Zeiten aß. In unserer Gruppe war auch Schlomo Salmen, den wir den »Fünf-Minuten-Philosophen« nannten. Er sprach leidenschaftlich gern über Philosophie, es stellte sich jedoch heraus, daß er keinen der Philosophen gelesen hatte, sondern nur eine Geschichte der Philosophie, die er sich gut eingeprägt hatte und die er schön widergeben konnte. Er wollte selbst ein philosophisches Werk schreiben und hatte schon das Vorwort verfaßt, das er jedem vorzulesen pflegte. In unserer Nähe gab es eine Gruppe von russischen Bohemiens, oder richtiger gesagt, von großen Säufern. Von Revolutionen hielten sie nichts. Warum auch? Es würde sowieso nichts dabei herauskommen. Die Ungleichheit sei zwar eine schlechte Sache, aber es gab sie schon immer und es würde sie auch immer geben. Das sei ein Naturgesetz und es gebe nur ein Mittel, sich aus dem Elend zu erlösen – saufen. Und davon hielten sie allerdings sehr viel. Es war eine Gruppe von halben Poeten und halben Philosophen, darunter auch ein jüdischer Maler. Auch er trank, aber wenn er in Abwesenheit seiner russischen Genossen mit uns sprach, klagte er, er habe keine Kraft mehr, ein solches Leben auszuhalten. Von Zeit zu Zeit sang er jiddische Lieder. Sein ihm liebstes war Abraham Reisins*»Du fragst mich, mein Freund, wie alt ich bin«. Heute ist er ein berühmter Maler in Paris.

So lebten wir einige Monate lang. Es gab viele Diskussionen und viel Streit – langweilig war uns nicht. Für mich persönlich war das Leben auf dem Dorf besonders angenehm, zum ersten Mal in meinem Leben war ich inmitten der Natur zu Haus. Ich ging viel spazieren, vor allem in den Wäldern, oft übernachtete ich dort sogar. Ich liebte die Stille des Waldes über die Maßen, denn dort konnte ich mich in die eigenen Gedanken vertiefen; und es gab schließlich genug, worüber man nachdenken mußte.

In Paris begann sich inzwischen das Leben wieder zu rühren – die Deutschen wurden an der Marne aufgehalten. Die Fabriken begannen zu arbeiten, und die Leute kehrten nach Paris zurück, vor allem diejenigen, die Arbeit bekommen konnten.

Auch von unserer Gruppe fuhren viele zurück, wir blieben zu viert. Da ich keinen Beruf hatte, beeilte ich mich nicht zurückzukommen. Damals kam es bei mir zu einem ideologischen Umbruch. So lange wir alle zusammen waren und es fröhlich zuging, bemerkte ich die Veränderungen nicht, die in mir heranreiften. Aber als die anderen fort waren und ich alleine blieb, begannen die Zweifel in mir zu nagen: Wie sieht es mit meinem Sozialismus aus? Was war die eigentliche Ursache für den Zusammenbruch der Sozialistischen Internationale? So etwas kann doch kein Zufall sein, es muß doch Gesetzmäßigkeiten geben, die das bewirken. Welche sind es? Alle diese Pro-

* Berühmter jiddischer Dichter.

bleme quälten mich, ich mußte auf sie eine Antwort finden, wenn ich nicht untergehen wollte. Die Antwort kam nicht sofort. Ich habe mich einige Monate damit herumgeschlagen. Oft hatte ich das Gefühl, daß ich davor zurückscheute, den Problemen ins Auge zu sehen, weil mich das vom Sozialismus entfernen könnte. Lange konnte dieser Zustand aber nicht dauern. Ich hatte Angst moralisch zu zerbrechen. Ich versuchte es sogar mit dem Trinken, aber das wurde mir rasch über. Ich ging für ganze Tage fort, um in der Stille und Einsamkeit des Waldes zur Ruhe zu kommen. Aber alles war umsonst. Ich mußte eine Antwort auf die Frage finden: wer ist schuld am Zusammenbruch? Es kam mir vor, als entfernte ich mich immer schneller vom Marxismus, je mehr ich darüber nachdachte. Ich begann in mir zu überlegen, daß der Bankrott der Zweiten Internationale kein Zufall sein konnte, sondern ein Ergebnis der gesamten marxistischen Lehre sein mußte. Wenn Marx lehrt, daß der Marxismus nur in einer voll entwickelten kapitalistischen Gesellschaft verwirklicht werden kann, daß die kapitalistische Entwicklung in jedem einzelnen Land ihre eigenen Züge hat, daß es in den einzelnen Ländern unterschiedliche Regierungsformen gibt, und das Funktionieren der kapitalistischen Wirtschaft von dem normalen Funktionieren des Regierungsapparates abhängt, dann ist doch verständlich, daß die Sozialdemokratie daran interessiert sein muß, solch einen Regierungsapparat zu verteidigen. Das aber würde bedeuten, daß die Sozialdemokraten keinen Verrat geübt hatten, sondern sich selbst treu geblieben waren, als sie die internationale Solidarität der Arbeiterklasse brachen und die Militaristen ihrer Länder unterstützten. Genau diese falschen Schlußfolgerungen, zu denen ich damals kam, wurden durch die Erklärungen rechter Sozialisten vom Typ Renaudel in Frankreich, Scheidemann in Deutschland, Plechanow in Rußland und Adler in Österreich nur bestätigt. Das Grundmotiv ihrer Handlungsweise war dasselbe. Sie kamen dabei nur zu gegensätzlichen Ergebnissen.
Als ich an diesem Punkt angelangt war, stellte sich mir die Frage: Was nun? Wohin kann man gehen, was kann man tun? Damals tauchte in mir der Gedanke auf, der Anarchismus könne diese Fragen beantworten. Ich wußte damals tatsächlich nicht, daß die bedeutendsten Führer des Anarchismus nicht anders handelten als die Führer der Zweiten Internationale; ich sah da einen großen Unterschied. Der Unterschied bestand, wie mir schien, darin, daß die Marxisten bei ihrem Aufruf, in den Krieg zu ziehen, dem Marxismus treu bleiben, die Anarchisten aber in dem Augenblick keine Anarchisten mehr sind, in dem sie dazu aufrufen, an die Front zu gehen. Die anarchistische Idee selbst bleibt rein. Der Anarchismus ist seinem Wesen nach antimilitaristisch – er ist gegen den Staat, gegen aufgezwungene Disziplin. Der Anarchismus geht nicht vom Standpunkt der wirtschaftlichen Entwicklung aus, sondern vom rein Menschlich-Moralischen. Jeder

Mensch hat für ihn als Individuum Bedeutung, die militärische Disziplin dagegen steht in offenem Gegensatz zur Bedeutung des Menschen. Wir mußten nur dem reinen Anarchismus treu bleiben – dann traten wir in die Epoche der sozialen Revolution ein. Ich studierte nochmals die Bücher von Kropotkin, Jean Grave und Malatesta. Wieviel Liebe, Wärme und menschliche Größe fand ich doch darin! Neben wissenschaftlicher Literatur las ich, oder besser gesagt, las ich von neuem die künstlerische Literatur mit anarchistischem Charakter, wie Tolstoi, Oscar Wilde und Ibsen. Die drei wirkten auf verschiedene Weise: Tolstoi durch seine unbarmherzige Kritik, Oscar Wilde durch sein Streben nach Schönheit. Den größten Einfluß auf mich aber hatte Ibsen. In ihm sah ich einen Schriftsteller, der zugleich ein Kämpfer war. Sein Satz »der stärkste Mensch ist der, der alleine bleibt«, hat mich damals berauscht. In meiner Einsamkeit war dies das Wort, das ich brauchte.

Ich fahre nach Paris zurück

Sobald ich mein ideologisches Ringen durchgestanden hatte, spürte ich wieder Boden unter den Füßen. Ich beschloß, nach Paris zurückzukehren, es war der Sommer 1915. Ich fuhr sofort zu Frau Buse.
In ihrer Stube traf ich fast alle Bekannten, die bei uns im Dorf gewesen waren, und außer ihnen noch viele andere. Ihre Stube wurde das Zentrum für die Bohème, für halbe und ganze Revolutionäre. Ich fand dort ein Dach über dem Kopf. Schnell bekam ich Arbeit beim Ausheben von Schützengräben. Wir arbeiteten nicht weit von der Front und hörten mehr als einmal die Schreie der kämpfenden Armeen, wenn sie zum Angriff übergingen.
Verpflegt wurden wir aus der Armeeküche. In der Nähe der Front konnte man unmöglich etwas kaufen, so sammelte ich einen Monat lang viel Geld an, bis ich für einige Tage nach Paris kam, wo ich das Geld dann verschleuderte.
Aber ich konnte es nicht lange aushalten, in den Schützengräben zu arbeiten. Das Brüllen des Krieges machte mir sehr zu schaffen. Man vernahm deutlich das Stöhnen der Verwundeten und mir schien, als hörte ich, wie die menschlichen Körper durch Geschosse zerrissen wurden. Ich empfand das als so schrecklich, daß ich die Arbeit aufgeben mußte.
Dann mietete ich ein Zimmer in einem seltsamen Hotel neben der Metro Saint Paul. In den Korridoren und im Zimmer war es Tag und Nacht finster. Man mußte den Weg gut kennen, um in sein Zimmer zu finden. Das Hotel hatte aber einen Vorteil: es war billig, nur zwei Franken die Woche.

Damals gewann ich einen guten Freund, einen Esten. Er war Künstler, spielte Geige. Beim Ausheben der Schützengräben hatten wir Bekanntschaft gemacht. Ich merkte, daß er bei der Arbeit sehr traurig war und fragte ihn nach dem Grund. Er erzählte, er habe in Paris eine Frau und ein Kind und könne von seinem Arbeitslohn nichts ersparen. Die Geige, auf der er sonst jeden Abend spielte, habe er im Pfandhaus versetzt, darum fühle er sich ganz verzweifelt, denn er sehne sich nach seiner Geige. Ich borgte ihm die Summe – nebenbei eine ganz geringe – damit er die Geige auslösen konnte, und er war mir sehr dankbar. Wir wurden gute Freunde, obwohl er sehr viel älter war als ich. Seine Freundschaft kam mir zugute, denn von ihm erhielt ich russische Bücher zum Lesen, und er erzählte mir sehr viel von seinen Erlebnissen im Jahre 1905. Er war ein Sozialrevolutionär mit einer bewegten Vergangenheit.

Frau Buse brachte mich in der Fabrik unter, in der sie arbeitete. Ich verdiente dort fünf Franken am Tag. Von diesem Geld konnte ich gut leben, vor allem, wenn Frau Buse darauf achtete, daß ich das Geld nicht verplemperte. Später wurde meine Lage noch besser. Ich erhielt Arbeit bei einem von Losowskis lettischen Sozialdemokraten, einem persönlichen Freund.

In der neuen Fabrik kam ich glänzend zurecht. Da ich an der Presse beschäftigt war und die Maschine mich nur mit einem halben Tag Arbeit versorgen konnte, arbeitete ich gewöhnlich nur bis Mittag. Nach dem Mittagessen fuhr ich in den Wald von Vincennes und las dort. Wenn die Arbeiter abends um sieben ihren Arbeitsplatz verließen, fuhr ich vom Wald nach Haus. Ich hatte schon vergessen, daß ich einen halben Tag gearbeitet hatte. In den politischen Diskussionen warfen mir deshalb manche Redner vor, daß ich gar kein wirklicher Arbeiter sei und nicht das Leben eines Proletariers führe.

In dieser Zeit hatte ich Paris bereits kennen gelernt. Mir enthüllte sich das schöne und überraschend vielfarbige Bild der Stadt. Nicht nur die Museen, Konzerte und Theater, sondern auch die Straßen von Paris machten auf mich einen großen Eindruck.

Vor allem die Vielfalt des Straßenbildes von Paris, das wie in einem Film wechselte. Es gibt ganze Stadtviertel, die nur von Arbeitern bewohnt sind. Wenn du dort hingehst, spürst du um dich herum den Atem des proletarischen Lebens. Du erinnerst dich an den Marsch der Arbeiter-Bataillone, die die Bastille stürmten, an die Barrikadenkämpfe der Junitage von 1848 und die Eigenheiten der Pariser Kommunarden. Gehst du in ein anderes Stadtviertel, Saint Michel, dann bietet sich ein völlig anderes Bild: studierende Jugend, Menschen aller Völker und Farben, die Sorbonne, das Symbol von Frankreichs geistiger Größe. Nicht weit davon ist der Boulevard Montparnasse, die Heimat der Bohemiens der ganzen Welt – Maler, Dichter und Politiker. Auf dem Montmartre wiederum findest du die nächtliche Fröhlichkeit, wie sie nur in Paris möglich ist. Auf den »großen Boulevards« siehst du die Welt der Spekulanten und der Reichen jeder Sorte, die große Verschwendung und die exquisite Ausgelassenheit. Aber schön ist es dort, phantastisch schön. Alle diese Stadtviertel haben eine Eigenschaft gemeinsam: Fröhlichkeit und Warmherzigkeit, wie sie nur die Franzosen an sich haben. Ich verliebte mich in die Straßen von Paris, und begriff warum die Franzosen dort so gerne hängenbleiben, daß sie oft ihr Zuhause vergessen. Es kam das Jahr 1916 mit all seinen Schrecken. In Paris hat man diese Schrecken allerdings nicht gespürt, im Gegenteil, es war sogar recht gemütlich. Mir ist unverständlich, warum Trotzki schrieb, in der Kriegszeit sei es in Paris beklemmend und traurig gewesen. Unter uns haben wir oft darüber gesprochen, daß die Regierung tat was sie konnte, um die Fröhlichkeit zu erhalten und zu stärken und die Sorgen zu vertreiben, damit man weniger an die Front dachte. In Paris war es fröhlich, aber als wir die Nachricht aus Rußland erhielten, daß dort die Juden aus den Städten und Städtchen verjagt wurden, die in der Nähe der Front lagen, da befiel uns starke Unruhe. Wir wußten, was das hieß, wir kannten die Grausamkeit der zaristischen Militaristen und die Wildheit der Kosaken sehr gut. Jeder von uns hatte in diesen Grenzorten Menschen, die ihm nahe oder am nächsten standen. Es versteht sich also, daß meine Fröhlichkeit erstarb, als mich die Nachrichten von den zaristischen Grausamkeiten erreichten. Ich war in Unruhe über das Schicksal der Betroffenen und überlegte, wie wir darauf reagieren sollten.

In Paris entstanden Komitees, um den Juden zu helfen, die an den russischen Fronten verfolgt wurden. Es wurden Massenversammlungen abgehalten, um Geld zu sammeln. Auf eine dieser Versammlungen nahm mich Schlomo Salmen mit – er sollte dort sprechen. Aber er erlebte eine große Blamage. Offenbar dachte er, daß es sich für ihn als Philosophen nicht gehöre, in einer einfachen Sprache zu reden. Darum begann er im Ton der Propheten zu sprechen, ahmte aber nicht ihre Tröstungen, sondern nur ihre Flüche nach. Er begann gleich mit den Worten »Ein Fluch wird Euch treffen!« Die Leute begannen, die Versammlung zu verlassen. Es fiel ihm aber schwer, Ton und Inhalt seiner Rede zu ändern. Nach zehn Minuten war niemand mehr im Saal. Die Menschen beschwerten sich, daß man sie zum Spenden aufgerufen hatte und gleichzeitig beschimpfte.

Im allgemeinen wurde jedoch viel Geld gesammelt. Alle arbeiteten und verdienten gut. Die Geschäfte gingen glänzend. Heute kann man nur schwer begreifen, wie es kam, daß die Front nur einige Dutzend Kilometer von Paris entfernt war, und man in der Hauptstadt Frankreichs dennoch so ruhig und satt leben konnte.

Damals gehörte ich keiner Organisation an, auch keiner anarchistischen. Ich war nur von der Idee her Anarchist; mit den Anarchisten organisatorisch zusammenzuarbeiten reizte mich nicht. Auf der Straße jedoch hielt man mich für einen furchtbaren Anarchisten, für einen, der stets mit einem Revolver in der Tasche herumläuft. Tatsache ist, daß ich zwar keinen Revolver bei mir trug und auch keinen Menschen erschossen habe, aber oft daran dachte, mich am russischen Zarismus oder irgendeinem seiner Satrapen zu rächen.

Es zeigte sich bald, daß nicht nur ich so dachte – es gab noch mehr Anarchisten, die diesen Wunsch hatten, und wir haben uns zusammengefunden. Zuerst waren wir vier Genossen: Maierke, Schlomo, noch ein anderer, der Tischler war, und ich. Ob sie ihren Plan schon in die Tat umsetzen wollten, bevor sie mich ansprachen, weiß ich nicht. Tatsache ist, daß sie mit einem fertigen Plan zu mir kamen, das Haus von Iswolski, dem zaristischen Botschafter in Paris, in die Luft zu sprengen.

Als wir das zweite Mal zusammenkamen, beschlossen wir, auch russische und französische Anarchisten heranzuziehen, um zu verhindern, daß die jüdische Bevölkerung Frankreichs besonderen Verfolgungen ausgesetzt würde. Inzwischen mußte alles streng geheim bleiben. Dennoch wurde der Plan bekannt. In das Restaurant, in das ich zum Essen ging, kamen Bekannte, und zu meinem Erstaunen hörte ich, daß sie sich flüsternd über den Plan unterhielten.

Dann lernte ich einen anderen Genossen kennen – einen seltsamen Typ: Israel Stern, ein alter Bundist aus Lodz. Er hatte eine heldenhafte Vergangenheit und es gab sogar Lieder über ihn. Aber in Paris hatte er sich verändert. Mit dem Bundismus hatte er zwar nicht gebrochen, aber er war gleichzeitig Buddhist geworden. Ob er konkret wußte, in welche Sache ich verwickelt war, ist mir nicht bekannt, aber möglicherweise hat er etwas geahnt. Er kam jeden Tag an meiner Arbeitsstelle vorbei und las mir indische Geschichten mit einer buddhistischen Moral vor, um mich damit zu beeindrucken. Er war überhaupt ein eigenartiger Mensch. Er kam mit verschiedenen originellen Plänen daher, wie man den Armen helfen könnte. Einmal entwikkelte er folgenden Plan: Er wollte alte Sachen von Menschen aufkaufen, die in Not waren, und daher in der Regel bei ihren Verkäufen übers Ohr gehauen wurden. Er wollte diesen Menschen den vollen Preis für ihre Sachen bezahlen und dann damit handeln. Einen Teil des Gewinns wollte er für eine Arbeiter-Bibliothek hergeben. Als wir ihm eine gewisse Summe beschafft hatten und er ein paar alte Sachen aufgekauft hatte, stellte sich heraus, daß er sie stark überbezahlt hatte. Das Geld wurde er so schnell los, aber niemand war damit geholfen. Meine Seele hat er auch nicht gerettet. Wir hätten die geplante Sprengung sicher durchgeführt, aber vorher trat ein Ereignis ein, das den Plan erledigte und unnötig machte: die russische März (Februar) Revolution brach aus.

Vierter Teil

Die März-Revolution – In Rußland – Die Oktober-Revolution – Gegen Kornilow – Zurück in Moskau – Meine Reise in die Ukraine – In Warschau

Die März-Revolution

Es waren große Tage Anfang März 1917. Es schien, als könnten sich von nun an die Träume von Generationen russischer Revolutionäre verwirklichen, als sei der Sieg im hundertjährigen Kampfe des russischen Volkes für die Freiheit nahe. Die Zeitungen in Frankreich brachten widersprüchliche Nachrichten über die Kämpfe und Unruhen in Rußland. Mehrfach meldeten sie, die Revolutionäre hätten gesiegt, aber anderntags stellte sich heraus, daß das nicht wahr war. Als dann schließlich die endgültige Nachricht vom Sieg der Revolution kam, haben wir sie nicht geglaubt. Aber am Abend des 11. März wurde die Nachricht bestätigt. An diesem Abend fand eine riesige Demonstration statt. Die Rue des Rosiers war nicht wiederzuerkennen.

Wir gingen in das Restaurant, in dem wir immer aßen, hängten rote Fahnen hinaus und deckten die Tische mit roten Leintüchern. Wer immer hereinkam, spendierte Wein. Der Klang russischer revolutionärer Lieder hallte in den Straßen wieder. Es gab mehrere solcher Restaurants in der gleichen Straße; wir marschierten von einem zum anderen, mit roten Schleifen am Revers. Auf den Straßen und in den Cafés wurde unaufhörlich gesungen. Genossen umarmten und küßten sich. Die große Veränderung, die die russische Revolution in unser Emigrantenleben brachte, war schon zu spüren. Wir wußten, daß unser Leben im Exil dem Ende entgegenging, daß wir bald im Land unserer Träume sein würden. Spät am Abend als die Cafés geschlossen wurden, nahmen wir die roten Fahnen und begaben uns zur Gewerkschaft der Hutmacher. Das war eine Gewerkschaft mit fast nur jüdischen Arbeitern. Ihr Sekretär war Losowski, der spätere Führer der Profintern*. Dort hängten wir die roten Fahnen zu den Fenstern hinaus, hielten die ganze Nacht hindurch Reden, deklamierten und sangen revolutionäre Lieder.

Unsere große Freude wurde eine Zeitlang durch den weinenden Leiser Lewin getrübt. Er jammerte, daß wir ihn ja nur aus Mitleid nicht hinauswürfen. Aus seinem Weinen fühlten wir, daß er unschuldig war, aber wir konnten ihm nicht helfen. Solange der Bund ihn nicht

* Die kommunistische rote Gewerkschafts-Internationale.

rehabilitiert hatte, konnten wir ihn nicht zu weit in unseren Kreis hereinlassen.

Es entstand ein Komitee, in das alle Parteien und Organisationen eintraten, die unter den russischen Revolutionären tätig waren. Das Komitee sollte sich mit der Erledigung der Formalitäten für unsere Heimkehr befassen. Jede Partei oder Organisation gab ihre Genossen an. Ich schrieb mich auf der anarchistischen Liste ein.

Inzwischen war auch in Frankreich die Lage erfreulicher geworden, weil infolge der russischen Revolution oppositionelle Gruppen in der französischen Sozialistischen Partei entstanden. Als die sozialistischen Parteien Rußlands ihren Kurs änderten und sich für die Einberufung der Sozialistischen Internationale nach Stockholm aussprachen, lehnte die Führung der französischen Partei diesen Vorschlag ab und deshalb entstand eine starke Opposition, die eine Beteiligung an der Stockholmer Konferenz forderte.

Den Ersten Mai feierten wir auf revolutionäre Weise. Die französischen Arbeiter nahmen an dieser Feier allerdings nur in geringem Maße Anteil. Die Mai-Kundgebung wurde in einen Saal einberufen. Ihre Initiatoren waren alle Anhänger von Lenins April-Thesen. Auf dieser Kundgebung sprachen Rappoport*, Losowski und Lurie**. Sie verteidigten alle die These von Lenin über das Wesen der russischen Revolution, die lautete, daß die russische Revolution in eine sozialistische verwandelt werden müsse. Alle drei Redner wurden bald darauf Kommunisten.

Als die Kundgebung zu Ende ging, baten die Redner, man solle ruhig auseinandergehen, um der Polizei nicht die Möglichkeit zu einem Blutbad zu geben. Aber als die Menschen auf die Straße strömten, formierte sich spontan eine Demonstration aus Russen, Juden und einigen wenigen Franzosen. Bis zu den »großen Boulevards« verlief alles ganz friedlich. Aber als wir die Boulevards erreichten, kam uns die Polizei entgegen. Die Polizei hatte ihre eigene Strategie; sie überfiel die Demonstration nicht beim ersten Zusammentreffen, sondern stellte sich in zwei Reihen auf den Trottoirs auf. Als sie die Demonstration auf diese Weise umzingelt hatte, griff sie von allen Seiten her an und prügelte drauflos. Die Rinnsteine auf beiden Seiten der Bürgersteige füllten sich mit Blut. Die Prügelei mit der Polizei dauerte mehrere Stunden lang. Wenn die Polizisten sich jemanden gegriffen hatten und ihn festnehmen wollten, haben die anderen Demonstranten ihn wieder herausgehauen. Man schlug sich nicht nur auf den Straßen, sondern auch in den Höfen, in denen die Polizei die Menschen festhalten wollte, die sie der Teilnahme an der Demonstration verdächtigte. Es ist interessant, daß die jüdischen Arbeiter am meisten betroffen waren. Sie kämpften in den ersten Reihen, denn sie

* Charles Rappoport, einer der bedeutendsten Theoretiker der KPF.
** Lurie wurde in den Moskauer Prozessen angeklagt und erschossen.

erwarteten von der Revolution mehr als alle anderen Arbeiter. Am anderen Tag schrieb die ganze bürgerliche Presse, alle Festgenommenen und Verprügelten seien Ausländer gewesen, und diesmal hatte sie sogar recht.

Inzwischen kamen weitere Nachrichten aus dem revolutionären Rußland, die uns sehr beunruhigten. Es zeichnete sich die Spaltung der revolutionären Demokratie in zwei feindliche Lager ab. Allerdings gab die Presse die Ereignisse in einem falschen Licht wieder. Wir fühlten jedenfalls, daß die Revolution eine Krise durchmachte. Nachrichten kamen durch über die Juni-Offensive von Kerenski, die ein so fatales Ende nahm, und bald darauf über die bolschewistische Demonstration in den Juli-Tagen. Die Bolschewiki wurden für illegal erklärt und die Reaktion, die der russischen Revolution reserviert gegenüberstand, begann sie jetzt zu loben. Wir spürten, daß Gefahr aufzog und wollten so schnell wie möglich am Ort des Geschehens sein.

Endlich war der Zeitpunkt gekommen. In der zweiten Julihälfte fuhren wir von Paris ab. Auf dem Bahnhof las Antonow-Owssejenko ein Schreiben an das französische Volk vor, in dem für das Asyl gedankt wurde, das es uns in einer Zeit der Not gegeben hatte. Von Paris fuhren wir nach London. Dort brachte man uns in ein Hotel, wo wir auf ein Schiff warten sollten, das uns nach Norwegen bringen würde.

Ich suche meinen Bruder und seine Familie auf, die sich sehr freuten. Mein Bruder brachte mich zu den Gewerkschaften und stellte mich den Genossen vor. Es war damals anarchistisch eingestellt und brüstete sich damit, daß ich abreiste, um mich an der Revolution zu beteiligen. Dennoch fragte er mich, ob ich nicht bei ihm bleiben wolle.

In London blieben wir ungefähr eine Woche. Als wir an Bord des Schiffes gehen wollten, wurden die »Pariser« zurückgehalten, in einen großen Saal geführt und einem Verhör unterzogen. Es wurde nicht jeder gesondert befragt, sondern die Offiziere wandten sich mit ihren Fragen an alle gleichzeitig. Als sie fragten, warum wir nach Hause führen, antwortete Antonow-Owssejenko »Wir fahren nach Hause, um die Revolution zu vollenden«. Nach dieser Antwort verhielten sich die Offiziere uns gegenüber außerordentlich feindselig und wir rechneten schon damit, daß wir das gleiche Schicksal erleiden würden wie Trotzki*. Aber es kam anders. Wir reisten noch am gleichen Tag nach Norwegen ab.

Auf dem Schiff befand sich auch eine diplomatische Mission. Deshalb wurde es von zwei Kriegsschiffen begleitet, die es während der ganzen Reise umkreisten, um einen möglichen Angriff abzuwehren.

In Oslo blieben wir einen Tag. Nach dem festlichen und hellen Paris schien Oslo neblig und beklemmend.

* Trotzki wurde am 3. April in Halifax (Kanada) von englischen Offizieren von einem norwegischen Dampfer heruntergeholt und interniert.

Als wir dann im Zug waren, stellte sich uns eine schwierige Frage: was passiert, wenn man uns an der russisch-finnischen Grenze nach unserer Parteizugehörigkeit fragt? Was werden wir antworten? Es kursierten damals Gerüchte, daß Bolschewisten und Anarchisten festgehalten und verhaftet würden. Die Diskussion hatte ihren tragischen Aspekt: schon auf dem Weg waren wir in zwei feindliche Lager gespalten und wußten, daß wir nicht heimfuhren, um gemeinsam die Revolution durchzuführen, sondern um einander zu bekämpfen. Dennoch beschlossen letzten Endes alle gemeinsam, daß niemand sagen sollte, welcher Partei er angehörte, damit man bei der Befragung die Bolschewisten und die Anarchisten nicht auseinanderhalten konnte. Nur einer wollte sich dem Beschluß nicht beugen, ein jüdischer Emigrant aus England, ein Menschewik. Er behauptete, die Bolschewiki seien deutsche Spione, und es sei unsere Pflicht, sie der Partei auszuliefern. Und gerade er war nach dem Sieg der Oktober-Revolution der erste Überläufer zu den Bolschewiki. Aber er war eine Ausnahme. Außer ihm beschlossen alle, solidarisch zu handeln, und führten diesen Beschluß auch aus.

Inzwischen kamen wir in Stockholm an. Der Eindruck, den diese Stadt auf uns machte, war umgekehrt wie der von Oslo. Stockholm ist schön, sauber und sonnig, es wird einem dort leicht und fröhlich ums Herz. Das Wasser und der Wald geben der Stadt einen Charakter, der dazu geschaffen scheint, das menschliche Herz mit Freude zu erfüllen.

Ein Vorfall in der schönen schwedischen Hauptstadt machte mich jedoch traurig. In Schweden gab es Buffets, in denen man alle guten Sachen zum Essen fand. Ging man hinein, mußte man ein Billet lösen und dann konnte man sich selbst bedienen. Man kann nicht behaupten, daß die Besitzer dieser Buffetts an den russischen Kunden etwas verdient hätten, ganz im Gegenteil haben sie bestimmt viel an ihnen verloren. In wenigen Minuten waren die Buffetts leergefegt. Die Besitzer standen da und lächelten traurig über den wilden Appetit der Russen, der ein Vorgefühl des Hungers zu sein schien, der sie erwartete. Vielleicht hatten viele dieser russischen Emigranten sich auch in Paris niemals sattessen können. Jetzt hatten sie diese Gelegenheit und nützten sie weidlich aus. Ich schämte mich vor den Schweden. Mir schien, es wäre doch besser gewesen, wenn auf den Tischen etwas zurückgeblieben wäre.

Wir kamen nach Helsinki, und von dort an die finnisch-russische Grenze. Man begann uns auszufragen, aber wie verabredet weigerten wir uns alle, die Frage nach der Parteizugehörigkeit zu beantworten. Sogar der Menschewik – der spätere Überläufer – hatte nicht den Mut, die Einigkeit des revolutionären Lagers zu brechen. Man hielt uns einen ganzen Tag zurück, drohte mit allen möglichen Strafen, erlaubte aber schließlich allen nach Petrograd weiterzufahren.

Wir fuhren in gehobener Stimmung. Wir fühlten, daß unsere Gegner – die Menschewiki und die Sozialrevolutionäre – eine schwere Prüfung durchgestanden hatten und ehrenvoll aus ihr hervorgegangen waren. Das erfüllte uns mit Freude. Das Leben aber schafft grausame Trennungen. Sehr bald, nur drei Monate später, standen wir uns im blutigen Kampf an entgegengesetzten Fronten gegenüber.

In Rußland

Als wir in Petrograd ankamen, wurden wir in eine Haus für politische Emigranten gebracht. Die Stimmung war gedrückt, nicht nur bei den Bolschewisten, auch bei den anderen Sozialisten. Wir spürten, daß es mit der Revolution bergab ging. Fröhlich war nur das bürgerliche Lager. Das reaktionäre Bürgertum war offenbar sicher, daß seine Zeit gekommen war.

Auch eine Gruppe von Anarchisten, die in dem Haus wohnte, blieb unbekümmert. Sie kleidete sich in Soldaten-Uniformen und ging in die Kasernen, um dort Propaganda zu machen. Es wurde uns traurig ums Herz. Petrograd machte auch als Stadt einen ungünstigen Eindruck auf mich; nach Paris sah es in meinen Augen wie eine kleine und schlechte Kopie von Paris aus.

Ich hatte noch Zeit einen meiner Genossen aus Warschau namens Süssmann im Hospital zu besuchen. Eine Straßenbahn hatte ihm beide Beine abgetrennt und seitdem dachte er nur noch an Selbstmord. Aber als er mich erblickte, begann er hellauf zu lachen. Als ich ihn nach dem Grund fragte, antwortete er, er müsse einfach lachen, wenn er sich daran erinnere, wie ich auf der Demonstration am Tage des Beilis-Prozesses gekleidet war. Wenn ich mich nicht irre, war auch mein Genosse Abraham Aronowitsch anwesend (heute ein Bundist in Paris). Ich verabschiedete mich herzlich vom Genossen Süssmann und fuhr am anderen Tag nach Moskau ab.

Moskau machte auf mich den umgekehrten Eindruck wie Petrograd. Die Stadt schien mir herzlich, vertraut, typisch russisch. Ich wußte, daß mir diese Stadt dank der russischen Literatur so nahe war, die ich so sehr liebte und in der ich das russische Moskau gefühlt hatte. Ich bekam eine Unterkunft in der gemeinsamen Wohnung für politische Emigranten. Dort traf ich alte Genossen aus Warschau wie Max und den schwarzen Katz, Mattes Schneider und Josef Beutelmacher. Ich lernte auch viele andere Bundisten kennen.

Das Haus für Emigranten auf der Spiridinowa-Straße wurde mein zweites Zuhause. Mir war, als wäre ich wieder in meiner Stube in Warschau. Viele Genossen, die ich dort traf, hatten mich früher in Warschau immer besucht.

Meine Freude über das Wiedersehen mit den Genossen wurde getrübt, als ich über die Lage im Lande nachdachte. Politisch hatte ich mich von den bundistischen Genossen getrennt. Ich hoffte auf die Revolution der Bolschewisten, weil ich sicher war, daß wir Anarchisten sie ablösen würden, ebenso wie die Bolschewiki sich darauf vorbereiteten, den Platz der Menschewiki einzunehmen. Ich bemühte mich zu verstehen, in welcher Etappe der Revolution wir uns jetzt befanden und welche Rolle die bestehenden Parteien in ihr spielten.

Daß sich die russische Bourgeoisie in einer tragischen Lage befand, wurde bald deutlich. Die Bourgeoisie der westeuropäischen Länder hatte, zumindest in der Anfangsphase, die demokratischen Revolutionen angeführt. Sie hatte sie gedanklich vorbereitet, sie organisiert und die Arbeiter bewaffnet. Erst als später im Verlauf des Kampfes die Arbeiter begannen ihre eigenen Forderungen aufzustellen, wurde die Bourgeoisie reaktionär. Bei der russischen Bourgeoisie war das anders. Sie hatte mehr Furcht vor der Arbeiterklasse als vor dem alten Regime. Sie wollte die Revolution nicht. Sie war von der ersten Minute an konterrevolutionär. Selbst nach dem Ausbruch der Revolution trat sie für die zaristische Dynastie ein und wollte die revolutionäre Entwicklung anhalten, noch ehe die Volksmassen etwas durchgesetzt hatten. Sie lobte die Revolution und wartete auf ihre Niederlage.

Die Sozialrevolutionäre waren in keiner besseren Lage. Sie hatten stets behauptet, Rußland könne von der zaristischen Ordnung unmittelbar zu einer sozialistischen übergehen, und hatten die russischen Marxisten fast als Agenten der liberalen Bourgeoisie abgestempelt. Als aber die Bauern auf revolutionärem Wege das Agrarprogramm verwirklichen wollten, das sie einst gepredigt hatten, entsandte ihre Regierung Strafexpeditionen in die Dörfer. Die Menschewisten gaben den Klassenkampf genau in dem Augenblick auf, da die Not der Arbeitermassen im gleichen Maße zunahm wie die Sabotage der Fabrikanten. Die Menschewisten und die Sozialrevolutionäre stellten alle Reformen für die Zeit nach der Einberufung der verfassungsgebenden Versammlung zurück, gleichzeitig aber schoben sie diese Einberufung ständig vor sich her. Hinzu kam das wichtigste Problem, das des Friedens; das brannte auf den Nägeln, weil es unmöglich wurde, den Krieg weiterzuführen. All das rief ein derartiges politisches und wirtschaftliches Chaos hervor, daß alle begriffen: so konnte es nicht bleiben. Denkt man heute an jene Zeiten zurück, dann kann man in manchem den Eindruck haben, die russische Demokratie hätte damals eine Chance verpaßt. So wie der Zar im Jahre 1905 seine Krone um den Preis des Verzichts auf die Selbstherrschaft hatte retten können, hätte die russische Demokratie vielleicht die demokratische Regierungsform retten können, wenn sie die Reformen zugunsten der Arbeiter und Bauern durchgeführt und den Weg des Friedens beschritten hätte. Es ist die Frage, ob die Bolschewiki die Oktober-Revolution hätten vorbereiten können, wenn die Regierung die verfassungsgebende Versammlung einberufen hätte. Die Kerenski-Regierung hatte ganz einfach Angst davor, alle diese Probleme anzupacken. Es wurde klar, daß sie das Land in eine Katastrophe führte. Es waren die Bolschewiki, die alle Probleme aufgriffen und erklärten, sie seien in der Lage sie zu lösen. Gegen die Sabotage der Fabrikanten setzten sie die Losung »Arbeiter-Kontrolle«, sie forderten die Bauern auf, sich das Land sofort zu nehmen, sie verlangten den sofortigen Frieden. Außerdem erklärten sie, daß alle diese Forderungen durch die Macht der Räte erfüllt werden sollten. Darüber hinaus waren sie die einzigen, die Massenstreiks in der Arbeiterklasse durchführten. Es wurde bald klar, daß die Bolschewiki Hirn und Herz der Volksmassen beherrschten und daß die Entscheidung fallen mußte: entweder die Bourgeoisie oder die Bolschewiki. Beide Seiten bereiteten sich auf den endgültigen Kampf vor. Aus alledem folgerte ich, daß zuerst die Bolschewiki kommen mußten, und dann wir – die Anarchisten. Das wurde durch den Gang der Ereignisse bestätigt. Im Juli fand die »Staatsberatung« statt, die Bolschewiki waren dagegen. Die Straßenbahnen streikten und die Delegierten mußten zu Fuß gehen*. Schon das allein zeigte den politischen Bankrott der Beratung. Obwohl Zeretelli eine dringliche Aufforderung zur Zusammenarbeit an die Bourgeoisie richtete, und diese sich dazu bereit erklärte, spürte jeder, daß der Kornilow-Putsch wie eine finstere Wolke über der russischen Revolution hing. Einige Tage darauf, als der Putsch niedergeschlagen worden war und die Armee von der Front zurückkam, marschierten die Soldaten am Moskauer Sowjet vorbei und riefen bolschewistische Losungen. Die Führer des Moskauer Sowjet, die herausgekommen waren, um die Soldaten zu begrüßen, mußten schnell wieder verschwinden und die Fenster im Hause des Sowjet schließen.

Ich stand da, schaute auf die Masse der Soldaten und auf die damaligen Führer des Sowjet, und spürte klar, daß alle Fäden zwischen ihnen zerrissen waren. Dieser Sowjet war politisch tot; wie schwach seine Politik gewesen war, davon konnte ich mich gleich am ersten Sonntag nach Kornilows Niederlage überzeugen.

Bisher war die bolschewistische Partei noch von niemandem wieder legalisiert worden**. Aber die bolschewistische Organisation in Moskau legalisierte sich selbst. Sie rief zu einer großen Kundgebung

---

* Die »Staatsberatung« fand – nach unserem Kalender – am 12. August in Moskau statt; sie wurde von Kerenski einberufen. Die Gewerkschaften, bereits unter dem Einfluß der Bolschewiki, führten an diesem Tag einen Generalstreik durch. Siehe Trotzki, »Oktoberrevolution«, S. Fischer Verlag, 1933, S. 135 ff.
** Sie war in den Julitagen verboten worden.

in einem Theater auf. Ich war dort, sah die Begeisterung und die Sicherheit der Menschen, und begriff, daß sie so empfanden, weil sie sich des Sieges sicher waren.

Nachmittags wurde Geld für die »Prawda« gesammelt und die Masse strömte zu einer Demonstration hinaus auf die Straße. Niemand kümmerte sich darum, daß sie illegal war. Ich folgte der Demonstration, denn ich wollte sehen, wie sie ausging. Sie ging friedlich vorüber, denn es war niemand da, der sie hätte stören können.

Damals dachte ich, die Bolschewiki hätten den Staat schon zur Hälfte in Besitz genommen. Sicher, die Macht hatten sie noch nicht, aber es war schon niemand mehr da, der sie auf dem Wege zur Macht aufhalten konnte.

Was sollte ich tun? Ich war kein Bolschewist und die Anarchisten konnten mich auch nicht gerade begeistern. Mich stieß ab, daß sie im Augenblick einer großen Volksrevolution in engen Zirkeln arbeiteten. Ich beschloß – sehr wenig anarchistisch – in die Armee zu gehen. Ich nahm einfach an, daß die Armee die Revolution entscheiden, das Zentrum des Geschehens sein würde. Ich irrte mich nicht.

Nachdem Trotzki im Namen der bolschewistischen Fraktion im Vorparlament die Erklärung abgegeben hatte, daß die Kerenski-Regierung eine Regierung des nationalen Verrats sei, und die Bolschewiki aus dem Vorparlament ausgezogen waren, begriff ich, daß man sich beeilen mußte, daß die zwölfte Stunde schlug. Ich trat in das 56ste Regiment ein, das als die beste bolschewistische Einheit galt.

Ich weiß nicht, woher es diesen Ruf hatte, denn in diesem Regiment gab es gar keine Bolschewisten. Nur der Sekretär des Regiments-Komitees war ein Bolschewik, und auch er nur ein recht unvollkommener, jedenfalls begriff er nur sehr wenig. Er war jedoch ein äußerst ehrlicher Mensch.

Mit militärischen Übungen befaßte man sich in diesem Regiment überhaupt nicht. Ständig wurden Versammlungen abgehalten. Jeder kam und ging wann er wollte. Viele kamen überhaupt nur, weil man dort in dieser Zeit des Hungers anständig zu essen bekam.

Als die letzten Tage des Oktober herannahten, wurde ich sehr unruhig. Ich wußte, daß es bald zu Auseinandersetzungen kommen würde, und ich konnte noch nicht einmal ein Gewehr laden. Ich wandte mich an den Sekretär des Regiments-Komitees, und er schickte mir jemanden, der mir das Schießen beibringen sollte. Dieser Mensch begann damit, daß er mir erzählte, unter welchem Zaren mit der Produktion von Gewehren begonnen wurde, wieviele Teile ein Gewehr hat und so weiter. Das dauerte ganze zwei Nächte, und ich sah ein, daß ich bei ihm nichts lernen konnte. Statt mir das Schießen beizubringen, gab er mir den gleichen Unterricht, den er selbst in der zaristischen Armee genossen hatte, auch begleitete er ganz gutmütig jedes Wort mit einem russischen Fluch.

Mir wurde übel dabei und ich gab den Unterricht auf. So bereitete ich mich denn allein darauf vor, auf die Barrikaden zu gehen ohne die geringste Ahnung, wie man ein Gewehr in der Hand hält. Das ist mich teuer zu stehen gekommen, vor allem in der ersten Nacht des Aufstandes. Einmal half mir mein Genosse Abraham Aronowitsch, der mit mir in der gleichen Kaserne diente. Festzuhalten bleibt aber, daß die Mehrheit der Kämpfer ebenso ausgebildet war wie ich. So bereiteten wir uns darauf vor, die Revolution zu machen.

Die Oktober-Revolution

In den letzten Tagen vor der Oktober-Revolution schwirrten die unterschiedlichsten Gerüchte herum. Man redete zum Beispiel davon, daß die Führer der Moskauer Bolschewiki gegen einen Aufstand seien. Später stellte sich heraus, daß das stimmte; Nogin und seine Gruppe wollten wirklich den Aufstand vermeiden. Aber als am 25. morgens die Nachricht eintraf, daß die Bolschewiki in Petersburg die Macht übernommen hatten, war klar, daß auch Moskau diesen Weg gehen würde. Zufällig hatte ich am gleichen Abend Meldedienst im Regiment. Ich mußte den Regimentsbericht zum Stab bringen. Das war natürlich völlig absurd, aber noch vollzog sich alles nach dem Trägheitsgesetz.

Als ich auf die Straße trat, bot sich mir ein seltsames Bild. Alle Menschen, die nicht am Bürgerkrieg teilzunehmen gedachten, beeilten sich nach Hause zu kommen. Ihre Gesichter waren voller Furcht. Die Fensterläden waren geschlossen, die Straßen wurden von Minute zu Minute leerer. Von Zeit zu Zeit sah man Gruppen, die zu bestimmten Stellen gingen, um sich dort zu bewaffnen. Der Unterschied zwischen den Weißen und den Roten sprang sofort ins Auge. Wenn Menschen wie Arbeiter gekleidet waren oder Soldatenmäntel trugen, wußte man, daß es Rote waren. Trugen sie aber Offiziersuniformen oder waren wie Studenten angezogen, konnte man sicher sein, daß es Weiße waren. Auch die roten Offiziere trugen Soldatenmäntel. Ich bezweifle, daß es bei den Weißen einfache Soldaten oder Arbeiter gab, jedenfalls bin ich ihnen damals nicht begegnet.

Seltsam war der Kontrast zu den anderen Menschen, die man noch auf den Straßen sah. Zu Tode erschrocken rannten sie nach Hause, um sich zu verstecken. Dagegen waren die Menschen, die sich zu bewaffnen anschickten, ruhig –, allzu ruhig. Sowohl die Weißen wie die Roten wußten, wozu sie entschlossen waren, und bereiteten sich auf den Kampf vor.

Als ich mit dem Bericht meines Regiments zum Stab kam, herrschte dort ein vollkommenes Durcheinander. Auf dem Boden lagen Papiere verstreut, alle Türe standen weit offen. Man sah, daß die Offiziere in Eile waren. Wohin sie eilten, war uns klar: Im Haus des Stadtrates sammelten sich alle Weißen. Der Offizier, der mir den Bericht abnahm, war auch gerade im Aufbruch. Er fragte mich, von welchem Regiment ich käme, und als ich zur Antwort gab, vom 56sten, fragte er weiter, ob ich auch Bolschewik sei. Da ich keine Lust hatte, lange Erklärungen abzugeben, sagte ich einfach ja. Daraufhin eröffnete er mir, ich sei verhaftet, und ich erwiderte, er solle das lieber nicht probieren. Ich wußte, daß die anwesenden Soldaten Bolschewisten waren, und sie bereiteten sich genau wie er darauf vor, ihren Sammelplatz aufzusuchen: das Haus des Sowjet. Der Offizier riß mir das Paket aus der Hand und warf es zu Boden. Ich wiederum wartete seine Unterschrift nicht mehr ab, sondern ging zurück in meine Kaserne.

Es war höchste Zeit. Von der Kaserne zum Stab war ich noch mit der Straßenbahn gekommen, aber jetzt fuhren die Straßenbahnen nicht mehr. Auf den leeren Straßen herrschte eine furchtbare Stille, die das Blut in den Adern erstarren ließ. Ich ging über den Puschkin-Boulevard, setzte mich neben dem Puschkin-Denkmal auf eine Bank, und dachte nach – oder besser gesagt – ich träumte.

Jetzt, da ich vierzig Jahre später diese Zeilen schreibe, überkommt mich ein Schauer: kann ein Mensch das wirklich alles erlebt haben? Ich saß auf der Bank und zog die Bilanz meiner sechsjährigen sozialistischen Arbeit. Vor sechs Jahren war ich in den Bund eingetreten, hatte meinen ersten Unterricht über die soziale Revolution erhalten. Sie wurde zum Sinn und Inhalt unseres Lebens, aber niemand konnte sich vorstellen, wann der Tag kommen und wie er aussehen würde, oder ob wir ihn überhaupt erleben würden. Und jetzt war er gekommen. Ich, ein jüdischer Arbeiter aus der Smocza-Gasse, würde heute nacht auf die Barrikaden gehen.

Wer weiß, wie lange ich noch nachgedacht hätte, wären meine Gedanken nicht durch den mächtigen Gesang der Internationale unterbrochen worden. Ich fuhr auf und machte mich in die Richtung auf, aus der die Klänge kamen. Sie führten mich zum Skobolewski-Platz, zum Sitz des Sowjet.

Dort sah ich Bilder, die mich tief erschütterten. Ich dachte, daß man nur beim Sturm auf die Bastille oder in den Tagen der Pariser Kommune ähnliches hatte sehen können. Auf allen Straßen, die zum Sitz des Sowjet führten, standen Arbeiter mit ihrem Eßgeschirr in der Hand und in Arbeitskleidung, die darauf warteten, daß man sie bewaffnete. Unter ihnen waren Invaliden und Kriegskrüppel, auch sie wollten nicht zurückstehen, auch sie wollten kämpfen. Viele von ihnen weinten, wenn ihre Bewaffnung abgelehnt wurde. Alle paar Minuten kamen Gruppen bewaffneter Arbeiter heraus, und man ließ sie in Lastwagen steigen. Ein Führer des Sowjet hielt eine Rede, und unter dem Gesang der Internationale fuhren die Arbeiter zum Sitz des Stadtrates, wo die Weißen versammelt waren. Ich schämte mich, weil ich noch unbewaffnet war und begab mich zu meiner Kaserne. Als ich an das Tor der Pokrowkij-Kaserne kam, begegnete mir ein Offizier, ein linker Sozialrevolutionär. Aufgeregt fragte er mich, ob ich ein Bolschewik sei. Als ich bejahte, raunzte er mich an:»Dann gehst du noch ohne Waffen herum?« Ich rannte schnell in die Kaserne hinauf, schnappte mein Gewehr (mit dem ich nicht schießen konnte) und stürzte auf die Straße. Wir begannen um die Kaserne herum Barrikaden zu errichten, weil ein Überfall zu erwarten stand. Als wir fertig waren, aßen wir noch einmal und bezogen dann unsere Stellungen. Abends versuchten die Weißen in der Tat unsere Kaserne zu erobern, aber das Feuer von unseren Barrikaden verjagte sie schnell.

Ich befand mich in einer elenden Lage; ich konnte das Gewehr nicht laden und wußte nicht, wie man damit schießt. Ich schaute mir an, wie es die anderen machten und ahmte sie mechanisch nach, aber ich bezweifle, daß ich in dieser Nacht mit meinen Schüssen jemanden getroffen habe.

Als die halbe Nacht vorüber war, wurde ich von der Barrikade geholt und in einen Korridor geführt. Auf diesem befand sich das Büro der Brigade und ich bekam den Auftrag, auf die Tür aufzupassen und nicht zuzulassen, daß der Brigadeleiter etwas von dort fortschaffte. Ich saß neben der Tür und hörte, wie dieser Offizier seinem Sekretär einen Brief an die Front diktierte, in dem er um Hilfe gegen die Bolschewiki bat, die mit ihrem Aufstand die verfassungsgebende Versammlung verhindern wollten. Ich wußte nicht was ich tun sollte. Ich hatte Angst in das Büro zu gehen, denn wenn dort viele wären, würden sie mich fertigmachen. Ging ich aber nicht hinein, würde das Schreiben an die Front abgehen. Ich beschloß, auf meine Ablösung zu warten – dann würden wir schon nach dem Rechten sehen. Wenn allerdings jemand versuchen sollte, das Büro zu verlassen, dann müßte ich alleine einschreiten. Unglücklicherweise wurde ich die ganze Nacht hindurch nicht abgelöst, aber es ging auch niemand von den Offizieren aus dem Büro. Früh am Morgen, als meine Ablösung kam, erzählte ich alles. Wir gingen zusammen hinein. Das Schreiben lag noch auf dem Tisch. Der Schreiber wurde freigelassen, aber der Offizier wurde verhaftet.

Am Morgen besetzten wir die Post in unserer Gegend. Das war eine leichte Arbeit, weil es dort keine bewaffneten Kräfte gab. Schwerer war es in der Telegrafenstation. Dort kämpften wir den ganzen Tag, bis wir am Abend das Gebäude eroberten.

Der zweite Tag wurde schlimm für uns. Es kam die Nachricht durch, daß die Weißen den Kreml erobert hatten, und zwar durch Betrug. Das war für uns ein schwerer Schlag. Gleich zu Anfang hatten sie eine große Zahl von Roten mit Maschinengewehren erschossen und an den drei folgenden Tagen besetzten sie alle Post- und Telegrafenämter, die Telefonzentrale, die Militärschule, die Bahnhöfe. Wir blieben zusammengepfercht im Stadtzentrum. Bei uns in der Kaserne war die Stimmung gedrückt; es herrschte keine Panik, aber wir waren auf das Schlimmste gefaßt.

Am fünften Tag des Kampfes änderte sich die Lage zu unseren Gunsten. Das erklärt sich damit, daß wir Artillerie hatten und sie nicht. In diesen wenigen Tagen erlernte ich die Kunst, mit einem Gewehr umzugehen. Verstärkung von draußen erhielten wir nicht, und als sie kam, war sie schon nicht mehr nötig.

Der Aufstand dauerte sieben Tage. Wir fürchteten, daß die Unterwelt die Ereignisse zu Pogromen und Plünderungen ausnutzen würde. Darum gingen wir auf den Markt von Sucharew, verhafteten alle Verdächtigen und brachten sie zu uns in die Kaserne. Es war eine eigenartige und farbige Gesellschaft. Einige trugen Pelze und gingen barfuß, andere trugen Wintermützen zu Sommerpantoffeln. Kurz, es war zu sehen, daß sie mit ihrer Kleidung nicht gerade wählerisch waren. Viele hatte keine Nase oder keine Ohren. Als ich einen von ihnen zur Toilette führte, beklagte er sich bei mir, daß wir Menschen, die uns falsche Pässe vorzeigten, freiließen, ihn dagegen, der sich keinen falschen Paß machen konnte, hielten wir zurück. Inwiefern also seien wir besser als die alte Regierung? Ich mußte ihm recht geben. Sie bekamen das gleiche Essen, das auch wir hatten, und wir wollten ihnen auch ein Nachtlager bereiten. Aber plötzlich begannen die Weißen, unsere Kaserne zu beschießen, und wir beschlossen, unsere Häftlinge an einen sicheren Ort zu bringen, wo ihnen keine Gefahr drohte. In den letzten drei Tagen des Aufstandes befand sich unsere Gruppe beim Puschkin-Denkmal, wo auch unsere Artillerie Stellung bezogen hatte. Interessant war, daß eine Militärgruppe des französischen Militärattachés uns ihren Lastwagen zur Verfügung stellte. Darüber freute ich mich sehr – sie waren eben doch Enkel der Kommunarden!

Die Aufgabe unserer Kampfgruppe war es, den Sowjet zu verteidigen. Der Sowjet war von zwei Seiten belagert: vom Kreml und Stadtrat her, und vom Haus des Stadtkommandanten her, das auf dem Puschkin-Boulevard lag. Der Sitz des Sowjet befand sich zwischen diesen beiden Zentren, von wo aus ständig versucht wurde, ihn mit gepanzerten Autos anzugreifen. Wir mußten sie zurückschlagen.

In den letzten drei Tagen war es außerordentlich kalt, obwohl auf den Straßen Öfen brannten. Es war unmöglich, die Kämpfenden mehr als sechs Stunden auf der Straße zu lassen. Alle sechs Stunden wurden sie abgelöst. Bei der ersten Ablösung ging ich zum Sowjet hinauf, aber dort war es schmutzig; die Soldaten schliefen auf der Erde, mit dem Gewehr in der Hand. Überhaupt herrschte eine schreckliche Unordnung. Als ich anderntags wieder für sechs Stunden abgelöst wurde, beging ich eine furchtbare Dummheit. Ich beschloß, die Zeit zusammen mit meinen Freunden in unserer Wohnung auf der Spiridanowa-Straße zu verbringen. Um dorthin zu gelangen, mußte ich über den Puschkin-Boulevard gehen. Mitten auf dem Boulevard stand das Haus des Stadtkommandanten, und es hieß, daß dort der Stab der Weißen sei.

Als ich von der Twerski-Straße mit dem Gewehr in der Hand auf den Boulevard kam, eröffneten die Weißen ein furchtbares Feuer. Es war zu spät, sich zurückzuziehen, und der Weg nach Hause war schon kürzer als der zurück. Gebückt begann ich zu rennen; aus den Toren schauten entsetzte Menschen. Nur ein Wunder konnte mich retten. Als ich an der Straßenecke ankam und nach links abbiegen wollte, hörte ich den Ruf: »Wer geht da?« – »Ein Genosse von uns« – das war die Parole. Als ich näher herankam, fragte mich der Rotarmist, der in einem leeren Geschäft stand, ob ich Jude sei. Ich antwortete mit ja und er verlangte von mir einen Erlaubnisschein.* Ich packte mein Gewehr, wollte ihn mit dem Bajonett angreifen und beschimpfte ihn als Konterrevolutionär und Antisemiten. Er hatte einen Browning-Revolver in der Hand und war deshalb besser gerüstet als ich, dennoch zog er sich immer weiter in den Laden zurück. Ich kam ihm mit meinem Bajonett immer näher und spürte dabei, daß er sich selbst schämte über das, was er gesagt hatte. Vielleicht war er auch von meiner Reaktion überrascht. Ich weiß nicht, wie die Sache ausgegangen wäre, wenn nicht ein Auto mit Weißen angekommen wäre. Wir eröffneten beide das Feuer auf sie. Dann drückte er mir die Hand und ich ging weiter meines Weges.

Ich kam in die Spiridinowa-Straße. Nicht weit von mir gingen drei Weiße mit Studentenmützen und riefen, man solle die Fenster schließen. Aus der Art, wie sie die Gewehre in der Hand hielten, schloß ich, daß sie dieses Handwerk noch schlechter verstanden als ich. Ich wollte sie entwaffnen. Vor unserem Hof traf ich den Poale-Zionisten** Luser Stoliar und fragte ihn, ob er mir helfen könne, meinen Plan durchzuführen. Er ging in seine Wohnung und holte sein Gewehr. Wir liefen auf die Studenten zu und forderten sie auf, die Gewehre hinzuwerfen. Noch ehe wir das ganz ausgesprochen hatten, lagen die Gewehre schon zu unseren Füßen.

In der Wohnung traf ich meine guten Freunde Katz und Aronowitsch. Wir blieben einige Stunden zusammen, und dann ging ich wieder – über einen anderen Weg – auf meinen Posten zurück.

In den letzten drei Tagen wurden die Kämpfe in meinem Abschnitt immer hartnäckiger. Die Weißen, so hatten wir den Eindruck, ver-

---

* Im zaristischen Rußland mußten Juden, die sich in Moskau aufhielten, einen Erlaubnisschein vorweisen können.
** Sozialistische Zionisten.

suchten sich immer härter zu rächen, je häufiger sie Niederlagen erlitten, vor allem aber versuchten sie, uns durch die Einnahme des Sowjet den Todesstoß zu versetzen. Aber wenn auch die Kämpfe in unserem Abschnitt immer härter wurden, so wuchs doch auch unsere Freude immer mehr. An vielen Stellen war kein Schießen mehr zu hören; ein Zeichen, daß sich die Weißen ergeben hatten. Am Abend des siebten Tages hörten die Kämpfe auch auf unserem Abschnitt fast ganz auf, was uns sehr verwunderte. Genau um zwölf Uhr nachts sahen wir ein Auto mit einer roten Fahne sich nähern. Ein Genosse meldete uns, daß sich der Kreml, die letzte Festung der Weißen, ergeben habe und man uns bitte, das Feuer einzustellen. Die Junker gaben ihr Ehrenwort, daß sie nicht weiter kämpfen würden. Schon acht Tage darauf standen sie am Don und bauten die Todesbataillone von Kornilow auf.

Mit dem Befehl zur Feuereinstellung hieß man uns auch gleichzeitig nach Hause zu gehen. Aber obwohl es bitter kalt war, wollte niemand heim. Auf allen Straßen und Gäßchen Moskaus hörte man revolutionäre Lieder, Genossen umarmten einander und viele weinten vor Freude. Zugleich mit den Revolutionsliedern hörte man Hochrufe auf Lenin und Trotzki, von Zeit zu Zeit wurden auch Kamenew und Sinowjew genannt.

Als der Kampf vorbei war, beschloß ich, nicht in die Kaserne zurückzugehen, sondern die Militäruniform abzulegen. Sie war nicht nach meinem anarchistischen Geschmack. Natürlich begannen bald danach Tage großen Hungers für mich, und wäre nicht mein guter Freund Aronowitsch gewesen, der in einer Kooperative arbeitete, dann weiß ich nicht, wie ich das überstanden hätte.

Ehe die Kämpfe begannen, wohnte mit uns zusammen ein Mensch, von dem ich nicht wußte, welcher Partei er angehörte, der PPS oder den Menschewiki. Die Bolschewiki jedenfalls beschimpfte er als Spione und Banditen. Wie groß war mein Erstaunen, als ich ihn bei der Beerdigung der Gefallenen mit einer roten Binde am Arm sah – als bolschewistischer Kommissar. Ich, der ich in Zivilkleidung zur Beerdigung kam, wurde von ihm beschimpft und im Namen der neuen Regierung bedroht...

Gegen Kornilow

Die militärische Uniform lange Zeit abzulegen war mir nicht vergönnt. Zwei Wochen nach der Oktober-Revolution rief man mich zum Regiment zurück und ich erfuhr, daß Kornilow seine Todesbataillone organisiert und Charkow eingenommen hatte und sich darauf vorbereitete, nach Moskau zu marschieren. Das Regiment wurde an die Front geschickt und man fragte mich, ob ich mitwolle. Das gefiel mir überhaupt nicht, aber ich gab eine positive Antwort.

Ich kam nach Hause, um mich von meinen Genossen zu verabschieden. Sie waren traurig und wollten mir meine Absicht ausreden, weil sie meinten, die Kosaken würden mich mit meinem jüdischen Aussehen bestimmt bei der ersten Gelegenheit ermorden. Ich wußte zwar, daß die Sorge von Freunden aus ihnen sprach, aber sie machten mich doch nervös. Ich verabschiedete mich herzlich von allen, insbesondere von Katz und Aronowitsch, die mir am nächsten standen und begab mich an die Front.

Ende November fuhren wir von Moskau in Richtung Charkow los. Als wir mitten in der Nacht in Belgorod, der letzten Station vor Charkow, ankamen, kam der Sekretär des Revolutionären Kriegskomitees zu uns und sagte, in der Stadt liege die 17 000 Mann starke polnische Legion, die über Artillerie und Maschinengewehre verfüge. Die Legion habe gestern eine Versammlung abgehalten und beschlossen, sich mit Kornilow zu verbünden. Wenn wir weiter führen, würden sie uns von hinten her umzingeln und vernichten, deshalb schlug er vor, wir sollten in die Stadt hineingehen und sie entwaffnen. Das war leicht gesagt, aber wie macht man das? Die Polen waren 17 000, mit Maschinengewehren bewaffnet, wir waren 600 und hatten nur Gewehre. Es sah ganz danach aus, als stünde das Ergebnis dieser Schlacht von vornherein fest. Aber es kam ganz anders.

Es war noch dunkel, als wir in die Stadt kamen. Wir umzingelten die Kasernen und entwaffneten die Polen. Es dauerte nur eine Stunde, dann waren wir Herr der Lage. Die Soldaten wurden freigelassen und die Offiziere nach Moskau geschickt. Nur ihr Kommandant wurde erschossen, als er zu fliehen versuchte.

Am gleichen Abend war ich auf den Straßen auf Patrouille. Eine Aufschrift auf einer Tür sagte, daß dort ein Warschauer literarischer Zirkel war, der sich nach J. L. Perez nannte. Ich freute mich sehr, klingelte und wollte hineingehen. Aber der Wohnungsbesitzer, der sehr vermögend aussah, ließ mich nicht herein, sondern schickte mich einfach fort. Das tat mir weh; ich fühlte mich elend und ging schweren Herzens davon.

Am anderen Morgen fuhren wir fort, aber nicht nach Charkow, denn Kornilow war dort gar nicht. Stattdessen schlugen wir den Weg nach Kuban ein. Einen ganzen Monat fuhren wir so herum, um die Weißen zu finden, aber wir konnten keinen Kontakt mit dem Feind herstellen.

Solange wir in der Ukraine waren, blieben wir in fröhlicher Stimmung. Überall kam man uns mit roten Fahnen entgegen, wir wurden begrüßt und man erklärte uns, daß die Bevölkerung selbst die Weißen verjagt und die Macht den roten Sowjets übergeben hätte. Aber als wir die Grenze zum Kuban überschritten, änderte sich die Lage. Wir hatten zwar auch dort nicht gekämpft, aber die Bevölkerung zeigte ablehnende Neutralität. Wir fühlten uns in Feindesland.

Inzwischen breitete sich eine demoralisierte Stimmung aus. Die Soldaten argumentierten, sie hätten das ihre bereits in Belgorod getan und zum Kampf sollten doch alle etwas beitragen. Warum sollten nur sie sich für andere schlagen? Man muß dabei wissen, daß dies Soldaten der alten, nicht demobilisierten zaristischen Armee waren. Für mich war ihr Verhalten sehr niederdrückend, und ich erklärte ihnen mit meinem miserablen Russisch, daß ich kämpfte, obwohl ich ein jüdischer Arbeiter sei, der kein Land bekommen würde – und da wollten sie, die jetzt das Land in Besitz nehmen würden, nicht kämpfen! Meine Vorwürfe hatten einen gewissen Erfolg.

Das Verhältnis der Soldaten zu mir war bemerkenswert: war die Lage an der Front gut, dann trugen sie mich auf Händen; verschlechterte sich die Lage, warfen sie mir finstere Blicke zu. Ich war sicher: wenn die Weißen siegen sollten, würden sie mich ihnen, auf ihre Bajonette gespießt, als Geschenk entgegentragen, als Sühneopfer für ihre Sünden.

Das Leben wurde durch das Saufen vergiftet. Auf jeder Station ließen Soldaten ihre Hemden, Blusen und oft auch ihre Stiefel zurück, die sie gegen Fusel eintauschten. In einem Städtchen gab es ein Schnapszentrum, und die Leute begannen so zu saufen, daß die Lage katastrophal wurde. Zehn bewaffnete Weiße hätten genügt, uns alle abzuschlachten. Als daraufhin der Schnaps in den Teich geschüttet wurde, warfen sich die Soldaten angezogen hinterher, um das Schnapswasser zu trinken, und das im Winter. Es kostete viel Mühe, das Chaos wieder zu beseitigen.

Die Stimmung bei der Roten Garde, die mit uns an die Front fuhr, war völlig anders. Dort wurde tagelang diskutiert. Ich erinnere mich an eine Diskussion über die Frage, warum man in den Kampf zog. Einige meinten für das Land, andere für den Frieden, die dritten, damit die Arbeiter die Fabriken in Besitz nehmen konnten. All diese Erklärungen schienen ihnen aber unbefriedigend. Plötzlich stand einer auf und sagte, er wisse warum – für die Brüderlichkeit der Völker. Diese Antwort gefiel offensichtlich allen, die Gesichter begannen zu strahlen.

Ein seltsames Volk, diese Russen. Sie hatten zwei Revolutionen in einem Jahr durchgemacht und fuhren an die Bürgerkriegsfront, um dort für nichts weniger als die Brüderlichkeit aller Völker zu kämpfen. Wie sollte man ein solches Volk nicht lieben? Ich war glücklich, daß ich mit ihnen zusammenfuhr, um für das große Ideal der Völkerverbrüderung zu kämpfen. Ich ärgerte mich nur, daß ich nicht in der gleichen Gruppe wie sie war. Bei uns, im alten zaristischen Regiment war alles anders und schlimmer.

Aber einmal überraschte mich ein Russe aus meinem Regiment. Er rief mich zu sich und machte mir folgende Eröffnungen: er sei der Sohn eines Popen, habe auf einem Priesterseminar studiert, sei dort davongelaufen, habe dann bei einem Bäcker gearbeitet und sei auch dort wieder fortgelaufen. Dann sei er Landstreicher geworden. Er habe Juden stets gehaßt, sein ganzes Leben lang habe er kein gutes Wort über sie gehört. Der Haß sei ihm ins Blut übergegangen. Aber seit er mit mir zusammen sei, mich reden höre, habe er seine Meinung über die Juden geändert. Nun habe er eine Bitte an mich, wenn wir von der Front zurückkämen, solle ich ihn mit Trotzki bekannt machen, weil der doch auch Jude sei und die Feinde ihn bestimmt ermorden wollten. Ihn wolle er bewachen, und er garantiere dafür, daß niemand Trotzki etwas antun könne, solange er sein Wächter sei. Als er das sagte, leuchteten seine großen Augen. Ich hatte den Eindruck, daß ich mich auf ihn verlassen könnte, wenn ich in eine schlimme Lage geraten sollte. Er wäre bereit, mit mir zu sterben.

Aber alle diese idealistischen Überlegungen hielten nur so lange vor, bis wir an die wirkliche Front kamen. Genau in der Neujahrsnacht 1918 erreichten wir die Grenze des Don. Wir lagen auf den hohen Hügeln und schauten auf die Steppe am Don hinunter. Diese Steppe war schön. Obwohl es Winter war, waren die Felder mit hohem Gras bewachsen, das sich im leichten Wind bewegte. Auf den Feldern herrschte Stille, der Himmel war klar, das Herz von Ruhe und Freude erfüllt. Aber die Idylle dauerte nur einige Stunden. Früh am Morgen kamen wir ins Don-Gebiet und schlugen den Weg nach Lugansk* ein, dem Herzstück des Donbas. Lugansk erreichten wir aber nicht, denn die Rote Garde von Leningrad war uns bereits zuvorgekommen. Sie hatte 600 Bergarbeiter bewaffnet und an die Front geschickt, aber die Bergarbeiter waren anscheinend dafür nicht geeignet, denn die Weißen haben sie umzingelt und abgeschlachtet. Später, als wir an die Front kamen, sahen wir sie auf den Feldern liegen, einige ohne Hände, andere ohne Ohren. Diese furchtbare Schandtat versetzte uns in Zorn und Erregung, was die Weißen sehr schnell zu spüren bekamen.

Nach diesem Verbrechen der Weißen kam von Trotzki ein Befehl: sich nicht ergeben und keine Gefangenen machen! Wir feilten die Spitzen unserer Kugeln ab – wenn solch eine Kugel in den Körper eindringt, stellt sie sich hoch und der Körper wird zerrissen. Diesen Kugeln gaben wir den Namen Dum-Dum-Geschosse. Der Kampf nahm die blutigsten Formen an.

In der Nacht des zweiten Februar bewegten wir uns auf eine kleine Bahnstation zu, nicht weit entfernt von Lugansk. Die Station lag in einem Tal. Unsere Abteilung erhielt den Befehl, mit Granatwerfern auf einem Feld hinter einem Hügel Stellung zu beziehen und frühmorgens den Feind anzugreifen. Die militärische Situation sah so aus:

* Heute Woroschilowgrad.

139

Die Rote Garde besetzte das Tal, in der Nähe einer von den Weißen gesprengten Brücke. Etwa zwei Kilometer hinter der Brücke, auf einem Hügel, war eine Kirche; in deren Glockenturm hatten sich die Weißen eingenistet und beschossen die Roten mit Maschinengewehren. Wenn die Abteilung vom Tal aus mit ihrer Attacke begann, sollten wir von rechts angreifen. Es kam aber anders. Als wir an dem Hügel angekommen waren, schickten wir einen Aufklärungstrupp voraus. Dieser mußte sich an die Stellung des Feindes heranschleichen, sich entlang der Eisenbahnlinie vorwärtsbewegen, dem Stab Meldung erstatten, und dann zu unserer Abteilung zurückkehren. In dem Augenblick, als wir die Bahnlinie erreicht hatten, stieß ein Trupp der Weißen vor und in unsere Frontlinie hinein. Von hinten angreifend beschädigten sie die Eisenbahngeleise und schnitten unserer Gruppe den Weg ab, sodaß wir uns nicht zurückziehen konnten. Sie hatten unsere Parole herausbekommen, unsere Wachen übertölpelt und getötet. Als sie an der Brücke angekommen waren, eröffneten sie das Artilleriefeuer auf uns. Wir waren sicher, daß dies der Beginn eines Angriffs war und suchten den Stabschef, konnten ihn aber nicht finden. Die Rotgardisten waren verwirrt.

Es kam zu einer totalen Panik, aber in unserem Aufklärungstrupp waren alte Fronthasen, und die befahlen uns schließlich, in Reihen auf einem Hügel liegend in Stellung zu gehen, um darauf vorbereitet zu sein, den Angriff aufzuhalten. Der Angriff kam erst früh am Morgen. Als unsere Abteilung merkte, daß wir nicht zurückkehrten, rückte auch sie an die Bahnlinie heran.

Frühmorgens begannen die Weißen ihren Angriff damit, daß sie ihre Sturmabteilungen vorschickten. Die einzige Kanone in unserem Besitz versagte, und wir mußten zurückweichen. Das war unsere erste, aber auch unsere letzte Niederlage an dieser Front. Als wir einige Kilometer zurückgewichen waren, vereinigten sich zwei Abteilungen mit uns, eine aus österreichischen Kriegsgefangenen und eine zweite von Arbeitern aus Jaroslaw. Wir begannen sofort mit einer Gegenoffensive. Die Jaroslawer marschierten links von uns, die Österreicher rechts, und wir gingen in der Mitte. Als wir zur Brücke zurückkamen, sahen wir einen roten Panzerzug, der, als er produziert worden war, den Namen Kerenskis erhalten hatte. Jetzt wurde er von Antonow-Owssejenko geführt. Er beschoß die Stellung der Weißen in der Kirche auf dem Hügel. Wir konnten die Truppe der Weißen rasch zerschlagen und schlugen uns dann in kleineren Gefechten nach Rostow durch.

Wir erlebten noch eine andere Krise. Eines Abends gingen wir in ein Dorf, um dort auszuruhen. Offenbar hatte man in diesem Dorf noch keine Ahnung, was Bolschewisten überhaupt sind. Ich kam mit dem ersten Aufklärungstrupp, insgesamt fünf kräftige und hochgewachsene Männer. Eine Bäuerin rief der anderen zu:»Siehst du, ich habe dir immer gesagt, daß die Bolschewiki große Menschen sind!« Am Abend ging ich mit drei Tataren, Artilleristen, in eine Bauernkate. Der Bauer entzündete ein Feuer im Ofen und bewirtete uns mit gebratenem Fisch. Wir ruhten uns aus.

Plötzlich kam eine Meldung, wir müßten sofort an die Front – die Weißen hätten die Petrograder umzingelt, die sich in Panik zurückzögen. Es war schon sehr dunkel, als wir an die Front kamen. Die Petrograder verließen ihre Stellungen, die stattdessen wir einnahmen. Wir rückten eine große Strecke in einem Tal vor und bemerkten, daß oben zu beiden Seiten Menschen waren. Als wir sie fragten, wer sie seien, riefen sie uns spöttisch die rote Parole zu und begannen anzugreifen. Wir verließen rasch das Tal und legten uns in Reihen auf die Erde, überzeugt, daß wir umkommen würden.

Plötzlich wurden wir durch Gesang aufgeschreckt, der auf uns zukam. Wir suchten die Richtung ab, aus der die Klänge kamen und sahen ein Heerlager mit roten Fahnen anmarschieren. Beim Näherkommen stellte sich heraus, daß es ungarische Kriegsgefangene waren. Wir umarmten uns und weinten vor Freude. Die roten Fahnen, die »Internationale«, die Gefangenen von gestern, die heute unsere Genossen im Kampf waren, versetzten uns in Begeisterung.

Bald darauf begannen wir gemeinsam die Offensive. Wir brachen über die Weißen herein wie ein Sturmwind; niemand versuchte uns aufzuhalten, niemand hätte uns aufhalten können. Wir begannen einen siegreichen Marsch, am Ufer des Asowschen Meeres entlang, von Taganrog bis sieben Kilometer vor Rostow in einem Zug. Wir zogen fröhlich dahin und waren uns des Sieges sicher.

Mir war dennoch beklommen und traurig zumute. Es ist nicht leicht, sich darauf einzulassen, daß man sich nicht gefangen gibt und keine Gefangenen macht; es ist nicht leicht, mit Dum-Dum Geschossen zu schießen, die den sicheren Tod bringen. Noch schwerer ist es, in der Erregung eines Angriffs mit Hurra-Geschrei den Feind zu durchbohren. Aber das allerschwerste ist, zu sehen, wie unbewaffnete Menschen erschossen werden, vor allem, wenn Frauen darunter sind. Wenn das geschah, verkroch ich mich in eine Ecke, denn ich spürte, daß ich nicht an der Front bleiben konnte, wenn ich das mitansehen mußte.

In den ersten Februartagen bereiteten wir den Angriff auf Rostow vor. Es stellte sich aber heraus, daß die Weißen die Stadt schon verlassen hatten. Wir konnten die roten Fahnen aufziehen und frei nach Rostow hineinfahren. Unser 56. Regiment erwies sich als das beste und erhielt daher den Namen »Erstes revolutionäres Moskauer Regiment«. Aus Angst vor Plünderungen beim Einmarsch in die Stadt befahl man uns, an der Spitze einzuziehen und die Ordnung aufrechtzuerhalten.

Als wir früh am Morgen in die Stadt kamen, wurden wir mit großer Freude empfangen, wenn auch Sprüche zu hören waren, von denen uns die Ohren wehtaten. Da stand eine Gruppe, die uns begrüßte, und einer brüllte dauernd:»Brüder! Die Weißen haben uns belogen! Sie haben uns eingeredet, daß es bei euch nur Deutsche und Jidden gibt, und jetzt sehen wir lauter Prawoslawen!« Als er mich erblickte, begann er zu stottern.

Wir gingen sofort in das Stabsgebäude von Kornilow. Außer Gewehren fanden wir dort ganze Kisten mit Kleidern und Schmuck, die eilig zusammengepackt worden waren. Die»Kleinigkeiten«, die goldenen Ringe und die Brillianten, packten sich die Soldaten in die Taschen. Sie meinten, das würde jeder tun, und da sei es noch am gerechtesten, wenn sie es täten. Ich stand da, gestützt auf mein Gewehr, und es ekelte mich, den Festtag des Sieges mit dem Diebstahl von Gold besudelt zu sehen. Einige der Rotgardisten fragten mich, warum ich denn nichts nähme. Ich versuchte eine Ausrede zu finden, sah aber sogleich, daß dies unmöglich war. Sie fühlten sich geradezu beleidigt, weil ich nichts nahm, und dieses Beleidigtsein kehrte sich in Haß gegen mich, sodaß ich meinte, sie würden mich in der nächsten Minute womöglich auf ihre Bajonette spießen. Da bückte ich mich und suchte mir einen Generalsorden»Für 35 Jahre Dienst« aus. Sie beruhigten sich und stopften sich weiter die Taschen voll. Nachts im Hotel Moskau begannen sie Karten zu spielen, auf den Tischen lagen riesige Stapel Geld.

Am anderen Morgen brach in Rostow ein trauriger Tag an. Wir gingen in die Hospitäler und sammelten die verwundeten Offiziere aus Kornilows Armee ein. Da man glaubte, der Krieg sei zu Ende, gab es einen Befehl, die Offiziere nach Moskau zu schicken. Aber sie wurden alle von den roten Kosaken mitten auf der Straße niedergemetzelt. Ich fühlte, wie mir fast die Sinne schwanden. Es war ein schändlicher Mord.

Mit den Nahrungsmitteln, die wir beschlagnahmt hatten, richteten wir bei uns in der Kaserne eine Küche ein. Jeder konnte kostenlos ein Mittagessen bekommen. In allen Straßen bildeten sich riesige Schlangen von Menschen, die anstanden.

Wir zogen herum und machten Hausdurchsuchungen. Die Offiziere, die sich versteckt hatten, leisteten bewaffneten Widerstand, wenn wir kamen um sie zu verhaften. Darum wurde angeordnet, daß jeder Rotarmist einen Revolver bei sich tragen mußte. Da ich keinen hatte, bekam ich eine Adresse und eine schriftliche Anweisung, einen Revolver zu beschlagnahmen. Ich ging zusammen mit einem Ukrainer. Als wir auf die Straße kamen, wurde plötzlich von allen Seiten geschossen. Die Schüsse kamen von Weißen, die auf den Dächern standen und das Signal zu einem Aufstand geben wollten. Wir wußten nicht, was wir tun sollten. Daß hier mitten auf der Straße zwei Rotgardisten waren, losgetrennt von ihrem Regiment, bedeutete für sie drohende Todesgefahr. Plötzlich sah ich einen Bekannten, einen Freund von Aronowitsch. Er sagte mir, das Kriegskomitee befinde sich in der Nähe des Hauses seines Vaters, und wenn ich wolle, könne er mich hinführen. Ich war sicher, daß die Weißen als erstes das Haus des Kriegskomitees überfallen würden, aber als ich hinkam, war bereits alles ruhig. Die Artillerie hatte die Weißen zum Schweigen gebracht.

Ich bat den Vorsitzenden des Kriegskomitees, mich zu meinen Bekannten gehen zu lassen. Die Familie nahm mich und meinen Begleiter herzlich auf und bot uns Tee mit Krapfen an. Unerwartet kamen Rotgardisten herein, um eine Hausdurchsuchung zu machen. Einer von ihnen sagte zum anderen: »Siehst du? Juden verteidigen immer die Juden!« Ich griff nach meinem Gewehr, der Ukrainer tat das gleiche. Da erklärte ich ihnen, hier könnten sie keine Hausdurchsuchung vornehmen, denn Pogromisten könnten keine Revolutionäre sein. Sie zeigten mir eine Bescheinigung vom Kriegskomitee. Ich forderte sie auf, mit mir zu gehen, und berichtete im Kriegskomitee dem Vorsitzenden von dem Vorfall. Er verbot ihnen strengstens, die Hausdurchsuchung vorzunehmen.

Wir blieben noch einige Tage in Rostow, dann kam der Befehl zur Abfahrt, um Petrograd zu verteidigen, das nach dem Scheitern der Brester Friedensverhandlungen von den Deutschen bedroht war. Unterwegs erlebte ich schwere Augenblicke. Viele Mitglieder meines Regiments, die sich in Kämpfen heldenhaft ausgezeichnet hatten, spielten jetzt um große Beträge Karten. Auf meine Frage, woher sie denn soviel Geld hätten, antworteten sie, sie seien nicht für Ideale in den Krieg gezogen, solche Narren seien sie nicht. Das war für mich eine herbe Enttäuschung und ich sehnte mich zurück zu meinen eigenen Genossen.

Als wir am 23. Februar in Petrograd ankamen, war der Frieden von Brest schon unterzeichnet. Ich fuhr nach Moskau.

Zurück in Moskau

Am 26. Februar kam ich in Moskau an. Meine Freunde waren erstaunt, mich zu sehen. Als wir einmal von Kosaken eingeschlossen waren, hatte ich einen Abschiedsbrief an sie geschrieben, und später, als sich die Kämpfe verschärft hatten, hatte ich nichts mehr von mir hören lassen. Deshalb glaubten sie, ich wäre umgekommen, und hatten meine Sachen unter sich aufgeteilt. Als ich jetzt zurückkam, gaben sie mir nach und nach alles zurück, aber das war weder für sie noch für mich angenehm.

Am nächsten Tag ging ich zum Regiment, um mich zu melden und mir eine Bestätigung dafür zu holen, daß ich an der Front war. Der Sekretär des Regimentskomitees gab mir den dringenden Rat, auf eine Militärschule zu gehen, weil ich mich an der Front ausgezeichnet hatte. Aber der Gedanke kam mir doch zu phantastisch vor: ein Anarchist mit militärischer Karriere! Als ich ging, gab man mir einen Sack voller Lebensmitteln mit, die unser Regiment in Rostow requiriert hatte. Das war damals ein Schatz: Zucker, Reis, Kaffee, Tee, Kakao und Mehl. Ich ging mit all den Sachen in die Spiridinowa-Straße und verteilte sie. Als Aronowitsch kam, regte er sich auf und versicherte mir, daß ich hungern würde und daß die gleichen Genossen mir nicht einmal ein Gläschen Tee geben würden. Leider hatte er recht. Für mich begann die Zeit furchtbaren Hungers.

Meine Rettung war immer wieder Aronowitsch. Er arbeitete in einer Kooperative und brachte oft etwas zu essen mit. Wenn wir beide hungerten, fuhren wir nach Bugorosk hinaus, wo unser Genosse Katz Verwalter eines bundistischen Klubs war, in dem es auch ein Restaurant gab. Dort haben wir uns dann vollgegessen.

Aber im Städtchen Bugorosk, etwa 20 Werst von Moskau entfernt, herrschte eine üble Pogromstimmung, sodaß Katz den Ort verlassen mußte.

Ich fing an, mich von sauren Gurken und Tee zu ernähren, das heißt, ich kaufte ein Dutzend Gurken und trank dazu einen Kessel voll Tee ohne Zucker. Das waren die beiden Dinge, die man in Moskau noch bekam.

Eines Tages, als ich in die Teestube ging, um mir heißes Wasser und Gurken zu kaufen, fuhr ein Auto vorbei und hielt am Tor hinter meiner Wohnung, dem Haus des Komissariats für auswärtige Angelegenheiten. Dem Auto entstieg, mit einer Aktentasche unter dem Arm, niemand anders als der Mann, der auf dem Wege von London nach Rußland die Bolschewiki so beschimpft und sie Spione Deutschlands genannt hatte.

Der Hunger in Moskau wurde fürchterlich. Mein Genosse Katz verschaffte mir Arbeit in Ufa, in einer Fabrik, deren Leiter Bundist war. Von dem Lohn, den ich dort erhielt, konnten Katz, der mit mir gekommen war, und ich gerade eben leben. Einige Tage vor unserer Abreise nach Ufa hatten linke Sozialrevolutionäre den deutschen Botschafter in Moskau ermordet, um einen Krieg zwischen Rußland und Deutschland zu provozieren. Die Stimmung war außerordentlich gespannt. Als wir dann unterwegs waren, hörten wir davon reden, daß die Tschechen einen Aufstand gemacht hätten, und ihre Soldaten die Eisenbahnlinie von Samara* nach Sibirien besetzt hielten. Nur der Abschnitt Samara-Tschebjabinsk sei noch in der Hand der Bolschewisten. Die Passagiere flüsterten untereinander, daß die Auf-

* Heute Kuibyschew.

ständischen die Bolschewisten und die Juden totschlügen. Wir waren nicht sicher, ob die Tschechen nicht unseren Zug erobern würden und darüber wurde uns traurig zumute. Wir hatten überhaupt keine Lust, ausgerechnet auf diese Weise unser Leben zu verlieren.

Wir kamen aber ungestört in Ufa an und ich konnte noch viele Wochen dort arbeiten. Als die Weißen sich Ufa näherten, riefen die Sozialrevolutionäre dazu auf, den Sturz der Räteregierung vorzubereiten. Es gingen auch Gerüchte um, daß sich die Schwarzhundert-Leute* zu einem Pogrom rüsteten. Ich hatte anfangs beschlossen, nicht wieder an die Front zu gehen, sondern nur am Selbstschutz mitzuwirken. Aber dann kam es wieder anders.

Ich stand an meinem Arbeitsplatz in der Fabrik, als die tschechische Artillerie die Stadt zu beschießen begann, und ich hörte viele russische Arbeiter murmeln:»Unsere kommen zurück; jetzt wird es den Bolschewiken und den Juden schlecht ergehen.« Diese Reden brachten mich auf, und ich ging zum Kriegskomitee, zog meine Arbeitskleidung aus und eine Soldatenuniform an. Ich trug mich ins Erste Ufaer kommunistische Regiment ein und ging mit ihm an die Front. Aber ehe wir loszogen, ereignete sich noch etwas in der Stadt selbst.

Am Vormittag begann die geheime weiße Organisation eine Schießerei auf den Straßen, die sich gegen Nachmittag verstärkte. Wenn ein einzelner Rotarmist in den Straßen auftauchte, wurde er ermordet. Den ganzen Tag über durchsuchten wir die Häuser. Mit Einbruch der Dunkelheit wurde die Schießerei immer heftiger und ich stand vor einem schweren Problem.

Mein Freund Katz, Bundist und Gegner der Oktoberrevolution, war die ganze Zeit mit mir in der Kaserne zusammen. Er wollte sich als Freiwilliger einschreiben, aber mir war klar, daß er das nicht aus Überzeugung tat, sondern weil er mit mir zusammenbleiben wollte. Ein solches Opfer konnte ich nicht von ihm annehmen. Ehe ich ihm aber seinen Schritt ausreden konnte, war es bereits Nacht. Nachts konnte er auf keinen Fall allein nach Hause gehen, darum bat ich, ihn nach Hause begleiten zu dürfen. Die Führung schwankte, weil das gefährlich war, aber schließlich erlaubte sie es. Mit dem geladenen Revolver in der Hand geleitete ich ihn durch die Straßen, und aus Toren und Fenstern schauten uns Menschen voller Entsetzen nach, denn sie glaubten wohl, ich führte ihn ab zum Erschießen. Das bewegte uns beide zutiefst und die Tränen schossen uns aus den Augen, während wir weitergingen. Als wir sein Haustor erreicht hatten, umarmten wir uns, legten Gesicht an Gesicht und gingen wortlos auseinander. Beide waren wir uns sicher, daß wir uns zum letzten Male gesehen hatten.

Als ich zum Regiment zurückkam, herrschte dort große Aufregung.

* Zaristische Rechtsextremisten.

145

Der Regimentskommandant war verschwunden und einige glaubten, er sei aus Angst fortgelaufen, andere, er sei ein Agent der Weißen gewesen. Spät in der Nacht kamen wir zum Hafen, denn der Landweg war abgeschnitten. Wir konnten uns nur über den Fluß zurückziehen. Wir wußten, daß die Weißen von hinten auf uns schießen würden, darum legten wir uns Säcke mit nassem Sand auf den Rücken. Im Hafen lag eine Menge Brot, das für Moskau und Petersburg bestimmt war. Wir beschlossen, nicht eher zu weichen, bis das Brot abtransportiert wäre, aber die militärische Führung erklärte, wir seien in Gefahr und müßten uns sofort zurückziehen. In der Versammlung des Regiments, dessen Komitee sich fast ganz aus Juden zusammensetzte, wurde beschlossen, daß wir von Haus zu Haus kämpfen und solange bleiben würden, bis wir das Brot in die beiden Hauptstädte der Revolution abgeschickt hätten. Erst am anderen Morgen, als der Befehl von Trotzki zum sofortigen Rückzug kam, weil wir sonst vor ein Revolutiontribunal gestellt würden, sind wir abgefahren.

Es war aber auch wirklich allerhöchste Zeit. Die Weißen waren nachts in die Stadt eingedrungen, und wir waren kaum aufgebrochen, als sie uns schon von beiden Seiten des Ufers beschossen. Der Belaja-Fluß ist schmal, darum war es leicht, uns von zwei Seiten anzugreifen.

Wir wurden den ganzen Tag verfolgt. Wir schossen zurück und flohen. Als es dunkel wurde, waren wir der Gefahr entronnen und hielten in einem Dörfchen, in dem die vier Gouvernements Ufa, Kasan, Wjatka und Perm aneinandergrenzten.

Wir gaben ein phantastisches Bild ab, als wir plötzlich in der dunklen Nacht in das Dorf kamen, denn wir sahen eher einer verfolgten Bande gleich als der militärischen Abteilung einer großen Armee. Wir hielten für die Einwohner eine Versammlung ab, erklärten ihnen, daß wir uns nur zeitweilig zurückzögen und forderten sie auf, sich nicht den Befehlen der Weißen zu unterwerfen. Wir schlugen auch Plakate mit dem gleichen Inhalt an.

Auf dem Schiff beriefen wir eine Versammlung ein, auf welcher der Befehl Trotzkis verlesen wurde, daß alle Anarchisten und Sozialrevolutionäre im Zusammenhang mit dem Attentat auf den deutschen Botschafter von Mirbach zu entwaffnen seien. Als der Befehl vorgelesen war und alle auseinandergehen wollten, bat ich ums Wort und gab bekannt, ich sei Anarchist, und wenn ich in Moskau wäre, würde ich mithelfen, solche Attentate zu organisieren. Darum könne ich mit einem solchen Befehl nicht einverstanden sein und auch mich müsse man entwaffnen. Es gab außer mir noch zwei Anarchisten, einer solidarisierte sich mit mir, der andere nicht.

Am anderen Morgen erklärte mir der Sekretär des Regimentskomitees, es tue ihm sehr leid, denn er halte mich für einen guten Soldaten, aber jetzt müsse im Regiment in allen politischen Dingen Einigkeit herrschen. Es gebe aber an einigen Fronten anarchistische Einheiten, darum würde ich ein Dokument und Geld bekommen, um nach Moskau fahren zu können, und von dort aus an eine andere Front zu einer solchen Einheit. Ich beriet mich mit dem anderen Genossen, und wir beschlossen, den Vorschlag anzunehmen.

Wir erhielten das Versprochene und begaben uns auf ein Schiff, das nach Nischnij-Nowgorod* fuhr. Schon während der ersten Stunde auf dem Schiff wurden mir das Geld, die Dokumente und auch die Fahrkarte gestohlen. Der Kapitän erklärte mir, daß er mir da überhaupt nicht helfen könne – außer, mich ohne Fahrkarte mitzunehmen.

An einem kühlen, regnerischen Tag kamen wir in Nischnij-Nowgorod an. Mein Genosse brachte mich in die Wohnung der anarchistischen Föderation, wo ich den Anarchisten Blaschka traf, den ich 1912 im Warschauer Pawiak-Gefängnis kennengelernt hatte.

Ich bekam einen Schlafplatz, ein paar Tage Arbeit in meinem Beruf und gutes Essen, sogar ein bißchen zuviel, sodaß ich davon krank wurde.

In der anarchistischen Föderation herrschte eine sonderbare Ordnung. Die Mäntel, die man im Korridor aufhängte, verschwanden immer, und Blaschka erklärte mir, daß man da nichts machen könne, denn niemand habe das Recht, einem anderen zu verwehren, sich ein Kleidungsstück anzuziehen, das ihm gefiele. Mir gefiel diese anarchistische Gesellschaft überhaupt nicht; die meisten waren alte Terroristen, die aus der Verbannung zurückgekommen waren und nun tagelang herumsaßen, ihre Gewehre reinigten und Expropriationen vorbereiteten. Ihr Theoretiker war ein Blinder, der mit den Fingern las. Ich hörte mir einmal ein Referat von ihm an, in dem er den Anarchismus damit begründete, daß bereits die ersten Menschen – Adam und Eva – die Disziplin gebrochen hätten.

Mir wurde es hier zu eng. Ich überzeugte Blaschka davon, daß Expropriationen in einer Räterepublik ein Verbrechen seien, denn schließlich sei dies doch ein Land der Revolution. Wenn er unbedingt Expropriationen durchführen wolle, dann solle er doch in die Ukraine zu Skoropadskij** fahren. Unter der Besatzung der Deutschen könne man solche Dinge reinen Gewissens tun.

Blaschka hatte gute Beziehungen zum Sowjet, und es war nicht schwer für ihn, ein Empfehlungsschreiben für uns zu erhalten, das an das Kriegs-Komitee von Kursk gerichtet war. Ende September machten wir uns auf den Weg.

* Heute Gorki.
** Pawel Skoropadski war 1918 nach der deutschen Besetzung Hetman der Ukraine, danach ein Führer der monarchistischen ukrainischen Emigranten.

Meine Reise in die Ukraine

In Kursk nahm man uns sehr gut auf. Die Empfehlungen waren wahrscheinlich ausgezeichnet. Das Kursker Kriegs-Komitee erledigte alles, worum wir baten. Dann sagte man uns, am nächsten Tag würden Literatur und Waffen nach Charkow transportiert und wir sollten dabei mithelfen. Damals schmuggelten Bolschewisten und Anarchisten gemeinsam Literatur und Waffen in die Ukraine; die Anarchisten waren die Schmuggler und die Bolschewisten erleichterten den Grenzübergang. In der anarchistischen Zentrale traf ich ein jüdisches Völkchen, das aussah wie ein Haufen Rabbinerkinder. Sie machten uns mit dem Menschen bekannt, der die Waffenladung transportieren sollte, und befahlen uns, alle Papiere und Fotografien bei ihnen zurückzulassen, denn wenn wir auffliegen sollten, würde man uns sofort an Ort und Stelle erschießen. Sie ermahnten uns, sofort zu schießen, wenn man uns anhalten sollte, denn das sei ohnehin der sichere Tod – wir sollten das ganze Magazin leerschießen und die letzte Kugel für uns selbst aufheben. Wir lieferten alle unsere Papiere ab, und jeder von uns erhielt zwei Revolver. An der Grenze wartete bereits der Fuhrmann mit seiner Ladung.

Es war abgesprochen, daß wir uns bei einem Pfiff auf die Erde werfen, bei zweien erheben würden. Der Fuhrmann sollte vorausfahren, denn er kannte den Weg. Wir drei sollten einen gewissen Abstand voneinander halten, aber in Sichtweite bleiben. Wenn jemand uns anhielte, müßten wir das Feuer eröffnen und mit der letzten Kugel uns selbst erschießen.

Die Nacht verlief friedlich, aber in der Morgendämmerung, vor den Toren von Charkow, stießen wir auf österreichische Gendarmerie. Der Gendarm befahl uns stehenzubleiben, und ich kann mich nicht daran erinnern, warum wir nicht zu schießen begannen. Wir standen nur alle drei um die Fuhre herum und warteten, denn beim kleinsten Anzeichen, daß wir aufgehalten werden sollten, hätten wir sogleich das Feuer eröffnet.

Der Gendarm tastete die Pakete ab, die oben lagen. Darin waren Tee, Mehl und Kartoffeln. Er war einfach zu faul, ein Paket aufzuheben und zu gucken, was darunter war. Wir durften weiterfahren.

Früh am Morgen kamen wir nach Charkow hinein. Wir deponierten alle illegalen Sachen in einem Keller, aßen, wuschen uns, schliefen uns aus und überlegten, was wir nun weiter tun würden.

Ich merkte, daß meine beiden Genossen nur an ihre Expropriationspläne dachten. Andere Arbeit interessierte sie überhaupt nicht. Das gefiel mir nicht, und da ich wußte, daß viele meiner Genossen aus Paris in Odessa waren, beschloß ich dort hinzufahren.

Ich packte alle meine Sachen mit den beiden Revolvern in ein Päckchen und kaufte eine Fahrkarte nach Odessa. Ich erhielt einen Platz in einem Liegewagen, legte mich auf die obere Pritsche und steckte das Säckchen unter den Kopf.

So fuhr ich einige Tage und rührte mich nicht fort von meinem Säckchen. Aber dann hielt der Zug auf einer großen Station, ich glaube es war in Zmerinka. Ich fragte den Schaffner, wie lange der Zug hier halten würde und verstand, er habe gesagt, dreizehn Minuten. Ich stieg aus um Brot zu kaufen, aber als ich zurückkam, war der Zug nicht mehr da – er hatte nur drei Minuten Aufenthalt.

Das Säckchen mit all meinen Sachen und auch meine Mütze waren im Eisenbahnwaggon geblieben. Das war ein schwerer Schlag für mich und am Anfang war ich völlig fertig. Ich ging zum Stationsvorsteher und bat ihn, zur nächsten Station zu telefonieren, damit man meine Sachen dort zurückhielt. Erst als er schon telefoniert hatte, fiel mir ein, welche Dummheit ich begannen hatte. In meinem Säckchen waren zwei Revolver, und wenn es geöffnet würde, wäre das der sichere Tod für mich. Darum fuhr ich nicht mit dem nächsten Zug, sondern übernachtete auf der Station und nahm erst am Nachmittag des folgenden Tages den Zug nach Odessa.

Der Zug kam aber nicht bis zum Bahnhof von Odessa. Die Bolschewiki hatten in Odessa gerade ein großes Munitionslager in die Luft gejagt, und die Kugeln flogen einen ganzen Tag lang kilometerweit. Der Zug hielt an und wartete, bis die Explosionen aufhörten.

Als es ruhig wurde, ging ich in die Stadt hinein. Ich hatte keine Adresse und ging einfach in der Hoffnung los, auf der Straße Bekannte zu finden. Zum Glück kam ich an einer kleinen Hutfabrik vorbei, in der ein Genosse aus Paris arbeitete, ein Anarchist. Er rief mich in die Werkstatt und fabrizierte eine Mütze für mich. Ein anderer Genosse brachte mir Wäsche. Zu meiner großen Freude war auch Frau Buse in Odessa, sodaß ich einen Platz hatte, wo ich die erste Nacht schlafen konnte.

Ich konnte aber unmöglich längere Zeit bei ihr wohnen. Wer unangemeldete Personen bei sich zu Hause hatte, dem drohte die Todesstrafe, desgleichen dem Gast. Der einzige Ausweg war, auf der Straße zu schlafen, und daran fand ich auch nichts Schreckliches.

Frau Buse hatte einen Bekannten, bei dem sie jeden Tag ein kleines Brot für mich bekam. Es war zwar schon Oktober, doch in Odessa war es noch warm. Zusammen mit anderen Genossen, die keine Arbeit hatten, ging ich an den Strand, und dort lagen wir den ganzen Tag. Es war gar nicht schlecht in der Hitze im Schwarzen Meer zu baden. Abends, wenn Frau Buse von der Arbeit nach Hause kam, gingen wir zu ihr, aßen etwas Warmes, und spät am Abend nahm ich eine Decke und ging zu einem Ort, wo die ganze Nacht eine Menschenschlange nach Zucker anstand. Viele Menschen schliefen dort die

Nacht über, bis das Geschäft öffnete. Dann ging ich wieder an den Strand.

In Odessa stand eine österreichische Garnison. Es war bereits zu spüren, daß die Weiße Armee unter der Wirkung der Niederlagen an den Fronten auseinanderfiel. Hierauf bereiteten sich die Anarchisten und Bolschewisten einerseits und die Pogromhelden andererseits vor. Ich begann darüber nachzudenken, wie ich Verbindung zu den Bolschewisten aufnehmen konnte. Zu den Odessaer Anarchisten, einer kleinen jüdischen Gruppe, hatt ich kein Vertrauen. Aber als ich Kontakt zu den Bolschewisten gefunden hatte, wurde mir ein Angebot gemacht, das meine Pläne änderte. Ich traf einen Genossen aus der anarchistischen Gruppe, die ich 1912 im Pawiak Gefängnis kennengelernt hatte. Er war müde geworden. Sein Vater hatte eine Pension in Otwozk in der Nähe von Warschau, und dorthin wollte er fahren, heiraten und in Ruhe leben. Mit ihm zusammen war eine Genossin, eine Bundistin. Sie schlugen mir vor, auf ihre Rechnung mit ihnen mitzufahren und ich stieg auf diesen Plan ein. Ich mußte endlich einmal wieder an meine Eltern denken. Außerdem plante ich in Polen eine anarcho-syndikalistische Bewegung nach dem Modell zu gründen, das ich aus dem Vorkriegsfrankreich kannte.

Ende November machten wir uns auf den Weg. Wir fuhren über Kiew und ich freute mich sehr, als ich dort bei einem literarischen Abend meine alte und gute Freundin Hanna Freimann traf (die heute in Los Angeles lebt). Wir verbrachten den ganzen Tag zusammen und erinnerten uns an manche Träume, die nicht in Erfüllung gegangen waren.

Bis Rowno ging alles gut, aber dann ging es auf einmal nicht mehr weiter. In Lublin war eine polnische Regierung entstanden. Bei Chelm kämpften die Polen gegen die Ukrainer. Von Rowno kam man nicht weiter, deshalb blieben die beiden Genossen erst einmal da, um abzuwarten. Viel Geld hatten sie nicht und ich wollte nicht weiter auf ihre Kosten leben. Ich machte mich zu Fuß nach Chelm auf. Der Weg war gefährlich, denn die Ukrainer, die aus der österreichischen Gefangenschaft entflohen waren, raubten jeden Zivilisten aus. Aber meine Kleidung war so, daß sie Vertrauen zu mir hatten; sie hielten mich offensichtlich für einen der ihren und begrüßten mich mit dem russischen »Straw' Molodiez« (Tag, Junge). Wenn ihnen kalt war, zündeten sie eine verlassene Kate auf dem Feld an, und es wurde warm und hell.

Von Chelm nach Warschau gingen wieder Züge, aber für einen Juden war die Fahrt eine Qual, denn der Antisemitismus griff damals wieder heftig um sich. Ich hörte Leute darüber reden, ob man die Juden nicht aus dem Zug werfen sollte, und hatte wirklich Angst, daß es dazu kommen würde, denn ich wurde mit Blicken förmlich durchbohrt.

Als wir nach Lublin kamen und polnische Soldaten auftauchten, war die Begeisterung bei den Leuten sehr groß, aber ich fühlte mich beklommen, fühlte, daß ich unter Feinden reiste. Ich war sehr betroffen, daß ein Volk, das sich soeben aus generationenlanger Sklaverei befreit hatte, gleich wieder einem anderen Volk Haß entgegenbrachte.

In Warschau

Als ich in der ersten Januarhälfte des Jahres 1919 nach Warschau kam, hatte ich keine Ahnung, wo sich meine Eltern befanden. Auf der Wolinski-Straße traf ich die Frau meines früheren Meisters Chajim Woler. Als ich sie nach meiner Mutter fragte, ließ sie den Kopf hängen und gab mir keine Antwort, und als ich sie nach meinem Vater fragte, traten ihr Tränen in die Augen. Ich ahnte bereits die Katastrophe, konnte mich aber mit dem Gedanken an ein solch großes Unglück nicht vertraut machen. Ich fragte weiter nach meiner Schwester und ihren Kindern – da begann sie schrecklich zu weinen. Ich spürte, wie mir die Füße versagten. Erst als ich bei ihr zu Hause war, hat sie mir alles erzählt.

Mein Vater hatte bereits 1915 Hungerödeme bekommen und war daran gestorben. Meine Mutter und die Schwester hatten bis 1918 gelebt und waren dann ebenfalls durch Hunger umgekommen. Sie hatten auf der Gencza-Straße in einem kleinen Stübchen beim Tor gewohnt. Eines Tages hatten die Nachbarn bemerkt, daß aus der Stube ein furchtbarer Geruch kam. Sie brachen die Tür auf und fanden meine Mutter und meine Schwester, die sich im Tode umarmt hielten. Ihre Körper waren bereits in Verwesung übergegangen. Die Kinder meiner Schwester waren verschwunden. Später tauchten zwei von ihnen wieder auf, die anderen waren nicht mehr aufzufinden.

Die Frau erzählte und ich weinte; ich glaube es war das erste Mal in meinem Leben und auch das einzige Mal, daß ich in Anwesenheit von Fremden geweint habe. Ich fühlte mich schuldig für diese Toten: Hätte ich nicht durch meine Verhaftung die Erbschaft meines Vaters vergeudet und hätte ich nicht die Familie 1914 verlassen, wären sie sicher nicht Hungers gestorben. Ich war so sehr getroffen, daß ich an Selbstmord dachte. Die Frau stand da und schaute mich voller Furcht an, vielleicht fühlte sie, was in mir vorging. Plötzlich unterbrach sie meine Gedanken und erzählte mir, daß mein jüngerer Bruder gestern aus Ungarn zurückgekehrt sei und bald zu ihr kommen werde. Es dauerte nicht lange, da kam er wirklich. Es ist besser, diese Szene nicht zu beschreiben; noch heute, 37 Jahre danach, bin ich dazu nicht in der Lage.

Ich ging mit meinem Bruder zur Leder-Gewerkschaft. Dort traf ich meine alten Genossen Chanina Kamaschenmacher, Schia Kamaschenmacher und vor allem Jechiel Neimann, diesen wahrhaft guten Freund, der es verstand, mir in meinem großen Unglück zu helfen. Ich war voller Verzweiflung und die Tränen schossen mir aus den Augen. Ich ging in ein kleines Zimmerchen im Gewerkschaftshaus, und Jechiel sorgte dafür, daß niemand hineinkam und mich dabei störte, mich still auszuweinen.

Nach Warschau war ich ohne einen Groschen gekommen. Die Genossen besorgten mir bald Arbeit, ich verdiente gut und konnte meinen jüngeren Bruder, der vorläufig keine Arbeit bekam, mit ernähren.

Die schreckliche Nachricht über den Tod meines Vaters, meiner Mutter und meiner Schwester war sicherlich der Grund, daß ich vorläufig jede politische Tätigkeit aufgab und mich nur mit Gewerkschaftsarbeit befaßte. Meine Genossen haben meine intensive Tätigkeit in der Gewerkschaft als Ausgleich für meine politische Untätigkeit gedeutet. Den wahren Grund kannten sie nicht; ich stieg in die Gewerkschaftsarbeit ein, weil ich die düsteren Erinnerungen vertreiben mußte, die ich nicht los wurde.

Im Winter 1919 fand die Konferenz der jüdischen Leder-Gewerkschaften statt. Auf dieser Zusammenkunft waren drei Parteien vertreten: der Bund, die Vereinigten und die Poale-Zion. Die überwiegende Mehrheit der Delegierten waren Bundisten, ich war der einzige Parteilose. Ich kam auf der Liste des Bund in die Zentralverwaltung.

Die neue Zentralverwaltung ließ sich bei Alter Kazisne fotografieren. Später hat uns das viel Ärger bereitet, denn als ich Kommunist geworden war, kam die Polizei oft zur Gewerkschaft und erkundigte sich nach mir, indem sie das Foto vorzeigte.

Neben der Gewerkschaftsarbeit interessierte mich auch der Warschauer Arbeiterrat. Ich ging oft zu seinen Sitzungen hin. Seine Tätigkeit hinterließ den Eindruck einer tiefen Ohnmacht. Ich verglich die russischen Arbeiterräte unter Kerenski mit den polnischen und der Unterschied war enorm. Die russischen Arbeiterräte waren kämpferisch gewesen, hatten faktisch die Macht gehabt. Die Zusammensetzung der Regierung wurde von den Arbeiterräten bestimmt, sie gaben Gesetze heraus, die den Charakter von Regierungsentscheidungen hatten, sie leisteten der Reaktion Widerstand. Das hatte sich besonders während des Kornilow-Putsches gezeigt. An dem Bestand der Arbeiterräte waren alle Parteien gleichermaßen interessiert, nur wollten die Bolschewiki und die Menschewiki den Räten unterschiedliche Aufgaben geben.

In Polen war das anders. Man spürte, daß die PPS die Arbeiterräte loswerden wollte, daß sie nur mitgeholfen hatte, sie zu schaffen, weil sie damals sehr populär waren. Die PPS hatte aber nicht die Absicht, die Arbeiterräte in ein Kampforgan zu verwandeln. Als Moraczewski unter dem Druck des Auslands die Macht an Paderewski* übergab, haben die Arbeiterräte überhaupt nicht reagiert. Die PPS hatte Angst vor einer Aktion der Arbeiterräte und betrieb deren Spaltung. Die Rolle der PPS bei der Spaltung der Arbeiterräte und bei der Entwicklung hin zu deren Auflösung war so klar, daß der Bund mit dem kommunistischen Teil der Räte allein blieb. Die Kommunisten wiederum wollten die Arbeiterräte sofort in Regierungsorgane umwandeln, was utopisch war. Die russischen Räte hatten die Macht übernehmen können, weil sie von den Soldatenräten unterstützt wurden, in Polen jedoch war die neue Armee patriotisch eingestellt. Es war nicht daran zu denken, Soldatenräte zu schaffen, denn sie wären wie in Deutschland ein Stützpunkt der Reaktion geworden. An Bauernräte dachte niemand.

In einer solchen Situation wurden die Sitzungen der Arbeiterräte zu billigen Massenversammlungen, auf denen der Konkurrenzkampf zwischen PPS und Kommunisten ausgetragen wurde. Wenn die Sitzungen zu Ende gingen, sangen die Anhänger der PPS ihre Arbeiterlieder mit patriotischem Inhalt, und die Kommunisten ihre neue Hymne, das Lied vom Warschauer Roten Regiment, das in Moskau entstanden war. Ich verließ die Sitzungen der Arbeiterräte stets mit schwerem Herzen.

In jenen Monaten war ich immer noch parteilos. Ich schwankte ständig hin und her, war zum Teil noch Anarchist und war auch noch Anhänger der national-kulturellen Autonomie, in der ich eine Garantie für den nationalen Bestand des jüdischen Volkes sah. Über den Zionismus dachte ich damals noch nicht nach, vielmehr stand ich stark unter dem Eindruck einer sozialistischen Weltrevolution, die von der kommunistischen Bewegung angestrebt wurde. Es mußte irgendein Anstoß von außen kommen, um mich vor die Entscheidung zu stellen. Und dieser Anstoß kam.

Der bekannte Karolski – der erste kommunistische Aktivist im jüdischen Viertel – kam damals von seiner Reise in die Sowjetunion zurück. Später, als wir sehr nahe Freunde wurden, vertraute er mir an, daß er aus Liebe zu einer Frau in die Sowjetunion gefahren war. Aber damals waren alle sicher, daß er die Reise aus politischen Gründen unternommen hatte.

Karolski war ein interessanter Typ: ein Intellektueller und ein glühender Revolutionär – zugleich hatte er etwas von einem Schauspieler an sich. Es war oft schwer herauszubekommen, was aus ihm sprach, der Revolutionär oder der Schauspieler. Er liebte es sehr, seine Reden mit großen Gesten zu begleiten und er gab schreckliche

* Ignacy Paderewski, Pianist und Komponist, wurde 1919 Ministerpräsident der Republik Polen.

153

Phrasen von sich. Dennoch war er bereit, sein Leben für die revolutionäre Arbeiterbewegung zu opfern.

Wegen seiner Neigung zu posieren, redete er sich ein, künstlerisches Talent zu haben. Er hatte den Einfall, ein Gedicht nach dem Muster von Blocks* »Die Zwölf« zu schreiben, das aber in jüdischer Umgebung spielen sollte. Dabei vertraute er mir an, daß ich der Hauptheld des Poems sein sollte.

Als er aus der Sowjetunion zurückkam, suchte er mich auf und redete mit mir über seinen Plan. Er lud mich zu seinem Referat über Blocks »Zwölf« ein. Ich wußte nicht, zu welchen Verrücktheiten er imstande war. Als er von Blocks Helden sprach, zeigte er auf mich – hunderte Gesichter wendeten sich mir zu und ich habe mich sehr geschämt.

Das Poem wurde nie geschrieben, aber nachdem ich einige Male mit ihm zusammengekommen war, trat ich in die Kommunistische Partei Polens ein. So hieß sie: nicht Polnische Kommunistische Partei, sondern »Kommunistische Partei von Polen«. Damit wurde ihr internationaler Charakter betont.

---

* Alexander Block, russischer Schriftsteller, trat mit dem Versepos »Die Zwölf« für die russische Revolution ein.

Fünfter Teil

Ich werde Mitglied der kommunistischen Partei – Ich werde
Mitglied des revolutionären Kriegskomitees – Das Todesur-
teil – In die Sowjetunion – Meine Verhaftung in Brest –
Noch eine Haft – Meine Gefängniswanderungen – Mein
Prozeß in Grodno – Hungerstreik im Gefängnis von Lu-
kischka – Zurück nach Bialystok – Auf dem Weg zu meiner
Befreiung – Auf meinem Wanderweg – Auf der Lenin-
Schule in Moskau – Die Zwangskollektivierung – Der Ent-
schluß – Zurück nach Warschau

Ich werde Mitglied der Kommunistischen Partei

Mein Eintritt in die Kommunistische Partei wurde nicht durch die
Gespräche mit Karolski ausgelöst. Mit seinem mangelhaften theoretischen Wissen und seiner Neigung zu leeren Phrasen konnte er keinen Einfluß auf mich gewinnen; der Einfluß kam von ganz anderer
Seite. Ich las damals Lenins »Staat und Revolution« und dieses an
Umfang so kleine Büchlein machte auf mich den allergrößten Eindruck. Ich kann mir vorstellen, daß das »Kommunistische Manifest«
von Marx auf die ersten Sozialisten den gleichen Eindruck gemacht
hat. Seit ich in die revolutionäre Bewegung eingetreten war, war mein
Traum der Kampf für die menschliche Persönlichkeit, für ihre Freiheit, für die Bedeutung des Menschen. Wo mir der Mensch erniedrigt
zu werden schien, wandte ich mich instinktiv wieder ab. Aus diesem
Grunde hatte ich mich 1915 dem Anarchismus genähert. Mir schien,
daß die Marxisten den Menschen auf dem Altar der Staatsinteressen
opferten.
In dem Büchlein von Lenin fand ich, was ich gesucht hatte: der Staat
würde absterben, die Gesetze würden verschwinden, es würde keinen
Zwang mehr geben. Die Beziehungen zwischen Mensch und Mensch
wie zwischen den Menschen und der Gesellschaft würden durch eine
Moral geregelt sein, die durch den freien Menschen in der kommunistischen Gesellschaft erneuert und auf eine höhere Ebene gebracht
würde. In der gleichen Sprache hatte auch Engels in seinem wichtigen
Werk »Die Entstehung des Eigentums, der Familie und des Staates«
geredet. Durch das Prisma dieser Ideen sah ich den Marxismus in einem neuen Licht. Mir wurde warm ums Herz, denn endlich hatte ich
den richtigen Weg gefunden: durch den Klassenkampf des Proletariats auf dem Weg der proletarischen Diktatur zu einer Welt ohne
Staat, ohne Gesetze und ohne Zwang. Voll Freude und in tiefem
Glauben trat ich in die kommunistischen Reihen ein.

In jener Zeit gab es in der kommunistischen Bewegung in Polen zwei Ereignisse, die wichtig waren, obwohl sie nicht das gleiche Gewicht hatten. Der kommunistischen Partei schlossen sich Taubenschlag und die Brüder Schimon und Abraham Sachariasch an, zusammen mit einer kleinen Gruppe, die sich von der Poale Zion abgespalten hatte. Daß sie zu uns kamen, war von großer Bedeutung. Besonders wichtig war für uns der Eintritt einer Gruppe der »Vereinigten« unter der Führung von Israel Geist und dem blonden Noah. Sie brachten einige Gewerkschaften mit, wodurch wir zu einer Massenpartei wurden. Aber es versteht sich, daß wir erst dann zur größten Kraft im jüdischen Arbeiterviertel wurden, als sich der »Kombund« (der kommunistische Bund) der Kommunistischen Partei anschloß.

Von sehr großer Bedeutung war auch die Vereinigung der beiden großen polnischen Arbeiterparteien, der Sozialdemokraten und der Linken PPS Diese beiden Parteien repräsentierten wirklich die besten Elemente der polnischen Arbeiterbewegung, sie waren es, die durch lange Zeiten die polnischen Arbeiter im Geiste des Marxismus erzogen. Sie bildeten großartige revolutionäre Kader aus. Die führenden Genossen dieser beiden Parteien schufen einen revolutionären Stab des polnischen Proletariats, wie ihn keine andere Partei in keinem anderen Land hatte. Gewiß, ich schreibe hier nur Erinnerungen und hüte mich vor Polemik, aber dabei muß ich doch einige Worte zu einem Thema sagen, das etwas von meiner Aufgabe abweicht.

Heute stellen viele Menschen die Geschichte der kommunistischen Bewegung wie einen Kriminal- oder Spionage-Roman dar. Wer in die kommunistische Bewegung eintrat, wurde für sie damit sofort zu einem Lakaien Lenins und zu einem Spion für die Sowjetunion. Es gibt keine größere Fälschung als eine solche Geschichtsschreibung. Aus den kommunistischen Bewegungen sämtlicher Länder lassen sich Beweise bringen, daß die Gründer der kommunistischen Parteien zur rechten Zeit die Komintern verließen und daß diejenigen, die gezwungen waren zu bleiben, von Stalin ermordet wurden. Ich möchte mich hier aber mit ein paar Zeilen über die Führer der polnischen Partei begnügen.

Rosa Luxemburg, das Herz und das Hirn der polnischen und der deutschen linken Marxisten, welche die kommunistischen Parteien in ihren Ländern gegründet haben, war ihr ganzen Leben lang eine Gegnerin der leninistischen Grundprinzipien. Wir wollen hier nur einige aufzählen:

Erstens war sie gegen Lenins Theorie über die Rolle der Partei in der Arbeiterbewegung. Während Lenin sagte, die Partei müsse die Formen des Kampfes bestimmen und sogar den Kalender der sozialen Revolution festlegen, vertrat Rosa Luxemburg den Standpunkt, die Revolution werde spontan sein und die Partei müsse ihre Rolle darauf beschränken, die Ideen der sozialen Revolution zu propagieren. Den Rest müsse man dem Proletariat selbst überlassen, das darüber alleine zu bestimmen habe.

Zweitens hat Lenin die Losung des nationalen Selbstbestimmungsrechts der Völker zum Bestandteil der sozialistischen Revolution erklärt. Rosa Luxemburg hingegen hielt das für gefährlich. Sie glaubte, das werfe die Arbeiter der Bourgeoisie in die Arme und sei ohne einen imperialistischen Krieg nicht zu erreichen. Die Losung allein bedeute schon, daß man sich auf imperialistische Kriege einstellen müsse. Andererseits aber sei die Losung des nationalen Selbstbestimmungsrechts in der sozialistischen Gesellschaft überflüssig, weil dann ohnehin kein Volk ein anderes unterdrücken werde.

Drittens kritisierte Rosa Luxemburg Lenins Art, an das Agrarproblem heranzugehen. Für Polen schlug sie vor, das Land nicht aufzuteilen, sondern es zu verstaatlichen.

Viertens hatte Lenin geschrieben, daß der Imperialismus in der Epoche des Kapitalismus erst mit dem Jahre 1894 begonnen habe, als Deutschland den Weg des Imperialismus beschritt, als die Kolonien schon aufgeteilt waren und die Frage der Neuverteilung durch Kriege auf der Tagesordnung stand. Darum bezeichnete Lenin die imperialistische Epoche des Kapitalismus als dessen letzten Fäulnisperiode, gekennzeichnet durch permanente Kriege und soziale Revolutionen. Rosa Luxemburg setzte Kapitalismus und Imperialismus gleich. Der Kapitalismus hätte sich von Anfang an nicht entwickeln können ohne die Eroberung von Kolonien, die ihm Rohmaterialien für seine Industrie und Märkte für seine Waren liefern mußten. Sie vertrat den Standpunkt, wenn der Kapitalismus keine fremden Kolonien mehr erobern könnte, würde er ebenso von selbst auseinanderfallen, wie er sich spontan entwickelt habe. Dann werde auch die spontane soziale Revolution ausbrechen, die von den Massen nicht auf den Ruf einer Partei hin, sondern als Reaktion auf das Auseinanderfallen des Kapitalismus gemacht werde.

Alle diese Theorien konnte Rosa Luxemburg noch auf dem ersten Kongreß der deutschen Kommunistischen Partei entwickeln, einige Tage vor ihrem tragischen Tod. Das heißt, daß sie sich selbst bis zum letzten Tage ihres Lebens treu geblieben ist. Wenn sie und alle ihre Schüler dennoch die bolschewistische Revolution begrüßten, so deshalb, weil zu der Zeit, als Lenin noch an die kommende Revolution in Rußland als eine bürgerlich-demokratische glaubte, Rosa Luxemburg ebenso wie Trotzki schon davon ausgingen, daß sie eine sozialistische sein werde. Diese Menschen als Spione der Sowjetunion hinzustellen, bedeutet sich zur eigenen Vergangenheit unehrenhaft zu verhalten. Die polnische kommunistische Partei war wirklich die einzige Massenpartei, die bereits in den ersten Tagen der Oktober-Revolution für diese eintrat und sie auch auf Polen übertragen wollte.

Als ich in die Kommunistische Partei Polens eintrat, wurde ich Mitglied des jüdischen Zentralbüros (einer Abteilung des Zentralkomitees). Wir hatten damals tatsächlich das unbegrenzte Recht, die Arbeit im jüdischen Viertel nach unserem Ermessen zu gestalten. Ein Beweis unserer erfolgreichen Arbeit war die Demonstration am Ersten Mai des Jahres 1919. Da wir unsere Stärke im jüdischen Viertel demonstrieren wollten, beschlossen wir, zu einer getrennten Massenkundgebung der jüdischen Arbeiter aufzurufen, die sich danach mit der allgemeinen Parteidemonstration vereinigen sollte. Der Erfolg überstieg alle unsere Erwartungen.

Als wir auf die Gencza-Straße marschierten, kam der bekannte Schriftsteller Alter Kazisne auf uns zu und stellte sich zusammen mit uns unter der Parteifahne auf. Er stand uns damals sehr nahe, war vor allem mit Karolski befreundet.

Dann kam mein jüngerer Bruder auf mich zu. Ich bat ihn zu gehen, da ich wußte, daß er politisch weit von uns entfernt war, aber er wollte nicht und sagte zu mir: »Hab keine Angst. Kein Polizist wird dich anrühren.« Ich verstand, daß er gekommen war, um mich zu beschützen, und er war wirklich außerordentlich stark.

Die Stimmung auf der Demonstration wurde durch Karolski ein wenig verdorben. Ich weiß nicht, warum ihm der Einfall gekommen war, sich zu schminken – war es Pose oder Konspiration? Jedenfalls hatte er sich einen Bart und einen Schnurrbart angeklebt. Er war der einzige Redner auf der Mai-Kundgebung. Mitten in seiner Rede fielen ihm Bart und Schnurrbart ab, und den Rest der Zeit bemühte er sich darum, sie wieder festzukleben.

Das ganze Jahr 1919 war ein Jahr erfolgreicher Arbeit. Ich fuhr in der Provinz herum: in Lodz und Tomaszów lernte ich das große Elend der als Heimarbeiter tätigen Weber kennen. Es fiel mir leicht, Parteigruppen aufzubauen, denn überall schien man nur auf unsere Ankunft gewartet zu haben.

Und dann begannen die Wirren des polnisch-russischen Krieges. Ohne Zweifel war Pilsudski der Angreifer. Als Lenin Pilsudski vorschlug, sich in dem kleinen Städtchen Borissow zu treffen, war er bereit, ihm viel mehr zu geben, als er später durch den Vertrag von Riga erhalten hat. Aber Pilsudski antwortete, daß er die Bolschewiki schlagen könne wann und wo er wolle. Sogar die Zweite Internationale rief damals zu Aktionen gegen Polen, zur Sabotage der Waffentransporte auf. Es wurde auch ein allgemeiner Tag des Protestes festgelegt, und es ist paradox genug, daß sich die Kommunisten damit solidarisierten, während die PPS den Vorschlag ihrer Internationale ablehnte.

Polen befand sich damals in einer schwierigen Lage. Die Vereinigung der drei polnischen Provinzen, die eine unterschiedliche wirtschaftliche Entwicklung durchgemacht hatten, zu einem einheitlichen Staat und einem gemeinsamen ökonomischen Organismus erforderte viel Zeit und Anstrengung. Der Krieg machte dies unmöglich. Zehntausende Arbeiter wanderten nach Frankreich aus. All dies schuf günstige Bedingungen für das Wachsen des kommunistischen Einflusses, das Ringen um die Seele des polnischen Arbeiters begann. Die Eisenbahnarbeiter, die Arbeiter der größten Metallbetriebe, die Straßenbahner, die Bauarbeiter und die Schuster standen unter kommunistischem Einfluß, ganz zu schweigen von den Saglembier Bergarbeitern. In Lodz dagegen war dieser Einfluß Schwankungen unterworfen. In einer solchen Lage stellte sich die Frage nach der Strategie der Kommunistischen Partei Polens. Die Antwort war: in Polen hatte sich noch nichts stabilisiert, es gab noch die beiden Möglichkeiten des kapitalistischen und des sozialistischen Weges. Deshalb mußte sich die Partei auf den sozialistischen Weg hin orientieren und eine entsprechende Taktik verfolgen, das heißt: alle Konflikte aufs Äußerste verschärfen und zu einer sozialistischen Revolution hinführen.

Meine eigene Lage nahm inzwischen eine Wendung zum schlechteren. Wir hatten in der Dzielna-Gasse, gegenüber dem Pawiak-Gefängnis, einen halblegalen Klub. Etwa Ende 1919 wurde ich dort mit einem Deutschen bekannt gemacht. Ich hatte einen schlechten Eindruck von ihm, weil er mich gleich umarmte und küßte. Er riß das Futter seines Mantels auf und holte Papiere heraus. Dann erklärte er, die polnische Regierung in Posen habe eine Mobilmachung vor, die die Partei mit einem Generalstreik beantworten wolle, und der Grund seines Kommens sei, sich mit dem Zentralbüro zu beraten. Ich schickte seine Papiere ins Zentralkomitee und erhielt von dort die Bestätigung, daß alles in Ordnung sei. Daraufhin verschaffte ich ihm bei einem Genossen einen Schlafplatz und gab ihm Geld. Es stellte sich aber heraus, daß er ein Provokateur war. Er verriet den Genossen, bei dem er geschlafen hatte, und dieser erhielt drei Jahre Gefängnis. Vor Gericht stellte der Spitzel fest, daß der Hauptaufrührer fehle. Er kannte zwar meinen Namen nicht, beschrieb aber mein Aussehen. Man begann mich zu suchen, und ich mußte mich verstecken bzw. hatte es schwerer, mich frei zu bewegen.

Ich werde Mitglied des revolutionären Kriegskomitees

Im Sommer des Jahres 1920 kamen schwere Zeiten über Polen. Pilsudski beschloß, den Traum von Generationen polnischer Chauvinisten zu verwirklichen, nämlich den früheren Glanz Polens durch das Schaffen einer Föderation von Polen, Weißrußland und der Ukraine wiederherzustellen; dabei natürlich die beiden letzteren Provinzen von der Sowjetunion abzutrennen. Pilsudski korrigierte den alten Plan nur ein wenig: zwar sollte ganz Weißrußland in die Föderation hineinkommen, aber die Ukraine sollte geteilt werden. Die Westukraine sollte mit Polen vereinigt werden und im Süden sollte Petljuva* regieren. Zum Dank sollte Petljuva den Polen einen Korridor zum Schwarzen Meer abtreten. »Vom Baltikum bis zum Schwarzen Meer, von Danzig bis Odessa« wurde die Losung der polnischen Militaristen. Das war der Hintergrund für Pilsudskis Marsch auf Kiew.

Dieser Marsch Pilsudskis nach Kiew war ein unverantwortliches Abenteuer, und im Sejm (dem polnischen Parlament) protestierten dagegen alle Fraktionen außer den Anhängern Pilsudskis. In der Arbeiterbewegung der ganzen Welt, ganz unabhängig von ihrer politischen Richtung, rief diese Aggression große Verbitterung hervor. Auch bei den polnischen Arbeitermassen, die zu Beginn der Entstehung von Polen patriotisch eingestellt waren, rief die Offensive gegen Kiew große Aufregung hervor. Niemand konnte diesen Zug begreifen. Das polnische Volk forderte nicht Kiew, sondern Frieden. Die Stimmung im jüdischen Viertel drückte am besten Henrik Ehrlich im Warschauer Gemeinderat aus. Sein Auftreten war mutig und riskant, und wie wir später von seiner Frau, Sofia Dubnow-Ehrlich erfuhren, hätte es ihn das Leben kosten können. Uns Kommunisten war klar, daß dieses Abenteuer mit einer Niederlage enden würde. Das wußten wir aus sowjetischen Quellen, die auch von der Vorbereitung eines Gegenangriffs berichteten.

Auch wir begannen uns vorzubereiten. Es wurde ein revolutionäres Kriegskomitee unter Leitung des berühmten Arbeiterführers Krolikowski geschaffen (der später in der Sowjetunion ermordet wurde). Die Aufgabe dieses revolutionären Kriegskomitees war es nicht, die Macht zu ergreifen. Da bekannt war, daß die PPS Kampfabteilungen gegen die Rote Armee aufstellte, falls diese nach Warschau einmarschieren sollte, mußte das revolutionäre Kriegskomitee rote Abteilungen zum Kampf gegen die PPS organisieren, und es der Roten Armee ermöglichen, schnell bis zur deutschen Grenze zu marschieren – um den Puls der Revolution in Deutschland zu fühlen, wie Lenin es ausdrückte.

In das revolutionäre Kriegskomitee kam als Vertreter der jüdischen Arbeiter zuerst Israel Geist. Nach seiner Verhaftung trat ich an seine Stelle.

Eine der persönlichen Belastungen der damaligen Zeit war, daß mein Bruder aus der polnischen Armee desertiert war. Darauf stand die Todesstrafe. Täglich wurden in den Straßen Plakate mit den Namen der Deserteure angeschlagen, die in der Nacht zuvor erschossen worden waren. Ich bangte sehr um meinen Bruder.

Mein Jahrgang wurde zunächst noch nicht einberufen, aber einige Wochen später wäre auch ich zum Militärdienst eingezogen worden.

*Ukrainischer Hetman, reaktionärer Politiker und Pogromist.

160

Als Mitglied des revolutionären Kriegskomitees verbot mir die Partei, zum Militär zu gehen, und sie wollte mir einen Paß besorgen, der mich einige Jahre älter machte. Darum klebte ich in meinen Paß das Bild meines Bruders, damit er inzwischen ein Dokument hatte, mit dem er sich in den Straßen bewegen konnte. Meinen falschen Paß sollte ich zwei Tage später erhalten, aber inzwischen flog unser technischer Apparat auf, und der Paß konnte nicht fertig gemacht werden. Da mein Bruder wußte, daß man mich einige Tage später zum Militär einberufen würde, trat er unter meinem Namen als Freiwilliger in die Armee von Haller* ein. Einige Tage darauf fiel er bei der Verteidigung von Brest.

Zu dieser Zeit schmuggelte Israel Geist einen Kassiber aus dem Gefängnis, der besagte, daß man sich sehr nach mir erkundige und schon über meine Tätigkeit Bescheid wisse. Er empfahl mir, mich kahl scheren und mir einen Bart wachsen zu lassen und aus Warschau zu verschwinden. Die Genossen im Kriegskomitee beschlossen, daß ich nach Otwozk gehen sollte, um dort Kampfabteilungen zu mobilisieren. In jenen Tagen wurden die Züge sehr gründlich durchsucht, darum beschloß ich mit der Kleinbahn zu fahren, die den Dienst zwischen Warschau und Otwozk in Etappen versah.

Hinter Palenic begannen die Juden in unserem Wagen zu flüstern, daß »sie« da seien. Ich verstand, daß die Gendarmerie gekommen sei, um den Zug zu durchsuchen. Was sollte ich nun tun? Man suchte nach mir als Mitglied des revolutionären Kriegskomitees, Deserteur war ich auch und einen Paß hatte ich nicht. Vom Zug abzuspringen war sinnlos, denn schon kam eine ganze Gruppe von Gendarmen zu mir ins Abteil.

Ich dachte, es gäbe vielleicht doch noch einen Ausweg: sich mit Geld von ihnen loszukaufen. Aber als sich die Gendarmen der Bank näherten, auf der ich saß, sah ich, daß sie Aristokratensöhnchen waren, idealistische Patrioten. Ich begriff sofort, daß es unmöglich war, sie zu bestechen. Darum nahm ich eine polnische Zeitung heraus, und zwar eine reaktionäre, und tat so, als würde ich lesen.

Auf der Bank mit mir saßen Juden mit langem Kaftan und jüdischen Mützen. Als ich sah, daß sogar ein Jude mit einem langen halbergrauten Bart nach Papieren gefragt wurde, ergriff mich ein Gefühl der Bitterkeit. Ich tat so, als sei ich ins Lesen vertieft, und zu meiner großen Verwunderung fragte man zwar meinen unmittelbaren Nachbarn nach seinen Papieren, ließ mich aber aus. Wahrscheinlich rettete mich meine westliche Kleidung und die reaktionäre Zeitung.

In Otwozk konnte ich nicht bleiben. Es war zu nahe an der Front und die Polizei nahm viele Verhaftungen vor. Auf einem polnischen Fuhrwerk, zwischen Strohbündeln versteckt, kehrte ich nach Warschau zurück.

* Polnischer General, der gegen die Bolschewiki kämpfte.

Als ich über die Brücke fuhr, hatte ich einen Einfall, den ich dem Kriegskomitee mitteilte. Ich wurde ausgelacht, aber ich glaube heute noch, daß ich recht hatte, zumindest von dem Standpunkt aus, den ich damals vertrat. Ich vertraute den Plan Krolikowski an, weil wir keine Sitzung hatten. Unsere Arbeit war rein technisch, wir erhielten nur Anweisungen, was zu tun sei.

Mein Plan sah so aus: da die Rote Armee vor Warschau steckengeblieben war und es unmöglich war, einen Aufstand zu organisieren, obwohl wir große Streikbewegungen durchführten, mußte man eine spektakuläre Tat begehen. Ich wußte, daß es für eine Armee, insbesondere eine demoralisierte Armee, nichts schlimmeres gibt, als von hinten angegriffen zu werden. Darum schlug ich vor, daß ich mir Dynamit an den Körper binden wollte, um mich zusammen mit der Brücke in die Luft zu sprengen. Ich war sicher, daß die polnische Armee in Panik geraten würde, und das würde die Rote Armee zu einer neuen Offensive stimulieren. Ich erwähnte bereits, daß Krolikowski meinen Plan ablehnte, danach sprach ich noch mit Karolski darüber, aber auch bei ihm hatte ich keinen Erfolg.

Das Todesurteil

Sowjetische Flugzeuge flogen inzwischen über den polnischen Himmel und Warschau leerte sich. Die zivile Miliz bereitete sich darauf vor, Ruhe und Ordnung wiederherzustellen. Auf den Straßen gab es Razzien, die Parkanlagen wurden umstellt und jedermann durchsucht. Wir haben alle davor gewarnt, in die Parkanlagen zu gehen, und dennoch bin ich selber hereingefallen.

An einem Samstag morgen ging ich durch den Sächsischen Garten, denn ich glaubte nicht, daß es so früh eine Razzia geben würde. Ich traf Hubermann, der damals Bundist war, und wir setzten uns auf eine Bank und unterhielten uns über die Lage. Er rühmte die Rede von Ehrlich. Neben uns saß eine jüdische Frau und hörte uns zu. Plötzlich sagte sie: »Kinder, der Garten ist umstellt!« Ich lief von einem Tor zum anderen und begegnete überall Patrouillen, ich wollte zu den Toiletten des Garten rennen, aber auch dort stand bereits eine Patrouille. Ich versuchte mich zurückzuziehen, aber da rief mich schon ein Gendarm und fragte nach meinem Paß. Als ich erklärte, ich hätte meinen Paß dem Hausverwalter gegeben, um mich anzumelden, war er völlig verdutzt: wie konnte man in einer solchen Zeit ohne Papiere herumlaufen!

Man brachte mich zur Ciepla-Straße in eine Kaserne; dort war die Zentrale der militärischen Gendarmerie. Was tun? Das Todesurteil war mir sicher, es gab kein Zurück mehr. Vielleicht war ich zu schwach, um noch Mut und Geduld aufzubringen, deshalb beschloß ich, die Sache zu beschleunigen. Ich erklärte frei und offen, ich sei ein Deserteur, der Weltkrieg habe meine ganze Familie umgebracht und ich hätte genug vom Krieg. Meine politische Anschauung hielt ich geheim, um die Sache nicht zu komplizieren. Ich wußte, daß ich als Deserteur in wenigen Stunden abgeurteilt würde, und gab meinen richtigen Namen an.

Man brachte mich in einen Saal, in dem fünf Menschen in Militäruniform saßen. Es war am letzten Samstag im Monat Juli. Nach einer kurzen Befragung und der Rede des Anklägers wurde das Todesurteil ausgesprochen.

Nach der Urteilsverhängung führte man mich in einen besonderen Raum. Ich war niedergeschlagen wegen meiner eigenen Unvorsichtigkeit und schämte mich vor den Genossen, die von meiner Handlungsweise erfahren würden. Ich hatte nur den einen Wunsch, daß so schnell wie möglich Schluß sein sollte.

Abends brachte man mich mit vielen anderen in die Zitadelle. Mit uns zusammen war auch eine Gruppe, die ins fünfte Kommissariat abgeführt werden sollte.

Man stellte uns in Viererreihen auf. Mich stellten die Gendarmen in die Mitte der vier, wir waren etwa 40 Mann und wurden von acht Gendarmen geführt. Als wir abgeführt wurden, hielt ich die ganze Zeit Zwiesprache mit mir selbst. Ich fragte mich: was kann ich tun? und ich antwortete mir: man kann überhaupt nichts tun, alles ist verloren. Das war die einzige Frage, die ich mir stellte und die einzige Antwort, die ich mir gab. Wir näherten uns der Ecke Dzielna- und Karmelicka-Straße. Dort war der Hof mit dem Klub des Bund und dieser Hof hatte zwei Ausgänge – einen zur Dzielna-Straße, den anderen zur Karmelicka. Als wir uns dem Hof näherten, beschloß ich einen Fluchtversuch zu machen. Ich dachte nicht einen Augenblick, daß er mir gelingen könnte; ich wollte nur im Laufen erschossen werden, weil das sicherlich leichter war, als in einer Einzelzelle zu sitzen und auf den Tod zu warten.

Kurz vor diesem Punkt bat ich meinen Nachbarn, mit mir seinen Platz in der Reihe zu tauschen. Als wir zum Hof kamen, stellte ich instinktiv den Kragen meiner Jacke hoch, so als könnte mich das vor irgend etwas beschützen. Ich rannte in den Hof auf der Dzielna-Straße hinein und auf der Karmelicka wieder hinaus. Als ich keine Schüsse hörte, klappte ich den Jackenkragen wieder herunter und ging gemächlich weiter. Ich machte mich einfach daran, einige Dinge zu erledigen, und am Abend hatte ich, glaube ich, eine Unterredung mit Itsche Sokolnik. (Er lebt heute als Bundist in Paris.) Er sollte die Verantwortung für eine der Kampfabteilungen übernehmen.

Was hatte mich gerettet? Ich glaube, es war die Dunkelheit, die mir half, und auch die Dämlichkeit der Gendarmen.

Als ich alles erledigt hatte, ging ich nach Hause. Ich wohnte bei meiner alten Freundin Täubele, auf der Gencza-Straße 49, weit drinnen im Hof eines vierstöckigen Hauses. Am Toreingang gab es nur einen Zaun. Spät abends ging ich zum Speicher hinauf, wo Kohlen gelagert wurden, und machte mir dort ein Nachtlager mit Ausblick zum Tor hin. Wenn geläutet wurde und ich Polizei sah, schloß ich die Öffnung mit Kohlen, so daß nichts zu erkennen war. Das war viele Monate lang mein Nachtlager.

Eines Abends, es war noch früh, lag ich in der Küche auf einem schmalen Bett. Plötzlich hörte ich, wie die Tür aufging und zwei Frauen hereinkamen, die Täubele weinend erzählten, daß sie mich überall gesucht hätten, weil sie mir ein Päckchen übergeben wollten, daß sie mich aber nirgends gefunden hätten. Das sei wohl der Beweis, daß man mich bereits erschossen habe. Ich lachte laut los, und auch Täubele stand da und lachte.

Die Genossinnen freuten sich und ich schimpfte sie aus, weil man in einer solchen Lage nicht herumläuft, um Päckchen auszutragen, denn das kann sehr teuer zu stehen kommen. Aber dann veranstalteten wir an Ort und Stelle eine Feier und verspeisten all die guten Sachen, die für einen Menschen bestimmt waren, von dem man glaubte, daß er nicht mehr lebe. Zudem war eine komische Lage entstanden: wenn meine Dokumente nicht verloren gegangen wären, hätte ich zugleich als großer Patriot dagestanden, der als Freiwilliger im Kampf gegen die Bolschewiki gefallen war – und das als Deserteur und Mitglied des bolschewistischen Kriegskomitees!

Einige Wochen lebten wir in großer Spannung, bis uns endlich vom Stab der Roten Armee Nachricht gegeben wurde, daß wir jetzt doch nichts mehr unternehmen sollten. Es sei zu schade um die Opfer. In zwei Tagen würde die Rote Armee schon in Warschau sein.

Wir arbeiteten einen Plan für den ersten Tag der sowjetischen Herrschaft aus. Wir beschlossen, die Kaserne auf der Gencza-Straße einzunehmen sowie das vierte und fünfte Kommissariat. Die Druckerei des »Moment« sollte einer Parteizeitung, die des »Heint« einer Regierungszeitung übergeben werden. Die »Volkszeitung« wollten wir dem Bund überlassen.

Auf der Sitzung wurde auch die Wende des Bund diskutiert, seine Bereitschaft mit der neuen Regierung zusammenzuarbeiten. Das Zentralkomitee fragte uns nach unserer Meinung. Es ging darum, daß der Bund für sich das Portefeuille des Ministeriums für jüdische Volksangelegenheiten forderte. Wir beschlossen, die Frage offen zu lassen, bis die Rote Armee in Warschau sein würde.

Die Rote Armee kam aber nicht, stattdessen kam bald die polnische Gegenoffensive, die mit dem Friedensabkommen von Riga beendet wurde. Einige Wochen nach dem Rückzug der Roten Armee besorgte mir die Partei endlich meinen Paß. Eine Genossin brachte ihn mir in die Fabrik, in der ich arbeitete. Die Kriegsgerichte gegen Deserteure arbeiteten Tag und Nacht, und ich beging eine große Unvorsichtigkeit. Ich ging in die Stube des Meisters und unterschrieb dort den Paß in der Annahme, daß mich niemand sah; aber der Meister hat es bemerkt.

Zu dieser Zeit war ich noch kein Parteifunktionär; ich arbeitete immer noch in der Fabrik und war immer noch Führer meiner Gewerkschaft. Als die Rote Armee vor den Toren Warschaus stand, und man glaubte, daß sie jeden Tag einmarschieren könne, wollten alle Händler in meinem Gewerbe mich bei sich behalten. Es sah so aus, als sei ich ihnen auf einmal lieb und teuer geworden. Aber als die Rote Armee Polen verlassen hatte und ich zu einem Händler kam, um einen Arbeitskonflikt beizulegen, sagte er zu mir:»Du heißt Hersch Mendel? Ich bin nicht sicher. Zeig mir doch deinen Paß, ob du wirklich so heißt!« Ich begriff, daß mein Meister mich verraten hatte und daß die Händler wußten, was sie nicht wissen sollten. Ich beschloß, eine Zeitlang aus Polen nach Frankreich zu verschwinden. Ich sehnte mich sehr dorthin, aber es kam ganz anders. Ich fuhr nicht nach Frankreich, sondern in die Sowjetunion.

In die Sowjetunion

Ich fuhr von Warschau über Katowice nach Berlin. Ich hatte nur wenig Geld um von dort aus weiterzureisen, deshalb sollte mir Karolski aushelfen, der sich schon länger in Berlin aufhielt.

Als ich zur angegebenen Adresse kam, stellte sich heraus, daß er verhaftet worden war, weil er einige Tage zuvor zusammen mit Brandler* auf einer kommunistischen Versammlung gesprochen hatte. Das war ein schwerer Schlag für mich. Die Adresse von Karolskis Frau hatte ich nicht. Ich bat den Wohnungsinhaber, sie zu mir zu schicken, falls sie kommen sollte, und am Tag darauf kam sie wirklich. Sie brachte mich zur Roten Hilfe, wo ich etwas Geld und einen Schlafplatz bekam.

Inzwischen wurde Karolski entlassen, und wir wurden zur Feier des 7. November in die sowjetische Botschaft eingeladen. Die Feier war sehr ärmlich, aber herzerfrischend. Diplomaten waren nicht dabei, eingeladen waren Gruppen ausländischer Kommunisten, die sich in Berlin befanden, und Rotarmisten aus den Gefangenenlagern. Die Mahlzeit war äußerst bescheiden, aber dafür sangen wir die ganze Nacht russische und revolutionäre Lieder.

* Heinrich Brandler, damals KPD-Führer, 1929 einer der Gründer der von der KPD abgespaltenen KPD-Opposition.

Ich beschloß, mit Karolski zusammen in die Sowjetunion zu fahren. Wir mußten warten, bis Papiere für uns fertiggemacht wurden. Die einzige Möglichkeit war, als russische Kriegsgefangene zu fahren. In der Zwischenzeit hatte ich Gelegenheit, an einer halb legalen Demonstration in Berlin teilzunehmen. Die Kommunistische Partei Deutschlands rief zum Jahrestag der Ermordung von Rosa Luxemburg und Karl Liebknecht zu einer großen Massenkundgebung auf, zu der auch sehr viele Arbeiter kamen. An der Demonstration jedoch beteiligten sich nur sehr wenige Menschen, obwohl der Redner, der Abgeordnete Kaufmann, darum gebeten hatte, daß alle Teilnehmer der Kundgebung auch an der Demonstration teilnehmen sollten. Wie sich herausstellte, war er selbst auch nicht mehr zur Demonstration gekommen.

Wir marschierten also zu einigen hundert. An einer bestimmten Stelle verbot die Polizei uns weiterzugehen. Die Führer der Demonstration gehörten zur Linken (die sich später von der Partei abspaltete), aber das erfuhr ich erst nach der Demonstration. Jedenfalls wunderte ich mich über ihre Taktik. Die Polizei versperrte der Demonstration nicht den Weg zum Friedhof, sie verlangte nur, daß wir auf einem anderen Weg dorthin gehen sollten. Darauf wurde die Losung ausgegeben, diese Anweisung nicht zu beachten, sondern die Reihen der Polizei zu durchbrechen. Die Polizei begann zu schießen und die Demonstration lief auseinander, obwohl sich zeigte, daß die Schüsse in die Luft gerichtet waren und es keine Opfer gab. An die Gräber von Luxemburg und Liebknecht gelangten nur einige Dutzend Menschen, zumeist polnische und russische Genossen, vorwiegend Juden.

Dieses Ende der Demonstration fand ich niederdrückend. Wie anders als in Polen doch hier alles war! Dort wäre der Abgeordnete vorneweg gegangen und die Schüsse hätten niemanden beeindruckt.

Bald nach der Demonstration kam ich ins Gefangenenlager von Altdamm, um von dort in die Sowjetunion zu reisen. Im Lager traf ich Alexander Minc, der damals noch Bundist war. Ich war ihm schon in Berlin begegnet und in Altdamm war mir seine Freundschaft von großem Nutzen. Er schrieb für die Kriegsgefangenen Briefe an ihre Verwandten und bekam dafür von ihnen Lebensmittel; er hatte auch noch andere originelle Einfälle, um uns Essen zu verschaffen, so daß wir nicht hungern mußten.

Das Schiff, mit dem wir fuhren, war wahrscheinlich nur ein einfaches Transportschiff, denn zum Schlafen gab es nur Pritschen ohne Matratzen. Karolski, Alexander und ich besetzten zusammen eine Ecke; dort saß auch jemand, den wir nicht kannten. Bald stellte sich heraus, daß er ein früherer Offizier aus Bela Kuns* Generalstab war. Er

* Führer der ungarischen Räterepublik, wurde später unter Stalin hingerichtet.

schilderte uns Episoden der Revolution und der Konterrevolution in Ungarn. Seine Reden klangen sehr verbittert, und als ich ihn nach der Ursache fragte, erzählte er uns, wie man mit den Anhängern der Räteregierung nach dem Sieg von Horthy* abgerechnet hatte, wie Frauen im Beisein ihrer Männer vergewaltigt und die Männer schändlich verstümmelt wurden. Er war nur noch vom Gedanken an Rache beherrscht.

Einmal gab es zwischen ihm und mir ein Mißverständnis. Er begann nämlich plötzlich, mich den »schneidigen Juden« zu nennen. Das Wort Jude im Munde eines Nicht-Juden rief bei mir den Verdacht des Antisemitismus hervor. Als ich diesen Verdacht ihm gegenüber aussprach, fing er laut an zu lachen. In Bela Kuns Generalstab hatte es einen Verbindungsoffizier gegeben, den man den »schneidigen Juden« nannte, und ich hatte wohl Ähnlichkeit mit ihm.

So näherten wir uns in freundschaftlichen Gesprächen der estischen Hafenstadt Reval. Dort kam ein estländischer Offizier an Bord und erklärte in gutem Russisch, Kronstadt sei in den Aufstand getreten und die Matrosen würden gerade Petrograd beschießen. Er fügte hinzu, daß es mit der Räteregierung vielleicht schon vorbei sein würde, bis wir nach Petrograd kämen. Diese Nachricht rief bei uns eine leichte Panik hervor. Was sollten wir tun? Ein Teil der polnischen Genossen war dafür abzuwarten und nicht weiter zu fahren. Letzten Endes wurde aber beschlossen, den Kapitän zu bitten, so schnell wie möglich zu fahren, damit wir im Notfall an der Verteidigung Petrograds teilnehmen konnten.

Als wir in Petrograd ankamen, war der Aufstand bereits niedergeschlagen. Damals fand ein Kongreß der Kommunistischen Partei statt, und ein Drittel der Kongreßteilnehmer hatte zu den Waffen gegriffen, um mitzuhelfen, die Aufstände zu besiegen.

In Moskau wohnte ich dann bei einem alten Freund, einem Bundisten, aber ich mußte rasch wieder ausziehen. Der Führer des Bund, Litwak, war häufig bei ihm zu Besuch. Als ich einmal zu Hause geblieben war, hatten dieser Freund und Litwak auf dem Tisch einen Aufruf liegengelassen, der mit der Losung endete: »Der Bund ist tot. Es lebe der Bund!« Ich beschloß aus der Wohnung auszuziehen und so zu tun, als wüßte ich von nichts.

Zu dieser Zeit trat der Dritte Kongreß der Kommunistischen Internationale zusammen. Der Krieg war zwar schon zu Ende, aber die Lage war elend und die Stimmung schlecht. Der Hunger, der ausgebrochen war, weil die Heuschrecken das Getreide auf den Feldern vernichtet hatten, war so groß, daß es zu Fällen von Kannibalismus kam. Das Elend war unbeschreiblich. Kronstadt hatte auch eine politische Krise signalisiert. Was die NEP (Neue Ökonomische Politik)

---

* Ungarischer Reichsverweser, schlug 1920 die Räterepublik blutig nieder, war später Verbündeter Hitlers.

167

mit sich bringen würde, wußte noch niemand. Viele waren unruhig und sogar enttäuscht. In der polnischen Sektion der Komintern traf ich einen polnischen Dichter (an seinen Namen kann ich mich nicht erinnern), der aufgehört hatte, zu schreiben, weil die NEP, wie er sich ausdrückte, seine Muse getötet hatte.

In dieser Lage war der dritte Kongreß der Komintern ein historisches Ereignis; auf ihm wurde das Programm für die einzelnen Parteien ausgearbeitet. Ich war nicht bei dem Kongreß selbst, sondern nur bei dem Empfang, der zu Ehren der Delegierten gegeben wurde. Bucharin sprach. Er sagte, die Delegierten seien jetzt zum dritten Mal nach Moskau gekommen, und mit jedem Mal werde die Lage schlimmer. Besser werden könne sie nur, wenn das internationale Proletariat der Sowjetunion durch Revolutionen in den eigenen Ländern helfen würde. Die Begeisterung war unermeßlich.

Ich wurde krank und kam ins Spital, um wegen Furunkeln unter den Armen operiert zu werden. Die Stimmung im Spital war fürchterlich, Rotarmisten mit amputierten Händen und Füßen verfluchten die Sowjetregierung mit den wüstesten Flüchen. Auch die Aufseherin in unserem Saal war eine Gegnerin der Bolschewiki. Versteht sich, daß man vor allem den Juden die Schuld gab.

Im Spital herrschte großer Hunger; wenn mir die Genossen einige gebratene Kartoffeln brachten, wurde ich als reicher Mann angesehen. In dieser Atmosphäre fühlte ich mich sehr schlecht und verließ das Spital, obwohl ich noch krank war. Ich beschloß, nach Polen zurückzufahren und tat alles, um das zu schaffen. Ich hoffte, daß man mich nach einigen Monaten bereits ein wenig vergessen hätte, und daß es vielleicht sogar eine Amnestie gegeben hätte. Ich wollte um jeden Preis nach Haus.

Am Vorabend meiner Abreise hörte ich noch ein Referat von Rafes. Er machte einen peinlichen Eindruck auf mich, denn er predigte, daß wir uns von der jüdischen Sprache und Kultur loslösen und an die russische Kultur assimilieren sollten. Er bekam aber von Esther und Litwak eine scharfe Antwort.

Auf dem Rückweg kam ich nach Minsk. In der Wohnung eines polnischen Genossen wartete noch ein anderer polnischer Genosse, Skolski, ein furchtbar unmoralischer Mensch. Über seine Unmoral kursierten viele Legenden, ich will nur eine aufzählen.

Als seine Frau krank wurde und wegen Schwindsucht ins Spital mußte, besuchte er sie nicht einmal, sondern zog gleich mit einer anderen zusammen. Als man ihn zur Rede stellte, antwortete er, seine Frau sei ohnehin verloren und werde bald sterben. Mit ihm fuhr ich auf einem Bauernwagen bis an die Grenze. Meine beiden Arme waren noch bandagiert und ich konnte mich nicht bewegen. Als das Wägelchen einen Berg hochfuhr, fiel ich herunter, lag im Schnee und konnte mich nicht rühren. Skolski nahm mich in seine Arme und legte mich wie einen Sack Kartoffeln wieder auf den Wagen. Bei einem Juden an der Grenze warteten die Schmuggler, die uns schwarz über die Grenze brachten. Im Austausch dafür ließ man sie alles nach Polen und zurück schmuggeln, was sie nur wollten. In den paar Stunden, die wir in dem Stübchen warteten, haben sie nur gefressen und gesoffen. Nachdem sie uns über die Grenze gebracht hatten, kauften sie uns zwei Fahrkarten nach Wilna. Dort verabschiedete ich mich von Skolski; er blieb in Wilna und ich traf Neujahr 1922 wieder in Warschau ein.

Meine Verhaftung in Brest

In Warschau kam ich spät nachts an. Die Adresse, die ich erhalten hatte, war nicht sehr genau. Da ich in einem russischen Mantel angekommen war, der aus einem gefärbten Sack genäht war, und auch nicht genau wußte, ob mein Paß eine Prüfung standhalten würde, wollte ich nicht in ein Hotel gehen, sondern wanderte die ganze Nacht in den Straßen herum.
Anderntags, als ich Genossen traf, war ich überrascht über die beiden Veränderungen im jüdischen Arbeiterviertel. Alles stand unter dem Zeichen dessen, was im Bund geschah. Der »Kombund« war damals formal noch im Bund, aber de facto arbeitete er ganz und gar mit der Kommunistischen Partei zusammen. Wenn ich mich nicht irre, war Rafes damals die ganze Zeit über in Warschau. Er führte den Kombund, oder stand jedenfalls in engem Kontakt zu ihm. Wir im Zentralbüro sahen ihn wenig, mit uns hatte er fast nichts zu tun. Wir arbeiteten unter der direkten Führung des Zentralkomitees. Ich erinnere mich, daß sich Rafes einmal bei mir darüber beklagte, daß er in Warschau viele ukrainische Weiße treffe, die ihn umarmten. Sie glaubten, daß auch er zur weißen Emigration gehöre, denn sie kannten ihn noch aus der Zeit, als er mit ihnen gemeinsam die Bolschewiki bekämpft hatte. Deshalb hatte er große Angst, seine politische Wendung könnte bekanntwerden.
Ich fuhr oft in der Provinz herum. Einmal bin ich in Czestochowa (Tschenstochau) fast aufgeflogen. Ich hatte meinen neuen Paß, den ich gerade bekommen hatte, nicht so genau studiert, wie ich es hätte tun sollen. Im Hotel nahm man ihn mir für die Anmeldung ab. Als mich der Hotelbesitzer nach dem Namen meines Vaters fragte, geriet ich ins Schwimmen. Er stand mit der Feder in der Hand da und wartete auf Antwort. In meiner Verlegenheit begann ich mich darüber aufzuregen, daß der geforderte Hotelpreis zu hoch sei und verlangte meinen Paß zurück. So bin ich meinem Unheil glücklich entronnen.

In Lodz errangen wir damals einen großen Sieg über den Bund. An einem Samstag Ende Januar oder Anfang Februar sollten in einer Reihe jüdischer Gewerkschaften Versammlungen mit Wahlen zu neuen Vorständen stattfinden. Überall blieben wir siegreich. Wir waren in allen Gewerkschaften mit dem Kombund zusammengegangen. Ich und Alexander Minc sollten in der wichtigsten und größten Gewerkschaft sprechen, bei den Textilarbeitern. Henrik Ehrlich kam zu dieser Versammlung extra aus Warschau angereist, und der Kampf war wirklich heiß. Nach dem Referat von Ehrlich sprach Alexander im Namen des Kombund und ich im Namen der Kommunistischen Partei. Unsere Liste errang eine Mehrheit, wir bekamen bei der Vorstandswahl ein Mandat mehr als der Bund. Etwas später allerdings stieg ein Kombundist aus und trat in den Bund ein, sodaß der Bund die Mehrheit zurückbekam. Aber wir feierten unseren Sieg mit einer Tanzveranstaltung, die die ganze Nacht dauerte.

Ich will hier etwas berichten, was mich tief gerührt hat. Als ich mitten in meiner Rede war, kamen ein paar Spitzel in die Versammlung. Ich bemerkte sie nicht, war ohnehin sicher, daß einige im Saal waren. Henrik Ehrlich wurde blaß und flüsterte mir ins Ohr, ich solle vorsichtig sein. Er schlug mir vor, mit ihm zusammen den Saal zu verlassen, wenn die Versammlung beendet wäre. Ob ich den Vorschlag von Ehrlich annahm, weiß ich nicht mehr, ich glaube nein. Aber seine Handlungsweise erfüllte mich mit Hochachtung.

Am Samstag den 22. März fuhr ich zu einer Parteikonferenz nach Brest. Es gab damals noch keine besondere Kommunistische Partei von West-Weißrußland. Auf dieser Konferenz wurde ich wegen eines Spitzels verhaftet. Die Genossen in Kobrin hatten ein Parteimitglied, das Polizist war, und sie ihrer Meinung nach vor Verhaftungen beschützte. Aber in Wirklichkeit hat er die Konferenz verpfiffen.

Es waren sechzehn Genossen, die in der Wohnung von Esther Gam zusammenkamen. Diese war sehr jung und sehr klein, sodaß sie wie ein Kind aussah. Als wir schon alle versammelt waren, kam ein Spitzel angelaufen, der aussah wie ein Mörder. Mit ihm zusammen kamen einige Polizisten. Der Spitzel strahlte vor Freude und redete dauernd von dem Glück, das er doch hatte.

Man brachte uns in das Haus der politischen Polizei und das Verhör begann. Alle wurden nacheinander verprügelt, aber wirklich schlimm erging es nur zweien, vor allem der kleinen Genossin – sie glaubten, aus einem Kind könnten sie alles herausholen. Aber zu ihrer Ehre sei gesagt: sie hielt sich tapfer. (Heute ist sie in Argentinien). Der zweite, der mächtig verprügelt wurde, war ich. Sie hatten von dem Spitzel erfahren, daß ich aus der Zentrale gekommen war. Ich habe an meinem Körper noch heute ganz schöne Male von jener Nacht. Den Genossen habe ich nichts davon erzählt, denn ich war nicht sicher, ob sie durchhalten würden und wollte ihnen das Herz nicht schwer machen. Unter allen sechzehn Verhafteten war nur ein Arbeiter. Die anderen waren Kinder bürgerlicher Eltern, über ihre Tätigkeit konnte ich nichts feststellen. Der junge Arbeiter war zufällig hineingeraten; er war ein Bruder der kleinen Esther und damals Poale-Zionist.

Am anderen Morgen brachte man uns in ein kleines schmutziges von Petroleumlampen erleuchtetes Gefängnis. Aber die Verwaltung war gut; für Geld konnte man dort alles haben. Ich wurde in eine Zelle mit Kriminellen gebracht, schaffte es aber nicht einmal, mich umzusehen, mit wem ich zusammen war, sondern streckte mich auf der Pritsche aus und schlief durch bis zum nächsten Morgen. Als ich aufwachte, ging ich an das Fenster, das dem Gefängnistor genau gegenüber lag, lehnte meinen Kopf an die Gitter, und begann darüber nachzudenken, was zu tun sei.

Ich wollte den Genossen Mut machen, tapfer zu bleiben. Ich hörte die Kriminellen, übrigens alle Juden, untereinander murmeln: »Ein guter Sitzer«, und verstand, das dies für sie die höchste Anerkennung war. Ich bat sie, mich mit den anderen Genossen in Verbindung zu bringen, was sie sofort für mich erledigten; gleich am ersten Tag konnte ich mit allen Genossen sprechen. Es stellte sich heraus, daß sie sich alle gut gehalten hatten.

Mit den Kriminellen lebte ich mich gut ein auf der Basis einer Kommune. In schwierigen Momenten, wenn sie sich hatten vollaufen lassen, schütteten sie mir ihr verbittertes Herz aus. Sie erzählten mir, wie schlecht es ihnen gehe, wie man sich fühle, wenn man durch fremde Fenster einsteigen müsse, während alle Menschen schlafen. Und wenn sie verhaftet würden, schliefen ihre Frauen mit fremden Männern. Nur in einem verstanden wir uns nicht: daß ich nicht an Gespenster glaubte. Ein Dieb versicherte mir, er habe einmal ein Pferd gestohlen, und sei mit ihm nachts in den Wald gegangen; da sei es plötzlich hell geworden, und in Gebetsmäntel gehüllte Menschen seien aufgetaucht. Das seien Gespenster gewesen.

Am 1. Mai steckten sich alle Kriminellen aus meiner Zelle rote Bändchen an und gingen so auf den Rundgang.

Aber es gab auch schwere Tage im Gefängnis; besonders schmerzlich war es, mit Kriminellen die letzte Nacht zu verbringen, bevor das Todesurteil an ihnen vollstreckt wurde. Sie waren völlig durcheinander und weinten entsetzlich. Eine schauerliche Nacht war es auch, als der Ausbruchsversuch einer Gruppe von Kriminellen mißlang. Sie wurden so fürchterlich verprügelt, daß ich zu hören glaubte, wie ihre Knochen unter den Schlägen zerbrachen.

Unsere Verhöre zogen sich in die Länge. Ich hatte einen falschen Paß auf den Namen Bellmann und wußte, daß das bald herauskommen würde, wollte aber meinen richtigen Namen nicht sagen. Damals hatte in Polen noch das russische Gesetz Gültigkeit, nach dem auf Landstreicherei vier Jahre Gefängnis stand, und ich glaubte, wenn ich meinen Namen verschwieg, würde ich als Landstreicher verurteilt werden. Das war immer noch besser, als meinen richtigen Namen zu verraten, denn selbst wenn das Todesurteil gegen mich schon verfallen war, drohte mir noch immer lebenslänglich. Aber der Untersuchungsrichter wollte den Prozeß nicht zu Ende bringen, ehe er nicht meinen richtigen Namen wußte, und so ging ein ganzes Jahr hin und die Untersuchung rührte sich nicht vom Fleck.

Die Genossen begannen unter dem Druck ihrer Familien, die in Freiheit waren, nervös zu werden. Ich hatte keine andere Wahl als den Genossen zu erklären, warum ich meinen Namen nicht nennen wollte.

Sie beschlossen, daß ich meinen richtigen Namen nennen solle, und ich tat es, aber sofort entstanden neue Komplikationen. Vorher wollte der Untersuchungsrichter meinen falschen Namen nicht glauben, und jetzt nicht den richtigen. Er verlangte, daß ich Zeugen bringen müßte, die meinen Namen bestätigten, aber solche Zeugen konnte ich nicht benennen. Ich kannte die Adressen der Verwandten meines Vaters oder meiner Mutter nicht; sie waren alle reiche Kaufleute und ich bin niemals zu ihnen hingekommen. Genossen konnte ich natürlich nicht benennen.

Als mir der Untersuchungsrichter schließlich das Protokoll vorlas, merkte ich, daß er nicht das aufgeschrieben hatte, was ich vorgebracht hatte. Ich wollte das Protokoll nicht unterschreiben und er begann zu toben. Wenn er die Macht hätte, brüllte er, würde er alle Kommunisten ohne Gerichtsurteil erschießen, wie es mit der Bourgeoisie in der Sowjetunion geschehe. Ich sagte ihm, seine politische Meinung interessiere mich nicht, er solle nur meine Erklärung richtig aufzeichnen und nicht verfälschen. Daraufhin schrie er: »Judenlümmel!« und ich antwortete, ich säße mit Kriminellen in einer Zelle, die intelligenter seien als er. Mit ihm würde ich nicht mehr reden, sondern ich bäte um einen anderen Untersuchungsrichter.

Er stellte noch weitere Fragen, aber ich schwieg. Schließlich hatte ich genug von dem Spielchen, stand auf und erklärte, ich würde jetzt in meine Zelle gehen. Er brüllte, ich müsse bleiben; solange er mir nicht den Befehl gebe, zu gehen, dürfe ich mich nicht fortrühren. Ich blieb an der Tür stehen. In seiner Erregung lief er mit geballten Fäusten auf mich zu. Als er ganz nahe an mich herangekommen war, erklärte ich ihm ruhig und bestimmt, ich hätte keine Angst vor ihm. Das entwaffnete ihn.

Er ließ die Arme sinken, ging wieder an seinen Platz, rief einen Gefängniswärter herein und sagte ihm, ich hätte ihm die Petroleumlampe an den Kopf werfen wollen. Da erst wurde mir klar, was vorgefallen war – als er mit geballten Fäusten auf mich zulief, hatte ich instinktiv auf die Petroleumlampe geschaut. Hätte er mich angerührt, hätte ich sie bestimmt nach ihm geworfen, und das hatte er anscheinend gespürt. Vielleicht hat er mich auch nur deshalb nicht angerührt. Ich stand dann lange Zeit einfach da, bis er befahl, mich in meine Zelle zu bringen.

Am Tag darauf richtete ich eine Beschwerde an den Staatsanwalt und forderte einen anderen Untersuchungsrichter. Man antwortete mir, man werde zwar den Untersuchungsrichter nicht auswechseln, aber er werde sich von nun an anders verhalten. Ich wollte aber mit diesem Untersuchungsrichter nicht mehr reden. Er ließ sich einige meiner Genossen kommen und bat sie, auf mich einzuwirken, das Protokoll zu unterschreiben. Unter dem Druck der Genossen tat ich das dann.

Wir setzten inzwischen unsere politische Aufklärungsarbeit fort. Fast jede Woche bereitete ich politische Referate vor. Meine Lieblingsthemen waren »Marxismus und Anarchismus« und »Perez und seine Rolle in der Jüdischen Literatur«.

Endlich kam unser Prozeß heran. Die Familien meiner Genossen waren nicht gerade arm; sie stellten die berühmten polnischen Anwälte Paschalski und Szmiarowski. Für mich bestimmte die Partei Duratsch als Verteiliger.

Es war der erste große politische Prozeß in Brest; die Richter und der Staatsanwalt hatten einfach Angst vor solchen Anwälten. Die Spitzel verhedderten sich und das Gericht erließ nur ein Urteil wegen illegaler Versammlung; der Anklagepunkt »Kommunisten« wurde fallengelassen. Wir bekamen alle 16 Monate Gefängnis, da wir aber bis zur Gerichtsverhandlung schon länger als das gesessen hatten, wurden wir alle sofort freigelassen. Die Genossen konnten gleich nach Hause gehen, aber ich hatte kein Geld für eine Bahnkarte. Eidel, eine Genossin im Prozeß, besorgte mir Geld, und am Tag darauf fuhr ich nach Warschau. Aber der Prozeß von Brest war damit nicht zu Ende. Das Urteil der Berufungsinstanz war viel härter.

Noch eine Haft

Nachdem in der Brester Untersuchung mein richtiger Name genannt worden war, wartete ich jeden Tag darauf, daß alle meine Sünden aufgedeckt würden, aber das geschah nicht. Der Untersuchungsrichter hatte meine Vergangenheit sicherlich gut durchforstet. Er hatte mir ja nicht einmal geglaubt, als ich ihm meinen richtigen Namen nannte. Nun kann man zwar eine Sache vergessen, aber doch nicht drei Dinge zugleich: meine Verurteilung wegen Desertion, meine Arbeit im revolutionären Kriegskomitee, und daß ich als Freiwilliger in der Armee von Haller gefallen war – denn mein Bruder war ja unter meinem Namen in die Armee eingetreten. Außerdem hatte ich jetzt noch einen Prozeß am Hals. Man forschte weiter und wieder deckte man nicht alle diese Straftaten auf. Später, im Jahre 1938, stellte man dann fest, daß ich noch zwei Jahre und acht Monate abzusitzen hatte, und ich wurde überall gesucht – man erinnerte sich also durchaus an mich. Wenn damals in Brest nicht alle meine Sünden aufgedeckt wurden, so meiner Meinung nach deshalb, weil die Akten während der Evakuierung von Warschau im Jahre 1920 verloren gegangen waren.

Als ich Ende August von Brest nach Warschau kam, bemerkte ich große Veränderungen im jüdischen Arbeiterviertel. Mit dem Eintritt des Kombund in die Kommunistische Partei wurden wir zur stärksten Kraft in der jüdischen Arbeiterbewegung. Die Gewerkschaften der Textil- und Lederarbeiter, der Handelsangestellten, und auch die Hälfte des Schneider-Verbandes kamen unter unseren Einfluß – ganz zu schweigen von den anderen, kleineren Gewerkschaften. Auch in der Leitung des Zentralen Jüdischen Büros (der KP Polens) war eine große Veränderung eingetreten. Es waren neue, ausgezeichnete Funktionäre hinzugekommen; jedes Zentralkomitee wäre glücklich gewesen, solche Leute beisammen zu haben.

Vom Kombund waren drei Führer hinzugekommen: Alexander Minc, Aba Flug und der weiße Aba. Die beiden letzten waren Führer der Textilgewerkschaft. Alle drei, ehemalige Bundisten, waren ausgezeichnete Funktionäre, die in der Tradition einer großen Massenbewegung standen. Das verlieh ihrer Arbeit eine besondere Ernsthaftigkeit. Von den »Vereinigten« kam Jizchak Gordin – ein leerer Mensch, ein Quatschkopf, ein Bluffer. Besser als er war schon Israel Geist, ein guter Organisator, der nur den Fehler hatte, ein Angeber zu sein. Maiski (heute ein Kulturfunktionär in Polen) erzählte mir, daß er einmal zu Geist nach Hause kam und diesen am Ofen stehend vorfand, mit vergrämtem Gesicht. Als er Geist nach dem Grund fragte, antwortete dieser:»Es ist traurig; Lenin ist gestorben, Dserschinskij lebt nicht mehr, und auch ich fühle mich schlecht...«

Von der Poale-Zion kamen drei Führer zu uns. Josef Lewartowski war ein ruhiger Mensch mit festem Charakter, und ein guter Organisator. Obwohl er selbst kein Journalist war, hatte er die Fähigkeit, die Äußerungen eines anderen zu redigieren. Alle mochten ihn wegen seiner Ernsthaftigkeit und Ehrlichkeit gern. Einen guten Eindruck machte auch Gerschom Dua. Er war ein glühender Revolutionär, ein Stück Feuer ... Er konnte Artikel zu jedem Thema schreiben, zwar flach und voller Phrasen, aber doch mit einem gewissen Glanz. Der Intelligenteste von allen war Amsterdam. Er verband seine große Intelligenz mit einer guten politischen Schulung und zeichnete sich durch einen klaren Verstand aus. Dieser Mensch war zum politischen Führer wie geschaffen. Er war auch der Vertreter des Jüdischen Büros im Zentralkomitee und wurde rasch eine der zentralen Führungsgestalten. Er nahm an allen Zusammenkünften der Komintern teil.

In dieser Zeit gab es zwei wichtige politische Ereignisse. Der vierte Kongreß der Komintern verurteilte die rechte Politik von Radek und Brandler während der Ereignisse von 1923 in Deutschland*. Man beschuldigte sie, die Politik der Einheitsfront falsch angewendet zu haben. Sinowjew hatte damals seine unmögliche Formel geprägt, nach der die Einheitsfront nur ein Manöver sei, um die sozialdemokratischen Arbeiter zu gewinnen. Man muß zum Lob der Führer der polnischen Kommunistischen Partei sagen, daß sie beschlossen hatten, Radek zu verteidigen. Aber Sinowjews Ausspruch vom Manöver hatte schlimme Folgen; er störte die Einheitsfront-Bewegung in allen Ländern.

Das zweite wichtige Ereignis war der zweite Kongreß der Kommunistischen Partei Polens. Der Kongreß nahm eine Revision von Rosa Luxemburgs Theorien in der Agrarfrage und der nationalen Frage vor. Die Partei übernahm in diesen Fragen den Standpunkt von Lenin, was hieß, daß sie für die Aufteilung des Bodens unter die Bauern eintrat, und dafür, den Ukrainern in Weißrußland die Möglichkeit einzuräumen, sich von Polen zu trennen. Gleichzeitig trat sie für die Verteidigung der staatlichen Selbständigkeit von Polen ein. Die Begründung dafür war folgende: die Oktoberrevolution hatte Polen die Unabhängigkeit gebracht, der deutsche Imperialismus bedrohte Polen, darum war die Verteidigung von Polens staatlicher Unabhängigkeit objektiv eine revolutionäre Lösung.

Die neuen Losungen trugen ohne Zweifel zum Anwachsen der Kommunistischen Partei bei. Ihr Einfluß unter den Arbeitern und Bauern, vor allem in der weißrussischen und ukrainischen Bevölkerung wurde stärker. Im September 1923 wurde ich nach Weißrußland geschickt, um dort als Sekretär des jüdischen Zentralbüros und als Mitglied des West-Weißrussischen Zentralkomitees zu arbeiten. Wir taten damals unsere ersten Schritte im weißrussischen Dorf; die letzten Beschlüsse über Weißrußland und die Ukraine hatten uns ein weites Arbeitsfeld eröffnet. Ich reiste nach Grodno, Baranowtschi, Pinsk und Wolkowisk, um dort die jüdische Arbeit auf die Beine zu stellen. Wir versorgten die jüdischen Genossen mit Literatur und schickten sie in die Dörfer, um Parteiorganisationen aufzubauen.

Das Zentralkomitee in West-Weißrußland bestand aus drei jüdischen Genossen: der erste war Schlomo, ein ehemaliger Anarchist

---

* Im Oktober 1923 sagte die KPD-Führung einen geplanten Aufstand wieder ab, der sich gegen den Einmarsch der Reichswehr in Sachsen und Thüringen richten sollte, wo eine Koalitionsregierung SPD-KPD gebildet worden war. Diese politische Niederlage (sichtbar auch im mißglückten »Hamburger Aufstand«) wurde damals auf die »Sündenböcke« Brandler u. a. geschoben.

und guter Aktivist, über dessen Charakter ich mir allerdings nie ganz klar wurde. Manchmal schien er ein treuer Genosse zu sein, dann wieder ein seelenloser Mensch. Schließlich entwickelte er eine völlig gespaltene Moral und nahm alle Morde Stalins mit Beifall auf. Später wurde er selbst ermordet. Der zweite Genosse war ein Textilarbeiter aus Bialystok, ein Mensch ohne jegliche Kultur, und der dritte war ich. Von Warschau aus wurden wir von dem auf traurige Weise berühmten Skolski* angeleitet.

Es gab auch zwei weißrussische Genossen: einen nannte man »Stari« (der Alte). Er war wirklich ein alter Mann, politisch ausgelaugt. Er machte nur die technischen Arbeiten. Der zweite war ein Dichter, der Gandhi ins Weißrussische übersetzte, aber ein sehr schwacher Politiker war.

Ich wohnte in Bialystok, war aber oft in Grodno beschäftigt. Die Parteiversammlungen hielten wir auf einem Berg am Neman-Fluß ab. Dort gab es einen riesigen Wald, der für die illegale Arbeit sehr geeignet war. Nach solchen Parteiversammlungen kauften wir einen Topf Sauermilch, Brot und Rettiche, und dann wurde eine Mahlzeit eingenommen. Ich machte das mit Absicht so, weil ich wußte, daß unter den Versammelten viele arbeitslos waren. Ich schämte mich, in ein Restaurant zu gehen und die Genossen hungern zu lassen, die alles für die Partei hingaben.

Anfang 1924 erhielten wir eine Direktive der Komintern, daß wir einen Aufstand vorbereiten sollten, um West-Weißrußland von Polen loszureißen und mit der Sowjetunion zu vereinigen. Wir machten uns an die Arbeit und bestimmten ein revolutionäres Kriegskomitee von fünf Genossen: Schlomo, ich, der Poet, der neu hinzugekommene Miron und ein ehemaliger linker Poale-Zionist, der zusammen mit Amsterdam zu uns gekommen war.

Die Mitglieder des Kriegskomitees teilten die Bezirke unter sich auf. Mir wurde der Bezirk von Grodno zugeteilt. Wir befaßten uns mit der Vorbereitung in allen Städten; die Dörfer wurden von zwei Abgeordneten der weißrussischen »Hromada« bearbeitet, einer Bauernpartei, die unter der direkten Leitung der Kommunistischen Partei arbeitete.

Im Laufe einiger Wochen bereiteten wir das Gebiet tatsächlich für einen Aufstand vor, aber in der Zwischenzeit hatte ich wieder einmal eine Panne, die mich hätte teuer zu stehen kommen können, und wieder einmal kam ich durch Zufall ungeschoren davon.

Ich mußte zu einer Gebietskonferenz nach Wolkowisk fahren, da diese Gegend auch zu meinem Bereich gehörte. Das sollte einer der letzten Schritte zur Vorbereitung sein. Wir hatten abgemacht, Anschriften nicht schriftlich bei uns zu tragen, sondern im Gedächtnis zu

---

* Pseud. von Stanislav Mertens, seit 1932 Mitglied der polnischen KP-Führung, 1937 nach Moskau gerufen und später zusammen mit der übrigen Führung liquidiert.

behalten. Ich hatte mich mit den Genossen in einer Straße verabredet, sie sollten dort auf mich warten, aber die Bande hatte verschlafen und kam nicht. Währenddessen wurden die Fenster von Juden geöffnet, die nach Nicht-Juden-Ausschau hielten, um sie ihre Öfen anheizen zu lassen*. Sie sahen mich, den Fremden, an wie einen bösen Geist, und ich hatte ein Vorgefühl, daß ich auffliegen würde. Ich wußte auch schon, daß der Staatsanwalt vom Prozeß in Brest Berufung eingelegt und ein härteres Urteil gefordert hatte. Alle mitangeklagten Genossen aus diesem Prozeß waren bereits geflohen.

Da niemand gekommen war, ging ich zur Bahn, um nach Bialystok zurückzufahren, aber da stellte ich fest, daß der Zug erst um vier Uhr nachmittags fuhr, und es war erst neun Uhr früh. Ich ging wieder zurück in die Straße – vielleicht würde doch noch jemand kommen.

Beim Auf- und Abgehen schaute ich in alle Höfe, durch die man im Falle der Gefahr fliehen konnte, und dabei fiel mir ein Hof auf, der direkt auf die Eisenbahnlinie hinausführte; diesen beschloß ich im Notfall zu benutzen.

Mir war durchaus bekannt, mit welcher Grausamkeit man in dieser Gegend politische Häftlinge folterte; inhaftierte Genossinnen hatte man derartig gequält, daß sie nach zwei Wochen Haft vollkommen geistesgestört wiederkamen. Deshalb beschloß ich auf alle Fälle, die Flucht zu versuchen.

Auf einmal kamen zwei Polizisten auf mich zu und fragten nach den Papieren. In der gleichen Woche war ein Geschäft in dieser Straße bestohlen worden, und die Polizisten hielten mich offenbar für den Dieb, aber ich war sicher, daß die Konferenz aufgeflogen und ich verraten worden sei.

Als ich versuchte, ihnen meine falschen Papiere unterzuschieben, sagten sie: »Komm lieber ins Kommissariat, dort werden wir weitersehen«. Schweren Herzens ging ich mit. Im Kommissariat fragte mich ein Spitzel aus, und ich erzählte ihm Geschichten, die man wirklich nur schwerlich glauben konnte. Er sagte leichthin: »Hören wir auf zu spielen, und reden wir lieber ernsthaft.« Er rief vier weitere Spitzel herein, die mich von allen Seiten umringten. Ich wußte, daß die schlimmsten Schläge die sind, die unterhalb der Schulter landen, darum lehnte ich mich mit dem Rücken an die Wand und wartete. Dann dachten sie sich ein Spielchen aus, das ihnen schlau vorkam, aber mich rettete. Sie schickten mich auf dem Korridor hinaus und blieben selbst zurück. Im Korridor war niemand, aber ich fühlte, daß dies nicht der Moment war um fortzulaufen. Schließlich riefen sie mich wieder herein und gaben mir von dem Geld, das sie mir abgenommen hatten, so viel, daß ich Mittag essen konnte. Sie sagten, ich solle nachmittags wiederkommen, dann würden sie mir den Paß und das Geld wiedergeben. Ich ging auf die Straße und zwei Spitzel kamen

* Jede körperliche Arbeit ist orthodoxen Juden am Sabbath verboten.

hinter mir her. Die Genossen, die mich hätten erwarten sollen, waren inzwischen auch eingetroffen, sahen mich aus dem Kommissariat herauskommen und hielten mich darum für einen Spitzel. Ich wiederum sah, wie sie mir nachschauten und hielt sie meinerseits für Spione. Mit einem Wort: die Sache wurde immer verwickelter. Ich trieb mich herum und behielt die Spitzel im Auge, bis ich in einem günstigen Augenblick in den Hof hineinschoß, über die Bahnlinie hinweglief und dann losrannte.

Auf dem Weg lag schon tiefer Schnee. Ich wußte, daß der Zug von Wolkowisk nach Bialystok in Svisloć hielt, und dort wollte ich einsteigen. Aber als ich zwei, drei Kilometer gelaufen war und noch etwa fünf vor mir lagen, fuhr der Zug an mir vorbei. Dann geschah mir etwas Unbegreifliches: kaum war der Zug an mir vorbeigefahren, konnte ich mich nicht mehr vom Fleck rühren, so als sei ich plötzlich gelähmt. Im Tal unterhalb der Bahngeleise lag eine Bauernkate. Der Bauer hatte vom Fenster aus gesehen, daß ich stehenblieb, mich nicht mehr rühren konnte, und kam heraus. Ich wollte ihn bitten, mich aufzunehmen, damit ich mich etwas aufwärmen konnte; aber ich war nicht imstande, mich nach ihm umzudrehen. Ich mußte mich bücken und die Hände in den Schnee stützen, erst dann konnte ich mich umdrehen und ihn bitten, mich in seine Stube zu lassen. Ich dachte mir eine Geschichte aus, daß ich arbeitslos sei und in die Sowjetunion fliehen wolle, aber an der Grenze geschnappt worden und von dort wieder entkommen sei. Nun müsse ich mich etwas ausruhen.

Der Bauer mag das geglaubt haben oder nicht, jedenfalls nahm er mich in seine Stube mit und bot mir ein Stückchen schwarzes Brot und süßen schwarzen Kaffee an. Geld wollte er nicht von mir nehmen. Als es dunkel wurde, bat er mich zu gehen und sagte mir noch, an der Bahnstation wohne ein Jude, der mir sicher helfen werde.Hinausbegleitet wurde ich von seinem Sohn, dem ich meinen Schal schenkte. Ich hatte den Eindruck, daß der Sohn einer der unsrigen sei, und sagte ihm, ich sei ein Kommunist, der vor der Verhaftung floh.

Als ich zu dem Juden kam, hörte er mich nicht einmal an, sondern sagte, in der Gegend gebe es Banditen, und er wolle nichts riskieren. Er tat mir nur den Gefallen, mir einen näheren Weg ins Städtchen zu zeigen. Was ich dort tun sollte, wußte ich nicht, aber ich hatte keinen anderen Ausweg.

Durch das verschneite Feld machte ich mich auf den Weg ins Städtchen. Unterwegs geriet ich in einen Wasserlauf, der vom Schnee verdeckt war. Anfangs dachte ich, es sei nur ein kleiner Bach, aber je weiter ich ging, desto tiefer wurde das Wasser, schließlich reichte es mir schon bis zum Hals. Ein Pole sah mich und rief mir zu, ich solle mich umdrehen und zurückkommen, wenn ich noch einen Schritt weiterginge, müsse ich ertrinken. Ich stützte mich mit den Händen auf und kroch auf allen Vieren aus dem Wasser. Dann brachte mich der Pole zu einem Juden, und ich erzählte ihm wieder die gleiche Geschichte. Der Jude schaute mich an und erklärte mir, daß er mir nichts glaube. Ich sähe aber auch nicht wie ein Bandit aus, und deshalb erlaubte er mir, bei ihm zu übernachten.

Am anderen Tag, ein Sonntag Mittag, nahm ich den Zug und fuhr nach Bialystok. Es war gerade der Internationale Frauentag, und ich sollte dazu auf einer Versammlung sprechen, die in einem Lokal des zentralen Büros der Gewerkschaften abgehalten wurde. Kaum hatte ich angefangen zu reden, kam Polizei. Ich sprang aus einem Fenster in der ersten Etage hinunter und blieb in einem geschlossenen Hof stecken, der keinen Ausgang hatte. Gott allein weiß, wie ich auf einen Zaun und in einen anderen Hof gelangte. Allen, die nach mir zu springen versuchten, wurde hinterhergeschossen und sie wurden geschnappt.

Nach all diesen Abenteuern ging ich nach Haus und schlief mich aus. Dieses Ausruhen hatte ich verdient. Damit war die Geschichte aber nicht erledigt. Der Paß, den mir die Polizei von Wolkowiska abgenommen hatte, gehörte zu einer besonderen Sorte von Partei-Pässen. Es war zu befürchten, daß auch andere, die ähnliche Pässe hatten, verhaftet würden. Darum schickten wir einen »Vermittler«* der den Paß für Geld zurückholte. Dieser Vermittler berichtete, daß die Polizei schrecklich bedauerte, daß sie mich hatte entwischen lassen, nachdem sie erfahren hatte, ich sei Kommunist.

Aber ich hatte damals auch meine Träume. Das darf niemanden wundern, denn jeder Revolutionär muß gelegentlich seine Phantasie spielen lassen. Das ist sein Ausruhen, das es ihm möglich macht, alle Schwierigkeiten zu ertragen. Oft lag ich in Grodno auf einem bewaldeten Ufer und blickte auf das Schloß am Ufer des Neman-Flusses. Es war einmal das Schloß des russischen Generalgouverneurs gewesen und wurde später die Residenz des Oberpräsidenten der Provinz. Ich träumte davon, dieses Schloß zu erobern und zu meiner Residenz zu machen. Ich sah einen Akt der Gerechtigkeit darin, daß ausgerechnet ich, ein jüdischer Arbeiter aus den Kellerstuben der Smocza-Gasse, Herr dieses Schlosses werden würde...

Aber es war keine Zeit, sich lange solchen Phantasien hinzugeben. Nach dem mißlungenen Putsch in Estland, im Jahre 1924, blies die Komintern den Aufstand in West-Weißrussland ab. Wir unterwarfen uns den Direktiven der Komintern, obwohl das in Baranowtschi stationierte weißrussische Regiment bereit gewesen war, das Signal zum allgemeinen Aufstand zu geben.

Auf der Sitzung des revolutionären Kriegskomitees, auf der beschlossen wurde, den Aufstand abzublasen, erklärte der Dichter als einziger weißrussischer Genosse, er unterwerfe sich diesem Beschluß nicht – uns Juden seien die Interessen der Weißrussen eben fremd. Er grün-

* Im jiddischen: Macher.

dete eine selbständige weißrussische revolutionäre Partei. Als er verhaftet wurde, bekehrte er sich zu der Ansicht, seine Partei müsse vor allem die Weißrussen von der Sowjetunion befreien und entschloß sich, mit der zweiten Abteilung des polnischen Generalstabs – der Abwehr – zusammenzuarbeiten. Er wurde aus der Gefängnishaft entlassen und bald darauf von weißrussischen Partisanen erschossen. Wir gingen wieder zur »friedlichen« kommunistischen Arbeit über. Nach Grodno kam der ehemalige Kombundist Abraham Sluschni, der eine Stelle in der Gewerkschaft antreten sollte. In die Sitzung, auf der wir diese Frage erörterten, kam die Polizei und verhaftete uns. Für mich begann jetzt eine Gefängniszeit, die fünf Jahre dauerte.

Meine Gefängniswanderungen

Verhaftet wurden fünf Genossen: Kapzewić, Sluschni, Josef Epstein, der vierte war ein Mitglied des Parteivorstandes von Grodno und lebt heute in Paris, und ich. Das war Anfang 1924, im Februar oder März. Am Morgen nach der Verhaftung wurde ich in einen langen finsteren Keller gebracht, der nur schwach mit Petroleum oder mit Gas beleuchtet war – elektrisches Licht gab es nicht. Mich hat der Chef-Spitzel von Grodno verhört; seinen Namen wußte ich nicht, aber ich kannte ihn, ebenso wie er mich kannte.

In Grodno hatte er mir dauernd nachspioniert. Er kam oft in den Wald auf dem Berg, wenn wir unsere Arbeit beendet hatten, unser Festmahl verzehrten und fröhlich sangen. Dann spießte er mich im Vorbeigehen mit dem stechenden Blick seiner Augen buchstäblich auf. Er sah aus wie ein Bandit und trug einen Backenbart. Vielleicht war die Tatsache, daß er das Verhör in einem finsteren Keller vornahm, auf seinen Banditen-Charakter zurückzuführen, denn in der Finsternis konnte er sich als Herr über Leben und Tod der politischen Häftlinge aufspielen. Als er das Protokoll schrieb, kratzte seine Feder so, daß mir davon der Kopf wehtat. Er tat das sicher absichtlich, um mich aus dem Gleichgewicht zu bringen; nie habe ich so lautes Schreiben gehört. Zu Beginn des Verhörs duzte er mich; ich antwortete nicht. Auf die Frage, warum ich schwiege, antwortete ich auch per du, daß ich solange nicht antworten würde, wie er mich duze. Er wurde furchtbar wütend und zerbrach das Tintenfaß, aber mich rührte er nicht an. Das Verhör zog sich lange hin; er stellte Fragen, und ich wollte nicht antworten. Er meinte, ich solle nur nicht glauben, daß Tugut mir helfen könne, der Führer der radikalen Bauern, der in die Gefängnisse reiste, um herauszufinden, ob man politische Häftlinge verprügelte. Er könne dafür sorgen, daß ich diesen Keller nie mehr verlassen würde. Ich wußte, daß das wahr war, aber ich war zu allem entschlossen und wollte nicht antworten, solange er mich mit du anredete. Seinen Worten entnahm ich, daß Tuguts Reisen doch bald dazu führen würden, daß das Wüten des weißen Terrors in den polnischen Gefängnissen abgestellt würde.

Ich muß hier die Bemerkung einfügen, daß Leute wie Herriot und Briand in Frankreich eine Protesterklärung gegen den weißen Terror in Polen unterschrieben hatten. Da Polen von Frankreich abhing, wo Briand damals Außenminister war, mußte die Regierung Tugut erlauben, die Gefängnisse zu besuchen. Ich hatte damals unter einer schweren moralischen Depression zu leiden, als ich in den Zeitungen den Brief des großen Schriftstellers Zeromski las, in dem er die Tatsache des Terrors bestritt, – den ich mit eigenen Augen gesehen hatte. Ich mochte Zeromski sehr gerne, darum traf mich sein Brief tief.

Als der Mann, der das Verhör führte, einsah, daß er mit mir nichts anfangen konnte, ging er zur dritten Person über. Zum Beispiel so: »Der Beschuldigte möge erklären…«. Ich antwortete ihm in derselben Art, und so ging alles friedlich vorbei. Nach diesem defensiven Verhör wurde ich in das Gefängnis von Grodno überführt, in eine Einzelzelle. Ich war nicht gerade gehobener Stimmung, denn ich wußte, daß ich diesmal nicht wie bei meinem ersten Prozeß mit einem Jahr davonkommen würde, und auch nicht mit anderthalb Jahren wie bei meinem zweiten. Ich bereitete mich auf eine langjährige Haft vor, und ich irrte mich nicht.

In Polen gab es ein altes zaristisches Gesetz, das besagte, daß bei mehreren Verurteilungen die größte Strafe alle anderen schluckt. Wenn zum Beispiel jemand in einem Prozeß zu sechs Jahren Gefängnis verurteilt wurde, und in zwei anderen zu vier Jahren, dann brauchte er nur sechs Jahre abzusitzen. Das galt aber nur dann, wenn alle Straftaten vor dem Prozeß über die letzte Straftat begangen worden waren. Hatte aber ein Prozeß bereits stattgefunden, und man beging eine neue Straftat, dann konnte die größere Strafe nicht alle anderen schlucken, sondern die Urteile addierten sich.

In meinem ersten Prozeß in Brest wurde eine kleine Strafe verhängt, aber inzwischen war ich freigelassen worden. Der Staatsanwalt hatte Berufung eingelegt und ich eine weitere Straftat begangen. Das bedeutete, daß in meinem Falle nicht ein Urteil das andere schlucken würde.

Jetzt mußte ich daran denken, meine Kräfte einzuteilen, mich selbst moralisch aufzubauen und mich mit eiserner Geduld zu wappnen, um mich als politischer Sträfling am Leben zu erhalten.

Als man mich in die Einzelzelle brachte, hatte ich nur einen Wunsch: mich so lange wie möglich auszuruhen, auszuschlafen und nicht darüber nachzudenken, was mir bevorstand. Das tat ich dann auch, denn die Einzelzelle im Gefängnis von Grodno war zum Ausruhen wie geschaffen. Das Zimmerchen war hoch, hatte große Fenster, einen Holzfußboden – vor allem aber war es sauber und warm. Ich hatte selten eine solche Wohnung in Freiheit gehabt.

Als ich etwas zu mir gekommen war, begann ich zu überlegen, was nun zu tun wäre. Zunächst hatte ich das Bedürfnis, in die Gemeinschaftszelle überzuwechseln, denn ich wußte, daß dort viele gute Genossen saßen und wollte über sie mit den Genossen meines neuen Prozesses in Verbindung kommen. Obwohl meine Lage diesmal nicht so verwickelt war wie in meinem Prozeß in Brest, mußte doch sichergestellt werden, daß nicht ein Genosse dem anderen widersprach. Auch hier war ich unter falschem Namen verhaftet worden. In dem neuen Paß war mein Name Katz, in Brest hatte ich Bellmann geheißen. Ich wußte, daß ich in Grodno meinen richtigen Namen preisgeben und über meinen Brester Prozeß berichten mußte, aber ich wollte mich mit den Genossen beraten und unsere Taktik in den Verhören festlegen. Also stellte ich die Forderung, in die Gemeinschaftszelle verlegt zu werden, und nach kurzer Zeit wurde meine Forderung erfüllt. In der Gemeinschaftszelle ging es mir sowohl besser als auch schlechter. Ich verlor meine Ruhe, mit der Reinlichkeit war es nicht mehr weit her, von den Wänden rieselte das Wasser. Wir schliefen auf dem Boden, hingestreckt auf kleine schmutzige Matratzen. Die Küche lag im Keller, genau unter unseren Fenstern, und wenn Fett gebraten wurde, verbreitete sich ein schrecklicher Gestank. Die Fliegen gaben uns keine Ruhe; wir legten fest, daß jeder hundert Fliegen pro Tag fangen müsse: wäre ein Fremder hereingekommen und hätte gesehen, wie fünfzehn Menschen im Raum herumliefen und nach Fliegen schnappten, er hätte bestimmt geglaubt, es mit einer Bande von Verrückten zu tun zu haben.

In der Gemeinschaftszelle saßen Weißrussen und Polen, aber die größte Gruppe bildeten die Juden. Dort saß auch Kosczewnik, der Kandidat der kommunistischen Liste für die Wahlen zum polnischen Sejm, ein typischer Intellektueller und nervöser Mensch, der sich etwas abseits von den Genossen hielt – aber im Grunde genommen war er ein ganz guter Genosse.

Wir lebten sehr freundschaftlich miteinander in dieser Zelle. Außer mit Fliegenfangen beschäftigten wir uns den ganzen Tag mit Lesen und Schachspielen. Abends, nach dem Appell, führten wir politische Gespräche, und wenn wir uns schlafen legten, erzählte jeder Genosse, der Reihe nach, seine Vergangenheit. Das taten wir, um die Genossen einander näher zu bringen. Viele gaben an und blufften, und wir taten so, als merkten wir es nicht; wenn jemand aber gar zu sehr bluffte, bekam er ein Handtuch und einen Krug mit Wasser, um sich die Hände zu waschen, ehe er seine Lügenmärchen fortsetzte...*

* Das Händewaschen ist eine religiöse jüdische Kulthandlung.

182

Jeden Montag wählten wir einen Zellensprecher, der unsere Angelegenheiten mit der Verwaltung zu klären hatte. Als wir einmal einen weißrussischen Genossen gewählt hatten, schrieb er sofort an seine Frau, er sei ein bedeutender Mann geworden, der Sprecher von über zwanzig Menschen. Das erzählte uns der Inspektor beim Appell. Wir mußten herzlich lachen und ließen diesen Genossen daraufhin auf Dauer in seinem Amt.

Anfang des Sommers 1924 wurde die Berufungsverhandlung des Brester Prozesses in Pinsk angesetzt. Ich erhielt eine Nachricht von der Partei, man werde mich auf dem Weg zum Gericht befreien. Nach den polnischen Gesetzen der damaligen Zeit mußte der Angeklagte bei der Berufungsverhandlung nicht zugegen sein, konnte aber ein Gesuch einreichen, daß er auf eigene Rechnung fahren wolle. Dann mußte er auch die Ausgaben für zwei Polizisten decken, die ihn begleiteten. Für all das schickte man mir Geld ins Gefängnis.

Ich nahm auf den Weg nichts mit, denn ich wollte bei der Flucht nicht behindert sein. Ich verabschiedete mich sehr herzlich von den Genossen und dachte, es sei ein Abschied für lange.

Aber es war nicht so. Als ich aus dem Gefängnis zur Bahn geführt wurde, sah ich mich nach allen Seiten um, bemerkte aber niemanden. Im Zug dann hielt ich an jeder Station Ausschau nach bekannten Gesichtern, dachte immer: jetzt muß es passieren, aber nichts geschah.

Im Pinsker Gefängnis machte ich zum ersten Mal während meiner Haftzeiten eine moralische Krise durch. In dieser Gegend wurden politische Häftlinge furchtbar gefoltert; nur selten stand das einer durch, ohne zu »singen«, nicht einmal gute alte Parteigenossen. Das Gefängnis selbst war die Hölle, obwohl die allgemeinen Haftbedingungen gut waren. Dauernd gab es Streit, einer beschuldigte den anderen. Die ganze Umgebung war schwer erträglich, und ich wollte so schnell wie möglich zurück ins Gefängnis von Grodno, aber ich mußte einige Tage auf den Prozeß warten.

Für die Berufungsverhandlung war wieder Duratsch als Verteidiger benannt worden, aber zwei Tage vor Prozeßbeginn schickte er ein Telegramm, er könne wegen seines Gesundheitszustandes nicht kommen, und bat das Gericht, einen Anwalt zu bestimmen. Im Gericht kam dann ein polnischer Anwalt auf mich zu und fragte, ob ich einverstanden sei, daß er mich verteidige. Mir war unklar, wie er das machen wollte, da er die Prozeßunterlagen gar nicht kannte. Er sagte mir, er werde sich an der Anklageschrift und an der Rede des Staatsanwaltes orientieren. Da ich keine Wahl hatte, erklärte ich mich einverstanden.

Nach Erledigung der formellen Dinge hielt der Staatsanwalt seine Anklagerede. Sie war logisch. Er führte aus, daß ich mich mit falschen Pässen in den Grenzgebieten herumtreibe, immer mit der gleichen

Ausrede, daß ich auf Arbeitssuche sei, und immer würde Geld bei mir gefunden. Dann ergriff mein Anwalt das Wort, und belastete mich noch mehr als der Staatsanwalt. Er sagte nur wenige Worte – er bitte, das alte Urteil zu bestätigen – und darüber hinaus nichts. Es war klar, daß er sich mit den Ausführungen des Staatsanwalts solidarisierte.

Das Gericht erließ sein Urteil: vier Jahre schwerer Kerker und Verlust der staatsbürgerlichen Rechte. Um die Wahrheit zu sagen: ich war auf ein härteres Urteil gefaßt gewesen. Die Strafe von vier Jahren überraschte mich nicht, aber über den Anwalt war ich wütend. Ich beschimpfte ihn, er sei ein sehr gemeiner Mensch.

Auf der Rückfahrt ins Gefängnis von Grodno glaubte ich, jetzt würde ich befreit werden, aber das erwies sich als vergeblicher Traum. Ich kam nach Grodno zurück, ein wenig enttäuscht und müde. Glücklicherweise wurde ich in eine Einzelzelle gesteckt, wo ich zu Kräften kommen konnte. Später erhielt ich einen Gruß von der Partei mit einer Entschuldigung, daß man wegen der vielen Verhaftungen nicht hatte Wort halten und mich auf dem Weg befreien können.

Kaum war ich ein wenig zu mir gekommen, da brach ein Hungerstreik aus. Bis dahin mußten die politischen Häftlinge auf dem Spaziergang einzeln gehen, jeder fünf Schritt vom anderen entfernt und mit den Händen auf dem Rücken.

Wir forderten das Recht, in Gruppen zu gehen, die Hände frei bewegen und während des Hofgangs miteinander reden zu dürfen. Am vierten Tag des Streiks kam der Gefängnisleiter in meine Zelle und sagte, er sei bereit, den Forderungen nachzugeben, aber die Genossen wollten den Streik nicht ohne meine Zustimmung beenden. Ich erklärte dem Gefängnisleiter, daß ich mir keine Meinung über die Beendigung des Streiks bilden könne, wenn ich isoliert in einer Einzelzelle säße. Daraufhin erlaubte er mir, mit den Genossen zusammenzukommen, und der Streik wurde beendet.

Ich selbst fühlte mich in meiner Einzelzelle wohl (ich verbrachte den größten Teil meiner Haft in Einzelzellen), aber die Genossen forderten, ich solle in die Gemeinschaftszelle zurückkommen. Ich mußte mich ihrem Beschluß fügen.

Bald danach brach ein neuer Hungerstreik aus, diesmal ging er von den Kriminellen aus, nachdem einige von ihnen verprügelt worden waren. Wir hielten es für unsere moralische Pflicht, uns mit ihnen zu solidarisieren, stellten aber keine eigenen Forderungen. Nach zwei Tagen gaben die Kriminellen auf und wir befanden uns in einer schwierigen Lage, denn wir wußten nicht, was aus diesem Streik werden sollte, der jeden Sinn verloren hatte. Der Gefängnisleiter half uns aus unserem Dilemma; er rief mich in sein Büro und fragte mich, warum wir streikten. Ich antwortete ihm, wir seien nervös genug vom Herumsitzen in den Gefängnissen, wir müßten Ruhe haben, und das

Geschrei der Kriminellen, wenn sie verprügelt würden, mache uns krank (das alles war wahr) – deshalb bäten wir, man möge aufhören, sie zu schlagen. Der Gefängnisleiter versprach uns dies und wir brachen den Hungerstreik ab.

Ich hatte den Eindruck, daß der Leiter des Gefängnisses von Grodno ein menschliches Herz hatte und unnötige Konflikte vermied. Zur Zeit des Streiks ereignete sich ein komischer Vorfall. Man schickte mir eine Aufforderung zu, die Gerichtskosten des Prozesses von Brest zu bezahlen (wer einen Prozeß verlor, mußte die Gerichtskosten decken). Die Aufforderung lief auf den Namen Bellmann, im Gefängnis von Grodno hieß ich Katz, und darüber hinaus hatte ich meinen richtigen Namen angegeben. Der zuständige Mann in der Verwaltung rief mich zu sich und fragte mich, ob ich nicht einen gewissen Bellmann kenne, er suche ihn schon den ganzen Tag und könne ihn nicht finden. Als ich ihm sagte, daß ich das sei, wollte er wissen, wieviele Namen ich denn hätte.

Er übergab mir die Aufforderung, die Gerichtskosten zu bezahlen und fügte hinzu, ich könne, wenn ich die Mittel nicht hätte, ein Gesuch einreichen, und dann werde die Regierung die Kosten begleichen. Ich ging ins Büro und sagte dem Sekretär, er solle meine prinzipielle Zahlungsverweigerung weitermelden, weil ich das bürgerliche Gericht nicht anerkenne.

Die Feier der Oktoberrevolution kam näher. Einige Tage zuvor wurde ich in das Gefängnis von Bialystok verlegt. Das Gefängnis war riesig groß, wie eine Kaserne. Es lag hinter der Stadt und es hieß, das sei deshalb so eingerichtet, damit niemand hören könne, was dort geschah. Die Disziplin war streng; die Fußböden mußten glänzen wie Spiegel, und wenn sich irgendwo eine matte Stelle zeigte, wurde man bestraft. Die Schüssel, das Kaffeetöpfchen und der Blechlöffel mußten immer blitzen, damit der Aufseher ihre Sauberkeit nachprüfen konnte. Der Gefängnisleiter war ein grausamer Mensch und sein oberster Wärter war ein Henker. Er wohnte im Gefängnis, weil er Angst hatte, auf die Straße zu gehen.

Als ich ankam, wurde ich in eine Einzelzelle gesteckt. Ich wußte nicht, daß in der Einzelzelle mir gegenüber Abraham Sachariasch saß. Er war gefoltert worden, war sehr niedergedrückt und schrieb mir ein trauriges Briefchen. In meiner Antwort machte ich ihm klar, daß ein solcher Brief eines Kommunisten unwürdig sei. Er entschuldigte sich in einem zweiten Brief und dankte mir dafür, daß ich ihm sein Gleichgewicht zurückgegeben hätte.

Zu dieser Zeit brach ein Hungerstreik aus, der fünf Tage dauerte. In diesem Hungerstreik begannen meine Haare auszufallen; ich warf sie ab, wie man eine Perücke absetzt.

Für diesmal blieb ich nicht in Bialystok, denn die Zeit für meinen Grodnoer Prozeß kam näher. Ich verließ das Gefängnis von Bialystok mit großer Erleichterung, obwohl ich wußte, daß es dort eine Gruppe guter Genossen gab. Der von den Gefangenen gewählte Sprecher Lampe war bei allen Genossen beliebt. Lampe kam von der linken Poale Zion, war ein sehr intelligenter Mensch mit scharfem politischem Verstand und erlebte einen raschen Aufstieg als Parteiaktivist. Er wurde Mitglied des Zentralkomitees, und später Führer der Minderheitsfraktion. Zwei Jahre vor dem Zweiten Weltkrieg wurde er in Danzig verhaftet und zu fünfzehn Jahren schweren Kerkers verurteilt. Als er im Gefängnis saß, erklärte man ihn zum Spitzel. Bei Ausbruch des Zweiten Weltkriegs wurde er freigelassen, floh nach Moskau und arbeitete dort das Programm für den Verband polnischer Patrioten aus. Da war er aber schon sehr krank und bald darauf starb er. Als Lampe gebraucht wurde, vergaßen die Stalinisten, daß er beschuldigt worden war, ein Spitzel zu sein, aber seine Henker waren sie dennoch. Weder er noch irgendein anderer hätte die Qualen überstehen können, die sie ihm angetan hatten.

Mein Prozeß in Grodno

Im Frühjahr 1925 fand mein Grodnoer Prozeß statt. Mich und Kapzewić verteidigte ein berühmter Anwalt, der Bundist Honigwil (er ist heute in Amerika). In diesem Prozeß forderte der Staatsanwalt für uns hohe Strafen, weil bei uns gar nichts gefunden worden war. Das klingt paradox, beweist aber nur, wie tief die polnische Justiz damals gesunken war. Die Begründung war einfach: daß man bei uns nichts gefunden hatte, war der Beweis dafür, daß wir gute Kommunisten waren; wir hatten es fertiggebracht, alles gut zu verstecken. Vier Genossen, darunter auch ich, bekamen je vier Jahre schweren Kerker, nur Kapzewić bekam sechs Jahre. Warum er eine höhere Strafe bekam als wir, blieb das Geheimnis des Gerichts.
Nachdem ich das Urteil gelesen hatte, fragte ich den Anwalt, was ich tun könne, damit die beiden Urteile zusammengezogen würden. Das erwies sich als unmöglich und ich war sehr niedergeschlagen. Bis zum Prozeß hatte ich schon drei Jahre abgesessen und jetzt blieben noch fast acht Jahre. Ich hatte das Gefühl, daß ich das nicht überstehen würde. Ich wußte, daß mir mein Rechtsanwalt da gar nicht helfen konnte und ging völlig erschlagen ins Gefängnis zurück. Natürlich zeigte ich den Genossen meine Stimmung nicht, die sich im übrigen auch rasch wieder verflüchtigte.
Unsere Lage verschlechterte sich sehr. Die meisten Inhaftierten waren arme weißrussische Bauern, denen von zu Hause nichts geschickt werden konnte. Die Rote Hilfe setzte mit ihrer Arbeit aus, weil auch ihre Leute verhaftet zu werden begannen. Wir litten großen Hunger

und hinzu kamen noch die moralischen Qualen: der Terror in Weißrußland fing an, mit schrecklicher Grausamkeit zu wüten. Einmal stießen Häftlinge aus Bialystok zu uns, die erzählten, man habe sie zwingen wollen, die eigenen Genossinnen zu vergewaltigen, die nackt und gefesselt auf dem Boden lagen. Die Genossinnen, die bald darauf zu uns kamen, waren niedergedrückter Stimmung, und wie wir aus der Frauenabteilung erfuhren, war es unmöglich, sie aus ihren Depressionen herauszuholen.

Auch die verhafteten weißrussischen Genossen, fast alle arme Bauern, hatten kein besseres Schicksal. Bei der politischen Polizei dieser Gegend waren zwei Methoden beliebt: Entweder Wasser durch die Nase schütten oder auf den Kopf schlagen. Die einen Opfer kamen blaß mit verquollenen Augen ins Gefängnis, die anderen, die man auf den Kopf geschlagen hatte, kamen still und versonnen, von ihnen hörte man kaum je ein Wort. Sie hörten nach und nach auf zu essen, bis sie völlig den Verstand verloren. Wenn ein Häftling bei uns eingeliefert wurde, erkannten wir sofort zu welcher Kategorie von Gefolterten er gehörte.

Ich wurde in dieser Zeit krank. Dafür gab es drei Gründe. Erstens hatte ich ein Vorgefühl, daß ich aus dem Gefängnis nicht mehr herauskommen würde; ich spürte, daß ich unter diesen Bedingungen nicht die Kraft haben würde, eine lange Zeit durchzustehen. Zweitens litt ich sehr unter den Schmerzen der gefolterten Genossen. Wie gesagt waren sie meist ganz einfache Bauern, die weder politisch noch moralisch auf solche Qualen vorbereitet waren, und sie hielten nicht durch. Sie sagten alle aus.

In meiner ganzen Gefängniszeit habe ich nur selten geweint. Ich hütete mich vor Tränen, weil ich nicht wollte, daß der Feind sie sah. Ich wußte, daß ihm das sadistisches Vergnügen bereiten würde, daß er darauf wartete, und ich wollte ihm dieses Vergnügen nicht bereiten.

Der dritte Grund war das Essen. Ich erzählte bereits, daß unter unserem Fenster die Küche war, und daß sich von dort ein schrecklicher Gestank ausbreitete, wenn Fett gebraten wurde – als würde man Kerzenwachs schmelzen. Die Zustände wurden noch schlimmer, denn die Vorräte an Reis und Graupen lagerten im Keller und es hatten sich Würmer darin eingenistet. Wenn das Essen in die Schüsseln geschüttet wurde, gerann das Fett sogleich zu einer gallertartigen Masse und darin sah man die kleinen Füßchen der Würmer. Die Häftlinge schoben sie mit dem Löffel beiseite und aßen die Suppe auf. Auch ich tat das lange Zeit, aber es ekelte mich derart, daß ich aufhörte, die Suppe zu essen. Mit dem Brot war es nicht besser bestellt. Offiziell mußte jeder Häftling 400 Gramm Brot bekommen, aber es war bekannt, daß die Gefängnisangestellten nicht nur von ihren kleinen Gehältern lebten, sondern auch von dem, was sie den Häftlingen stahlen.

Die Verwaltung verfiel auf den Trick, wie das Brot 400 Gramm wiegen und sie trotzdem noch ihr Geschäft machen konnte. Das Brot wurde nicht ausgebacken, sondern nur außen verkrustet. Innen war es ein Stück roher Teig. Versuchte man dieses Brot zu essen, dann war es außen hart wie ein Stück Kohle, das wie Sand schmeckte und zwischen den Zähnen knirschte. Wollte man ein Stückchen weiches Brot aus der Mitte nehmen, dann blieben die Finger kleben wie in Lehm. Lange Zeit aß ich dieses Brot ebenso wie alle anderen, aber schließlich ekelte ich mich auch davor so sehr, daß ich es nicht mehr essen konnte. Von draußen kam auch keine Hilfe und so blieb mir denn nichts anderes übrig, als einfach zu hungern.

So aß ich monatelang nichts und trank morgens nur das, was sie schwarzen Kaffee nannten. Davon lebte ich, aber es war unmöglich, eine solche Ernährung lange auszuhalten. Ich wurde ernstlich krank.

Die Krankheit zeigte sich darin, daß ich nur noch schwer atmen konnte. Ich mußte mich mit den Händen auf den Tisch aufstützen und versuchen, in kleinen Zügen Luft zu schnappen, aber auch das gelang nur schwer und unter Schmerzen. Ich konnte keinen Rock anziehen, nicht einmal den leichtesten, weil er mich in die Schultern schnitt. Ich war sicher, daß meine letzten Tage gekommen waren. Zu dieser Zeit starben einige Genossen, und auf Häftlinge macht der Tod eines Genossen immer einen tiefen Eindruck, weil sich jeder als Kandidat auf dem gleichen Wege sieht.

Lange Zeit klagte ich nicht vor den Genossen. Mir schienen meine Tage gezählt zu sein, und ich wollte nicht, daß sie die Tragödie aus der Nähe erlebten, denn ich wußte, wie schlimm das auf sie wirken würde. Ich bat sie um Erlaubnis, für kurze Zeit in eine Einzelzelle zu wechseln. Das war Ende 1925.

In der Einzelzelle begann ich zu philosophieren, genau wie 1920, als ich glaubte, ich würde noch in derselben Nacht erschossen. Jetzt handelte es sich zwar noch nicht um die letzte Nacht, aber ich war sicher, daß dies zumindest meine letzte Behausung sein würde, daß ich hier nicht mehr rauskommen würde. Ich schaute auf die Tür, auf die Fenster mit den Gittern und fragte mich selbst: wie fühlt sich ein Mensch, der weiß, daß er sich in seiner letzten Wohnung befindet? Ich muß gestehen, daß dieser Gedanke keine besonderen Gefühle bei mir hervorgerufen hat. Der Tod schreckte mich nicht; ich hatte mich daran gewöhnt, ihm in die Augen zu sehen. Nur eines wollte ich: daß niemand mehr meine Stille stören sollte. Alles, was geschehen mußte, sollte still und ruhig vonstatten gehen, ohne Erschütterungen. Ich bereitete mich darauf vor, ruhig dem Unvermeidlichen entgegenzugehen, aber wieder einmal kam es anders, als ich es erwartet hatte.

Jizchak Gordin, damals Funktionär im Jüdischen Zentralbüro, kam gerade zu Besuch nach Grodno und hörte von meiner Krankheit. Er ging zu einer Genossin, die in Grodno ein Restaurant hatte, zahlte ihr für einen Monat, und sie brachte mir jeden Tag Essen. Es war nur ein Mittagessen, aber es reichte mir für den ganzen Tag. Häftlinge, die sich von der Gefängnisernährung abmeldeten, hatten das Recht, von draußen eigenes Essen zu bekommen. Ich kam sehr schnell wieder völlig zu Kräften. Kurz bevor das dritte Jahr meiner Haft in Grodno anbrach, kam eines Tages der Gefängnisdirektor in meine Einzelzelle. Er war sehr freundlich und erklärte, daß ich nach den geltenden Gesetzen das Recht hätte, mich an das Justizministerium zu wenden, damit es mir ein Drittel meiner Haftstrafe erlasse. Er fügte hinzu, er werde mein Gesuch gern unterstützen, obwohl er wisse, daß ich der Führer der politischen Häftlinge von Grodno sei. Er sei sicher, daß mein Gesuch bewilligt würde.

Es war seltsam, diesen Hüter des Gesetzes zu sehen, unter dessen Uniform doch ein menschliches Herz schlug. Er konnte nicht begreifen, daß ich seinen Vorschlag kategorisch ablehnte. Ich versuchte ihm zu erklären, daß es hier um die prinzipielle Nichtanerkennung der bürgerlichen Gerechtigkeit gehe. Er wußte nichts von dem Beschluß der Gefangenengemeinschaft, keine Gesuche einzureichen, die die Kampfkraft der politischen Häftlinge hätten schwächen können, und war darum wegen meiner Ablehnung beleidigt. Bei der nächsten Gelegenheit, kurz vor dem 1. Mai, überstellte er mich ins Gefängnis von Lukischka.

Hungerstreik im Gefängnis von Lukischka

Das Lukischka-Gefängnis in Wilna sieht aus wie eine Festung. Es war die größte Anstalt, in der ich bis dahin gesessen hatte. Obwohl sie in der Stadt lag, fühlte man sich völlig von der Welt abgeschnitten. Die Verwaltung war liberal, zumindest bis zu einem bestimmten Zeitpunkt, und ich hatte bislang noch kein Gefängnis erlebt, in dem die Politischen solche Rechte hatten wie in Lukischka.

Ich kam in eine Einzelzelle. Das Gefängnis war so groß, daß man jeden dort einsitzenden Politischen in Einzelhaft halten konnte.

In den ersten Tagen wußte ich überhaupt nicht, wer von meinen Bekannten noch dort einsaß, denn es war mir noch nicht gelungen, mich mit den Genossen in Verbindung zu setzen.

Inzwischen ging es auf den 13. Mai zu, den Tag von Pilsudskis Staatsstreich. Ich hörte Skolski durch das Fenster mit einem anderen Genossen diskutieren. Er war unfähig, selbständig zu denken und übernahm denn auch sofort die offizielle Parteilinie, die Pilsudskis Staatsstreich unterstützte. Es konnte wirklich so scheinen, als trüge diese Umwälzung einen demokratisch-freiheitlichen Charakter, sogar die

Gefängniswärter trösteten uns, daß wir jetzt bald entlassen würden. Ich teilte diese Illusionen nicht, denn ich hielt den Pilsudski-Aufstand für faschistisch, aber auch ich hatte unrecht. Wir brachten damals Bonapartismus und Faschismus durcheinander. (Einige Zeit später konnte ich mit Trotzki ein paar Stunden lang über diese Frage diskutieren). Der Unterschied zwischen diesen beiden Systemen ist sehr groß, obwohl sich beide mit ihrer ganzen Schärfe gegen die Arbeiterbewegung richten. Der Bonapartismus muß nicht unbedingt alle Parteien und Organisationen vernichten, er begnügt sich damit, ihre Tätigkeit zu kontrollieren und sie zu bestrafen, wenn sie den vorgegebenen Rahmen überschreiten. So ließ Pilsudski zum Beispiel alle Parteien außer der kommunistischen bestehen, und auch die Gewerkschaftsbewegung blieb legal. Im Faschismus wäre das ausgeschlossen, dort gibt es nur die Herrschaft einer Partei. Die Parteimitglieder stehen über den Gesetzen. Während sich der Faschismus auf die rohe Gewalt seiner Anhänger stützt, findet der Bonapartismus seine Hauptstütze in der Armee. Unter dem Bonapartismus hat die proletarische Bewegung noch die Möglichkeit, halblegal zu arbeiten, was im Faschismus ausgeschlossen ist. Damals begriff ich nicht, daß ich mich irrte, wenn ich Pilsudskis Regierungssturz für faschistisch hielt. Aber auch wenn ich nicht recht hatte, was das Wesen des Pilsudski-Regimes betraf, so hatte ich doch recht gegen beide Fraktionen der Partei, die Pilsudskis Putsch für einen Befreiungsakt hielten, der der proletarischen Revolution den Weg bahnen werde. Als ich später in eine Gemeinschaftszelle verlegt wurde, hielt ich über dieses Thema eine Reihe von Referaten.

Im Gefängnis machten wir intensive politische Schulungsarbeit und gaben eine Monatsschrift auf weißrussisch und jiddisch heraus. Ich besuchte alle Zellen und hielt dort Referate. Das Klima war ausgezeichnet, denn die Wilnaer waren prächtige Revolutionäre. Zwar gab es auch andere Elemente, aber die wurden durch die Wilnaer beeinflußt.

Als ich in das Gefängnis kam, war ein Weißrusse der Führer der politischen Häftlinge, ein sehr herzlicher und guter Genosse. Ich traf ihn später in der Sowjetunion wieder. Als er fortging, nahm ich seine Stelle ein.

Die Genossen im Gefängnis arbeiteten einen Fluchtplan für mich aus: ich sollte mich während des Spaziergangs in einem großen Turm verstecken, der auf dem Hof stand, und den ganzen Tag über darin bleiben. Abends, beim Appell, sollte mein Bett so ausstaffiert werden, daß man glauben konnte, es liege einer drin; dem Inspektor sollte mitgeteilt werden, ich sei krank geworden.

Bei Anbruch der Dunkelheit wollte man einen Aufruhr inszenieren, damit alle Wärter zu den Häftlingen hinaufliefen. Am Gefängnistor würde dann ein Wärter sein, der mit uns sympathisierte, ein Schwager des Abgeordneten Tareskiewić. Dieser Wärter sollte mir das Tor öffnen, und in der gleichen Nacht würden wir beide über die sowjetische Grenze gehen. Aber das Leben schlägt unseren Plänen oft ein Schnippchen, und bald darauf war der gleiche Wärter gezwungen, mich mit dem Schlüsselbund auf den Kopf zu schlagen.

Die November-Feier des Jahres 1926 kam heran. Wir hatten alles so vorbereitet, daß es wirklich feierlich zugehen sollte. Wir kamen alle in einer großen Zelle zusammen. Papiergirlanden in allen Farben waren aufgehängt und die Bilder von Lenin und Trotzki hingen an der Wand. Die Tische waren gedeckt mit Festtagsspeisen von draußen. Nach dem Referat erzählte ich Erinnerungen aus der Oktober-Revolution. Der Inspektor kam herein, und wir erwarteten ein Donnerwetter, aber er schaute sich nur um, begrüßte uns zum Festtag und ging wieder.

Einige Tage darauf fand der Prozeß eines Genossen statt. Wir hatten beschlossen, daß er nach der Urteilsverkündung aufstehen und die »Internationale« singen sollte. Als der Genosse dann im Gericht anfing zu singen, wurde er fürchterlich zusammengeschlagen und in einer Droschke ins Gefängnis zurückgebracht.

Wir riefen einen Hungerstreik aus und verlangten nach dem Staatsanwalt. Bei dieser Gelegenheit richteten wir auch Forderungen an die Gefängnisverwaltung. Das Streik-Komitee, das mit der Verwaltung verhandelte, wurde am zweiten Tag in ein anderes Wilnaer Gefängnis verlegt, und so wurde ich dann faktisch der Streikführer, aber verdeckt, nur die Genossen wußten davon. Mit der Verwaltung wollten wir nicht mehr reden, bis die verlegten Genossen zurückgebracht wären.

In der vierten Hungernacht, als wir alle völlig ermattet schliefen, kam der Leiter des Gefängnisses und wandte sich – mir war unbegreiflich, woher er wußte, daß ich der Streikführer war – mit folgenden Worten an mich: »Höre Katz, ich weiß, daß du ein entschlossener Revolutionär bist und keine Kompromisse schließen kannst, aber diesmal bitte ich dich, den Streik zu beenden; es wird schlecht für euch ausgehen, wenn ihr nicht Schluß macht. Ich will meinerseits alles tun, um euch entgegenzukommen.« Er redete mit großer Eindringlichkeit und ich hatte den Eindruck, daß er ein guter Kerl war, der unser Bestes wollte. Aber wir hatten den Beschluß gefaßt, nicht zu verhandeln, ehe die Genossen zurückgebracht wären. Er ging dann sehr niedergeschlagen fort. Uns war nicht klar, was uns bevorstand.

Am nächsten Morgen – es war der fünfte Streiktag – wurden gerade die Essenskessel in den Korridor gebracht und wir öffneten wie üblich die Fenster und begannen, die »Internationale« zu singen, da ging die Tür auf, und der Inspektor und einige Polizisten mit aufgepflanztem Bajonett kamen herein. Der Inspektor zeigte auf mich, um mich als ersten greifen zu lassen. Ich hielt mich an den Tischbeinen fest. Zwei

Polizisten packten mich von hinten, warfen mir eine Decke über den Kopf und schleppten mich ins Hospital zur Zwangsernährung. In allen Zellen entstand Aufregung, die Häftlinge verbarrikadierten sich, und die Polizisten mußten jeden mit Gewalt hinausschleppen. Als ich ins Hospital kam, war die Zwangsprozedur bereits voll im Gange. Sie sah so aus: zwei Kriminelle hielten die Beine fest, einer den Leib und einer den Kopf. Der Feldscher versuchte, einen Schlauch mit einem Röhrchen in den Magen einzuführen und Flüssigkeit hineinzuschütten. Wer sich nicht den Mund öffnen ließ, dem wurden mit dem Röhrchen die Zähne ausgebrochen und der Schlauch wurde mit Gewalt eingeführt. Damals habe ich meine Zähne völlig kaputtgemacht, sogar die, die noch übrigblieben, wakkelten so sehr, daß ich sie ohne Schwierigkeit aus dem Mund herausnehmen konnte.

Bei der Zwangsernährung mußte der Staatsanwalt zugegen sein, denn bei einer Unvorsichtigkeit konnte die Speiseröhre zerrissen werden. (Einige Genossen sind auf diese Weise in Bialystok umgekommen). Als ich wartend dastand, bis ich drankam, und sah, was man mit den Genossen anstellte, bekam ich einen hysterischen Anfall. Ich packte einen Stuhl, stürzte auf den Staatsanwalt zu und brüllte:»Seht, was ihr uns antut!« Neben mir saß ein jugendlicher Genosse, der später in Wolkowisk wieder mit mir zusammentraf. Er umarmte mich, küßte mich ab und bat mich, kein Unglück heraufzubeschwören. Der Staatsanwalt antwortete leise:»Mit euch kann man nicht anders umgehen«, aber ihm standen die Tränen in den Augen. Das brachte mich wieder zu Bewußtsein, und ich wurde ruhig.

Als man mich zurückbrachte, legte man mich in eine Einzelzelle. Ich wollte den Genossen mitteilen, daß der Hungerstreik weiterging, und als ich hörte, daß eine Gruppe zur Zwangsernährung geführt wurde, zog ich mich am Fenster hoch und rief hinaus:»Es lebe der Hungerstreik!« Aber die Mehrzahl der Häftlinge brach zusammen und begann zu essen. Nachts brachte man den Genossen Pietka, Mitglied des Zentralkomitees der West-Weißrussischen Kommunistischen Partei, zu mir in die Zelle. Ich fragte mich, woher sie wußten, daß man auch ihn isolieren mußte, aber das wurde mir bald darauf klar. Spät nachts brachte man uns beide in den Keller, legte unsere Füße in Ketten und fesselte unsere Hände aneinander. Dann wurden wir fürchterlich verprügelt. Als wir in die Zelle zurückgebracht worden waren, sagte ich zu ihm:»Sieh nur, Pietka, wie sie die Weißrussen hassen. Mir haben sie nichts getan, und dich haben sie so mörderisch geschlagen.« Mit Tränen in den Augen erwiderte er mir:»Sie sind schreckliche Antisemiten, sie haben dich fast totgeschlagen.« Das machte mir klar, daß wir beide schrecklich verprügelt worden waren, aber wir waren in einem Zustand gewesen, wo wir nichts mehr gefühlt hatten. Während ich mit ihm sprach, spürte ich, daß ich das Bewußtsein verlor. Ich wollte mich hinlegen, und da seine Hand an meine gefesselt war, bat ich ihn, sich ebenfalls hinzulegen. Ich war einige Minuten bewußtlos und dann konnte ich mich nicht mehr daran erinnern, warum wir in Ketten gelegt worden waren. Ich fragte ihn: »Pietka, warum sind wir hier und nicht mit den Genossen in der Zelle?« Er schaute mich an und begann zu weinen. Später erzählte er mir, er habe geglaubt, ich hätte den Verstand verloren. Sein Verdacht verstärkte sich noch, als ich plötzlich in Gelächter ausbrach. Ich war wieder zu mir gekommen, und als ich mich daran erinnerte, mit welchen Mitteln sie den Streik brechen wollten, kam mir das so komisch vor, daß ich laut auflachte. Diese Reaktion erschreckte ihn zutiefst.

Ich wußte schon, daß achtzig Prozent der Genossen den Streik aufgegeben hatten, aber ich war moralisch nicht bereit, einen Hungerstreik zu verlieren.

Am anderen Morgen kam der oberste Gefängniswärter herein und forderte uns auf, unsere Hosen auszuziehen. Ich glaubte, er wolle mir das Recht streitig machen, meine eigene Kleidung zu tragen, und mich zwingen, um Häftlingskleidung zu bitten, aber ich wollte deshalb keinen Konflikt auslösen. Uns wurden aber keine Gefängnishosen gebracht, und am frühen Nachmittag kam man, um uns zur Zwangsernährung zu führen. Wir wollten nicht gehen, und daraufhin wurden wir zu Boden geworfen und an den Füßen fortgeschleppt; der Kopf schleifte auf dem Schnee hinterher. Von der Zelle bis zum Hospital war ein ganz schön weiter Weg und mir wurde klar, daß sie uns absichtlich nackt dahinschleppten, damit wir krank würden.

Am sechsten Streiktag rief mich der Gefängnisvorsteher ins Bad. Ich wußte, daß dies nur ein Vorwand war und daß er mit mir sprechen wollte. Ich zog also meinen Mantel über die Unterwäsche und ging hin. Auf dem Rückweg forderte er mich auf, den Hungerstreik zu beenden. Als ich antwortete, ich hätte nicht das Recht dazu, und erst müsse man die Genossen des Streikkomitees zurückbringen, drohte er, daß es für uns schlecht enden werde.

Genau in die Tage des Hungerstreiks fiel die Berufungsverhandlung des Prozesses von Grodno, und da sie in Wilna stattfand, wurde ich zum Gericht gebracht. Was der Staatsanwalt redete, interessierte mich herzlich wenig, aber ich sah, daß viele Genossen im Saal waren und beschloß daher, mein Schlußwort auszunutzen, um zu berichten, wie wir gequält worden waren. Als mir das Wort erteilt wurde, begann ich also zu erzählen, was sich im Gefängnis abspielte. Der Vorsitzende forderte mich auf, zum Prozeß zu reden, aber ich sprach weiter über den Hungerstreik. Darauf packten mich zwei Polizisten unter den Armen und führten mich aus dem Gerichtssaal.

Am achten Tag des Hungerstreiks kam der Wärter und meldete, der Gefängnisleiter werde bald die Zellen inspizieren, und wir müßten ihn in »Hab-Acht-Stellung« begrüßen. Wir erklärten, daß wir als Politische das noch nie getan hätten und es während des Hungerstreiks schon gar nicht tun würden. Kaum vergingen einige Minuten, da tauchte in der Tür der Gefängnisleiter mit einer Gruppe von Wärtern auf. Da geschah etwas Unbegreifliches: der Genosse Pietka nahm »Habt-Acht-Stellung« ein, während ich sitzen blieb.

Die Wärter begannen, mit ihren Schlüsseln auf mich einzuschlagen und ich fing an, zu schreien, was das Signal dafür war, an den Türen zu rütteln. Das fürchterliche Türenklappern, das nun einsetzte, zwang sie, mit dem Schlagen aufzuhören. Unter den Schlägern war auch der Wärter, der mich damals bei der geplanten Flucht aus dem Gefängnis herauslassen sollte. Ich wollte ihn nicht ansehen, denn ich verstand, was in ihm vorging.

Als die Wärter fort waren, begann Pietka laut zu schluchzen. Er bat mich, ihm zu glauben, daß er ein Revolutionär und bereit sei, auf den Barrikaden zu kämpfen; aber er habe nicht mehr die Kraft, ohne jegliche Perspektive so lange zu hungern, bis der Streik gewonnen sei. Ich begriff, daß die Logik auf seiner Seite war und bat ihn, in eine andere Zelle zu gehen, in der die Genossen schon wieder zu essen angefangen hatten. Ich selbst wollte weiterstreiken, bis mich die Kräfte verließen, denn ich schaffte es psychologisch nicht, einen verlorenen Streik zu beenden. Pietka war damit nicht einverstanden, sondern wollte bei mir bleiben und weiterstreiken wie ich, aber dann hätte ich die Verantwortung für ein sinnloses Opfer auf meinem Gewissen gehabt.

Aus der Praxis wußte ich, daß die Presse aufgescheucht reagierte, wenn es bei einem Hungerstreik Opfer gab. Dann traten führende Persönlichkeiten auf und ein Kompromiß wurde gesucht. Ich beschloß, Selbstmord zu begehen. In einem Briefchen an meine nahe Freundin Chana vertraute ich ihr an, was ich zu tun beabsichtigte, und bat sie, allen Freunden weiterzusagen, daß ich nicht aus Verzweiflung handelte, sondern umgekehrt: weil ich keinen anderen Ausweg sähe, um die Ehre der Gefängnis-Gemeinschaft zu retten.

Ich hatte meinen Plan nur für mich gefaßt, aber wahrscheinlich war mir doch ein Wort entschlüpft, denn als ich zusammen mit Pietka nach Bialystok verlegt wurde, sagte er mir, er habe ganz genau gewußt, was ich vorhatte, aber er habe mich nächtelang bewacht.

Am neunten Tag des Streiks gab es eine neue Entwicklung: wir wurden nicht zur Zwangsernährung geschleppt. Es stellte sich später heraus, daß wegen des Streiks eine Sonderdelegation der britischen Unabhängigen Arbeiterpartei unter Führung des Abgeordneten Hallawash gekommen war. In der Stadt hatte es eine große Demonstration gegeben und die Engländer verhandelten mit dem Staatsanwalt. In der Nacht kam der Inspektor mit einem weißrussischen Genossen zu mir in die Zelle und teilte mir mit, daß die Verwaltung in allen Punkten nachgegeben habe. Mir kam die Geschichte verdächtig vor, denn wenn sie wirklich nachgegeben hatte, warum hatte sie mich dann nicht gerufen? Warum forderte sie uns nicht auf, in die Gemeinschaftszelle zurückzugehen? Ich fragte den weißrussischen Genossen, ob er zu mir als Erstem komme. Hätte er die Frage bejaht, hätte ich angeordnet, den Streik fortzusetzen. Er erklärte mir aber, ich sei der letzte, zu dem er komme, alle anderen Genossen hätten bereits Brot und Milch erhalten. Ich war fast sicher, daß dies ein Schwindel war, aber jetzt konnte ich nicht mehr zum Weiterstreiken auffordern.

Am anderen Morgen wurde der Schwindel aufgedeckt. Als wir zum Spaziergang kamen, ertönte das Kommando: die Hände auf den Rücken, fünf Schritte Abstand voneinander halten, nicht miteinander reden! Darauf gingen wir in die Zellen zurück.

Weil wir so lange nichts gegessen hatten, litten wir alle an Magenbeschwerden. Im Gefängnis von Lukischka konnten wir nur einmal am Tag zur Toilette hinausgehen, ansonsten mußten wir unsere Bedürfnisse in einen Eimer verrichten, der in einem Hocker mit Deckel steckte. Wir saßen ganze Tage lang auf dem Eimer. Daß wir nicht an die frische Luft gehen konnten, war für uns eine schreckliche Plage.

Inzwischen bereiteten wir uns auf einen zweiten Streik vor. Es wurden zwei Streikkomitees gebildet, für den Fall, daß das eine wieder weggebracht würde. Die Vorbereitungen dauerten einen ganzen Monat. Auf dem letzten Spaziergang vor dem Streik sollte der genaue Beginn festgelegt werden. Wahrscheinlich war ein Spitzel unter uns, denn an diesem Tag kam vor Tagesanbruch der Inspektor zusammen mit einigen Polizisten herein und befahl, wir sollten uns anziehen. Pietka erklärten sie, sein Prozeß werde in Bialystok stattfinden und er müsse dorthin fahren. Mir sagten sie, wenn ich fertig wäre, würde ich schon sehen, wohin ich gebracht würde. Ich wollte die Genossen davon unterrichten, daß man uns mit Gewalt abführte; aber als ich sah, wie der ganze Korridor voll war mit Polizisten und die Bajonette auf ihren Gewehren in der nächtlichen Finsternis blinkten, begriff ich, daß sie für ein Gemetzel gerüstet waren. Da die Streikkomitees ohnehin schon gebildet waren, erklärten wir uns mit der Abreise einverstanden.

Als wir ins Büro kamen, wollte man uns die Hände fesseln. Wir warfen uns auf den Fußboden, hielten die Hände unter dem Brustkasten verschränkt und erklärten, daß man uns die ganze Zeit über tragen müsse, wenn wir gefesselt würden. Wir würden keinen einzigen Schritt alleine tun. Darauf waren die Polizisten einverstanden, uns nicht zu fesseln, und erklärten, daß sie den Befehl dazu nicht ausführten aus Hochachtung vor unserem Kampf, als der Hungerstreik gebrochen werden sollte. Sie fügten hinzu, daß unser Kampf umsonst gewesen sei, weil aus Warschau der Befehl gekommen sei, den Hungerstreik um jeden Preis zu brechen.

Die beiden Polizisten waren zwei frühere Arbeiter, einer von ihnen war kurz zuvor aus Amerika zurückgekommen. Sie waren wirklich sympathische Menschen, und als sie uns über sich erzählten, begannen wir, sie zu agitieren. So hatten wir eine gemütliche Reise zum Gefängnis von Bialystok.

Zurück in Bialystok

In Bialystok kamen wir in streng isolierte Einzelzellen. Sicherlich hatte uns ein Bericht über unser schlechtes Betragen in Lukischka begleitet. Anfangs fühlten wir uns trotz der Isolierung nicht schlecht, wir tauchten wie aus einem schweren Alptraum auf und ruhten uns aus. Wir sorgten uns nur um das Schicksal der Genossen in Lukischka: würden sie die Kraft haben, einen zweiten Hungerstreik durchzuführen? Und wenn ja, welches Ergebnis würde er haben? Etwa zwei Wochen später erreichten uns Gerüchte, daß der Hungerstreik wirklich ausgebrochen sei, aber wir konnten nicht erfahren, ob er gewonnen oder verloren wurde.

Während unseres Aufenthalts in Bialystok brachen zwischen mir und Pietka leidenschaftliche Diskussionen auf. Er gehörte schon zur jüngeren Generation, die gelernt hatte, daß die Parteilinie so lange eine heilige Sache, eine über jeden Zweifel erhabene Wahrheit sei, bis es gestattet ist, etwas anderes zu denken. Mich brachte das auf, ich konnte mich an so etwas nicht gewöhnen. Wenn ich meine Zweifel formulierte, versicherte er, ich würde dafür aus der Partei ausgeschlossen, wenn wir wieder in Freiheit wären. Er vergaß aber nicht hinzuzufügen, daß ihm das weh täte, weil es schade um mich wäre. Pietka war damals in einem moralischen Tief, weil er sich seine Schwäche im Hungerstreik von Wilna nicht verzeihen konnte. Aber damit hatte er Unrecht – und wer hätte besser als ich alle Schrecken jenes Hungerstreiks gekannt?

Wir saßen etwa fünf Monate in Isolierhaft, dann kam der 1. Mai 1927. Wir wurden von der Gemeinschaft der politischen Häftlinge benachrichtigt, daß wir an diesem Tag mit roten Schleifchen zum Spaziergang kommen sollten. Auf dem Hofgang sollten die Internationale und die weißrussische revolutionäre Hymne gesungen werden. Diese beiden Lieder müßten wir um jeden Preis zu Ende singen, und wenn wir verprügelt würden, sollten wir keinen Widerstand leisten, sondern weitersingen.

Als wir zum Spaziergang kamen und begannen, die Internationale zu singen, wurden wir sofort wieder in unsere Zellen hinaufgejagt. Da unsere Zelle auf der vierten Etage war, konnten wir unterwegs die Internationale fertigsingen und mit dem zweiten Lied beginnen. Der Gefängnisleiter kam mit dem Aufseher zusammen in die Zelle, wir wurden zu Boden geworfen und die Wärter begannen zu prügeln. Der Aufseher sagte dabei: »Solange wir in Polen sind, werdet ihr hier keine Kommune errichten.« Und der Gefängnisdirektor sagte: »Ich war hier unter dem Zaren Direktor und habe ihm treu gedient. Heute diene ich der polnischen Regierung. Wenn ihr an der Macht seid, werde ich euch dienen.« Gleichzeitig wurden wir solange verprügelt, bis wir mit dem Lied fertig waren.

Hätte ein Fremder zuschauen können, wie wir auf dem Boden lagen, durchgeprügelt wurden und sangen – oder besser gesagt: ein Lied herausschrieen – hätte er bestimmt geglaubt, in einer Irrenanstalt zu sein.

Nach dem 1. Mai beschlossen Pietka und ich, uns um eine Gemeinschaftszelle zu bemühen. Wir ahnten nicht, daß uns das trennen würde. Pietka kam in eine Zelle und ich in eine andere. Wir haben uns erst im Jahre 1930 in der Sowjetunion wiedergesehen.

In der Gemeinschaftszelle traf ich viele alte polnische Genossen, die ich noch von meiner Arbeit in Bialystok her kannte, aber mit den polnischen Kommunisten aus Warschau waren sie nicht zu vergleichen. Bialystok war die Stadt der polnischen und jüdischen Textilarbeiter und die polnischen Arbeiter dort standen fast völlig unter dem Einfluß der christlichen Gewerkschaften; sie waren stark antisemitisch eingestellt. Wir wußten, daß auch einzelne polnische Kommunisten von diesem Virus infiziert waren, und wir wußten ebenso, daß einige von ihnen aus materiellen Gründen zu uns gekommen waren, hielten sie aber für lernfähig.

Während der Haftzeit stellte sich aber heraus, daß sie alle »gesungen« hatten. Bisher hatte ich das nur bei den primitiven weißrussischen Bauern erlebt; polnischen Kommunisten, die alles verrieten, begegnete ich zum ersten Mal. Außerdem enthüllten sie im Gefängnis ihr antisemitisches Gesicht.

Eine Gruppe von politischen Häftlingen waren ukrainische Bauern aus Wolhynien. Die kommunistische Partei hatte sich dort auf ein großes Abenteuer eingelassen: sie organisierte die Partei nach militärischem Muster in bewaffneten Einheiten; wahrscheinlich bereitete sie diese für den Partisanenkampf vor. Die Geschichte ging gefährlich ins Auge. In einer solchen Organisation fehlte es nicht an Spitzeln, und alle, die verhaftet wurden, haben sofort alles erzählt. Sie wurden zu hohen Haftstrafen verurteilt, und da sie größtenteils reiche Bauern waren, tat ihnen die ganze Geschichte sehr leid. Im Gefängnis ließen sie ihre Wut an der Herrschaft der »jüdischen Kommune« aus. Sie bekamen von zu Hause viel zu Essen geschickt und wollten das nicht mit anderen teilen. Es kam sogar in einem Fall vor, daß sie während des Spaziergangs die alte Schwarzhundert-Losung schrien: »Nieder mit den Juden! Rettet die Ukraine!«

Mir wurde es hier zu eng. Zum ersten Mal saß ich mit einem Kollektiv zusammen, das ich zu hassen begann, und zu meinem Pech wurde ich auch noch zum Führer der Politischen gewählt.

Führer der politischen Häftlinge in Bialystok zu sein, war eine schwierige Angelegenheit. Der Gefängnisdirektor hatte seine eigene Politik, eine grausame Politik.

Er ließ einen Hungerstreik einige Tage währen, dann gab er nach. Aber einige Tage darauf begann er stückchenweise alle neuen Rechte wieder zurückzunehmen. Er wußte, daß es unmöglich war, jede Woche einen Hungerstreik zu organisieren.

Ich litt damals unter dauernden Kopfschmerzen; wenn ich mich hinlegte, drückte mich das Kissen wie ein Stein. Hinzu kamen die Leiden, die durch die Umgebung verursacht waren. Ich hatte Angst davor, daß sich die Geschichte von Grodno nochmals wiederholen würde.

In jenen Tagen bekam ich einen Brief von Abraham Sluschni aus dem Gefängnis von Schedlece, in dem er schrieb, daß die Bedingungen dort gut seien und ich mich bemühen solle, dorthin zu kommen. Ich schrieb ein Gesuch und es wurde bewilligt. Wer konnte damals wissen, daß dies mein letztes Gefängnis in Polen sein würde?

Auf dem Weg zu meiner Befreiung

Im Gefängnis von Schedlece hatten die politischen Häftlinge sehr viel mehr Rechte als in anderen Gefängnissen. Man durfte von einer Zelle in die andere gehen, zweimal am Tag gab es einen Spaziergang. Ein Delegierter der politischen Häftlingsgemeinschaft, der »Kommune«, konnte jede Woche hinausgehen und für die Häftlinge einkaufen. Die verhafteten Männer und Frauen konnten wöchentlich Besuch empfangen. Wir hatten eine eigene Schule, die für unseren Polnisch-Unterricht zur Verfügung stand, aber die Verwaltung wußte genau, was für ein Unterricht dort gegeben wurde. Wir lernten politische Ökonomie, die Geschichte der Oktober-Revolution, wir organisierten Referate über Themen, die uns interessierten. Auch in diesem Gefängnis gab es Ukrainer aus Wolhynien, aber sie hatten keinen großen Einfluß. Ich saß anfangs mit meinem Sluschni zusammen, aber da er nicht zur Kommune gehören wollte, mußten wir uns trennen.

Als ich Führer der Politischen wurde, besuchte ich auch einmal die Frauenabteilung, in der unsere Genossinnen saßen. Dort lernte ich Miriam Schumik kennen, die später meine Frau wurde.

Auch ihr ist vom Schicksal nichts erspart geblieben. Sie war die Tochter eines armen Hebräisch-Lehrers und lebte ständig in Armut. Sehr früh trat sie in die bundistische Jugend ein, und zusammen mit dem Kombund kam sie in die Kommunistische Partei. Dort kämpfte sie an gefährlichster Stelle als Leiterin der Propaganda im Militär. Nach ihrer Verhaftung wurde sie schrecklich gefoltert. Der Polizeikommissar schloß sie alleine in eine Zelle ein, weil er sie vergewaltigen wollte. Schließlich hat man ihr das Herz kaputt gemacht und als sie entlassen wurde, litt sie an einer Herzkrankheit. Als der Krieg ausbrach, hatte sie Angst in die Sowjetunion zu gehen, weil sie fürchtete, dort als Oppositionelle abgeurteilt zu werden. So ist sie im Warschauer Ghetto umgekommen.

Im Allgemeinen fühlte ich mich sehr wohl im Gefängnis von Schedlece, und ich träumte davon, hier die ganzen fünf Jahre abzusitzen. Von Zeit zu Zeit brachen auch dort Konflikte aus, so zum Beispiel am 1. Mai 1928. Die Verwaltung gab bekannt, daß in diesem Jahr Demonstrationen im Gefängnis verboten seien. Wenn wir die Internationale sängen, würde die Polizei in die Fenster schießen. Am Tag des 1. Mai kamen wirklich viele Polizisten und richteten die Gewehrläufe auf unsere Fenster. Es schien, als sei ein Blutbad unvermeidlich und wir müßten auf die Maifeier im Gefängnis verzichten.

Um zwölf Uhr öffneten wir die Fenster, knöpften die Hemden auf, und begannen mit offener Brust an den Fenstern stehend die Internationale zu singen. Die Polizei reagierte nicht.

Im Sommer dieses Jahres war von Amnestie die Rede. Pilsudski stand vor den Wahlen zum Sejm, und zu diesem Anlaß bereitete er eine Amnestie vor. Das war im Juli oder August. Bei mir hätte die Amnestie bedeutet, daß die erste Haftstrafe beendet und ein Drittel der zweiten gestrichen worden wäre. Das hätte geheißen, daß ich nach der Amnestie noch zwei Jahre und acht Monate hätte absitzen müssen. Das war eine große Erleichterung, obwohl ich sicher war, daß ich auch diese Zeit nicht überstehen würde. Ich hatte mich bereits mit dem Gedanken vertraut gemacht, die Freiheit nie wieder erleben zu können, jedenfalls hatte ich nicht damit gerechnet, bei der Amnestie sofort freigelassen zu werden. Aber genau das geschah.

Am Tag der Amnestie saß ich am Fenster, lehnte meinen Kopf an die Gitterstäbe und verabschiedete mich von den Genossen, die in die Freiheit gingen. Ich war unrasiert und hatte auch nichts anzuziehen. Plötzlich öffnet sich die Tür, der Wärter kommt herein und teilt mir mit, ich solle meine Sachen packen, ich sei freigelassen. Ich begriff sofort, daß ich irrtümlich entlassen wurde, darum sagte ich zu einem Genossen: »Siehst du, ich habe dir doch gesagt, daß ich auch unrasiert rausgelassen werde.« Ich hatte nichts, was ich hätte mitnehmen können, und so ging ich denn ohne Jacke ins Büro.

Dort stand eine lange Reihe und ich stellte mich dazu. Als der Inspektor vorbeikam und mich in der Reihe stehen sah, fragte er mich, was ich hier täte. Ich sagte, daß ich darauf warte, entlassen zu werden, und er antwortete mir, ich könnte ruhig in die Zelle zurückgehen, ich sei noch nicht an der Reihe. Ich wußte, daß er recht hatte und ging zurück »nach Hause«.

Die Genossen in der Zelle waren sehr niedergeschlagen. Sie wußten nicht, daß mir alles egal war und glaubten, in mir spiele sich eine Tragödie ab. Vielen standen Tränen in den Augen. Anfangs regte mich das auf, denn ich konnte nicht begreifen, warum sie die Geschichte tragischer nahmen als ich selbst; aber dann sah ich in ihren Gesichtern so viel Gutes, einen so aufrichtigen und freundschaftlichen Schmerz, daß ich tief gerührt war.

Beim zweiten Spaziergang wagten die Genossen nicht, auf mich zuzugehen. Sie waren empfindsam genug zu spüren, daß sie mich jetzt allein lassen mußten und nicht stören durften. Ich war ihnen aus tiefstem Herzen dankbar.

Wir kamen vom Spaziergang zurück und aßen unser Nachtmahl. Der Appell ging zu Ende, es war schon dunkel. Ich saß am Fenster, an die Gitterstäbe gelehnt, da öffnete sich die Tür und ich wurde wieder zur Entlassung hinausgerufen. Ich begann den Wärter zu beschimpfen und sagte ihm, er solle sich andere Späße ausdenken, als sich über mich lustig zu machen. Der Wärter antwortete, mein Zorn sei nicht angebracht, ich würde wirklich entlassen. Mir war klar, daß der Irrtum darauf beruhte, daß mit der Amnestie meine erste Verurteilung zu Ende gegangen war.

Im Büro saß derselbe Inspektor, der mich am Morgen zurückgeschickt hatte. Er hatte inzwischen beim Staatsanwalt rückgefragt, und dieser hatte ihn angewiesen, mich freizulassen – also war für den Irrtum der Staatsanwalt verantwortlich und meine Überlegung war richtig gewesen.

Der Inspektor fragte, was er nun mit mir anfangen solle, und ich antwortete, das hänge von seinem guten Willen ab. Er habe ja zuvor gesagt, daß er mich nicht freilassen wolle, aber jetzt sei eine Anweisung des Staatsanwalts da, deshalb solle er aufhören, mit mir herumzuspielen und mich heimgehen lassen. Während ich noch sprach, kam der Direktor herein und sagte: »Du mußt noch zwei Jahre und acht Monate absitzen, aber für den Irrtum ist der Staatsanwalt verantwortlich. Deshalb lasse ich dich frei.«

Ich wurde nicht mehr in die Zelle zurückgeführt, sondern durfte sofort zum Tor gehen. Ich wollte mich aber von den Genossen verabschieden, deshalb lief ich, statt ans Tor zu gehen, zu dem Flügel hin, in dem sie saßen und berichtete über meine Freilassung.

Der Abschied wurde zu einer Demonstration, die ich nie vergessen werde. Zuerst riefen die Genossen Losungen zu den Fenstern hinaus, und dann begannen sie alle hinter den Gittern die Internationale zu singen. Angehörige von vier Völkern sangen das Lied in vier Sprachen aus tiefem Herzen und mit einer Begeisterung, deren nur entschiedene Revolutionäre fähig sind. Ich konnte mich von dem Bild nicht losreißen; ich stand auf dem Hof und sang mit ihnen zusammen.

Sogar der Direktor und der Inspektor waren von dem Eindruck dieser selbstbewußten Manifestion wie hypnotisiert und versuchten nicht, sie zu stören. Als das Lied zu Ende war, faßten sie mich unter den Armen und baten mich leise, ich solle jetzt gehen. Mir wurde es schwer, die Genossen zu verlassen.

Ich weiß nicht, warum in der Stadt sofort bekannt wurde, daß ich frei war. Vor dem Tor warteten ein paar Genossen auf mich und brachten mir Sachen zum Anziehen. Wir verbrachten zusammen einen fröhlichen Abend, und nachts ging ich in einen Stall schlafen. Ich hatte Angst, der Irrtum könnte entdeckt werden.

Am nächsten Morgen nahm ich zusammen mit Miriam Schumik eine Droschke und wir fuhren zwei Bahnstationen von Schedlece weg und dann mit dem Zug nach Warschau. In Warschau erfuhren wir zwei Tage darauf, daß der Irrtum aufgeklärt worden war und zwei Bauern, die auch irrtümlich freigekommen waren, hatte man schon wieder zurückgebracht. Ich wurde gebeten, vorsichtig zu sein und tauchte deshalb sofort unter.

Wer hätte damals wissen können, daß damals meine Trennung von der Bewegung ihren Anfang nahm? Ich fühlte es nicht voraus und stellte mich darauf ein, weiter in ihrem Dienst zu stehen. Dann kam es aber völlig anders: ich nahm den schweren Kampf mit der stalinistischen Bewegung auf. Er fiel mir nicht leicht, aber es war für mich ein heiliger Kampf.

Auf meinem Wanderweg

Als ich nach der Amnestie diesmal nach Warschau kam, hatte ich mehr Glück. Mein Neffe, der Sohn meiner Schwester, der damals mit seiner Familie auf der Chlodna-Straße wohnte, räumte mir in seiner Wohnung einen Platz ein, sodaß ich mich nicht auf der Straße herumzutreiben brauchte.

Er erzählte mir von den Schwierigkeiten, die er meinetwegen auszustehen gehabt hatte. Er trug nicht den Familiennamen seines Vaters, sondern den seiner Mutter, die er sehr geliebt hatte, nämlich Mendel. In Polen hatte die politische Polizei die Methode, vor jeder größeren Aktion von Arbeitern alle zu verhaften, deren Namen verdächtig waren. Deshalb wurde mein Neffe vor jeder Aktion festgenommen, denn sein Vor- und Familienname waren die gleichen wie meine. Ich lebte dann mit Miriam Schumik, meiner Freundin aus dem Schedlece-Gefängnis, bei meinem guten Freund Rudi, der drei Jahre im Pawiak-Gefängnis gesessen hatte, weil er auf meine Bitte hin den deutschen Spitzel aus Posen beherbergt hatte. Seine Wohnung wurde für mich zu einer warmen Heimstätte, als ich in großer Not war, weil ich von politischen Feinden verfolgt wurde – von der polnischen Polizei und den stalinistischen Schlägerbanden.

Bei den ersten Begegnungen mit den Parteigenossen war ich über die verschärften Fraktionskämpfe in der Partei erschrocken. Es war kaum dahinterzukommen, worum es ging. Beide Fraktionen lobten die Linie der Komintern, mehr noch: beide konkurrierten miteinander in punkto Linientreue. Beide hatten bei Pilsudskis Staatsstreich Pilsudski unterstützt. Allerdings behauptete die Minderheitsfraktion, dies sei bei der Mehrheitsfraktion eine Folge ihrer opportunistischen Politik gewesen, während es sich bei ihr nur um einen zufälligen Fehler gehandelt habe. Nur ein scharfes Auge konnte gewisse Nuancen feststellen. Die Mehrheitsfraktion wurde von Genossen und Schülern von Rosa Luxemburg geführt, die sich ein gewisses Gefühl für Ehre und selbständiges Denken bewahrt hatten und weniger geneigt waren, sich in Abenteuer zu stürzen. Die Minderheitsfraktion dagegen bestand, mit Ausnahme von Lampe, aus gewissenlosen Freibeutern, die um Stalin zu gefallen zu jeder unmoralischen Tat bereit waren. Und was haben sie erreicht? Die ersten Opfer des Stalin-Regimes waren die Vertreter der Mehrheitsfraktion, aber als sie ermordet waren, kamen die Vertreter der Minderheitsfraktion dran, mit Lenski* an der Spitze.

Leider muß ich feststellen, daß meine Sympathien in der ersten Zeit auf Seiten der Minderheit waren, möglicherweise, weil meine nächsten Freunde dazu gehörten: Karolski, Amsterdam, Gerschon Dua und Jizchak Gordin. Ich kann für mich nur ein Verdienst in Anspruch nehmen: ich gewann schnell den Überblick und näherte mich in Moskau der Mehrheit an.

Die Partei war der Ansicht, daß ich eine lange Ruhepause verdient hätte und beschloß, mich für einen Monat in den Kaukasus zu schikken. Bis es dazu kam, fuhr ich einstweilen nach Otwozk, natürlich mit einem falschen Paß. Ich mietete eine Wohnung, ohne zu wissen wie sie aussah, nur weil mir der große Garten im Hof gefiel. Daß man auch die Wohnung anschauen mußte, hatte ich vergessen. Als ich dann meiner Frau erzählte, ich hätte eine Wohnung gemietet und sie mich nach den Zimmern fragte, fiel mir erst auf, daß ich sie nicht einmal angesehen hatte. Ich schämte mich und fing an zu lachen. Meine

---

* Pseudonym von Julian Lenzcynski (1889–1938), 1917 Teilnehmer an der Revolution in Petrograd, danach Mitglied der Führung der polnischen KP, in der er als Vertrauter des Kreml 1929 die Position des Generalsekretärs übernahm. Lenski spielte eine führende Rolle in der Komintern, bis er 1938 nach Moskau gerufen und im Rahmen der Stalinschen Säuberungen liquidiert wurde.

Frau versicherte mir, daß ich von jetzt an keine Wohnungen mehr mieten würde und sie hatte recht. Die Wohnung war sehr schlecht, nur der Garten war wirklich schön.

Als meine Papiere fertig waren, fuhr ich auf halblegale Weise in den Kaukasus, ich hatte zwar Papiere, aber sie waren falsch. In Minsk empfing mich der damalige Ministerpräsident von Weißrußland und spätere Vorsitzende der Komintern Knorin. Er wurde später während der ersten Terrorwelle liquidiert (sicher wegen »weißrussischem Nationalismus«) Er war ein intelligenter Mensch, ein warmherziger Genosse mit starken Gefühlen. Er wußte viel über mich und schlug mir vor, mich in der Sowjetunion niederzulassen. Das begründete er damit, daß ich schon zuviel gelitten hätte und es ein Verbrechen wäre, dorthin zurückzukehren, wo man mich noch immer suche.

Ich dankte ihm für seine Freundlichkeit, erklärte ihm aber, ich hätte nicht als einziger gelitten und hätte auch noch genügend Kraft, mich auf dem Kampfplatz zu behaupten.

In der Komintern traf ich den Leiter der polnischen Sektion, Furman-Furmanski, einen Menschen von großer Intelligenz. Sein Aussehen war typisch jüdisch und gleichzeitig spürte man, daß er zum Typus der Berufsrevolutionäre gehörte. Als ich zu ihm kam, war auch Sochazki dort und beide nahmen mich sehr herzlich auf. Sochazki*, mit dem mich eine alte Freundschaft verband, hatte einiges über mich erzählt. Als ich in die Kommunistische Partei eingetreten und Mitglied des Zentralen Jüdischen Büros geworden war, war auch Sochazki zur Partei gestoßen. Er befaßte sich damals mit der jüdischen Arbeit und lernte Jiddisch lesen und schreiben. Im Jahre 1920 rettete er mich mehr als einmal vor der Verhaftung; er kam zu mir nach Hause und warnte mich, dort zu schlafen, wenn Verhaftungen bevorstünden. Zwischen meiner ersten Verhaftung und dem Zeitpunkt, da ich ihn in der Komintern traf, waren sieben Jahre vergangen und wir freuten uns wirklich sehr über das Wiedersehen. Furman-Furmanski traf später ein bitteres Los: Er gehörte zusammen mit Sochazki zu einer Fraktion, die zwischen der Mehrheit und der Minderheit stand. Als Sochazki verhaftet und verurteilt wurde, beging Furman Selbstmord.

Das geschah fünf Jahre später, jetzt aber diskutierten wir als Genossen und verabschiedeten uns herzlich voneinander. Ich erhielt eine Fahrkarte, Geld und eine Bescheinigung für eine Pension im Kaukasus, dreißig Kilometer von Suchum entfernt.

* Jerzy Cheszejko-Sochozki (1892 – 1933, auch unter dem Pseudonym Bratkowski bekannt), führendes Mitglied der polnischen KP, 1931/32 Mitglied im Präsidium des Exekutivkomitees der Komintern, wurde im August 1933 unter dem Vorwurf der Spionage in Moskau verhaftet, endete durch Selbstmord im Gefängnis am 4. September 1933.

Die Pension war ein umgebautes ehemaliges Kloster für Fürstentöchter. Vom Tor führte eine Allee aus Bäumen und Blumen zur Pension. Alle Wände dort waren noch mit Heiligenbildern bemalt. Meine Nerven waren offenbar noch nicht in Ordnung, denn wenn ich abends das Licht ausknipste, schien mir, als ob sich die Bilder an den Wänden zu bewegen begannen. Ich wurde von Ängsten und Alpträumen heimgesucht und mußte die ganze Nacht das Licht brennen lassen. Ich erzählte niemandem von meinen Alpträumen und das kam mich teuer zu stehen. Wir waren dort sieben oder acht ehemalige politische Häftlinge und machten oft Ausflüge in die Berge. Es gab noch keine Wege, und wir krochen über schmale Stege zwischen Steinen und oftmals über ein Brett. Wenn ich hinunterschaute, wurde mir schwindlig; ich hatte Angst abzurutschen und in den Abgrund zu fallen. Ich schämte mich aber, etwas über meine nervösen Zustände zu sagen, ging also jedesmal mit, litt und schwieg.

Unter den polnischen Genossen war damals Kostrzewa, eine wundervolle Frau. Damals, Ende 1928, war sie noch bei Kräften, obwohl ihr der stalinistische Apparat die Flügel bereits gestutzt hatte. Es war eine Freude mit ihr zusammenzusein, schon ihr Aussehen löste große Wärme und Herzlichkeit in einem aus. Ihre hohe blonde und zarte Gestalt mit blauen Augen verbreitete Licht durch ihre bloße Anwesenheit. Warum vereinte sie so viel frauliche Zartheit und so viel politische Hartnäckigkeit in sich, so viel Empfindsamkeit mit so viel revolutionärer Kraft? Das blieb uns ein Rätsel. Möglicherweise übertraf Rosa Luxemburg sie in vielem, aber auf den Gebieten der Geschichte, Kultur und Kunst stand sie sicher nicht hinter Rosa zurück. Wenn ich mir vorstelle, daß die Henker sie in den Kellern der G.P.U. ermordeten, gerinnt mir das Blut in den Adern, die Feder sträubt sich mir in den Fingern. Werden die Schuldigen einst ihre Strafe erhalten?

Damals im Kaukasus umgab mich eine große Herzlichkeit. Obwohl alle Genossen zur Kostrzewa-Fraktion gehörten und mich zurecht als einen Sympathisanten der Minderheitsfraktion ansahen, fühlten wir uns doch alle wie eine Familie. Wir alle liebten die Partei, ihre Geschichte und die Hoffnungen, die wir mit ihr verbanden, wir alle hatten Opfer für sie gebracht und waren bereit, das auch in Zukunft zu tun.

Der Monat ging zu Ende und wir verabschiedeten uns wie Freunde. Die anderen Genossen blieben noch eine Zeitlang in der Sowjetunion; ich fuhr nach Polen zurück.

Ich muß gestehen, daß mir ein bißchen schwer ums Herz war bei dem Gedanken, bald wieder mitansehen zu müssen, wie die Polizisten mit ihren Gummiknüppeln auf die Köpfe von armseligen Hörnchen-Verkäufern einschlugen, wie die Spitzel mit ihren stechenden Augen mir auf Schritt und Tritt nachspionierten. Ich war etwas wehmütig und bedauerte sogar ein wenig, daß ich mich von Knorin nicht hatte überreden lassen, in der Sowjetunion zu bleiben. Aber ich fuhr heim zu Dutzenden von Genossen, die ich in den Gefängnissen zurückgelassen hatte. Das furchtbare Elend, das mich mein ganzes Leben begleitet hatte, der Kampf unter der Fahne der Kommunistischen Partei, die Sicherheit, daß der endgültige Sieg kommen würde – all das zog mich zurück nach Polen.

Als ich nach Danzig kam, überreichte mir Gerschon Dua die Anweisung der Partei, nicht nach Polen zu fahren, wo ich von der Polizei gesucht wurde. Die Partei hatte beschlossen, daß ich zunächst einen dreijährigen Kurs in der Lenin-Schule absolvieren solle, dann würde man mich wohl vergessen haben und ich könnte nach Polen zurückkommen.

Vor meiner Rückreise in die Sowjetunion hatte Gerschon Dua den Einfall, einen Abschiedsabend für mich zu veranstalten. Dieser Abschiedsabend machte mir klar, welchen Abstieg die Partei vollzogen hatte, wie tief die Parteikader moralisch gesunken waren. An diesem Abend floß der Champagner wie Wasser, es gab die beste Schokolade, die besten Früchte, die im Lande nur aufzutreiben waren. Mich quälte der Gedanke, mit welchem Recht das geschah. Wer hatte erlaubt, soviel Geld auszugeben? Wer würde den Mut haben, dem Zentralkomitee die Rechnung zu überreichen? Ich wußte noch nicht, daß solche ausschweifenden Festlichkeiten bereits eine alltägliche Erscheinung waren.

Auf der Lenin-Schule in Moskau

Als ich 1928 nach Moskau kam, ging ich zu meinem alten Genossen Miron, einem ehemaligen linken Poale-Zionisten, der ein lieber und guter Mensch war. Bei ihm zu Hause traf ich einen Genossen, dessen Namen ich aus bestimmten Gründen nicht nennen kann, und das erste, was dieser Genosse sagte, war: »Damit du es weißt, Hersch Mendel, Trotzki wurde nicht durch die Partei besiegt, sondern durch die G.P.U.« Diese Aussage machte auf mich einen tiefen Eindruck, aber noch mehr beeindruckte mich die Angst, mit der Miron reagierte und uns bat, die Unterhaltung abzubrechen. Das gleiche Erschrecken, das sich auf seinem Gesicht abzeichnete, hatte ich einst auf dem Gesicht meines Vaters gesehen, als er mich bat, keine illegalen Bücher mehr zu lesen.

Tags darauf ging ich zu zwei Genossinnen aus Wilna, die unter dem zaristischen Regime nach Sibirien verbannt worden waren, weil sie dem Bund angehört hatten. Sie waren später mit dem Kombund in die Kommunistische Partei eingetreten. Ich hatte sie schon acht Jahre nicht gesehen und glaubte, sie würden mir um den Hals fallen, aber zu meiner Überraschung blieben sie still und traurig sitzen. Als ich sie fragte, warum sie mich nach so langer Zeit so kalt empfingen, begannen sie zu weinen und schluchzten: »Hersch Mendel, wenn du wüßtest, was man mit uns angestellt hat, wie die G.P.U. uns gequält und von unserem Arbeitsplatz verjagt hat, würdest du auch weinen.« Mir wurde sehr schwer ums Herz, als ich sah, wie sehr sie Angst hatten, daß ich sie verraten könnte. Ich konnte aber nicht sagen, daß ich der gleichen Meinung war wie sie, denn ich hatte mir von der Situation noch nicht selbst ein Bild gemacht. So schwieg ich und verließ sie mit blutendem Herzen. Ich hatte die beiden wirklich gern, sie waren Heldinnen, die ihre Mädchenjahre im wüsten Sibirien vergeudet hatten, und ihre Tränen erschütterten mich zutiefst.

In der Lenin-Schule gab es zu der Zeit, als ich dort war, zwei Kategorien von Schülern. Die einen studierten acht Monate lang – das war der Kurs für gewöhnliche Parteiaktivisten, die später in der Basis arbeiten mußten. Zu dieser Kategorie von Schülern gehörten der weiße Aba und Aba Flug. Die zweite Kategorie sollte einen dreijährigen Kurs absolvieren und danach Funktionär der Komintern werden. In die Schule wurden nur Mitglieder von Zentralkomitees aufgenommen, oder Menschen, die nicht weniger als vier Jahre für einen Bezirk verantwortlich gewesen waren. Ich kam in den zweiten Kurs.

Dort waren wir etwa 14 polnische Genossen, unter ihnen der spätere polnische Präsident Bierut. Das Essen war sehr gut, obwohl viele Kursteilnehmer aus England und Amerika nicht damit zufrieden waren. Ich habe zum ersten Mal in meinem Leben so gut gegessen. Zweimal am Tag gab es Fleischsuppe und verschiedene Gemüse; Brot, Butter und Kaffee gab es soviel man wollte. Wir hatten große Zimmer für jeweils zwei Personen – ich wohnte zusammen mit dem weißrussischen Abgeordneten Balin, einem herzlichen Menschen. 40 Rubel bekamen wir im Monat als Taschengeld. Wir hatten eine reichhaltige Bibliothek und gute Arbeitsräume. Hauptthemen des Unterrichts waren politische Ökonomie, historischer und dialektischer Materialismus, die Geschichte der internationalen revolutionären Bewegung, Geschichte und organisatorischer Aufbau der KP der Sowjetunion. Es gab vier Unterrichtssprachen: Russisch, Englisch, Deutsch und Polnisch. Äußerlich sah alles sehr gut aus. Wir wurden mit allem versorgt, um mit unbelastetem Kopf dem Unterricht folgen zu können, aber das Regime in der Schule war auf unerhörte Weise entwürdigend und sprach allen Grundsätzen Hohn, die uns heilig und teuer waren. Die menschliche Ehre, der Wert der menschlichen Persönlichkeit wurden in den Schmutz gezogen.

Das stalinistische Netz wurde schon gesponnen, die stalinistische Mordmaschinerie schon eingerichtet. Die stalinistische Moral, die auf der Dreieinigkeit von Heuchelei, Denunziation und Mord beruhte, begann sich bereits herauszubilden. Es dauerte noch eine Weile, bis mir diese grausame Wahrheit klar wurde, aber die Zweifel nagten schon an mir; ich bemerkte Dinge, die mir zunächst nicht verständlich waren. Am Tor stand eine Bude, in der stets ein Mensch herumsaß. Für mich konnte es vor dem Hintergrund meiner Erfahrung keinen Zweifel daran geben, daß er ein Spitzel war, daß hier also kontrolliert wurde, wann man fortging und wann man wieder kam. Mir war sofort klar, daß uns nachspioniert wurde, aber welch ein grotesker Einfall, den Stab der Weltrevolution zu bespitzeln!

Der Wirtschaftsverwalter war ein Deutscher – ein Säufer. Er vernachlässigte seine Aufgaben, aber als wir versuchten, darüber zu reden und ihn abzusetzen, wurden einige Genossen bleich: »Lieber nicht davon reden – er arbeitet für die G.P.U.« Er brachte oft einen Spürhund mit, lief mit ihm den ganzen Tag auf dem Hof herum und führte ihn auch in die Zimmer. Für mich gab es keinen Zweifel, warum er das tat.

Inzwischen war der Kampf gegen die Bucharin-Fraktion aufgeflammt, deren Führer Bucharin, Rykow, Tomski und der Leiter der Moskauer Partei, Ordonigidse-Uglonow waren.

Man muß betonen, daß auf dem 15. Parteikongreß Ende 1927, als die linke Opposition ausgeschlossen wurde, Stalin häufig gegen sie auftrat; aber der theoretische Kopf bei der Bekämpfung der linken Opposition war Bucharin. In seinen Reden argumentierte Stalin noch in folgender Weise: Warum solltet ihr auf das hören, was ich euch sage? Ich, Stalin, bin nur ein unbedeutender kleiner Mensch. Hören wir lieber, was Lenin gesagt hat. Und dann überschüttete er alle mit Lenin-Zitaten. Im übrigen ist ganz allgemein festzuhalten, daß Stalin, wenn er sich in jener Zeit auf Marx berief, ihn stets nur aus Lenin-Auszügen zitierte.

Die linke Opposition war ausgeschlossen worden, und der sechste Komintern-Kongreß mußte das bestätigen. Wiederum war Bucharin der Hauptreferent zur politischen Lage. Sobald aber der Komintern-Kongreß die polizeilichen Unterdrückungsmaßnahmen gegen die Opposition gebilligt und damit das blutige Kapitel der Ermordung kommunistischer Führer aller Länder eröffnet hatte, begann Stalin unverzüglich seine Kampf gegen Bucharin, als sei der schon in seinem Kalender vorgemerkt.

Jetzt hatte es nichts mehr zu sagen, daß Stalin sich in seinem Kampf auf die Thesen Bucharins gestützt hatte. Bucharin argumentierte in der Tat, Stalin habe doch seinen Thesen zugestimmt, diese trügen doch die Unterschrift Stalins. Statt dies zu bestreiten, forderte Stalin aber dazu auf, noch mehr auf Bucharin einzuprügeln, weil dieser ihm, Stalin, die Schuld geben wolle.

Was aber warf Stalin Bucharin vor? Bucharin hatte auf dem sechsten Kongreß der Komintern gesagt, daß Deutschland in den Jahren 1923–1928 eine wirtschaftliche Revolution durchgemacht habe.

(Richtig ist, daß Bucharin damals nicht die Krise sah, die noch nicht eingetreten war, und nicht die Ansicht vertrat, die Sozialdemokratie sei in den Sozialfaschismus hineingewachsen).

Ich schreibe hier keine Kritik der Geschichte der KPdSU von damals und möchte mich auf keine Polemik einlassen. Meine Aufgabe ist nur, zu beschreiben, welchen Eindruck der Streit zwischen Stalin und Bucharin auf mich machte. Aber einige Bemerkungen will ich mir doch erlauben.

Bucharin formulierte zu seiner Zeit zwei Theorien. In der einen versuchte er nachzuweisen, daß der Kapitalismus in eine neue Epoche eingetreten sei, in der er sich bemühe, den spontanen Prozeß der wirtschaftlichen Entwicklung aufzuheben und eine gewisse Ordnung einzuführen – das, was Bucharin den organisierten Kapitalismus nannte, den organisierten Charakter des Kapitalismus. Dieser Prozeß werde aber in jedem Lande von großen Konflikten im internationalen Maßstab begleitet, die zu großen Weltkriegen führen würden.

In seiner zweiten Theorie erklärte Bucharin, die Sowjetunion müsse sich vor allem auf die Kulaken* stützen, der Kulak werde friedlich in den Sozialismus hineinwachsen.

Es lag viel Wahrheit in den Thesen von Bucharin, aber vieles war auch unrichtig. Mich quälte nur eine Frage: warum beantwortet Stalin nicht die Feststellung von Bucharin, daß er im Kampf mit der linken Opposition die Thesen Bucharins verteidigt hatte, daß diese faktisch Bucharin-Stalin Thesen waren? Warum behauptete Stalin, daß es in den kapitalistischen Staaten eine Wirtschaftskrise gebe, zu einer Zeit, in der der Kapitalismus in allen Ländern eine Blüte erlebte? Sicher, zwei Jahre später brach die Krise aus, aber diese Krise war doch das Produkt des Aufschwungs der vorangegangenen Epoche, in der Stalin bereits von der akuten Krise gesprochen hatte.

Warum erfand Stalin die Theorie des Sozialfaschismus, obwohl doch unter dem Faschismus die Sozialdemokraten ebenso verfolgt werden wie die Kommunisten? Mussolini hatte sogar mit der Ausrottung der Sozialdemokratie begonnen, ehe er das gleiche mit den Kommunisten machte.

Auf alle diese Fragen suchte ich eine Antwort. Ich fühlte, hier wurde eine Mahlzeit zubereitet, die schwer zu verdauen sein würde. Etwas später wurde mir die Geschichte klar: Stalin brauchte alle diese Theorien, um seinen Plan der Ermordung der revolutionären Funktionäre durchführen zu können. Die Theorien mußten auch die Rechtfertigung liefern für das Massenschlachten unter dem Titel »hundertprozentige Kollektivierung«.

* Russische Großbauern.

Die Schnüffelei bei uns in der Schule hatte sich verstärkt, die Ängstlichkeit war gewachsen. Man fürchtete sich davor, ein Wort zu reden. Ich freundete mich mit dem Genossen Marek* an, einem Schwager des späteren Präsidenten Bierut. Er gehörte zur Mehrheitsfraktion und war ein Mensch mit großer Erfahrung. Als ich ihm einmal auf der Straße begegnete, tat er so, als sähe er mich nicht und lief schnell davon. Anfangs war ich völlig verblüfft, bald aber verstand ich, daß er Angst hatte. Damals konnte schon niemand mehr wissen, wer am anderen Tag verhaftet wurde; darum vermied man, auf der Straße mit Bekannten zu sprechen, denn wenn ein Bekannter in Haft kam, sollte man einem nichts anhängen können. Schlimmer als alles andere war es, als ich auf der Straße meinem ehemaligen Haftgenossen Pietka begegnete und dieser Angst hatte, mich zu grüßen. Er war erst vor kurzem auf dem Weg des Austauschs aus dem polnischen Gefängnis herausgeholt worden, aber schon wußte er, wie er sich zu benehmen hatte. Einige Tage später traf ich ihn im Zimmer eines Genossen und wir umarmten uns. Er fing an zu weinen und bat mich, sein Versagen während des Hungerstreiks zu vergessen; dieser ehrliche Revolutionär machte sich wegen seiner damaligen Schwäche noch immer furchtbare Vorwürfe. Er freute sich brüderlich mit mir über das Wiedersehen, aber auf der Straße hatte er Angst, mich zu grüßen: so sah das verfluchte System aus, das schon im Jahre 1929 errichtet worden war.

Ich habe viel über das Stalin-Regime gelesen, aber nichts davon hat mich wirklich beeindruckt. Mir scheint, daß ich etwas mehr darüber weiß, denn ich habe gesehen, wie diese Maschinerie eingerichtet wurde und kapiert, wie sie funktionieren würde. Nicht nur auf der Straße wurde es gefährlich miteinander zu reden, sondern auch in unseren Zimmern. Wenn wir mit einem Genossen über die unschuldigsten Probleme diskutieren wollten, verhängten wir das Schlüsselloch mit einem Handtuch, verstopften den Luftschacht, der zu einem anderen Zimmer führte und flüsterten einander ins Ohr. Ich dachte daran, daß unsere Großväter zur Zeit der Inquisition so miteinander geflüstert haben.

Es wurde noch schlimmer, es kamen Verhaftungen und Erschießungen. Es verging keine Woche, ohne daß jemand verhaftet wurde. Unter uns gab es einen weißrussischen Genossen, der in der Armee von Denikin** gedient hatte. Die Partei in Weißrußland wußte das, ebensogut wie sie und auch wir wußten, daß der weiße Aba während des Ersten Weltkrieges als Polizist für die Deutschen gearbeitet hatte.

* Alexander Fornalski (Pseud.: Marek und Markowski), Leiter des »technischen Apparates« der polnischen KP in den 30er Jahren. 1936 einer der ersten, der sich Stalins Politik unterwarf.
** Anton Iwanowitsch Denikin, russischer General, 1917 unter der provisorischen Regierung Oberbefehlshaber der Westfront, im Bürgerkrieg Führer eines antibolschewistischen Kampfverbandes.

Aber weder der weiße Aba noch der weißrussische Genosse hatten diese Tatsache angegeben, als sie in die Lenin-Schule kamen.

Der Weißrusse legte während der Parteisäuberung ein Geständnis ab und bald danach wurde die G.P.U. verständigt, die ihn tags darauf mitnahm. In der Nacht zuvor weinte er furchtbar; er hatte eine Frau und Kinder in seinem Dorf. Am Tage nach seiner Verhaftung wurde er ohne jede Verteidigung vor Gericht erschossen. Als ich darüber mit einem armenischen Genossen sprach, wunderte der sich, warum ich mich aufregte, und erklärte mir, es sei die Hauptaufgabe für einen Kommunisten, der G.P.U. zu helfen. Ich fühlte, wie etwas in mir zerbrach: daß es die Hauptaufgabe eines Kommunisten sein sollte, als Denunziant oder Helfershelfer von Spitzeln auf Menschenfang zu gehen, schien mir so fantastisch, gemein und verbrecherisch zu sein, daß es mich schüttelte. Ich fühlte, daß es nun bald zur Katastrophe kommen müsse, aber es dauerte noch über ein Jahr, bis sie hereinbrach.

Mir ging es zwar materiell gut, aber meine Frau litt furchtbaren Hunger. Sie arbeitete im größten Elektrizitätswerk Moskaus und war wirklich am Verhungern. Wer dort arbeitete, bekam einmal in der Woche sehr zähes Pferdefleisch, das man nicht zerkauen konnte. Ich rettete meine Frau vor dem Hungertod, indem ich ihr jeden Tag Brot brachte, das sie mit ihren Genossinnen teilte. Mich schauderte, wenn ich sah, wie gierig sie diese paar Stückchen Brot verschlangen.

In dieser Zeit sollte ich vor russischen Arbeitern in den Betrieben zwei Referate halten und bekam dafür Leitsätze. Das erste Referat ging über den Fünfjahresplan und ich sollte darin aufzeigen, daß nach der Erfüllung des Fünfjahresplanes der russische Arbeiter besser leben wird als der englische in London. Das tat ich mit reinem Gewissen, denn ich glaubte wirklich daran. Aber als ich die Leitsätze zum zweiten Referat bekam, lehnte ich ab, es zu halten, und zwar mit der Ausrede, daß ich mich nicht gut fühle.

Ich sollte nämlich behaupten, der russische Arbeiter esse dreimal mehr Fleisch als der französische. Ich wußte nur allzugut, daß der französische Arbeiter zweimal am Tage Fleisch aß und der russische einmal in der Woche altes, zähes Pferdefleisch bekam. Leiden und schweigen konnte ich noch, aber bewußt lügen und das gegenüber der eigenen Klasse, kam mir elend und verbrecherisch vor. Hätte ich gewußt, daß man in Warschau nicht mehr nach mir suchte, wäre ich sofort nach Hause gefahren. Aber obwohl ich das nicht sogleich tat, war mir eines schon klar: ich würde als Feind des Stalin-Regimes heimfahren und in die Opposition gehen. Und noch etwas hatte ich mir fest vorgenommen: ich würde nichts verheimlichen, sondern die volle Wahrheit über die Sowjetunion erzählen!

Meinen Entschluß führte ich später aus, und mit meinem Aussprechen der Wahrheit war die Entstehung der trotzkistischen Bewegung in Polen verknüpft. Ich hatte in jener Zeit die Möglichkeit, die trotzkistische Literatur zu lesen, sie wurde zum Studium der Parteigeschichte zur Verfügung gestellt. Ich überzeugte mich davon, daß Trotzki auch in theoretischer Hinsicht recht hatte. Man kann über Trotzki und den Trotzkismus unterschiedliche Auffassungen haben, aber Menschen, die sich zur Oktober-Revolution bekannt hatten, konnten unmöglich verkennen, daß Trotzki die Ideen und Grundsätze verteidigte, die in den Oktobertagen formuliert worden waren.

Die Auseinandersetzung ging um zwei Probleme: Um den Sozialismus in einem Land und um die stabile Koexistenz zweier Systeme. Die Analyse dieser beiden Probleme würde den Rahmen persönlicher Erinnerungen sprengen; aber was mich erschütterte war die Tatsache, daß sich Stalin in seinem Kampf gegen Trotzki auf Lenin berief. Bei Lenin kann man auch nicht ein einziges Wort finden, das Stalins Thesen stützen würde – im Gegenteil: was Lenin geschrieben und geredet hatte, insbesondere sein letztes Referat auf dem dritten Kongreß der Komintern, strafte alle Theorien Stalins Lügen. Für mich stellte sich die Frage: alle wissen, daß Stalin lügt, daß er Lenin verfälscht – wie kommt es, daß ihm dennoch alle zustimmen? Das bedeutet doch, daß diese Zustimmung Zwang ist, daß der schändliche Terror, der Revolver im Nacken, Menschen dazu bringt, einverstanden zu sein, die es in ihrem Herzen gar nicht sind. Heute haben wir uns daran gewöhnt, aber damals waren meine Schlußfolgerungen für mich eine persönliche und moralische Katastrophe. Ich wußte bereits, daß ich mich im Kampf gegen ein Regime, das alles Menschliche, alles Freiheitliche, alles, wofür Generationen von Revolutionären ihr Leben geopfert haben, zertritt und schändet, unter die Fahne Trotzkis stellen würde.

Aber die Zeit meiner Rückreise nach Polen war noch nicht gekommen. Ich mußte noch alle sieben Kreise der Hölle durchschreiten, ehe ich die Möglichkeit hatte, mich im offenen Kampf zu stellen.

Die Zwangskollektivierung

Ich schrieb bereits im vorangegangenen Kapitel, daß Stalin eine Krise des Kapitalismus verkündete, als es noch gar keine Krise gab. Im Gegenteil: der Kapitalismus hatte in allen Ländern eine rasche Aufwärtsentwicklung durchgemacht. Auch daß Stalin die Sozialdemokraten zu Sozialfaschisten erklärte, war kein Zufall; er mußte eine Krise haben und er mußte die Sozialdemokraten zu Sozialfaschisten machen, um den Eindruck zu erwecken, daß die Zeit für die soziale Revolution reif war, und wer dagegen war, war eben ein Faschist. Stalin mußte die soziale Revolution haben, um den blutigen Plan abzudecken, den er sich ausgedacht hatte und in dem die Ermordung von Millionen Menschen vorherbestimmt war.

Ich kann mich nicht daran erinnern, ob gleich am ersten Tag die Losung der hundertprozentigen Kollektivierung ausgegeben wurde, oder ob diese Losung im Prozeß der Aktion formuliert wurde. In der Prawda erschienen täglich Berichte aus verschiedenen Gegenden; in einigen erreichte die Kollektivierung bereits in der ersten Woche bis zu achtzig Prozent. Aber die Parole der Prawda war: wer bietet mehr, wer kommt auf die vollen hundert Prozent?

Für uns war das ein Rätsel, denn für Menschen, die etwas von den Grundprinzipien der politischen Ökonomie verstanden, war klar, zu welcher ökonomischen Katastrophe das führen mußte. Aber wir wußten noch nicht alles: das Schlimmste erfuhren wir erst später, Ende 1929, auf dem Plenum des Exekutivkomitees der Komintern, auf dem Manuilski* in einem Referat den Mordplan aufdeckte, der mit der Zwangskollektivierung verbunden war. Nach diesem Plan sollten zwei Millionen Kulaken-Familien umgesiedelt werden; das Kalkül war, daß eine Million auf dem Treck zugrunde gehen würde – die andere Million würde sich anpassen. Man darf nicht vergessen, daß Manuilski nicht von einer Million Bauern, sondern von einer Million Familien sprach!

Inzwischen brachen beim Prozeß der Kollektivierung Unruhen aus, die einen bedrohlichen Charakter annahmen. Die Komintern befahl uns, das Studium zu unterbrechen und wir fuhren alle in die Dörfer, um dort Propaganda für die Kollektivierung zu machen.

Ich weiß, daß über die blutige Kollektivierung schon viel geschrieben wurde, vielleicht Besseres, als ich zu sagen vermag. Aber wer sie mit seinen eigenen Augen gesehen hat, kann sie niemals vergessen.

Ich fuhr in ein Dorf, nicht weit von Moskau, in dem nicht Ackerbau, sondern Viehzucht betrieben wurde. Als ich in das Dorf hineinkam, bot sich mir ein Bild, wie ich es in meinem ganzen Leben noch nicht gesehen hatte. Männer und Frauen liefen auf den Straßen herum, rauften sich die Haare und weinten. Viele Bauern sah ich mit dem Kopf gegen die Wand schlagen. Ich ging auf einen solchen Bauern zu und fragte ihn:»Was ist denn passiert, warum schlägst du mit dem Kopf gegen die Wand?« Der Bauer antwortete weinend:»Uns Bauern geht es ewig schlecht. Wir sind unter dem Zaren erstickt worden, und jetzt ersticken uns die Bolschewisten«.

Ich hielt es für unehrlich, ihn trösten zu wollen, da ich wußte, daß es keinen Trost für ihn gab. Das einzige, was ich ihm sagen konnte, war, daß sich die Lage vielleicht noch ändern würde; man habe es nur auf die Großbauern abgesehen und nicht auf solch arme Bauern wie ihn. Da nahm er mich an der Hand, führte mich zu einem riesigen Stall

* Dimitri Manuilski, 1883–1959, Sekretär der Komm. Internationale, während und nach dem 2. Weltkrieg Außenminister und UNO-Delegierter der Ukrainischen SSR.

und zeigte mir ein trauriges Bild. In diesem Stall waren alle Kühe des ganzen Dorfes zusammengetrieben worden, aber niemand kümmerte sich darum, ihnen Futter zu geben. Die Kühe standen da und brüllten, daß man taub werden konnte. Er ging auf seine Kuh zu, tastete ihren Euter ab und merkte, daß sie keine Milch hatte. Da warf er sich auf den Boden und begann sich die Haare zu raufen, und das taten Dutzende von Bauern, die zu ihren Kühen gerannt waren. Es war ein trostloses Bild menschlichen Elends und Kummers, und mit gebrochenem Herzen ging ich zum Parteisekretär des Dorfes.

Ich traf ihn auf dem Bett liegend an, er war gar nicht fröhlich. Er war wohl selbst ein Bauer, und man konnte spüren, daß er zutiefst betroffen war. Ich beschloß, ein offenes Wort mit ihm zu reden und fragte ihn, warum er zugelassen habe, daß hier ein vielfaches Verbrechen an der Revolution begangen würde. Die Kühe sterben am Hunger, der Bauer wird mit Haß erfüllt, und damit ist die Grundlage der Ordnung zerstört, die auf dem Bündnis der armen und mittleren Bauern mit der Arbeiterklasse beruht.

Der Genosse fing an, sich zu rechtfertigen: er trage gar keine Schuld, er stehe in ununterbrochener Telefonverbindung mit der Redaktion der Prawda, und die Redaktion habe eine ständige Verbindung zu Stalins Büro. Gestern habe er, der Sekretär, der Redaktion gemeldet, daß bereits 88 Prozent kollektiviert seien, und da hätten sie geantwortet, das sei zu wenig, und er sei persönlich für die ganzen hundert Prozent verantwortlich. Was diese persönliche Verantwortung bedeutete, war damals schon klar; ich wußte, daß dieser Genosse das Opfer eines bösen Despoten war und alles nur aus Furcht tat. Ich unterbrach meine Einwände und bat ihn, mit mir ins Dorf zu gehen, um zu sehen, was dort los sei. Er lehnte ab, und ich verstand, daß er Angst vor dem Risiko hatte, auf die Straße zu gehen. Deshalb ging ich alleine los.

Es war noch eine weitere Schweinerei geschehen: ein Mensch von der G.P.U. war in die Kirche gegangen, hatte die Heiligenbilder hinausgeworfen und an die Wand geschrieben, daß hier ein Kulturklub eröffnet würde. Ich hatte den Eindruck, daß der Bursche das auf eigene Faust getan hatte, denn damals war noch niemandem so etwas eingefallen. Die Reaktion der Bevölkerung war gewaltig: die Bauern versammelten sich vor der Kirche, bekreuzigten sich, knieten nieder und wollten sich nicht von der Stelle rühren.

Ich ging fort, um mich ins Bett zu verkriechen, aber ich konnte nicht schlafen. Mir war klar, daß die Revolution in eine Katastrophe hineinschlidderte, daß ein eiserner Kulak sie in den Abgrund stürzte. Ich wurde von großem Mitleid mit dem russischen Bauern ergriffen, den früher der Zar unterdrückt und gewürgt hatte, und den jetzt ein wüster Despot unterdrückte und würgte, der sich wie ein Blutegel in den Körper der Oktober-Revolution hineingefressen hatte.

Ich begann über meine Abreise nachzudenken, und beschloß, sie vorsichtig anzugehen, nicht eilig, um keinen Verdacht zu erregen. Natürlich hatte ich nicht beschlossen, mit der kommunistischen Bewegung zu brechen, ich wollte mich nur von Stalins Regime lossagen und hoffte, daß in Polen, wo die Partei illegal war, wo man noch viele Opfer bringen mußte, die Bewegung ihren reinen Idealismus noch nicht verloren hätte. Das war mein einziger Trost.

Ich schlief spät ein und bekam nicht mit, was vor Tagesanbruch geschehen war. Als ich am Morgen zu dem Sekretär ging, um mich zu verabschieden, saß er da und weinte. Am Tag zuvor hatte Stalin einen Artikel in der Prawda über den schwindelerregenden Erfolg der Kollektivierung veröffentlicht. Als der Sekretär spät in der Nacht mit der Redaktion sprach, hatte ihm niemand etwas davon gesagt; jetzt aber hatte Stalin in genau diesem Artikel geschrieben, man müsse den Rückzug antreten und die Partei beschuldigt, sie habe das Maß überschritten. Als die Bauern die Zeitung erhielten, demonstrierten sie unter dem Fenster des Sekretärs mit der Parole:»Nieder mit den Bolschewiken – es lebe Stalin, der Befreier der Bauern«. Der Genosse hatte Angst, ins Dorf zu gehen.

Zwischen Trotzki und Rakowski gab es einmal eine Diskussion über den Bonapartismus, heute wird diese Diskussion im Organ der Menschewiki wiederholt. Für mich gibt es keinen Zweifel, daß der sowjetische Bonapartismus mit dem Tage begann, an dem der oben erwähnte Artikel von Stalin erschien.

Als ich in die Lenin-Schule zurückkam, stellte sich heraus, daß die Lage sehr ernst war. Eine Reihe von Aufständen war ausgebrochen, man schrieb aber nicht darüber, aus Angst, sie könnten auf das ganze Land übergreifen. Man hatte auch Angst, Militär hinzuschicken, da man nicht sicher sein konnte, ob das Militär nicht auf die Seite der Aufständischen übergehen würde. Uns teilte man mit, daß wir mobilisiert werden würden, um den Aufstand zu unterdrücken, aber ehe wir zum Abmarsch gerüstet waren, sagte man uns, daß die G.P.U. den Aufstand bereits erstickt habe und Zehntausende von Bauern aus Turkestan über die persische Grenze gegangen seien.

Im Lande wuchs die Not. Der Schrecken der Kollektivierung zeigte sich in seinem ganzen Ausmaß erst 1931 in der Ukraine, wo fast sieben Millionen Menschen Hungers starben, aber schon Ende 1929 herrschte eine katastrophale Hungersnot, die an die schwierigsten Zeiten des Bürgerkrieges erinnerte.

Als ich damals für einen Monat in eine Textilfabrik fuhr, die nicht weit von Moskau entfernt lag, fiel mir auf, daß die Maschinen stundenlang stillstanden und die Arbeiter ganze Tage nicht in der Fabrik waren. Der Parteisekretär der Fabrik erklärte mir, er könne nichts tun, denn die Arbeiter hätten nichts zu essen und daher auch keine Kraft zu arbeiten.

Stalin, der es gewohnt war, über menschliche Leiden und unschuldig vergossenes Blut zu spotten, glaubte gerade damals, in der Zeit des großen Hungers, behaupten zu müssen, daß der Bauer ein sattes und fröhliches Leben führe. Das mußten alle wiederholen, obwohl Hinz und Kunz wußten, daß es eine schändliche Lüge war. Ich erinnere mich aus jenen Tagen an den Brief eines Bauern an die Prawda, in dem er Stalin dafür dankte, daß er ihm die Augen geöffnet und ihm klar gemacht habe, daß er ein sattes und fröhliches Leben führe. Bis dahin habe er das nicht gewußt... Speichelleckerei und Denunziation hatten sich in einem solchen Ausmaß verbreitet, daß jede Grundlage gesellschaftlicher Moral untergraben war.

In unserer Parteizelle war jeder Genosse einen Monat lang Sekretär. Worin bestand seine Aufgabe? Er mußte jede Woche zur Verwalterin der Schule gehen, zur Kirsanowa, und sie ganz ›unschuldig‹ davon unterrichten, wie die Stimmung der Genossen war. Wessen Stimmung nicht mit der Parteilinie übereinstimmte, der verschwand. Von dreißig Genossen aus Polen sind kaum sieben oder acht nach Hause zurückgekehrt. Die übrigen wurden festgehalten und sind später umgekommen. Sogar solch verdienstvolle Arbeiter-Funktionäre wie Aba Flug haben dieses System mitgemacht. Als er erfahren hatte, daß sein Fraktionsgegner, der weiße Aba, sich zu erzählen geschämt hatte, daß er einmal Polizist bei den Deutschen gewesen war, denunzierte er ihn. Der weiße Aba ist später umgekommen.

Der Entschluß

Das Leben in der Sowjetunion war für ausländische Revolutionäre unerträglich. Es machte den Eindruck, als würde alles getan, um die menschliche Ehre aller jener Sozialisten in den Schmutz zu ziehen, die nicht durch die russische Schule gegangen waren. So machte sich zum Beispiel jeder Kommunist unglücklich, der versuchte, die eigene Partei zu loben, sie für revolutionär zu halten und als Mitglied dieser Partei stolz auf sie zu sein. Dann war schon sicher, daß er große Schwierigkeiten bekommen würde. Ein solches Verhalten nannten die russischen Bonzen,»die Bedeutung der Sowjetunion nicht richtig einschätzen können«. Denn wie konnte es im Ausland einen guten Kommunisten geben, der seinen Kommunismus nicht in der Sowjetunion gelernt hatte? Ein solcher Mensch war ein Kleinbürger, weil er seine kleinbürgerliche Umgebung in seinem kapitalistischen Land nicht richtig eingeschätzt hatte. Wenn er keine Selbstkritik übte, sich nicht selbst beschmutzte und feststellte, daß er noch voller kleinbürgerlicher Neigungen steckte und daß er sich in der Sowjetunion aufhalte, um den wirklichen Kommunismus kennenzulernen – dann konnte er den Gedanken vergessen, je in sein Land heimfahren zu dürfen. Das traf natürlich nur auf die Mitglieder illegaler Parteien zu; den Genossen aus demokratischen Staaten drohte keine Gefahr, sie konnten mit Hilfe der Intervention ihrer Konsulate zurückfahren.

Es gab einige, die den richtigen Ton fanden. So einer erklärte dann, die kommunistische Partei seines Landes sei noch voller kleinbürgerlicher Vorurteile, sie sei nicht leninistisch, und nur in der Sowjetunion könne man ein guter Kommunist werden. Zu diesem Zwecke sei er hergekommen. Wer so redete, stieg sofort auf; alle Türen und alle Karrieren standen ihm offen. Die sowjetische Bürokratie wußte, daß sie an solch einem Kommunisten einen guten Lakaien haben würde.

Außer der Heuchelei herrschte auch die schändlichste Lüge. Ich schrieb bereits, wie furchtbar damals der Hunger in der Sowjetunion wütete, und wie zynisch Stalin dem Volk einredete, es habe ein fröhliches und sattes Leben. Jeder Scharlatan wiederholte das nach folgendem Text: Bei uns in den kapitalistischen Staaten wird es von Tag zu Tag schlimmer, aber ihr hier lebt wie im Paradies. So redeten Menschen, die prächtig gekleidet waren und sich beschwerten, daß ihnen das Essen in der Lenin-Schule nicht bekomme, daß es höchstens für Schweine gut sei. Diese Menschen hatten Stalins Art voll erfaßt, sie machten sich auf die gemeinste Art lustig über das schreckliche Elend der russischen Volksmassen. Gelohnt hat es sich für sie – sie wurden als die besten Kommunisten angesehen.

Einmal traf es sich, daß ich mit einer amerikanischen Dame aus der Lenin-Schule in eine Fabrik fuhr, um dort Propaganda zu machen. Sie war so abgestumpft, daß sie sich dazu ein seidenes Kleid anzog. Als sie in der bekannten Art zu predigen anfing, kam eine Frau auf sie zu, faßte das seidene Kleid an und sagte:»In solchen Kleidern stirbt man bei euch vor Hunger? In unserem Paradies sieht man solche Kleider nicht«. Ich empfand tiefe Scham über das verlogene und zynische Geschwätz.

Die Lüge beherrschte nicht nur die Propaganda, sondern auch die Wissenschaft und die Philosophie. Mein Lehrer der Geschichte der russischen Arbeiterbewegung hatte eine Arbeit über die russische Revolution von 1905 verfaßt. Die ganze Zeit erzählte er uns, welche Massen von Material er verarbeitet habe, und welch große Bedeutung das Buch haben werde. Aber an dem Tag, an dem er uns das fertige Buch hatte bringen wollen, kam er völlig erschlagen an: Stalin hatte geurteilt, dieses Buch tauge nichts; er habe nur wie eine Maus in alten Büchern gewühlt, aber das lebendige Leben nicht gesehen. Man warf ihm vor, in seinem Buch gebe es trotzkistische Tendenzen, die Rolle Stalins in der Partei der damaligen Zeit werde nicht richtig eingeschätzt. Man wollte ihn zwingen, die Geschichte zu fälschen.

Ein zweiter Fall hatte mit Plechanow zu tun. Bis zu dieser Zeit hatte Plechanow als der beste marxistische Philosoph gegolten, und das mit dem Segen Lenins. Aber Stalin schickte sich schon damals an, seinerseits der größte Philosoph zu werden, und Plechanows Ruhm stand ihm im Wege. Deshalb fällte er folgendes Urteil: Plechanow sei ein religiöser Philosoph, er glaube an Gott, daher müsse er mit Bann belegt werden. Worauf gründete er diese Behauptung? Darauf, daß Plechanow richtig aufgezeigt hatte, wie der Mensch, bevor die Arbeitswerkzeuge die wirtschaftlichen Verhältnisse zu bestimmen begannen, in seinem materiellen Leben auf die Wirkung der Natur angewiesen war. Nach Stalins Deutung aber waren Natur und Gott ein und dasselbe. Als der Professor für historischen Materialismus uns das beibrachte, setzte er von sich aus hinzu, Stalin verstehe eben nichts von Philosophie, habe jedoch einen guten politischen Instinkt. Es gab viele solcher Fälle. Stalin trat auch der Philosophie und der Wissenschaft mit dem Revolver in der Hand entgegen; wäre das nicht so gewesen, hätte ihn niemand zum größten Philosophen unserer Zeit gekrönt.

Ende 1930 fand ein Plenum des Exekutivkomitees der Komintern statt. Auf diesem Plenum hielt der auf traurige Weise berühmte Manuilski das Referat über die politische Lage, in dem er zwei Probleme berührte, von denen ich hier berichten möchte.

Erstens: die Sozialdemokraten verdeckten mit demokratischen Phrasen ihren faschistischen Charakter. Hiermit hob er die Theorie auf eine höhere Ebene: bis dahin war die Argumentation, die Sozialdemokraten seien in den Faschismus abgeglitten; jetzt stellte sich heraus, daß die Demokratie selbst faschistisch geworden war, und der schlimmste Faschist war der linke Sozialist. Wir werden auf den kriminellen Charakter dieser schändlichen Theorie noch zurückkommen, aber schon damals auf dem Plenum war ich sicher, daß sich die stalinistischen Bürokraten anschickten, Unglück über die Arbeiterbewegung zu bringen.

Zweitens behandelte Manuilski auch das Problem des Verhältnisses der Sowjetunion zu den asiatischen Völkern und führte die Niederlagen der Sowjetunion darauf zurück, daß sie bis dahin bestrebt war, sich auf die noch sehr schwachen progressiven Kräfte dieser Völker zu stützen. Als Beispiel zitierte er den Aufstand in Afghanistan gegen den progressiven Schah, der sich auf die Sowjetunion stützen und eine Reihe fortschrittlicher Maßnahmen durchführen wollte. Wenn aber die Sowjetunion Einfluß gewinnen wolle, müsse sie sich auf die real vorhandenen, das heißt die reaktionären Kräfte stützen. Der zweideutige Sinn dieser These war mir schon damals klar. Bis dahin hatten wir vertreten, daß man den nationalen Befreiungsbewegungen einen fortschrittlichen Charakter geben mußte, indem man für soziale Reformen kämpfte. Wenn man nun aber die reaktionären

Kräfte unterstützte, so hieß das nicht nur, daß man die nationalen Interessen der Volksmassen verriet, sondern auch den sozialen Kampf, das heißt, daß man die armen Massen der Herrschaft der fürstlichen und klerikalen Reaktion auslieferte.

Vor meiner Rückreise nach Polen besuchte ich eine jüdischen Kolchose im Gouvernement von Cherson. Mich interessierte es zu sehen, wie jüdische Bauern leben. Mit mir zusammen reiste ein Genosse aus Bessarabien, wir sollten Propaganda machen. Wir kamen gerade zu einer allgemeinen Versammlung der Kolchose zurecht. Das Getreide stand bereits überreif auf den Feldern, konnte aber nicht geschnitten werden, weil es an Stricken fehlte, um die Zügel zusammenzubinden, und weil die Wagen defekt waren. Ich riet meinem bessarabischen Genossen, einem Schmied, keine Propagandareden vor Menschen zu halten, die vor einer Katastrophe stünden. Stattdessen sollte er sich doch lieber hinstellen und die Wagen reparieren. Ich wiederum ging mit den Bauern zusammen zur Arbeit aufs Feld. Die Lage war schrecklich. Wer zur Arbeit ein Stückchen Brot mit Rettich mitbrachte, wurde von den anderen beneidet. Wie die Menschen die Arbeit in solch einer Hitze und ohne Essen durchhalten konnten, ist mir einfach ein Rätsel.

Als der Monat vorbei war, und wir ihnen sagten, wozu wir eigentlich gekommen waren, zeigten sie sich verwirrt. Ein Jahr zuvor war zu ihnen auch ein Student der Lenin-Schule gekommen – er ließ sich nur in einem Wagen rumfahren, weil er keinen Schritt zu Fuß gehen wollte. Als ich zurückkam und meinen Bericht über unsere Arbeit abgab, stellte man mich als ein Muster dafür hin, wie ein Bolschewik handeln müsse. Natürlich verschwieg ich, daß ich mit keinem Wort Propaganda betrieben hatte.

Im Dezember 1930 erfolgte die Parteisäuberung, und diese Aktion entschied endgültig über meine Rückreise nach Polen. Wir, die russische Sprachsektion, wurden besonders hergenommen. Der Vorsitzende der Säuberungskommission war ein Jude, Mickiewicz, der Führer der litauischen kommunistischen Partei. Die erste, die angehört wurde, war unsere Verwalterin Kirsanowa, die den Platz von Bucharin eingenommen hatte. Man wurde schamrot, wenn man sie nur reden hörte, sie konnte nicht einmal zwischen Menschewiki, Syndikalisten und Anarchisten unterscheiden. Aber sie hatte einen Vorzug: sie war die Frau von Jaroslawski, der damals obenauf war, denn er fälschte die Geschichte der Partei nach den Wünschen von Stalin. Und sie hatte noch eine weitere gute Eigenschaft: sie war eine Intrigantin und verstand die Kunst des Kaufens und Bestechens.

Die Genossen, die bei uns unter die Säuberung fielen, gehörten zumeist den illegalen Parteien an. Ihr Leben war eine Geschichte von Blut und Heldentum, aber der Vorsitzende bemühte sich, dies in kleine Münze umzuwandeln. Er vergaß nie, sie daran zu erinnern, daß sie keine Russen seien und noch sehr viel von den russischen Genossen zu lernen hätten. Wenn aber ein Russe seine Biografie erzählte – und nicht einer von ihnen hatte an illegalen Kämpfen oder an der Oktoberrevolution teilgenommen – dann war das ganz etwas anderes. Diese Biografien waren die Geschichte von Apparat-Menschen, die Geschichte von Wanderungen von Posten zu Posten – aber Mickiewicz stellte sich hin und riet allen, sich ein Beispiel an den russischen Bolschewisten zu nehmen. Das war gemein, war die pure Speichelleckerei und konnte einen furchtbar aufbringen.

Als ich meine Biografie erzählte, kam ein Genosse aus der Minderheitsfraktion (das heißt aus der Fraktion, die bereits die Führung hatte) auf mich zu und meinte, ich hätte nicht über meinen Anteil am revolutionären Kriegskomitee sprechen dürfen, da die Partei hierüber nicht gern rede. Und warum nicht? Weil an der Spitze des Kriegskomitees Krolikowski gestanden hatte – ein Genosse aus der Fraktion, die aus der Führung verdrängt worden war. Bedeutete das, daß man die eigene Parteigeschichte herabsetzen sollte, wenn ein Genosse aus einer anderen Fraktion die Arbeit geleistet hatte?

Der Becher lief über, als ein zweiter Genosse aus der polnischen Partei seine Lebensgeschichte erzählte. Auch er hatte lange Gefängnisjahre hinter sich, auch er war einem Todesurteil entronnen. (Genossen hatten ausgesagt, er sei geistig nicht normal). Er lebte bereits längere Zeit in der Sowjetunion und war Mitglied der Gesellschaft der alten Bolschewiki. Als er seine heldenhafte Geschichte zu Ende erzählt hatte, richtete Mickiewicz sich auf und sagte, er solle aus der Gesellschaft der alten Bolschewiki austreten, weil er ihrer nicht würdig sei. Ich dachte, jetzt müßte ich durchdrehen. Dieses gemeine Spiel konnte ich nicht mehr länger mitmachen.

Am anderen Morgen ging ich zur Komintern, zu meinem alten guten Freund Sochazki, der damals Leiter der polnischen Sektion der Komintern war, und teilte ihm kategorisch mit, sofort heimfahren zu wollen. Ich würde nicht zulassen, daß die Stiefel der neuen sowjetischen Bürokraten auf meiner revolutionären Ehre herumtrampelten. Ich wußte, was ich riskierte, wenn Sochazki mir übel wollte, aber ich hatte beschlossen, ein deutliches Wort zu reden. Sochazki schaute mich an, wurde blaß und schien verwirrt. Offenbar war er auf eine solche Erklärung nicht gefaßt.

Er bat mich ruhig, aber entschieden, ich solle sofort aufhören zu reden, und er wolle das, was ich gesagt hatte, nicht gehört haben. Er versprach mir aber, meine Bitte so schnell wie möglich zu erfüllen. Zwei Wochen darauf fuhr ich nach Hause.

Zurück nach Warschau

Ich fuhr mit gemischten Gefühlen nach Warschau, denn ich war nicht sicher, daß die Polizei mich nicht mehr suchte. Sollte ich nochmals – wegen eines neuen Vergehens – verhaftet werden, würde mir das höchste Strafmaß verpaßt werden. Zusammen mit den zwei Jahren und acht Monaten Gefängnis, die ich noch »schuldig« geblieben war, würde dann soviel zusammenkommen, daß ich von der freien Welt Abschied nehmen könnte. Dennoch war ich froh, das Land des Schreckensregimes verlassen zu haben. Ich hatte noch die Illusion, daß in der illegalen Bewegung in Polen alles anders sein würde – aber auch da wurde ich schnell enttäuscht.

Die finsterste Phantasie hätte sich kein schlimmeres Bild ausmalen können als das, was ich vorfand. Es ist keine Übertreibung zu sagen, daß ich zum ersten Mal den Fall erlebte, daß sich eine politische Bewegung in eine kriminelle verwandelt hatte. Die kommunistischen Parteien der damaligen Zeit schlugen eine neue kriminelle Seite ihrer Geschichte auf.

Ende 1930, nach meiner Rückkehr nach Warschau, wurde ich Sekretär des jüdischen Zentralbüros. In meiner ersten Rede erzählte ich von meinen Erlebnissen in der Sowjetunion und warnte die Genossen in Polen davor, sich auf den sowjetischen Weg zu begeben. Fünf Mitglieder hatte das Zentralbüro damals; der erste war der taube Mosche – ein Mensch, der in seinem Leben niemals etwas gelesen hatte, ein Zögling der stalinistischen Gossenpresse. Er war geradezu dafür geschaffen, in jener traurigen Periode zum Führer zu werden. Die Genossen erzählten vom tauben Mosche, daß er im Gespräch mit Genossen stets den Kopf schüttle. Rede er mit einem Menschen, der in der Partei eine geringere Funktion als er selber habe, dann schüttle er den Kopf, um »nein« zu sagen, sei sein Gesprächspartner aber jemand mit einem höheren Amt als er, dann schüttle er den Kopf, um »ja« zu sagen. Er wurde in der Sowjetunion ermordet.

Das zweite Mitglied des Zentralbüros war Mosche Faulpelz* – er war der Starjournalist der Redaktion. Damals war es durchaus nicht leicht, Parteijournalist zu sein. Um genau zu wissen, was man nicht schreiben durfte, mußte man alle Parteien im Kopf haben, und dabei stets erwähnen, daß sie alle faschistisch seien; man mußte auch immer die bedeutende Rolle der Sowjetunion betonen. Bitter war es, wenn man einen dieser Punkte vergaß, denn dann hieß es gleich, man habe keine richtige Einschätzung, man halte etwas zurück, man sei ein Abweichler. Mosche Faulpelz trug stets eine Liste mit sich herum, in der alle diese Details vermerkt waren. Den jeweils aktuellen Rest fügte er dann einfach hinzu. Alles was er schrieb, hatte ein und dasselbe Gesicht. Er ist in der Sowjetunion umgekommen.

* Spitznamen sind im Jiddischen häufig.

220

Der dritte war Herschel Metalowiec, ein standhafter Arbeiterfunktionär, der heute in Kanada ist. Der vierte war Lasewnik – er ist heute in Polen. Über ihn schreibt man besser nichts, um das Papier zu schonen. Der fünfte war ich.

Im jüdischen Zentralbüro begann für mich ein schweres Leben. Ich sah, daß wir nicht nur politisch, sondern auch moralisch versumpften. Es war eine Zeit, in der die Kommunistische Partei alles mit dem Messer ausfechten wollte. Es fällt schwer, alle Verbrechen aufzuzählen; dazu brauchte man mehrere Bücher. Ich will nur in groben Zügen ein paar Beispiele aufzeichnen.

Während der Wahlen zum Vorstand des jüdischen Literaten-Vereins rief die Partei zum Boykott auf, mit der Begründung, der Verein sei faschistisch. Als die Konferenz der jüdischen Volksschulen stattfand, wurde sie boykottiert, weil die Schulen faschistisch seien. Ich wurde als Abweichler angesehen, als ich versuchte deutlich zu machen, daß es schändlich sei, die gesamte jüdische Kultur als faschistisch abzustempeln, und daß das nur dazu führen könne, eine Pogromstimmung zu schaffen. Schlimmer noch ging es in den Arbeitervierteln zu. Viele der Gewerkschaften waren gespalten, aber bis zu dieser Zeit hatte man sich über gemeinsame Streikaktionen noch einigen können. Nachdem aber nun die Gewerkschaften des Bund für faschistisch erklärt worden waren, konnte es natürlich keine Verhandlungen mehr mit ihnen geben. Streikaktionen wurden einfach alleine festgelegt, und dann setzte man den Arbeitern aus den anderen Gewerkschaften den Revolver an die Brust. Das Ergebnis waren Bruderkämpfe in den Reihen der Arbeiterschaft.

Man versuchte die gleichen Praktiken in den polnischen Fabriken, aber dort herrschte das wachsame Auge der politischen Polizei. Die kommunistischen Gruppen in den polnischen Fabriken wurden rasch liquidiert; in den jüdischen Vierteln dauerte es etwas länger, weil die jüdischen Heimarbeiter Angst hatten, sich solcher Methoden zu bedienen.

Sehr charakteristisch war der Vorfall um den Bäckerei-Arbeiter Luxemburg. Zwischen unserer Gewerkschaft und der des Bund war ein Konflikt ausgebrochen über den Einfluß in einer Bäckerei. Ich erfuhr, daß unsere Leute beschlossen hatten, zu Terrormaßnahmen zu greifen. Daraufhin ging ich zur Sitzung der Parteizelle der Bäcker und verbot, das Problem mit dem Revolver zu lösen. Aber hinter meinem Rücken hatte schon ein anderer das Werk verrichtet, denn es war bereits allgemein bekannt, daß ich ein Abweichler war. Mitten am hellichten Tag hatte einer aus unserer Bäcker-Zelle den bundistischen Bäckerei-Arbeiter Luxemburg erschossen. Die Gewerkschaft wurde sofort verboten. Der Bund begann seine Kampfgruppen einzusetzen; ein Blutbad drohte. Ich war tagelang auf der Arbeitsbörse und bemühte mich zu verhindern, daß es Opfer gab.

Schrecklich war das Los des Genossen, der den bundistischen Arbeiter erschossen hatte. Er war ein einfacher Arbeiter, der nicht lesen und schreiben konnte. Als er den Mord begangen hatte, versteckte man ihn in der Toilette eines Hofes auf der Wolinska-Staße, wo er zwei Tage saß. Dann kam jemand zu mir und sagte, unsere Genossen wollten ihn liquidieren, weil sie nicht wüßten, wo sie ihn hinbringen sollten. Mit großer Mühe gelang es mir, dieses Verbrechen zu verhindern. Er wurde zunächst untergebracht und dann nach Danzig geschickt, von wo aus er in die Sowjetunion fahren sollte. Aber er ging hoch, und die Polizei folterte ihn entsetzlich. Man berichtete uns, er sei völlig zerschnitten und liege bewußtlos im Pawiak-Gefängnis. Er hatte keinen von den Parteigenossen verraten, aber dennoch erklärte ihn die Partei zum Spitzel. Natürlich erhielt er keine Hilfe und starb. Hier war ein doppelter Mord begangen worden: ein bundistischer Arbeiter war gefallen und der Schütze auf schreckliche Weise ums Leben gekommen.

Die linke Poale-Zion pflegte jeden Freitag abend Lesungen im Arbeiterheim auf der Karmelicka-Straße zu veranstalten. Unsere Kampfabteilungen beschlossen, diese Lesungen zu sprengen. Den Leuten von der Poale-Zion wurde das zuviel, und so haben sie einmal einige der Versammlungs-Sprenger verprügelt. Daraufhin beschloß das Warschauer Büro, nochmals Leute hinzuschicken, diesmal mit Messern bewaffnet, um Rache zu nehmen. Als ich das erfuhr, begab ich mich zu der Gruppe und sagte, ich würde solche Taten verbieten. Der Leiter des Warschauer Büros (Pinie von den Holzarbeitern – er lebt heute in Paris) hielt mir mit ironischem Lächeln vor, mir sei es wohl leid um Poale-Zionistisches Blut. Noch heute, wo ich dies schreibe, zittern mit die Hände: wie tief war die Bewegung gefallen!

Aber es gab noch schlimmere Verbrechen. Die Partei rief damals fast jede Woche zu einem Generalstreik auf, an dem sich dann nur ein Häuflein jüdischer Jugendlicher beteiligte. Diese Streiks mußten organisiert werden, um Stalins These verbreiten zu können, daß sich jeder kleine Streik zu einem bewaffneten Aufstand auswachsen könne. Zu diesem Zweck mußte nachgewiesen werden, daß es auch in Polen Generalstreiks gab. Da aber niemand streikte, versuchte man Ausschreitungen zu provozieren. Fast jeden zweiten Tag wurden Demonstrationen angekündigt, aber keine polnischen Arbeiter erschienen, und sogar die jüdischen Arbeiter hörten auf hinzugehen – es kamen nur einige Jugendliche, und auch sie wurden immer weniger, weil die Polizei sie leicht auseinanderjagen konnte. Es gab jedesmal Opfer. Anstatt nun mit dieser üblen Abenteuerei Schluß zu machen, wollte die Partei sie durch Verbrechen abdecken. Die Argumentation ging folgendermaßen: die Massen kommen nicht zu Demonstrationen, weil sie mit dem Gewehr in der Hand kämpfen wollen und daraus folgt, daß man bewaffnete Demonstrationen organisieren muß.

Es gab sogar einen Strategen, der einen Plan für bewaffnete Zusammenstöße ausarbeitete. Nach diesem Plan sollten in dem ganzen Gebiet, in dem demonstriert werden sollte, bis hin zu den Polizeikommissariaten, bewaffnete Gruppen eingesetzt werden, die die Polizei daran hindern sollten, an die Demonstranten heranzukommen. Interessant ist, daß solche Demonstrationen nur für das jüdische Stadtviertel geplant wurden, weil – wie gesagt – Polen überhaupt nicht mehr kamen.

Einmal plante die Partei eine solche bewaffnete Demonstration auf dem Kraschinski-Platz, neben dem Appelationsgericht. Dort sollten jüdische Kampfgruppen der Polizei bewaffneten Widerstand leisten. Mir war klar, daß es über die Opfer hinaus, die an Ort und Stelle fallen würden, auch noch zu einem Pogrom kommen könnte. Ich war völlig erschlagen. Ich traf den Genossen Artuski*, damals Mitglied des Warschauer Jüdischen Büros und des Vorstandes der Warschauer Partei, und schüttete ihm mein verbittertes Herz aus. Ich brauchte nicht viel zu reden; er war wie ich ein Gegner solcher Abenteuer. Wir verabredeten miteinander, dieses Abenteuer zu verhindern, und es hat auch wirklich nicht stattgefunden.

Ein besonders schändliches Kapitel war die Organisation der Plünderung von Geschäften. Die Partei wollte beweisen, daß in Polen furchtbarer Hunger herrsche, und dafür sollte der Augenschein herhalten, daß Hungernde Lebensmittel stehlen. Die Organisation dieses »Mundraubs« sah so aus: einige Leute zogen sich zerschlissene Kleidung an, gingen in das jüdische Viertel, schlugen die Schaufenster ein und griffen sich alles, was sie packen konnten. Oft kam es vor, daß einer zwei linke oder zwei rechte Schuhe ergatterte, vielfach prügelte sich die Bande hinterher beim Verteilen der Sachen. Als einmal die Schaufenster des einzigen polnischen Schweinefleischladens an der Ecke der Dzika- und Dzielna-Straße eingeschlagen worden waren, lag hinterher das gestohlene Schweinefleisch in der Textilgewerkschaft, bis es verfault war.

Zu einer Sitzung des Jüdischen Zentralbüros kam einmal ein Genosse vom Zentralkomitee mit einem Plan, den ich sofort ablehnte. Es ging um folgendes: da es nicht gelang, die polnischen Arbeiter dazu zu bringen, Läden zu plündern, sollten wir eine Massenversammlung organisieren, wenn es schon dunkel war. Dann sollten wir uns heimlich in das polnische Stadtgebiet schleichen und in der Dunkelheit die polnischen Geschäfte überfallen und plündern.

Zur gleichen Zeit, als die Kommunistische Partei die Plünderung von Geschäften organisierte, jede Woche zum Generalstreik aufrief und bewaffnete Demonstrationen durchführen wollte, wurden tagsüber

---

* Pseud. von Usler Eichenbaum, alter Bundist und später Mitglied der polnischen KP. Trat nach seinem Ausschluß erneut dem Bund bei. Nach dem Krieg Leiter einer kleinen Organisation gleichen Namens in Israel.

Juden von Banden antisemitischer Strolche überfallen und zusammengeschlagen. Die bundistischen Kampfgruppen fochten oft schwere Kämpfe mit ihnen aus. Als wir uns an die Partei wandten mit der Bitte, uns wenigstens zehn polnische Arbeiter zu geben, die uns im Namen der Solidarität im Kampf gegen diese Banden beistehen sollten, bekamen wir zu hören, man könne uns nicht einmal einen einzigen nennen, denn es gebe keinen, der so etwas tun wolle. Wir hatten also damals angeblich eine revolutionäre Situation, in der man den Bürgerkrieg probte, aber die Partei konnte uns keine zehn Arbeiter für den Kampf gegen die Pogromisten zur Verfügung stellen. Schlimmer noch: sie verlangte von ihren jüdischen Genossen, sich als Polen zu verkleiden, um polnische Geschäfte zu plündern. Und all das, damit man schreiben konnte, in Polen habe der Bürgerkrieg begonnen.

Um das Bild noch klarer zu machen, will ich zwei Tatsachen in Erinnerung bringen. Wir wissen bereits, daß an den »revolutionären« Massenaktionen zwischen hundert und zweihundert jüdische Jugendliche teilnahmen, aber auf der Sitzung des Jüdischen Zentralbüros forderte der Leiter des Zentralkomitees jedesmal, wir sollten in den Berichten die Anzahl der Demonstranten mit 20 bis 30 Tausend angeben. Auf weniger als 10 000 hat er sich nie eingelassen. Außerdem mußte der polnische Charakter der Demonstrationen betont werden, obwohl sich kein einziger polnischer Arbeiter an ihnen beteiligte.

Eine zweite Tatsache: ein besoffener Pole, ein Pogromheld, hatte auf der Eisenbahnlinie Warschau-Otwozk Krawalle veranstaltet und Juden verprügelt. Einmal aber beleidigte er einen polnischen Offizier – natürlich im Suff und der Offizier erschoß ihn. Einige Wochen darauf erschien im deutschen Organ der Komintern ein Korrespondentenbericht aus Polen, in dem geschrieben stand, in Otwozk hätten militärische Manöver stattgefunden. Die polnischen Arbeiter hätten gegen den Militarismus demonstriert und hierbei habe ein faschistischer Offizier einen revolutionären Arbeiter erschossen. Ehre seinem Andenken!

So hat die Partei geblufft, so tief war sie gesunken, einen solchen Zustand kriminellen Verhaltens hatte sie damals erreicht.

Sechster Teil

Wir gründen eine Fraktion

Bis dahin hatte ich den Kampf ganz alleine geführt, aber ich begriff, daß sich das ändern müsse; die Zeit des organisierten Kampfes war gekommen. Es war der letzte Versuch, die Partei zu retten.
Einmal besuchte ich einen alten Freund und traf dort Alexander Minc. Wir freuten uns sehr, weil wir uns lange nicht gesehen hatten. Zuerst sprachen wir über private Angelegenheiten, aber dann kam Alexander auf die Politik zu sprechen. Er klagte die falsche Theorie des Sozialfaschismus an, die in der Arbeiterbewegung verheerend wirke. Darüber brauchte er mit mir nicht viel zu reden. Obwohl wir alte Freunde waren, sprach er sehr vorsichtig mit mir, und auch ich ging auf seine Kritik nicht direkt ein. Ich meinte nur, man könne nicht der polnischen kommunistischen Partei allein die Schuld an diesem Elend geben, denn sie handele nur auf Befehl der Komintern. Um ihre Fehler zu bekämpfen müsse man den Kampf mit der Komintern aufnehmen. Auch darauf antwortete er mir nicht direkt, aber wir hatten uns gegenseitig gut verstanden.
Wir trafen eine zweite Verabredung im städtischen Bad in der Lencza Straße. Dort nahmen wir uns ein Badezimmer mit einer Doppelwanne, damit wir uns vor feindlichen Augen geschützt frei aussprechen konnten. Wir waren damals mehr vor der Partei auf der Hut als vor der politischen Polizei. Wir trafen uns dann mehrfach unter den gleichen Bedingungen und beschlossen, eine Fraktion zu organisieren. Wir sprachen nicht von einer trotzkistischen Fraktion, obwohl ich das gerne gewollt hätte. Ich war nicht sicher, ob eine solche Fraktion gleich auf Widerhall stoßen würde. Wir formulierten ein Programm in drei Punkten: erstens Einheitsfront mit den Sozialdemokraten im Kampf gegen Reaktion und Faschismus, zweitens Einheit der Gewerkschaftsbewegung, drittens Kampf gegen bürokratische Bevormundung, das heißt für innerparteiliche Demokratie.
Nachdem wir dieses Programm vereinbart hatten, suchten wir nach einem dritten Genossen, ehe wir mit der Arbeit beginnen wollten. Wir beschlossen, uns an den schwarzen Aba zu wenden, aber Aba erklärte uns, die Partei bereite sich für den Winter 1931 auf eine Revolution vor, und dabei dürfe man sie nicht stören. Wenn diese Revolution nicht stattfinde, werde er mitmachen. Aba Flug war kein Narr,

der nur über die Revolution daherschwatzte. Ich hatte den Eindruck, er wolle Zeit gewinnen, um mit Warski und Kostrzewa zu reden. Inzwischen begannen wir zwei, auf eigene Faust zu arbeiten. Es ging besser, als wir es uns vorgestellt hatten; die Zahl unserer Sympathisanten wuchs rasch. Jetzt kam auch Aba Flug zu uns, und die Partei mußte von unserer Arbeit Notiz nehmen. Ich wurde als Rechter verleumdet, im ganzen Land wurden Thesen gegen mich verschickt. Genossen begannen sich zu informieren, und sie kamen nicht nur zur Partei, sondern auch zu mir. Tagelang ging ich mit Genossen auf dem Friedhof von Gencza herum und klärte sie auf, worum es ging. Neunzig Prozent von ihnen wurden Oppositionelle.

Als die Zahl unserer Anhänger schon ziemlich groß war, beschlossen wir, ein Memorandum für das Zentralkomitee auszuarbeiten. Darin zählten wir alle Verbrechen auf, die begangen worden waren, und schrieben, daß die Partei mit ihrer gefährlichen Politik Schluß machen müsse, wenn sie wirklich an die soziale Revolution glaube – sonst werde es im Augenblick der tatsächlichen Revolution keine Partei mehr geben, die sie führen könne. An das Ende des Memorandum setzten wir die drei Forderungen unseres Programms.

Das Memorandum wurde von einer Reihe von Genossen ausgearbeitet, darunter waren Alexander, Aba und ich. Aber abgeschickt wurde es unter meinem Namen, weil ich unter allen Oppositionellen der einzige noch hauptamtliche Parteifunktionär war. Inzwischen führte ich noch zwei Aufträge der Partei durch. Ich organisierte die kommunistische Schriftsteller-Gruppe, zu der Leute wie Lis, Heller, Knapheiss, Schulstein, Schlewin, Bergner, Kagan, Mitzmacher, Saromb, Olei, Wulman und andere gehörten. Der zweite Auftrag bestand darin, eine Gruppe anzuleiten, die sich von der Linken Poale Zion abgespalten hatte.

In jener Zeit kam auch Isaak Deutscher zu uns. Er war Redakteur der jiddischen Ausgabe der »Literarischen Tribüne«, Leiter eines Redaktions-Kollegiums. Als Sekretär des Zentralbüros hatte ich über die politische Linie der Zeitung zu wachen. Aus dieser Zeit stammte meine Bekanntschaft mit Isaak Deutscher. Wir sprachen oft über die traurige Lage in der Partei. Er war zu intelligent, um die Katastrophe nicht zu sehen.

Einige Jahre zuvor, als in der Sowjetunion die literarische Richtung des Proletkult entstanden war, hatte Lenin Trotzki den Vorschlag gemacht, über diese Frage zu schreiben. Natürlich hatte Trotzki in seiner Schrift die Theorie der proletarischen Kultur bekämpft. Er führte aus, daß die Arbeiterklasse im Prozeß der sozialen Revolution keine proletarische Kultur schaffen könne, weil sie sich dadurch von all den Schichten isolieren würde, die sich dem Proletariat anschließen könnten. In der Revolution sei die Aufgabe der Kultur, den Kampf all jener zu fördern, die mit dem Proletariat zusammengingen.

Im Sozialismus aber werde das Proletariat als solches verschwinden, es werde nur der freie sozialistische Mensch übrigbleiben. Deshalb sei es absurd, eine rein proletarische Kultur zu schaffen. Später, als Stalin Herr im Hause wurde, ergriff er zu dieser Frage das Wort und beschuldigte Trotzki, er gehe vom militärischen Standpunkt aus an die Kultur heran.

Auf einer der Redaktionssitzungen der »Literarischen Tribüne« wurde der Artikel eines Genossen zu dieser Frage vorgelesen. Der Genosse verteidigte die Position von Stalin. Als ich nach meiner Meinung gefragt wurde, habe ich nicht geschwiegen, wie es sonst meine Gewohnheit war. Gegen den Artikel aufzutreten bedeutete, sofort mit der Partei in Konflikt zu geraten. Nach der Sitzung sprachen wir darüber mit Deutscher, und ich kam auf die Idee, bei Deutscher Interesse für den Trotzkismus zu wecken. Er wurde bald zum erklärten Trotzkisten.

Aus der Schweiz kam damals ein Genosse zu uns, den Trotzki geschickt hatte. Er war ein herzlicher, lieber Mensch und ein glühender Revolutionär. Er war auch ein außerordentlich guter Publizist und nach Deutscher der zweite Journalist, der sich an unseren Veröffentlichungen beteiligte. Sogar im Warschauer Ghetto gab er noch eine Zeitung heraus, »Die Rote Fahne«. Er ist im Ghetto umgekommen.

Inzwischen geschahen zwei Dinge, die unseren Ausschluß aus der Partei beschleunigten. Ich bekam einen Artikel von Manuilski, den ich ins Jiddische übersetzen sollte. In diesem Artikel stellte Manuilski fest, der Kampf zwischen den deutschen Kommunisten und den Faschisten um die Vorherrschaft über die deutschen Bauern habe mit einem völligen Sieg der Kommunistischen Partei geendet. Das schrieb er in einer Zeit, als Hitler von Sieg zu Sieg schritt. Der Artikel schien mir so wüst, so verbrecherisch, daß ich es ablehnte, ihn zu übersetzen. Im zweiten Fall ging es um einen Artikel von Deutscher in der »Literarischen Tribüne«, der die Überschrift trug: »Die zwölfte Stunde«. Er schrieb darin, daß die Kommunistische Partei Deutschlands sofort zu einer Einheitsfront mit den Sozialdemokraten kommen müsse, um Hitlers Machtergreifung zu verhindern.

Trotzki schrieb damals eine Broschüre, in der er dazu aufrief, unverzüglich die proletarischen Reihen zu schließen. In dieser Broschüre machte sich Trotzki über die Stalinisten lustig, die meinten, Hitler werde der Wegbereiter der kommunistischen Revolution in Deutschland sein. Er hingegen sagte, daß Hitler mit Panzern über die Leichen der Proletarier hinwegrollen werde.* Diese Broschüre übte so große Wirkung auf uns aus, daß wir uns insgesamt in eine trotzkistische Op-

---

* Gemeint ist Trotzkis Broschüre »Die Wendung der Komintern und die Lage in Deutschland« vom September 1930 (abgedruckt in: Leo Trotzki, Schriften über Deutschland, Bd. 1, Frankfurt/M. 1971, S. 76 ff.).

position verwandelten. Nur eine kleine Gruppe um Aba Flug tat dies nicht und beschritt den Weg der Kapitulation. Ende Mai 1931 kam die Nachricht, daß die Partei meinetwegen eine Sonderkonferenz in Danzig einberufen wolle. Begreifen kann ich das bis heute nicht, denn es war bereits damals gängige Praxis, Genossen bei der geringsten Abweichung auszuschließen, und zwar ohne jede Versammlung. Wir arbeiteten das Programm aus, das ich auf der Konferenz verteidigen sollte.

Auf der Konferenz in Danzig waren unter anderen anwesend die Genossen Herschel Metalowiec, Maiski*, der taube Mosche, Mosche Faulpelz, Pinie und ich. Vom Zentralkomitee war Amsterdam** da und von der Komintern Bronkowski***. Ich muß betonen, daß ich auf der Konferenz sehr liberal behandelt wurde. Der Hauptreferent war Amsterdam. Er erklärte, daß die Opposition die Zeit nicht verstehe, in der wir lebten. Sogar ein verlorener Streik reiße einen Ziegelstein aus dem Gebäude des Kapitalismus und habe revolutionäre Bedeutung. Wer die Einheitsfront mit den Sozialdemokraten predige, verrate die Revolution. Konkret über mich sagte er, ich sei ein guter Marxist, er fürchte jedoch, daß ich über meine Forderung nach der Einheitsfront mit den Sozialdemokraten auf die schiefe Ebene geraten sei, die zum Renegatentum führe.

Mir wurde eine ganze Stunde für ein Koreferat eingeräumt. Ich verteidigte die Thesen unseres Memorandums. Ich sagte, daß nur die Einheitsfront des deutschen Proletariats die ganze Welt vor dem Unheil bewahren und Hitlers Weg zur Macht blockieren könne. Ich betonte, wie absurd es sei, nur die »Einheitsfront von unten«, das heißt nur die der Basis zu fordern. Wären die sozialdemokratischen Arbeiter bereit, gegen den Willen ihrer Führer mit der kommunistischen Partei zusammenzugehen, dann würden sie in die kommunistische Partei eintreten. Täten sie das nicht, sei das ein Beweis dafür, daß sie noch immer Vertrauen in die eigene Führung setzten. Wollte man wirklich mit ihnen zusammengehen – und sie seien doch die entscheidende Kraft in Deutschland – dann müsse man sich an ihre Führung wenden, und das sei die sozialdemokratische Partei. Das war die Es-

* Journalist und einer der Leiter des Jüdischen Büros der polnischen KP. Berüchtigt als Verfasser des Artikels, der Stalins Tod auf eine jüdische Verschwörung zurückführte. Emigriert nach seinem Bruch mit der polnischen KP Ende der 50er Jahre, lebt heute wahrscheinlich in Israel oder Westeuropa.
** Saul Amsterdam (bekannt unter dem Pseudonym Henryk Henrykowski), schloß sich 1921, aus der Poale Zion kommend, der KP Polens an. Als Anhänger Lenskis wurde er 1929 Mitglied der Parteiführung und Repräsentant auf Komintern-Ebene. In der Zeit der Moskauer Prozesse 1937/38 nach Moskau zitiert und zusammen mit anderen Mitgliedern der polnischen Parteiführung liquidiert.
*** Pseudonym für Bronislaw Bortnowski (1894–1938), Mitglied des Zentralkomitees der polnischen KP seit 1930, als Nachfolger des 1933 in Moskau verhafteten Sochazki Mitglied des Präsidiums des Exekutivkomitees der Komintern, im Verlauf der Stalinschen Säuberungen in Moskau liquidiert.

senz meines Referates. Herschel Metalowiec verteidigte mich nicht politisch, er forderte lediglich, mich nicht auszuschließen, und den gleichen Standpunkt vertrat auch Maiski. Die anderen waren der Ansicht, ich müsse sofort ausgeschlossen werden. Nach einer leidenschaftlichen Debatte wurde beschlossen, mich eine Zeitlang aus der Parteiarbeit herauszuziehen und mir eine Frist von einem Monat einzuräumen, um meinen Standpunkt überdenken zu können. Die Konferenz ging in gedrückter Stimmung zu Ende; man wußte, daß beide Seiten bei ihrer Ansicht geblieben waren.

Früh am anderen Morgen – ich schlief noch – kam Amsterdam zu mir ins Zimmer. Er wirkte moralisch gebrochen. Er schlug vor, ich solle meine Thesen zurückziehen. Ich antwortete ihm, er solle sich schämen, mir so etwas vorzuschlagen. Die Konferenz mit ihren zwei Tage dauernden Diskussionen habe nicht vermocht, mich umzustimmen, und er wolle das in einer Minute schaffen. Wer konnte damals wissen, daß ich ihn zum letzten Male sah, daß er mich zum Renegaten erklären und selbst den Tod in der Sowjetunion finden würde.

Ich bin im Laufe des folgenden Monats nicht zurückgewichen, im Gegenteil: ich schrieb einen Brief an das Zentralkomitee, in dem ich den Streit noch verschärfte. Schließlich wurde uns mitgeteilt, wir seien aus der Partei ausgeschlossen. Ich saß eine ganze Nacht lang wach bei meiner Frau und ging nicht zu Bett. Wir redeten überhaupt nicht miteinander, Tränen standen uns in den Augen und das Herz tat uns weh. Aber wir wußten, daß all das unvermeidlich war.

Unsere Opposition

Nach unserem Ausschluß aus der Partei gerieten wir in einen tragischen Widerspruch. Das war nicht unsere Schuld, denn dieser Widerspruch war ein Produkt objektiver Bedingungen. Wir wußten schon, daß wir vom Stalin-Regime nur das Schlimmste zu erwarten hatten, daß es eine Maschinerie geschaffen hatte, die nicht nur die schlimmsten politischen, sondern auch kriminelle Verbrechen produzieren würde. Wir wußten auch schon, daß sich die Sowjetunion für alle Revolutionäre, die zu sagen wagten, daß sie nicht einverstanden waren, in ein großes Gefängnis verwandelt hatte. Wir wußten ebenso, daß die Sowjetunion zu einer Hinrichtungsstätte für Kommunisten geworden war, die nicht für ausreichend gehorsam gehalten wurden. Wenn die Partei jemanden loswerden wollte, schickte sie ihn in die Sowjetunion, was bedeutete, daß er jede Hoffnung aufgeben konnte, denn das war eine Reise in den Tod. Uns hätte klar werden müssen, daß man sich rasch von der Bewegung trennen, die Schande abwaschen mußte, mit der die Sowjetunion schon damals die Oktoberrevolution besudelt hatte. Und dennoch betrachteten wir uns weiterhin als Fraktion der Komintern, so als wäre die Komintern etwas anderes als ein Werkzeug in den Händen der stalinistischen Bürokraten. Die Komintern war völlig von der Sowjetunion abhängig, ohne deren materielle Unterstützung hätte keine einzige Sektion existieren können. Dadurch waren alle Führer der kommunistischen Parteien politisch gespalten und demoralisiert. Man erzählte mir einmal, daß der Führer der deutschen kommunistischen Opposition, Brandler, mit Wehmut an die gute alte Zeit erinnerte, in der der Spartakusbund von den Groschen lebte, die von den Genossen zusammengekratzt wurden. Damals war es nicht möglich, Menschen zu kaufen und zu demoralisieren, wie es üblich wurde, als plötzlich viel Geld da war, das man ohne jede Anstrengung bekommen konnte.

Wir erwarteten das Schlimmste von der Sowjetunion, waren aber dennoch nicht bereit, mit ihr zu brechen. Sogar Genossen, die nicht persönlich an der Oktoberrevolution teilgenommen hatten, zahlten in Polen einen hohen Preis dafür, sie zu verteidigen. Jeder hatte Gefängnis und ständige Verfolgung hinter sich. Wir brachten alle Opfer in dem tiefen Glauben, damit die Epoche der sozialen Revolution in der ganzen Welt zu eröffnen. Mit all dem plötzlich zu brechen hätte bedeutet, mit einem Stück des eigenen Lebens zu brechen. Das konnten wir nicht und das konnte auch Trotzki nicht.

Bis zu dem Augenblick in dem ich die Partei verließ, war ich hauptamtlicher Funktionär gewesen. Als wir draußen waren aus der Partei fehlten mir auch die Mittel zum Lebensunterhalt. Gewiß, etwas hatte ich. Als ich Funktionär war, hatte ich häufig arbeitslose Genossen unterstützt, und als mich nun die Partei ausschloß, gaben sie mir alle das Geld zurück, weil sie Angst hatten, kompromittiert zu werden. Isaak Deutscher half mir sehr viel. Er teilte sein Einkommen in drei Teile: einen Teil gab er der Organisation, einen Teil gab er an Genossen und den dritten Teil verbrauchte er für seine eigenen Bedürfnisse. Sein eigener Anteil war nicht immer der größte.

Ich wohnte damals in Otwozk. Stab und Sammelpunkt der Opposition waren bei mir zu Hause. Oft blieben Genossen über Nacht, dann schlief man auf dem Fußboden. Das erinnerte mich an den Moskauer-Sowjet zur Zeit des Oktoberaufstandes.

Ich verschwand tagelang von zu Hause, bewegt von dem leidenschaftlichen Willen, so schnell wie möglich eine organisierte und starke Opposition aufzubauen. Dazu mußte ich in der Stadt bleiben oder in der Provinz herumreisen. Meine Frau beklagte sich oft, daß ich so wenig zu Hause sei. Sie meinte, wir würden nicht immer so erholsam auf dem Lande wohnen, und ich täte besser daran, öfter zu Hause zu bleiben. Aber dafür hatte ich keine Zeit.

Schließlich gingen mein Geldreserven zu Ende und ich mußte anfangen, Arbeit zu suchen. In meinem alten Beruf gab es keine Arbeit, darum beschloß ich, Schuster zu lernen. Im Berufsausschuß der Gewerkschaft waren einige Trotzkisten und einer von ihnen, Mosche Diener, stellte mich an und begann, mir den Beruf beizubringen. Bald aber ordnete der Vorstand an, daß ich nicht arbeiten dürfe, denn ich sei eine Gefahr für den Verband.

Plötzlich kam die Nachricht, ich und der schwarze Aba würden nach Moskau gerufen. Diese Nachricht übermittelte mir der taube Mosche, als ich noch an meinem Arbeitsplatz war. Er wollte mir Mut machen und versicherte mir, während meiner Zeit in Moskau werde meine Frau im besten Hotel wohnen und eine volle Pension erhalten. Ich meinte nur, er solle aufhören, solche Köder auszuwerfen, wenn er mit mir reden wolle. Was die Sache selbst angehe, würde ich meine Antwort nach einer Sitzung der Fraktionsführung geben. Er drohte mir sofort an, wenn ich nicht führe, würde die Partei eine besondere Kampagne gegen mich eröffnen. Denn meine Weigerung würde bedeuten, daß ich erwartete, dort verhaftet zu werden. Damit würde ich unterstellen, daß in der Sowjetunion Kommunisten verhaftet würden, und das wiederum heiße die Sowjetunion mit Dreck bewerfen. Aus seiner Rede wurde ersichtlich, wie tief die Partei gesunken war. Man wollte mich einfach betrügen, verhaften und umbringen. Um mir Mut zu machen, wurde mir Geld und meiner Frau die beste Hotelunterkunft versprochen und gleichzeitig versuchte man mich mit einer angedrohten Kampagne unter Druck zu setzen. Der taube Mosche kannte mich seit langem. Wie konnte er das alles erzählen, wo er doch wußte, daß er mich dem sicheren Tode entgegenschickte?

Wir beriefen eine Sitzung unserer Fraktionsführung ein, um die eingetretene Situation zu beraten. Es kam zu einer hitzigen Debatte: Aba Flug war dafür, daß wir fahren sollten, Schlomo und Alexander waren dagegen. Ich brachte einen Vorschlag ein, der angenommen wurde. Damals hatte die Partei Flugblätter verbreitet, in denen wir als Agenten der Sozialfaschisten abgestempelt wurden. Mein Vorschlag war, die Partei solle ein besonderes Flugblatt herausgeben, in dem diese Beschuldigung zurückgezogen und erklärt würde, wir seien Kommunisten, die in einer Reihe von Fragen anderer Meinung seien als die offizielle Führung. Dann wären wir bereit zu fahren. Ich hatte überhaupt keinen Zweifel daran, daß die Partei diesem Vorschlag nicht folgen würde, denn damit hätte sie sich selbst als Verleumderin entlarvt. Die Partei lehnte unserer Forderung ab und wir fuhren nicht in die Sowjetunion.

Im Zusammenhang mit der Sitzung ereignete sich ein Vorfall, den man hier doch erwähnen sollte. Als unsere oppositionelle Gruppe gegründet wurde, wollte ein junger Mensch bei uns eintreten; aber aus bestimmten Gründen nahmen wir ihn nicht auf. Nach der Sitzung unserer Führung erschien eine Flugschrift, unterschrieben mit »X« – das war genau derselbe Bursche, den wir nicht in unsere Fraktion hatten aufnehmen wollen. In diesem Pamphlet berichtete er, er habe gehört, wie Hersch Mendel vorschlug, nicht sentimental zu sein und sich im Kampf gegen die Partei der politischen Polizei zu bedienen. Später kamen noch schlimmere Dinge, aber diese Lüge allein hätte der Auftakt zu einem der berühmten Moskauer Prozesse sein können. Wir beschlossen, zwei Publikationen herauszugeben, die eine in Jiddisch, die andere in Polnisch. Aba Flug verließ uns mit einer kleinen Gruppe, die zu kapitulieren bereit war, aber die Partei nahm ihre Kapitulation nicht an. Sie boten ihre Hilfe im Kampf gegen die Trotzkisten an, aber die Partei traute ihnen nicht, und vielleicht hatte sie es auch nicht nötig. Die Gruppe sank so tief, daß sie sogar versuchte, die Moskauer Prozesse zu rechtfertigen. Warum hatte Aba uns verlassen? Alexander war sicher, daß dies auf einen Wink der früheren Mehrheitsgruppe hin geschah, die Angst vor dem trotzkistischen Charakter bekam, den die Opposition annahm. Mag sein, daß es noch andere Gründe gab. Nach dem Fortgang der Aba-Gruppe wurde die Opposition offiziell trotzkistisch und trat in Verbindung mit dem trotzkistischen Zentrum.

Die beiden Publikationen, die wir herausgaben, standen auf einem hohen politischen Niveau. In ihnen kam das freie kritische Wort zum Zuge, das so lange durch den Parteiapparat unterdrückt worden war. Die wichtigsten Publizisten waren Deutscher, Schlomo und Artel. In Warschau hatte unsere jiddische Zeitung eine höhere Auflage als die Parteizeitung. Über die polnische kann ich das nicht sagen, denn der polnische Teil der kommunistischen Bewegung war damals schon völlig demoralisiert und verfault.

Die Tatsache, daß die Partei mit den Trotzkisten die besten Kräfte verloren hatte, die sie im jüdischen Viertel besaß, war sicher der Grund für den Befehl die Partei zu »entjuden«, die Juden aus der Arbeit in der polnischen Partei zu entfernen. Auch wurde die gesamte Partei mit Spitzeln durchsetzt.

Die Opposition hatte auch auf die Jugend einen großen Einfluß, denn es gab damals eine prächtige revolutionäre Jugendbewegung. Unser Einfluß breitete sich auch in der Provinz aus, besonders in Wilna, Lemberg und Lodz. Es kann überhaupt kein Zweifel daran sein, daß wir in Polen zu einer Kraft geworden wären, wenn wir die objektiven Möglichkeiten und materielle Mittel dazu gehabt hätten. Als ich später andere trotzkistische Organisationen kennenlernte, hatte ich stets den Eindruck, daß unsere die beste war. Die materiellen Mittel für unsere Tätigkeit stammten ausschließlich aus den Spenden der Genossen, und unsere Genossen waren alle Proletarier. Deutscher gab sicher die Hälfte seines Einkommens. Einer der Genossen war ein Kaufmann, und auch er unterstützte uns sehr.

Mittlerweile ging der Terror der Partei gegen uns los. Wenn die Stalinisten erfuhren, daß wir uns trafen, tauchten sie auf, um uns zu provozieren. Sie brachen in die Wohnungen von Genossen ein und veranstalteten Haussuchungen, die sich nicht von denen der Polizeispitzel unterschieden. Wir wußten, daß sie diese Provokationen nur veranstalteten, um uns als Denunzianten abstempeln zu können. Den Gefallen wollten wir ihnen nicht tun und waren daher sehr vorsichtig. Ich wurde von allen Seiten bedroht. Aus Moskau kam der traurig berühmte Skolski, der – wie wir erfuhren – Sondervollmacht hatte, den Trotzkismus bis zur physischen Ausrottung zu bekömpfen. Pinie von der Holzgewerkschaft und Sachariasch erklärten auf Arbeiterversammlungen ganz offen, daß sie mich eigenhändig erschießen würden. Mir war klar, worauf das hinauslief: Es sollte ein Mord organisiert werden, der nach einem Unfall aussah. Ich wurde vorsichtig und meine Frau und ich beschlossen, uns eine Zeitlang nicht auf der Straße zu zeigen.

In Otwozk wohnte ein Sympathisant und persönlicher Freund von mir, der bekannte Künstler Chaim Hanft. Zu ihm fuhren wir und bei ihm fühlte ich mich sicher. Tagelang erzählte er interessante Geschichten, darunter besonders schöne Anekdoten über J. M. Weissenberg. Ich ruhte mich dort gut aus, und das war auch sehr nötig, denn ich spürte, daß sich die nervliche Zerrüttung aus der Gefängniszeit wieder bemerkbar machte, wieder konnte ich im Dunkeln nicht einschlafen.

Als wir einmal abends zu dritt ein wenig spazieren gingen, blieben wir plötzlich alle stehen und kehrten schweigend in die Wohnung zurück. Den ganzen Abend redete keiner von uns ein Wort und wir gingen stillschweigend zu Bett. Erst am anderen Morgen gestanden wir einander, daß wir alle den gleichen Eindruck hatten: daß uns jemand nachging, als wir das Haus verließen. Darum waren wir instinktiv in die Wohnung zurückgegangen. Uns wurde klar, daß es mit meiner Ruhezeit in Otwozk zu Ende war, daß mir die Stalinisten auf Schritt und Tritt folgten. Ich fuhr zusammen mit meiner Frau nach Warschau zurück.

Unsere illegale Wohnung (eine andere hatten wir nicht) war stets bei meinem lieben Freund Rudi. Sogar der Hausmeister dort wußte Bescheid, und wenn Spitzel am Tor auftauchten, kam er herauf, um mich zu warnen. Zugleich wurde diese Wohnung auch für verschiedene trotzkistische Aktivitäten benutzt.

In Warschau wurde ich schon ganz offen verfolgt, und zwar von dem aus der Partei-Kampforganisation berühmten Leibunju, einem bekannten Schläger. Interessant war, daß er stets von einem Dieb begleitet wurde, der mir, als ich aus der Sowjetunion kam, meinen Koffer hatte stehlen wollen. Es war bezeichnend: ein Dieb und ein Bandit (der später zu den Faschisten überlief) begannen meine kommunistische Reinheit zu überwachen. Leibunju gab mir zu verstehen, daß es ihn nicht geärgert hätte, wenn ich Anarchist geworden wäre; er hätte es verstanden und verziehen. Aber zu behaupten der »Bund« sei nicht faschistisch, das sei unverzeihlich, dafür verdiene ich eine Kugel in den Kopf. Hierbei zeigte er mir den Revolver, den er in der Tasche trug.

Ich versuchte ihn aufzuklären, nicht um ihn zu überzeugen, sondern weil ich wirklich glaubte, er könnte von seinem Revolver Gebrauch machen. Er aber blieb bei seinem Standpunkt. Die Geschichte zog sich hin, bis ich nach Paris abfuhr, und ich fragte mich mehr als einmal, warum er mich nicht erschoß, konnte aber keine Antwort finden. Einen einzigen Grund konnte ich mir denken: kriminelle Typen haben einen großen Respekt vor Menschen, die lange im Gefängnis gesessen und sich dort gut gehalten haben. Meine Vergangenheit war allen bekannt. Wie auch immer, er beließ es bei bloßen Drohungen.

Meine Frau arbeitete damals in einer Schneiderei in der Dzielna-Straße. Sie war gar nicht gesund; die Krankheit aus der Gefängniszeit machte ihr wieder sehr zu schaffen. Ich ging gewöhnlich zum Mittagessen einkaufen, die Frau von Rudi, eine gute Freundin, kochte für uns und ich brachte meiner Frau das Essen an ihre Arbeitsstelle. Auf dem Wege paßten mich die Lastträger ab, die das Rückgrat der Kampforganisation der Partei bildeten; sie liefen hinter mir her und schrieen laut: »Der Kaiser der Trotzkisten trägt ein Essenstöpfchen.«

Es traten politische Ereignisse ein, die die persönlichen Schwierigkeiten vergessen ließen. Kaum hatte Manuilski seine berüchtigten Thesen verfaßt, daß der Kampf zwischen dem Kommunismus und dem Faschismus über die Vorherrschaft bei den deutschen Bauern mit einem entscheidenen Sieg des Kommunismus beendet worden sei, da wurde schon klar, daß Hitler mit großen Schritten auf die Macht zuging, ohne in der Arbeiterklasse auf Widerstand zu stoßen. Die Thesen von Thälmann und Remmele, daß Hitler für das Proletariat das kleinere Übel sei, daß seine Machtergreifung den Weg für den Sieg des Kommunismus freimachen würde, hatten die Köpfe eines Teils der Arbeiterschaft so sehr vernebelt, daß einige Wochen bevor Hitler an die Macht kam die Kommunisten in einer Einheitsfront mit den Faschisten den Streik der Berliner Transportarbeiter gegen die sozialdemokratischen Gewerkschaften führten*. Die kommunistische Partei triumphierte, sie habe einen Sieg errungen, sie habe faschistische Massen gewonnen. In ihrer verbrecherischen Verblendung sah sie nicht, daß dies der letzte Triumph war, daß sie mit diesem Triumph Hitlers Machtübernahme beschleunigt hatte.

* Gemeint ist der Streik bei den Berliner Verkehrsbetrieben (BVG) vom Dezember 1932, der von kommunistischen Gewerkschaften initiiert wurde, an dem sich aber auch die faschistische NSBO beteiligte.

Als Hitler 1933 an die Macht kam, erklärten die Sozialdemokraten, er sei auf legale Weise Kanzler geworden und man müsse mit ihm Frieden schließen. Die Kommunisten versuchten nicht einmal, etwas zu tun. Im Gegenteil: auf dem Plenum des Exekutivkomitees der Komintern, das im gleichen Winter stattfand, erklärte die Komintern, sie sei stolz darauf, daß sich die deutsche kommunistische Partei kampflos zurückgezogen habe, weil sie ihre Kräfte für den geeigneten Augenblick schonen müsse. Und das war nach dem Reichstagsbrand, als wirklich schon klar war, daß Hitler sich darauf vorbereitete, mit Panzern über die deutsche Arbeiterklasse hinwegzurollen. In einer solchen Lage war man stolz, kampflos abgetreten zu sein! Ich wußte nicht, was mich am meisten bedrückte: Hitlers Machtergreifung, die formale legalistische Haltung der Sozialdemokraten oder der »Stolz« der deutschen Kommunisten.

Schwarze Wolken zogen am Himmel auf und die Finsternis wurde immer dichter und lastender. Die Reaktion erhob in allen Ländern ihr Haupt. Sicher, die große Katastrophe sechs Jahre später haben wir nicht vorausgesehen, aber wir spürten alle, daß wir vor einer Katastrophe standen, die in der menschlichen Geschichte ohne Beispiel war. Wir waren in die Epoche der Barbarei zurückgefallen, die Arbeiterbewegung hatte einen tödlichen Schlag versetzt bekommen.

Zu dieser Zeit gab Trotzki die Losung zur Bildung einer Vierten Internationale heraus. Das löste in unseren Reihen leidenschaftliche Diskussionen aus. Ich nahm später an der Gründungskonferenz der Vierten Internationale teil, und ich kann ehrlich sagen, daß unsere Diskussion in Polen mehr Niveau hatte; sie ging tiefer und dauerte einige Wochen lang.

Bei uns war der Hauptverteidiger von Trotzkis These der Genosse Schlomo, die Hauptgegner waren ich und Deutscher, Alexander schwankte, die Mehrheit war dagegen. Schlomo vertrat folgende Ansicht: wenn man nach der Niederlage der Pariser Kommune eine neue Internationale gründen mußte und nach dem Zusammenbruch der Zweiten Internationale die Gründung einer dritten aktuell wurde, dann sei der Bankrott der Komintern, ihre schändliche Kapitulation und ihre Unfähigkeit, die Ereignisse vorherzusehen, Grund genug, um eine neue, eine Vierte Internationale zu gründen. Die Gründe der Nein-Sager waren im wesentlichen diese: Negative Faktoren reichen nicht aus, um eine neue Internationale zu schaffen. Marx gründete nach der Auflösung der Ersten Internationale auch nicht sofort eine zweite, sondern er wartete, bis die Bedingungen dafür reif waren – das dauerte 15 Jahre. Die Dritte Internationale wurde nicht deshalb gegründet, weil sich die Zweite als bankrott erwiesen hatte, sondern sie bezog ihre Lebenskraft aus der Oktoberrevolution. Eine neue Internationale muß die sichere Aussicht haben, auch eine neue Epoche der Arbeiterbewegung eröffnen zu können, die mit ihrem Namen verknüpft ist. Welche Aussichten könnten an die Vierte Internationale geknüpft werden, wenn es zwei andere Internationale gab? Keine – und darum würde die Idee nur kompromittiert werden. Später, auf dem Kongreß der Vierten Internationale, konnte ich mich davon überzeugen, daß wir recht gehabt hatten. Ich baute meine Gegenargumente noch weiter aus und wurde auf dieser Konferenz zum prinzipiellen Gegner einer besonderen trotzkistischen Internationale. Meine Lage gestaltete sich inzwischen schwierig. Ich wohnte bei meinem Freund Rudi, in dessen kleiner Werkstatt drei Arbeiter und sein Bruder beschäftigt waren – alles feurige Stalinisten. Sie machten ihm unaufhörlich Schwierigkeiten und alle paar Tage riefen sie einen Streik aus. In der Gewerkschaft sagte man ihm ganz offen, daß bei ihm die Arbeitsbedingungen zwar besser seien als in anderen Werkstätten, aber wenn er Ruhe haben wolle, dann müsse er mich aus seiner Wohnung entfernen. Solange ich dort wohnte, werde es dauernd Streiks geben. Hätte ich das gewußt, wäre ich sicher ausgezogen, aber er war zu gut und wir waren zu eng befreundet, als daß er mir gegenüber ein Wort gesagt hätte. Daran ist er schließlich zugrunde gegangen. Sein Heim wurde zerstört, noch ehe Hitler es verbrannte. Erst in Israel erzählte mir eine Schwester von Rudi, daß die Partei den Befehl gegeben hatte, die Familie meines Freundes zugrundezurichten, weil ich mich unter seinem Dach vor zwei Sorten von Feinden verborgen hatte: vor Pilsudskis Schergen und vor den Stalinisten.

Ich beschloß schweren Herzens, wieder den Wanderstab in die Hand zu nehmen und nach Frankreich zu gehen. Einen Reisepaß konnte ich nicht bekommen. Ich lebte noch immer mit dem Dokument, mit dem ich aus der Sowjetunion gekommen war, und das konnte man zwar auf der Straße noch vorzeigen; es aber der Polizei vorzulegen, um sich anzumelden, war schon zu riskant. Mit diesem Dokument konnte man auch auf keinen Fall einen Reisepaß bekommen. Es gab keine andere Möglichkeit, als von Land zu Land schwarz über die Grenzen zu gehen, bis ich in Paris war. Glatt lief das nicht ab, ich mußte mich vielmehr vier Monate lang im Wiener Polizeigefängnis zur Ruhe setzen.

Meine Verhaftung in Wien

Im Sommer 1933 fuhr ich traurigen Herzens aus Warschau fort, denn es fiel mir schwer, mich von meiner Frau zu trennen, von Genossen, die mir nahestanden und von einer Bewegung, in der ich die einzige Chance sah, die Oktoberrevolution zu retten.

Auf dem Weg von Warschau nach Zakopane dachte ich nur eines: werden wir das durchstehen? Früher war alles klar und der Weg lag deutlich vor uns. Wir hatten die Sowjetunion, an die wir uns moralisch und politisch anlehnten, und die Komintern, die uns führte, und wir führten die Aufgaben aus, die uns übertragen wurden. Dann hatte sich die Lage radikal geändert, und wir hatten all das verloren. Schlimmer noch: zu den Feinden von gestern waren neue hinzugekommen, stärkere und noch verbissenere. Würden wir alles aushalten, diese Prüfung durchstehen können? Würden wir genug politische und moralische Kraft haben, um auf uns selbst gestellt zu bleiben? Ich war kein Anhänger der Philosophie von Kant geworden, aber ich wünschte mir sehr, daß jeder von uns in seinem Herzen die moralische Kraft finden möge, die uns vor allen Stürmen schützen konnte, gegen die wir uns zu stemmen hatten.

In Zakopane ging ich zu einem Bauern, der das Schmuggelgeschäft an der tschechischen Grenze betrieb. Wir stiegen den ganzen Tag über die Berge. In einer Kate trafen wir auf einen Einsiedler, der eher den Eindruck eines Geschäftemachers auf mich machte, denn er ließ sich allzuoft fotografieren und nahm dabei die Pose eines Heiligen ein. Er sagte, er steige niemals von seinem Berg hinunter, und ich war nicht sicher, ob das stimmte. Als er aber erzählte, daß ihn die Bauern aus der Umgebung mit allem versorgten, glaubte ich ihm das sofort. In der Kate stand ein Sarg mit der Aufschrift »Aus Staub bist du geboren, zu Staub wirst du werden«, und als er erklärte, er schliefe in diesem Sarg, wußte ich, daß er log.

Von dort aus stiegen wir den Berg hinunter bis an die Grenze. Um keinen Verdacht zu erregen, hatte ich meine ganze Wäsche angezogen und hielt nur einen Koffer in der Hand. Von der polnischen Grenze aus durfte man einige Tage in die Tschechoslowakei hinüberfahren, und ich machte mich nicht verdächtig. Ich nahm ein Boot, und in einer Stunde war ich bereits in einem slowakischen Dorf. Es war am Vorabend des Sabbath. Ich schlief in einer jüdischen Herberge und nahm Sonntag früh den Zug nach Prag.

In Prag hatte ich die Adresse eines trotzkistischen Genossen, an dessen Namen ich mich nicht mehr erinnern kann. Am Abend meiner Ankunft fand gerade eine Versammlung statt, aber ich war mit ihr nicht zufrieden. Das proletarische Element fehlte gänzlich, es waren nur Intellektuelle dort, fast alles Juden. Sie sprachen deutsch, und ich hatte den Eindruck, daß sie vom Leben der Arbeiter abgeschnitten waren. Als ich hinausging, begleitete mich ein Genosse, der vor kurzem aus der Schweiz gekommen war. Mir war schwer verständlich, warum er in einer solch unruhigen Zeit die Schweiz verlassen hatte und in den Ländern Osteuropas umherwanderte. Auf dem Weg durch die Straßen von Prag sagte er zu mir in saftigem Jiddisch, er habe sein ganzes Leben lang die Prager Synagoge sehen wollen. Ich freute mich über diesen Einfall und wir gingen hin. In der Synagoge beteten Juden, und da wir mit unbedecktem Kopf dastanden, blieben wir lange Zeit draußen stehen und sahen uns die Synagoge an, um die sich bei den Juden seit vielen Generationen solch phantastische Legenden woben.

Am anderen Morgen fuhr ich nach Bratislava. Die Adresse war wiederum die eines jüdischen Genossen, oder vielmehr eines Ehepaares. Das jüdische Volk ist doch seltsam: es hat es fertiggebracht, seine Botschafter zu allen Völkern zu senden, wo sie zu Vorbildern an Hingabe und Idealismus wurden. Dieses Paar sah aus wie zwei Heilige, als gehörten sie zu den Essäern. In ihrer kleinen Stadt hatten sie einen ganzen Verlag für trotzkistische Literatur. Man sprach dort vier Sprachen: Deutsch, Tschechisch, Ungarisch und Slowakisch und dieses Paar übersetzte die Literatur in alle Sprachen und verteilte sie. Ihre Wohnung war stets voll mit Genossen die sich in allen vier Sprachen ausdrückten. Ich war einen Tag bei ihnen und konnte sehen, daß sie in Not lebten. Sie empfahlen mich einem ungarischen Genossen, der mich über die Grenze nach Österreich brachte. Als ich nach Wien kam, brach gerade der Tag an. Zum ersten Mal in meinem Leben sah ich so viele Menschen in die Kirche gehen. Es schien, als ob alle Wiener morgens früh aufgestanden wären, um in die Kirche zu gehen, gerade wie die Juden in den kleinen Städtchen früh aufstanden, um beten zu gehen.

Die Adresse, die ich für Wien hatte, war die des Sekretärs der trotzkistischen Organisation. Er hieß Falder und hatte eine jüdische Frau. Er war ein guter Mensch und ein warmherziger Genosse – aber wohnen konnte ich bei ihm nicht; es war einfach kein Platz da. In den ersten Tagen wohnte ich bei einem Genossen, der in Warschau auf der Marschalkowska-Straße ein Geschäft hatte. Aber seine Familie wohnte in Wien, und so kam er zwei Mal im Jahr nach Hause. Seine Frau und seine beiden Söhne lebten nicht weit entfernt vom Praterstern. In der Nähe ist ein Waldpark, in dem man stundenlang spazierengehen und vergessen kann, daß man sich in einer der größten Hauptstädte Europas befindet.

Ich konnte unmöglich lange bei dieser Familie bleiben. Falder besorgte mir Übernachtungsmöglichkeiten bei verschiedenen Genossen, die das bald darauf teuer bezahlen mußten. Ich sollte mir in Wien einen falschen österreichischen Paß besorgen, denn nur mit einem österreichischen Paß konnte ich nach Frankreich fahren. Das dauerte eine lange Zeit.

Eine deutsche Frau, die Bekannte unter den Agenten der Geheimpolizei hatte, übernahm es, den Paß zu beschaffen. Es kam aber anders: ihretwegen wurde ich verhaftet. Sie brachte mich mehrfach mit ihren Bekannten zusammen und wir einigten uns über den Preis. Mir gefiel bloß nicht, daß sie sich jedesmal, wenn wir uns mit ihnen trafen, allzuoft nach allen Seiten umschauten. Ich war gewitzt genug zu spüren, daß sich so Polizeispitzel verhalten, aber ich konnte nicht mehr aus der Sache heraus. Ich wußte, wenn sie wirklich Spitzel wären, würden sie mich auf Schritt und Tritt verfolgen und ich könnte sie nicht mehr loswerden. Dennoch wollte ich sie auf die Probe stellen und entschloß mich, noch einmal zu einem Treffen zu gehen. Würden sie mir diesmal keinen Paß geben, dann würde ich die Verbindung abbrechen.

Der Treffpunkt war in einem Park ausgemacht. Mich begleitete ein jüdischer Genosse. Kaum waren wir in den Park gekommen und ich auf die Bank zugegangen, auf der mein Mittelsmann saß, da bemerkte ich, daß etwas abseits von ihm zwei Männer mit steifen Hüten standen. Ich wußte sofort, daß das Spitzel waren, die auf mich warteten. Zuerst einmal sagte ich meinem Genossen, er solle verschwinden, dann ging ich zu meinem Mittelsmann. Wir redeten etwas wirr herum, denn wir hatten uns bereits verstanden. Er wußte, daß ich begriffen hatte, wer er war, genauso wie ich wußte, daß man gekommen war, um mich zu verhaften. Ich fertigte ihn rasch ab und wollte schnell den Park wieder verlassen. Da ich sah, daß mich die beiden Spitzel verfolgten, begann ich zu rennen, und sie rannten mir nach. Ich kannte die Gegend nicht und ging in ein Tor hinein. Dort haben sie mich dann verhaftet.

Auf der Polizeiwache beschuldigten sie mich zweier Dinge: Erstens hätte ich mir einen Paß auf einen falschen Namen machen lassen wollen, und zweitens sei ich auf dem Weg zu einer Konferenz der Vierten Internationale. Beide Beschuldigungen trafen zu. Ich wollte mir wirklich einen Paß auf den Namen Rosenberg anfertigen lassen, und ich hatte die Vollmacht der Genossen, die polnische Gruppe auf der Konferenz der Vierten Internationale zu vertreten, die um diese Zeit in Paris tagen sollte.

Man brachte mich in eine Einzelzelle. Ich hatte offenbar etwas Fieber, denn als ich mich hinlegte und zudeckte, wurde mir sehr heiß, und ich wunderte mich, warum einem die Wiener so warme Decken gaben.

Spät abends wurde ich zu einem Verhör gerufen. Ich weiß nicht, wo es stattfand, aber man mußte lange fahren. Der Untersuchungsrichter war ein getaufter Jude, ein Auswurf der Menschheit, von dem wir später hörten, daß er sein Amt auch unter Hitler ausgeübt habe. Er fragte mich aus, zu wem ich gekommen sei, und wen ich in Wien kenne. Ich antwortete, ich sei in Warschau seit langer Zeit arbeitslos gewesen, die polnische Regierung habe mir keinen Paß ausgestellt, darum hätte ich mir hier einen Paß besorgen wollen, um nach Frankreich zu fahren. Ich wüßte nicht, zu wem ich hätte kommen sollen, denn ich hätte hier in Wien keine Adresse. Ich sei erst seit einem Tag in der Stadt, und ich hätte bei einem Menschen geschlafen, den ich nicht kenne. Ich hätte ihn einfach gebeten, und da habe er mich für eine Nacht aufgenommen. An die Straße könne ich mich nicht erinnern, aber wenn man mich in der Stadt herumführe, könnte ich sie vielleicht wiedererkennen. Damit ging das erste Verhör zu Ende, und ich war froh, wieder in meine Einzelzelle zu kommen.

Inzwischen hatte mich ein weiteres Unglück ereilt. Das Geld, das bei mir gefunden worden war, war beschlagnahmt worden, und ich konnte mir nichts kaufen. Nach der Gefängnisordnung erhielt ein Festgenommener am ersten Tag ein Stück Brot, am zweiten Tag zwei Stückchen. So ging es weiter bis zum sechsten Tag, und bei sechs Stückchen Brot blieb es dann. In den ersten Tagen hatte ich großen Hunger. Ich bat den Wärter, mir Salz zu geben, und dann habe ich jeden Bissen Brot in Salz getaucht und Wasser dazu getrunken. Auf diese Weise versuchte ich, den Hunger zu stillen.

Am zweiten Abend wurde ich wieder zum Verhör geführt. Diesmal traf ich dort auf die Hausmeisterin von Falders. Kaum hatte ich den Raum betreten, da bestätigte sie auch schon, daß ich zu Falders in die Wohnung zu kommen pflegte. Ich bestritt das so kategorisch, daß sie unsicher wurde, und ihre Aussage zurückzog. Möglicherweise spürte sie, worum es ging, und wollte nicht mitmachen. Als sie draußen war, wurde der Untersuchungsrichter rabiat. Neben ihm auf dem Tisch lag eine Riemenpeitsche mit Knoten. Er begann, mit dieser Peitsche über meinem Kopf herumzufuchteln und schrie, jetzt könne man in Österreich noch nicht zuschlagen, aber die Zeit werde kommen, und dann werde er wissen, was er mit Leuten wie mir zu tun habe.

Ich kam ins Gefängnis zurück. Mein einziger Wunsch war, mich auszuruhen. Meine Kopfschmerzen sagten mir, daß ich Fieber hatte, und ich hatte wirklich Angst, daß ich etwas sagen würde, was ich nicht sagen durfte. Meine Furcht stellte sich am anderen Tag als berechtigt heraus.

In der dritten Nacht fragte mich der Untersuchungsrichter nach einem ungarischen Genossen, bei dem ich wirklich übernachtet hatte. Ich sagte, daß ich einen solchen Mann nicht kenne, daraufhin ließ er meinen Koffer mit den Kleidern hereinbringen und fragte, ob der mir gehöre. Diesen Koffer hatte ich bei dem Ungarn gelassen, und mir wurde klar, daß man bei ihm eine Hausdurchsuchung gemacht hatte, aber ich war sicher, daß der Ungar nichts gestehen würde. Ich erklärte, der Koffer gehöre nicht mir. Daraufhin fragte der Untersuchungsrichter, ob ich auf den Koffer verzichte. Ich antwortete, ich brauche nicht auf etwas zu verzichten, was mir nicht gehöre. Der Koffer wurde geöffnet, und auf der Wäsche fand sich die Nummer 15. Das war das Wäschezeichen, das ich in der Lenin-Schule bekommen hatte. Der Untersuchungsrichter befahl einem Polizisten, dieser Nummer nachzugehen, aber der konnte nichts damit anfangen.

Der ungarische Genosse wurde hereingebracht und gab zu, daß ich

bei ihm gewesen war. Als er draußen war, fragte der Untersuchungsrichter, was ich denn wohl jetzt sagen würde, und ich antwortete, ich
hätte den Ungarn zufällig getroffen, und ihn gebeten, mich bei ihm
übernachten zu lassen. Er sei nicht einverstanden gewesen, habe mir
aber erlaubt, den Koffer unterzustellen, und ich hätte ihm Gutes nicht
mit Schlechtem vergelten wollen. Im Laufe des Verhörs spürte ich,
daß ich anfing, mich zu verheddern. Darum unterbrach ich das Gespräch, sagte, daß ich mich nicht wohl fühle, und bat mich ins Gefängnis zurückzubringen. Der Untersuchungsrichter war schlau genug zu
begreifen, worum es mir ging. Er wurde wild vor Zorn und hielt mir
die Faust unter die Augen, aber geschlagen hat er mich nicht. Er ließ
mich ins Gefängnis zurückbringen.
Die gleiche Geschichte wiederholte sich einige Nächte lang. Jeden
Abend weigerte ich mich, etwas zuzugeben; aber die Genossen, die
hereingerufen wurden, sagten alle, daß sie mich kannten. Das machte
mich ganz krank, und noch schlimmer war es, als der Warschauer Genosse, der Kaufmann von der Marschalkowska-Straße, der über die
Feiertage nach Hause gekommen war, ebenfalls zugab, mich zu kennen. Einige Nächte lang hatte man mich mit der Frage gequält, ob er
mir bekannt sei, und ich hatte es abgestritten. Dann wurde er gerufen,
und gab zu, mich zu kennen. Er bekam schließlich einen Monat Gefängnis, weil er mich illegal hatte übernachten lassen.
Nur ein Genosse hielt sich gut, nämlich der Sekretär der Trotzkisten.
Auch nach ihm wurde ich einige Nächte lang befragt, aber ich bestritt,
ihn zu kennen. Dann teilte der Untersuchungsrichter mit, er werde
Falder hereinrufen, und ich müsse mich an die Wand stellen und
dürfe keine Bewegung machen, wenn ich nicht in ein Konzentrationslager kommen wolle. Ich stellte mich also an die Wand, Falder kam
herein, und wir sahen uns an wie Fremde. Als er wieder hinausging
und sich beim Schließen der Tür umdrehte, schüttelte ich genau in
diesem Augenblick den Kopf, zum Zeichen, daß ich ihn nicht kannte.
Ich wußte sicher, daß er das bemerken würde – allerdings fiel es auch
dem Untersuchungsrichter auf, und er begann wieder, mir zu drohen,
aber er tat mir nichts.
Ich ging ein wenig getröstet ins Gefängnis zurück: wenigstens ein Genosse hatte sich ehrenhaft gehalten. Ich dachte, ich hätte die Sache
nun hinter mir, aber ich hatte noch eine schlimme Nacht durchzumachen.
Am nächsten Abend wurde ich gerufen, um das Protokoll zu unterschreiben. Ich weigerte mich. Ich hatte schon vorher gespürt, daß ich
mich in meinem damaligen Schwächezustand verheddern würde, und
hatte beschlossen, keine Fragen mehr zu beantworten. Meine Ausrede war, ich hätte bereits alles gesagt und ich hätte keine Kraft mehr.
Als ich nun zum Unterschreiben gerufen wurde, erklärte ich, ich
würde das nicht tun und auch keine Frage mehr beantworten.

In Wien befand sich damals die kommunistische Zentrale für die Arbeit in den Balkan-Staaten, und ebenso auch die Zentrale der Gegenspionage aller Balkan-Regierungen. Als ich mich weigerte, zu unterschreiben, fand ich mich umringt von einer Bande von Spitzeln aus den Balkan-Staaten, die Drohungen gegen mich ausstießen. Einer schrie, bei ihm zu Hause hätte man mich schon mit ein paar Stromstößen die Wände hinaufgejagt, ein anderer, in seinem Land würde ich schon auf allen Vieren kriechen, usw. Ich antwortete nicht und wurde auf den Korridor hinausgeschickt. Mein physischer Zustand war schlimm, ich fürchtete, ich könnte nicht aufrecht stehen bleiben, sondern würde zu Boden fallen. Ein höherer Beamter ging vorbei, sah mich an, rief einen Polizisten und fragte, warum man mir denn keinen Stuhl anbiete, ich würde doch gleich umfallen. Er antwortete, ich sei doch der Mann, der nichts sagen wolle, und beide gingen fort. Daraus schloß ich, daß ich bereits ein bekannter Fall war. Als ich dem Untersuchungsrichter wieder vorgeführt wurde, meinte er, meine Reise nach Frankreich könnte ich mir aus dem Kopf schlagen – er werde in alle europäischen Hauptstädte einen Steckbrief schicken, damit ich nirgends hineingelassen würde. Er hat Wort gehalten.

Als der Untersuchungsrichter meine Entlassung anordnete, war die Geschichte aber noch nicht zu Ende, sondern die Schwierigkeiten gingen erst richtig los. Als ich wieder im Polizeigefängnis war, wurde ich vor einen anderen Untersuchungsrichter zitiert, der mir erklärte, er könne mich nicht freilassen, wenn er nicht meinen wirklichen Namen wisse. Ich sagte ihm meinen richtigen Namen, aber er erklärte, er könne nicht entscheiden, welcher meiner Namen denn nun der richtige sei – Rosenfeld oder Stockfisch – er müsse bei der polnischen Polizei nachforschen und ich müsse im Gefängnis bleiben.

Für kurze Zeit setzte man mir einen Wiener in die Zelle, der sich mir als organisierter Arbeiter, als Sozialdemokrat vorstellte. Wie sich herausstellte, saß er wegen Vergewaltigung eines zehnjährigen Mädchens. Er war sehr schmutzig und lauste sich den ganzen Tag. Aber genau dieser Bursche sprach dauernd von der Reinheit der deutschen Rasse, die von Freund und Feind anerkannt werden müsse. Als ich ihn fragte, was er als Sozialdemokrat zu tun gedenke, wenn Hitler nach Wien käme, sagte er, er werde weder nach rechts noch nach links, sondern nur geradeaus schauen, dann werde schon nichts passieren. Dieser schmutzige Vergewaltiger glaubte an die Höherwertigkeit der deutschen Rasse und hatte beschlossen, nur »geradeaus zu schauen«. Es geschah ein Wunder: man nahm ihn aus der Zelle. Das war zur Zeit des ersten Attentats auf Dollfuß*, den österreichi-

---

* Engelbert Dollfuß wurde im Mai 1932 österreichischer Bundeskanzler, schuf einen autoritär-ständischen christlichen Staat, schlug im Februar 1934 den Aufstand der Wiener Arbeiter blutig nieder, verbündete sich mit Mussolini und wurde am 25. 7. 1934 von den Nazis ermordet.

schen Kanzler. Dieser verbissene Reaktionär und fanatische Katholik hatte sich von den beiden faschistischen Führern Mussolini zum Vorbild genommen. Nach dem Attentat auf ihn, das von Hitler-Anhängern verübt worden war, wurden diese massenhaft verhaftet. Sie füllten das ganze Gefängnis und lebten dort sehr gut. Jeden Tag bekamen sie von draußen ihr Essen. Sie führten sich sehr hochmütig auf, sangen den ganzen Tag faschistische Lieder und riefen Nazi-Parolen. Bis dahin war ich gewöhnt, daß nur wir uns in den Gefängnissen so aufführten, und die faschistischen Lieder machten mich ganz verrückt. Jeden Abend nahm ich mir vor, worüber ich am nächsten Tag nachdenken wollte, damit ich mit mir selbst beschäftigt war und den faschistischen Gesang nicht so wahrnehmen würde. Das gelang mir auch teilweise.

Jeden Morgen, wenn ich auf den Korridor ging, um mich zu waschen, fand ich bei meiner Rückkehr die Zellenwände mit der Losung »Heil Hitler« vollgeschmiert. Zum ersten Mal in meinem Leben befand ich mich in solch feindlicher Umgebung. Endlich traf die Antwort der polnischen Polizei ein, und diese Antwort war für mich katastrophal. Die Polizei ließ sich nicht auf die Frage ein, ob mein Name in Polen registriert sei, sondern teilte mit, daß derjenige, dessen Fingerabdrücke ihr übermittelt worden seien, unter dem Namen Bellmann als Kommunist einen Prozeß in Brest hatte, und zu vier Jahren schweren Kerkers verurteilt worden sei. Der Polizeibeamte, der die Untersuchung in der Hand hatte, regte sich sehr auf, denn nun konnte man nicht nur meinen Namen nicht feststellen, sondern ich war außerdem auch noch ein Kommunist, der verurteilt worden war. Er meinte, wenn der von mir angegebene Name richtig gewesen wäre, hätte die polnische Polizei das sicher mitgeteilt.

Es vergingen wieder Tage und Wochen und meine Unruhe wuchs. Der Untersuchungsrichter drohte, er werde mich zusammen mit Hitler-Anhängern in ein Konzentrationslager stecken. Endlich traf die zweite Antwort der polnischen Polizei ein, und sie war noch fataler als die erste. Jetzt teilte sie mit, daß der Mann mit diesen Fingerabdrücken im Jahre 1925 in Grodno einen Prozeß als Kommunist hatte und zu vier Jahren verurteilt worden war. Aber kein Wort über meinen wirklichen Namen! Der Untersuchungsrichter erklärte, daß er nun kein Ersuchen mehr an die polnische Polizei richten werde, und das ganze Spiel werde schlecht für mich ausgehen. Ich war sicher, daß er das ernst meinte.

Auf dem Rückweg in die Zelle fragte mich der Wärter, ob die Sache erledigt sei. Ich erzählte ihm von meiner schwierigen Lage, und er riet mir, an meine Frau zu schreiben und sie zu bitten, mir die Unterlagen der städtischen Gemeinde zu schicken. Ich sagte ihm, daß ich kein deutsch schreiben könne, und er riet mir, es zu versuchen, so gut ich es eben könne, nur damit man es eben lesen könne. Ich folgte seinem Rat, und als er meinen Brief gelesen hatte, versicherte er mir, daß das jeder verstehen könne.

Es dauerte nicht lange, da erhielt ich vom Warschauer Magistrat eine Bescheinigung, daß ich in der Tat derjenige sei, dessen Namen ich angegeben hatte, und daß mein Name wirklich Stockfisch sei. Der Wärter, der mir den Rat gegeben hatte, freute sich nicht weniger als ich selbst und auch der Untersuchungsrichter war froh, aus diesem Irrgarten herauszukommen. Er ließ mich wissen, daß er mich nicht nach Polen zurückschicken könne, weil es keine gemeinsame Grenze zwischen Polen und Österreich gebe, deshalb werde er mich auf eigene Rechnung in die Schweiz schicken, und ich müsse auch noch einen Polizisten mitnehmen, der mich bis an die Grenze begleiten werde.

Am anderen Morgen brachte man mich in einen Friseurladen, wo mir der Bart abgenommen wurde, der in den drei Monaten gewachsen war und nun dem meines Vaters in nichts mehr nachstand. Mit dem Polizisten fuhr ich nach Feldkirch, durch eine Gegend, die aussah wie die Schweizer Alpen. Auf der Grenzstation sagte der Kriminalbeamte zur Wache, sie solle mir eine Bescheinigung ausstellen, daß ich ein Bewohner aus der Gegend sei, der über die Grenze gehe, um Tabak und Kaffee einzukaufen. Ich wurde auf Ehre und Gewissen gebeten, diesen Zettel auf der anderen Seite der Grenze sofort zu vernichten. Es beleidigte mich, wie sie das sagten, und ich antwortete, ich würde bei ihnen keinen Unterricht in Moral nehmen. Zweifellos beherrschten sie das Handwerk der illegalen Grenzüberschreitung nicht weniger gut als alle Schmuggler. Ich würde ihren Zettel ganz sicher zerreißen, einfach, weil er mir in der Schweiz gefährlich werden könnte.

In Zürich ging ich zu einer Genossin, deren Adresse ich auswendig kannte. Sie lag krank zu Bett, aber als sie mich sah, lachte sie hell auf, denn am gleichen Tag war ein Polizeiagent mit einem Packen Papieren bei ihr erschienen und hatte sich nach mir erkundigt. Da erinnerte ich mich daran, daß man in Wien ihre Adresse bei mir gefunden hatte, und befürchtete, daß das auch ein Hindernis auf meinem Weg nach Frankreich sein könnte.

Ich war also gezwungen, in Zürich illegal zu leben, hielt mich bei einer dortigen Kommunistin auf, einem teuren und lieben Menschen. Ich fühlte mich bei ihr wie in meiner eigenen Familie. Ein paar Tag später fuhr ich nach Basel, und von dort brachten mich Genossen über die französische Grenze. Nach sechzehn Jahren kam ich wieder nach Paris. Damals war ich von der zaristischen Regierung verfolgt worden – jetzt verfolgten mich stalinistische Agenten.

Meine zweite Reise nach Paris

In den ersten Tagen des Jahres 1934 kam ich in Paris an, und diesmal wußte ich, wo ich hingehen konnte. Ich hatte in Paris viele Genossen, unter ihnen so gute und liebe Menschen wie Aronowitsch und Jechiel Neumann. Neumann tat sehr viel für mich; er hielt mich aus und brachte mir einen Beruf bei: Bügeln in einer Schneiderei. Das nutzte mir aber wenig, denn die Arbeiter in diesem Beruf waren unter stalinistischer Führung und ließen mich nicht an die Arbeit heran. Meine materielle Lage wäre schwierig gewesen, hätte ich nicht meine beiden Genossen gehabt.

Die politische Situation in Frankreich war sehr unsicher, große Ereignisse standen bevor. Am 6. Februar 1934 nahmen die faschistischen Studenten den Kampf gegen das demokratisch-parlamentarische System auf. Sie versammelten sich auf der Place de la Concorde und wollten das Palais Bourbon, den Sitz der Nationalversammlung, stürmen. Unterstützt wurden sie vom Polizeipräfekten Chiappe. Eine ganze Nacht dauerte dieses Abenteuer, das eine Krise auslöste und Laval* an die Macht brachte.

Am nächsten Tag führte die kommunistische Partei eine Gegenaktion durch, die aber sehr schwach war. Erst am 12. Februar kam Doriot** mit seinen Arbeitern von St. Denis; sie beherrschten die ganze Gegend vom Gare de l'Est bis nach Barbès und prügelten sich die ganze Nacht mit der Polizei. Acht Tage darauf fand eine gemeinsame grandiose Demonstration beider Arbeiterparteien zusammen mit den Gewerkschaften statt; der Faschismus wurde abgewehrt und zerschlagen. Hierauf beruhte die spätere Legende, die Volksfront sei die Folge dieser Ereignisse gewesen.

Die gemeinsame Demonstration bewies, wie abgrundtief verbrecherisch die stalinistische Theorie des Sozialfaschismus gewesen war, eine Theorie, die das deutsche Proletariat daran gehindert hatte, die Reihen im Kampf gegen den Hitler-Faschismus zu schließen. Hätten die beiden Arbeiterparteien in Deutschland sich wirklich zur Einheitsfront zusammengeschlossen, wäre Hitler niemals an die Macht gekommen, und der Menschheit wäre das schreckliche Unheil erspart geblieben, das mit der Hitler-Zeit verknüpft ist. Anscheinend hat auch Doriot damals das gleiche empfunden, als er seine Gedanken zur Notwendigkeit der Einheitsfront und der gewerkschaftlichen Einheit entwickelte. Wir wissen natürlich, als welch schändlicher Verräter Doriot endete: er verriet sein Land, verriet den Sozialismus

* Pierre Laval, Ministerpräsident 1931–32 und 1935–36, dann unter Pétain 1940 und 1942. Wegen Kollaboration im Oktober 1945 hingerichtet.
** Jacques Doriot organisierte in der französischen Armee Widerstand gegen die Ruhrbesetzung 1923, die von der KPF verurteilt wurde, trat im Februar 1934 für die kommunistisch-sozialistische Einheitsfront ein, wurde aus der KPF ausgeschlossen, gründete 1936 die faschistische Parti Populaire Français.

und bedeckte sich mit ewiger Schande, als er schließlich als faschistischer Offizier endete. Es war sicher sein Charakter eines Abenteurers, der Doriot auf diesen Weg führte. Dieser Abenteurercharakter hatte ihn ja auch auf die höchste Stufe der stalinistischen Bürokratie gehoben. Aber er vertrat zur damaligen Zeit eine Politik, die de facto im Interesse des Proletariats lag. Statt daß aber nun der Weg zur Einheitsfront beschritten worden wäre, begann eine Kampagne gegen Doriot. »Doriot nach Moskau!« war die Parole auf allen kommunistischen Versammlungen. Doriot wußte sehr gut, was ihn in Moskau erwartete und weigerte sich deshalb zu fahren. Bei den Stalinisten war das aber das größte Verbrechen, das einer begehen konnte, und die Hetze gegen ihn nahm schändliche Formen an. Er klagte oft unter Genossen, er fühle, wie er immer mehr ersticke, er könne nicht mehr atmen. Der Abenteurer in ihm gewann die Oberhand, und letzten Endes wurde er dann zum Faschisten. So züchtete die verbrecherische Politik der Kommunistischen Partei Frankreichs faschistische Elemente in ihren eigenen Reihen.

Wie schon erwähnt, brachten die Ereignisse des Februar 1934 Laval an die Macht. Das mag paradox erscheinen, aber es ist eine Tatsache. Damals freilich war Laval noch kein Agent Hitlers wie im Jahre 1941, sondern ein typischer Politikaster, das heißt ein Karrierist und Spekulant, der seine Macht ausnutzte, um rasch reich zu werden. Außerdem war er auf seine eigene Art ein Patriot. An die Macht gekommen, bemühte er sich, mit Mussolini ins Geschäft zu kommen, der damals Hitlers Rassentheorie verspottete und darauf hinwies, daß die Italiener bereits ihre Cäsaren hatten, als die Vorfahren der Deutschen noch als Wilde in den Wäldern umherirrten. Zwischen Hitler und Mussolini entstand ein Konflikt um Österreich. Mussolini wollte Österreich unter italienischem Einfluß haben und drohte Hitler mit Krieg, falls dieser versuchen sollte, Österreichs Selbständigkeit anzutasten. Dollfuß, der damalige österreichische Bundeskanzler, war so sehr von Mussolini überzeugt, daß er ihn vor seinem Tode bat, seine Kinder großzuziehen. Das damalige Abkommen zwischen Laval und Mussolini richtete sich in Wirklichkeit gegen Hitler.

Sein zweites, und zwar ein militärisches Abkommen, schloß Laval mit Stalin. Als Stalin von Laval forderte, die französische Armee zu verstärken, und Laval ihn fragte, was er mit den französischen Kommunisten tun solle, die dagegen waren, antwortete Stalin in seiner typischen Art: »Hängt sie auf!« Es war charakteristisch für Stalin, daß er sich nicht beeilte, die französischen Kommunisten von den eingetretenen Veränderungen zu unterrichten. Als Laval der Nationalversammlung Bericht erstattete und forderte, die Armee zu verstärken, leisteten die Stalinisten heftigen Widerstand; aber dann übermittelte ihnen Laval Stalins Forderung. Tags darauf klebten die Stalinisten in

Frankreich überall große Plakate, auf denen stand »Stalin hat recht«. Über Nacht waren sie zu der Überzeugung gekommen, daß sie das bejubeln mußten, was sie mehr als ein Jahrzehnt lang bekämpft hatten. Bezeichnend war, daß sie die neuen Plakate mit dem Lob der französischen Armee aufhängten, ohne sich die Mühe zu machen, die alten Plakate zu entfernen, auf denen sie diese Armee als imperialistisch abgestempelt hatten. Beide Plakate hingen ruhig nebeneinander wie ein Symbol für Stalins Theorie des friedlichen Zusammenlebens beider Gesellschaftssysteme. Offensichtlich war also nicht die gemeinsame Demonstration der beiden Arbeiterparteien in den Februartagen das auslösende Moment für die Volksfront in den Julitagen 1936, sondern der Stalin-Laval Pakt. Noch zwei Jahre nach der Einheitsfront-Demonstration hielten die Stalinisten weiterhin an der Sozialfaschismus-Theorie fest und unterstützten gleichzeitig Lavals militaristische Politik. Schon damals bereiteten sie den Weg für den Hitler-Stalin-Pakt, aber das begriff unglücklicherweise niemand, und so wurde Stalins listiges Doppelspiel erst möglich: zum einen die Volksfront und zum anderen der Pakt mit Hitler.

Im Sommer 1934 erfuhr ich von Ljowa Sedow*, daß Trotzki mich treffen wollte, um mit mir ein Problem zu diskutieren, über das es zwischen den Genossen in Polen und ihm zu Meinungsverschiedenheiten gekommen war. Es ging um den Charakter des Pilsudski-Regimes in Polen. Die Begegnung fand in Versailles statt – in einem Fotoatelier. Ich wurde in die erste Etage geführt, wo ich ein wenig warten mußte. Ich sah Trotzki durch das Fenster zusammen mit zwei Genossen ankommen. Einen der beiden kannte ich, es war der bekannte Anwalt Rosenblatt**, der heute ein großer Freund Israels ist. Den anderen Genossen kannte ich nicht. Die Begegnung mit Trotzki beeindruckte mich zutiefst. Tiefe Gefühle durchströmten mich am Vorabend des Zusammentreffens mit einem der größten marxistischen Revolutionäre unserer Zeit, dem legendären Kriegskommissar des Bürgerkriegs in Rußland. All das spürte man auf den ersten Blick, aber noch etwas anderes war an seinem Gesicht abzulesen – seine ganze tragische Lage. Gejagt und verfolgt von der ganzen Welt wurde er auf Schritt und Tritt von Geheimpolizei aus einer Reihe von Ländern begleitet, die ihn vor den stalinistischen Mörderbanden dennoch nicht schützen konnte, und vielleicht auch nicht wollte. Möglicherweise fühlte er sein tragisches Ende bereits voraus, das ihm seine Verräter und Mörder bereiteten. Die furchtbare Lage, in der er sich befand, hatte ihn nicht zerbrochen, aber seinem Aussehen und seiner Haltung ihren Stempel aufgedrückt.

Ich erwartete unsere Unterhaltung mit Herzklopfen, aber es zeigte

* Leon Sedow, der Sohn Trotzkis.
** Offenbar ist Gérard Rosenthal gemeint, der kürzlich ein Buch über Trotzki veröffentlichte.

sich, daß wir dann wie zwei nahe Genossen miteinander sprachen. Einer versuchte den anderen zu überzeugen. Trotzki vertrat die Ansicht, daß das Regime Pilsudskis alle Eigenschaften eines faschistischen Staatswesens aufweise, während ich der Meinung war, daß es ein typisches bonapartistisches Regime sei. Ich wies nach, daß Pilsudskis Regime eher dem Bismarcks als dem Hitlers ähnele. Trotzki war der Ansicht, daß sich Pilsudski auf die gleichen Klassen stütze wie Hitler. Wir diskutierten zwei Stunden lang, und wie es oft geschieht verfestigte jeder in der Diskussion noch seine eigene Meinung. Zum Schluß erklärte Trotzki, daß er diese Sache noch prüfen werde, und wir verabschiedeten uns. Als ich schon im Weggehen war, fragte er mich plötzlich, ob ich Nachrichten über die jüdische Arbeiterbewegung in Palästina hätte.

Auf diese Frage war ich nicht gefaßt, und ich wußte nicht, was ich antworten sollte. Daraufhin bat er mich, ich solle für ihn besonders zu dieser Frage Materialien sammeln.

Ich leitete Trotzkis Bitte sofort an die Genossen in Polen weiter, aber ich selbst vergaß die ganze Angelegenheit wieder. Ich wußte aus der Geschichte der internationalen Bewegung von einer Reihe jüdischer Revolutionäre, die sich von Zeit zu Zeit an ihre Zugehörigkeit zum jüdischen Volk erinnerten, sie aber immer wieder rasch vergaßen, und ich glaubte, mit Trotzki verhalte es sich ebenso. Aber er gehörte nicht zu denen, die Dinge vergaßen, die sie für wichtig hielten. Und nicht nur vergaß er sie nicht, sondern wie es seine Art war, zog er auch die nötigen Schlußfolgerungen daraus. Das tat er zwar noch nicht konsequent genug, aber ganz radikal, als er zu Beginn des Weltkriegs erklärte, die Juden seien berechtigt, ein eigenes Land zu haben. Ich entdeckte außerdem, daß er bei seiner Unterhaltung mit mir im Jahre 1934 nicht das erste Mal über die Judenfrage nachdachte. Schon 1929, zur ersten Ausgabe der trotzkistischen Zeitschrift in Paris, hatte Trotzki einen Brief geschickt, in dem er empfahl, mit der jüdischen Arbeiterbewegung in Palästina in Verbindung zu treten.

Man muß bedenken, daß die Stalinisten damals die arabischen Pogrome verteidigten und sie zu revolutionären Freiheitskämpfen erklärten, daß die Sowjetunion alle jüdischen Kommunisten aus Palästina mit der Begründung in Moskau festhielt, Palästina sei ein arabisches Land, die Juden hätten dort keinen Platz und die Bewegung dürfe nur von Arabern geführt werden. Genau zu dieser Zeit begann sich Trotzki für die Arbeiterbewegung in Palästina zu interessieren – ein gewagter Schritt, der völlig zu seinem Charakter paßte.

In späteren Jahren, als die trotzkistische Bewegung ihren Niedergang erlebte, habe ich viel über Trotzki nachgedacht. Ich entdeckte, daß auch Trotzki nur ein Mensch war, menschlichen Schwächen unterworfen.

Seine Analyse der gesellschaftlichen Kräfte und ihrer Rolle in der russischen Revolution erwies sich als richtig. Er war im Jahre 1905 der erste und blieb auch lange Zeit der einzige, der auf die Arbeiterräte als kleinen Kern einer Arbeitermacht hinwies. Während Marx und Lenin die Meinung vertraten, daß die Arbeiter die alte Staatsmacht zerschlagen müßten, um dann eine neue aufzubauen, die den Interessen der Arbeiterklasse zu dienen hätte, machte Trotzki deutlich, daß die Arbeiter bereits im Prozeß des Kampfes eine neue Herrschaftsform aufbauen konnten, die sich der alten entgegenstellte. Mit revolutionärem Scharfsinn hatte Trotzki erfaßt, daß diese die Arbeiterräte sein würden. Als die Stalinisten die schändliche Theorie des Sozialfaschismus erfanden, zeigte Trotzki auf, wie abenteuerlich sie war. Er verspottete die Idee als absurd, daß die Sozialdemokraten auf ihren eigenen Untergang hinarbeiteten. Faschismus bedeutet die totale Ausschaltung jeder Klassenbewegung des Proletariats. Während die Stalinisten ihre schändliche Theorie entwickelten, die Herrschaft Hitlers werde den Sieg des Sozialismus näher bringen, sagte Trotzki, Hitlers Sieg werde eine Epoche erneuter Kämpfe für die Demokratie eröffnen, die dem Arbeiter – im Vergleich zum Faschismus – als Paradies erscheinen werde. All das hat sich vollkommen bewahrheitet. Sogar die Stalinisten müssen heute von Demokratie reden (sicher tun sie es in betrügerischer Absicht) wenn sie ihren Einfluß verstärken wollen. Trotzki erwies sich in seinen Analysen als ein Genie, egal ob es mit der Revolution bergauf oder aber bergab ging.

Aber Trotzki hatte auch seine schwachen Seiten. Er wußte sehr genau, daß die Komintern zum Spielball der Stalinisten geworden war, trotzdem wollte er nicht mit ihr brechen. Die Komintern erklärte ihn zum Faschisten, aber er machte ihr immer noch Avancen, obwohl er von vornherein wußte, daß sie ihn immer wieder verurteilen würde. Als sich Stalins Kampf mit der Bucharin-Fraktion verschärfte, meinte Trotzki, man müsse Stalin gegen Bucharin stützen, weil Bucharin ein Rechter sei, Stalin aber ein „Zentrist". Er sah nicht, daß der Stalinismus die schlichte Barbarei ist, die Vernichtung aller Menschlichkeit. Als die Rote Armee in das kleine Finnland einfiel, verurteilte er das und meinte dennoch, man müsse die Rote Armee unterstützen. Als Stalin gemeinsam mit Hitler Polen überfiel, verglich Trotzki Stalin mit einem aasfressenden Schakal, vertrat aber immer noch die Ansicht, man müsse die Rote Armee unterstützen. Das alles waren Fehler, die sich nur psychologisch erklären lassen. Trotzki fiel es schwer gegen eine Armee aufzutreten, die er selbst geschaffen hatte und von der er glaubte, sie werde die letzte Armee in der Geschichte der Menschheit überhaupt sein.

Auf organisatorischem Gebiet beging er noch größere Fehler. Lange Zeit hindurch hielt er sich für das Mitglied einer Komintern-Fraktion. Möglicherweise hätte Trotzki, wenn er alle Elemente zusammengefaßt hätte, die weder mit der Komintern noch mit der Zweiten Internationale einverstanden waren, Kader für eine neue Bewegung schaffen können. Er wollte aber eine neue Bewegung mit einer neuen Internationale schaffen, die sich nur aus Trotzkisten zusammensetzte, und darum erlitt er eine Niederlage.

Eine neue Internationale nur aus kleinen Gruppen zu schaffen, war wirklich keine gute Idee.

Anfang 1935 fand in der Nähe von Paris, in der Wohnung des ehemaligen Syndikalisten und späteren Trotzkisten Rosmer,* die erste Konferenz der Vierten Internationale statt. Vertreten waren Delegierte aus Frankreich, Deutschland, Polen, Holland und ich glaube auch Belgien und England. Aus den USA kamen zwei Delegierte, Canon und Schachtman. Trotzki sollte das politische Referat halten, aber aus mir unbekannten Gründen erschien er nicht, und Naville** von der französischen Delegation verlas sein Referat. In seinen politischen Ausführungen lief das Referat auf die Notwendigkeit der Schaffung einer Vierten Internationale hinaus. War ich schon in Polen gegen die Gründung einer Vierten Internationale aufgetreten, so festigte diese Konferenz meine Überzeugung nur noch mehr. Alle Delegationen, außer den Holländern, vertraten nur kleine Gruppen ohne eine repräsentative Persönlichkeit, die in der internationalen Arbeiterbewegung bekannt gewesen wäre. In der Diskussion legte ich die Thesen dar, die ich bereits in Polen gegen die Gründung einer neuen Internationale vorgebracht hatte, aber ich blieb mit meinem Standpunkt völlig allein. Der zweite Genosse aus Polen, Genosse Stefan, (er ist heute in Kanada) enthielt sich der Stimme. Er wurde ins Sekretariat der Vierten Internationale gewählt, ich ging ins Exekutivkomitee. Als wir die Konferenz verließen, zog mich Schachtman damit auf, daß ich mit meinen Ansichten alleine geblieben war. Obwohl ich in die Exekutive gewählt worden war, wurde ich nicht ein einziges Mal zu einer Sitzung eingeladen. Dafür gibt es zwei denkbare Gründe: erstens hatte ich eine Zeitlang mit Trotzki gebrochen, und zweitens ist es möglich, daß die Exekutive überhaupt nicht zusammentrat, weil sie keine Aufgabe hatte.

Im Sommer 1935 wurde Trotzki aus Frankreich ausgewiesen. Er wurde von etwa zwei Dutzend bewaffneten Genossen an die Bahn begleitet. Naville und Gérard fuhren zum Hafen, um zu kontrollieren, ob dort nicht irgendetwas gegen Trotzki vorbereitet wurde; sie trafen dort auch wirklich einen stalinistischen Führer aus Paris. Naville und Gérard machten ihn persönlich haftbar, falls Trotzki etwas geschehen sollte.

* Alfred Rosmer, 1877–1964, französischer revolutionär-syndikalistischer Gewerkschafter, 1920 in die KPF eingetreten, 1924 ausgeschlossen. Sein bedeutendes Buch: »Le mouvement ouvrier pendant la Guerre – de l'Union Sacré a Zimmerwald« liegt auf deutsch noch nicht vor.
** Pierre Naville, marxistischer Kritiker, aus der KPF ausgeschlossen, gehörte zu den Organisatoren der ersten trotzkistischen Gruppen in Frankreich.

Kurze Zeit nach der Gründung der Vierten Internationale gelangte Trotzki zu der Auffassung, die trotzkistischen Gruppen sollten als besondere Fraktion in die sozialistischen Parteien eintreten. Das bestätigte, wie recht ich mit meiner Stellungnahme gegen die Gründung der Vierten Internationale hatte. Wie sollte eine Vierte Internationale bestehen können, wenn wir Mitglieder sozialdemokratischer Parteien wurden? Nach meiner Meinung mußten wir in die Londoner Internationale eintreten, die man die zwei/dreiviertel Internationale nannte. Auf diesem Hintergrund kam es zwischen mir und Ljowa zu starken Reibungen, die bis zum endgültigen Bruch führten. Das tat mir sehr weh, denn Ljowa Sedow war ein herzlicher, guter Genosse und glühender Revolutionär. Als ich ihm erklärte, ich würde alle Beziehungen zur Bewegung abbrechen, sagte er mir, er und sein Vater seien überzeugt, daß ich binnen kurzem zurückkommen werde; damit sollte er Recht behalten.

Nach dem Bruch mit Trotzki suchte ich zusammen mit einem deutschen Genossen namens Bauer eine Annäherung an die Parteien der Londoner Internationale. Bald bot sich eine Gelegenheit, aber die erste Zusammenkunft war auch die letzte.

Ende Winter 1935 trat in Paris eine Konferenz der Londoner Internationale zusammen, zu der ich als Gast geladen war. Im Unterschied zur Konferenz der Vierten Internationale war hier eine Reihe von Parteien vertraten: die englische Unabhängige Arbeiterpartei (ILP), die deutsche Sozialistische Arbeiterpartei (SAP), die holländische Partei, die auch der Vierten Internationale angeschlossen war. Kruk vertrat die polnischen Unabhängigen, Barbusse die Doriot-Gruppe. Es waren auch Delegationen aus Schweden und von der spanischen POUM dabei.

Aber obwohl auf der Konferenz eine Anzahl von kleinen Parteien vertreten war, war das ideologische und politische Niveau äußerst kläglich. Man kann mit einigem Recht behaupten, daß auf der Ebene der Ideen überhaupt kein Niveau zu sehen war. Referate und Diskussionen waren sehr oberflächlich, vor allem aber war das Schiff ohne Steuer. Während die englische Delegation mit einem Bein in der Komintern stand, hatten die Schweden und die Doriot-Gruppe dieser bereits den Rücken zugekehrt. Die Holländer waren offizielle Trotzkisten, die POUM war halb trotzkistisch. Die Deutschen, die sich für die Ideologen der Bewegung hielten, vermieden es, prinzipielle Fragen aufzuwerfen, damit die Konferenz nicht auseinanderbrach. Die Referate und Diskussionen waren lau, und die Resolutionen, die das Produkt so vieler gegensätzlicher Richtungen waren, schmeckten nach überhaupt nichts mehr. Man spürte, daß niemand sie ernst nahm und sie mit Leben erfüllen und ausführen würde. Ich begriff, daß Trotzki recht hatte, als er sagte, daß hier nichts herauskommen würde. Kruk hatte einen Brief des linken Bundisten Chmornern mitgebracht, in dem dieser ein prinzipienstärkeres Verhalten und mehr Aktivität forderte. Dafür mußte er sich viel Schelte anhören; alle schreckten vor einer lebendigen Bewegung zurück.

Obwohl die Holländer Trotzki einen Bericht über die Konferenz geschickt hatten, bat mich Ljowa Sedow, Trotzki zuliebe auch einen Bericht zu schreiben. Dieser Bericht wurde von Trotzki in einem Bericht über den polnischen Genossen Viktor (das war damals mein Pseudonym) sehr gelobt. Aber er benutzte ihn, um meine Thesen zu bekämpfen, und diesmal hatte er recht. Nach alledem beschloß ich, in den Bund einzutreten. Das aber wollte ich lieber in Polen tun. Anfang 1936 fuhr ich nach Polen zurück.

Wieder in Warschau

Am 1. Januar 1936 kam ich nach Warschau, diesmal mit dem festen Entschluß, dort zu bleiben. Meine vielen Emigrationserfahrungen hatten furchtbar an mir gezehrt, und ich wollte endlich ein Zuhause aufbauen. Aber wie heißt es doch? Der Mensch tracht' und der Teufel lacht. Kurze Zeit später mußte ich wieder den Wanderstab in die Hand nehmen und Polen verlassen, diesmal für immer.

Als ich in Warschau ankam, ging ich gleich zu Duratsch, um mich mit ihm zu beraten. Ich fürchtete, meine Geschichte könnte neu aufgerollt werden; ich war in Polen doch noch zwei Jahre und acht Monate Gefängnis "schuldig". Ich fragte Duratsch, ob es besser sei, mich unter meinem eigenen Namen anzumelden, oder unter einem falschen. Duratsch riet mir, mich unter meinem richtigen Namen anzumelden, weil nach so langer Zeit meine Unterlagen sicher schon im Archiv abgelegt worden seien. Wenn nicht etwas außergewöhnliches geschehe, würde man mich wohl in Ruhe lassen. Ich befolgte denn auch seinen Rat.

In Warschau fühlte ich mich zu Hause. Ich traf alle alten Genossen wieder, und obwohl ich bei ihnen eine gewisse Müdigkeit feststellte, waren sie doch alle noch mit der Bewegung verbunden. Dank Deutschers Großzügigkeit konnte ich eine Wohnung in der Gencza-Straße mieten und meldete mich legal an. Unsere materielle Lage war schwierig, und doch waren meine Frau und ich glücklich, weil wir endlich ein Dach über dem Kopf hatten. Das erste Mal in meinem Leben hatte ich eine eigene Wohnung, und das erste Mal, seit ich Revolutionär geworden war, hatte ich mich unter meinem richtigen Namen angemeldet, wenn auch nicht für lange Zeit.

Ich wandte mich an das Zentralkomitee des Bund mit der Bitte, mich in die Partei aufzunehmen. Alle meine Genossen waren damals bereits im Bund, außer einigen Intellektuellen, die in die PPS eingetreten waren. Der Bund schickte mir einen Genossen, der mit mir diskutieren sollte. Es war mein alter Freund Bernard, der mich auch zum ersten Mal in die Partei hineingezogen hatte. Bernard klärte mich darüber auf, daß der Bund ein wenig Bedenken hätte, mich aufzunehmen, denn kurz zuvor hätten sie einen Genossen aus der Kommunistischen Partei eintreten lassen, der aber bald darauf wieder zurückgelaufen sei. Ich mußte insgeheim fürchterlich lachen, denn der Gedanke, daß ich wieder Stalinist werden könnte, schien mir sehr komisch. Ich versicherte Bernard, er könne ganz beruhigt sein: alles im Leben sei möglich, daß ich aber Stalinist würde, sei ausgeschlossen.

Nach meinem Eintritt in den Bund rief mich Emanuel Nowogrodski und unterbreitete mir den Vorschlag des Bund, Sekretär eines Bezirks zu werden. Ich könne mir jeden Bezirk auswählen, den ich nur wolle, außer Warschau. Dieses Verhalten mir gegenüber rührte mich wirklich, aber ich lehnte ab. Ich erklärte Emanuel, daß ich zwanzig Jahre lang in anderen Bewegungen gearbeitet hätte. Um einen Bezirk zu leiten, müsse man einer Bewegung nicht nur ideell nahestehen, man müsse auch eng mit ihr vertraut sein, und soweit sei ich noch nicht.

Ich machte meinerseits einen Vorschlag, der Emanuel phantastisch erschien, aber mein Wunschtraum war. Ich wollte es so einrichten, daß ich mein Auskommen hatte und gleichzeitig genügend Zeit für selbständige und gesellschaftliche Arbeit. Ich wußte, daß die Lastträger in den Hallen nur bis mittags arbeiteten und sehr gut verdienten, und darum bat ich ihn, mir eine Stelle als Lastträger zu besorgen. Emanuel lächelte und erklärte mir, der Bund könne sich nicht kompromittieren. Ich war nicht der Meinung, daß dies eine Kompromittierung sei, aber ich konnte ihn nicht überzeugen.

Arbeit mußte ich um jeden Preis finden, weil ich wirklich nichts zum Leben hatte – darum wurde ich Schuster. Das war ein Saison-Beruf. In der Saison arbeitete man elf Stunden am Tag und verdiente wenig – es war genau das Gegenteil von dem, was ich wollte.

Im Sommer 1936 fand das fünfte Plenum des Zentralkomitees der polnischen Kommunistischen Partei statt. Ich erfuhr erst davon, als die Resolutionen auf Dünndruckpapier erschienen. Vor diesen Resolutionen schauderte es mich.

Ehe ich auf ihren Inhalt eingehe, möchte ich erzählen, wieviel Geld solch ein Plenum verschlang. Die Mitglieder des Zentralkomitees befanden sich damals in verschiedenen Ländern. Vor Hitlers Machtübernahme war sein Sitz in Berlin gewesen. Danach lebten die Mitglieder verstreut in der Tschechoslowakei, in Österreich, in Frankreich und in der Sowjetunion. Sie alle an einem Ort illegal zusammenzuführen kostete Unsummen – außerdem waren sie in ihren Ausgaben nicht gerade bescheiden. Für das Drucken illegaler Literatur und den Transport über die Grenze mußte ein wahrer Schatz an Geld aufgebracht werden – und das alles nur, um solche Schund-Resolutionen zu verabschieden.

In der Resolution, in der die Rede davon ist, daß Polen an der Schwelle der sozialen Revolution stehe, wird eine Charakterisierung der verschiedenen in Polen vorhandenen Parteien gegeben. Das las sich so: Bund – bundistischer Faschismus, Poale Zionisten – Poale-Zionistischer Faschismus, ̄Volkisten* – volkistischer Faschismus, Zionisten – zionistischer Faschismus. Die gleiche Aufstellung wurde für die polnischen Parteien vorgenommen – wie gewissenlos mußte man sein, um so etwas zu schreiben. Aber das war nicht die Hauptsache. Eine besondere Resolution war den Trotzkisten gewidmet. Darin wurde festgestellt, daß die Trotzkisten Verräter am polnischen Volk seien – sie hätten ein Abkommen mit Hitler geschlossen, um Polen an ihn auszuliefern, aber auch das sei ihnen noch zu wenig; sie wollten auch die Tschechoslowakei an Hitler ausliefern. Und da die polnischen Trotzkisten den Sieg des Faschismus auf der ganzen Welt wollten, hätten sie auch ein Abkommen mit dem japanischen Mikado, um China an Japan auszuliefern.

Die Führer der polnischen Trotzkisten waren Juden; sie also sollten Abkommen geschlossen haben, wonach Polen und die Tschechoslowakei an Hitler und China an den Mikado auszuliefern sind! Die finsterste Phantasie, die dem schlimmsten Polizeigehirn entsprungen ist, hätte sich so etwas nicht ausdenken können. Darüberhinaus wurden auch noch die Namen der Genossen, ihre Arbeitsplätze und ihre Wohnungen genau angegeben in der klaren Absicht, der polnischen politischen Polizei ihre Verhaftung zu ermöglichen. Banditentum, Provokation und Maßlosigkeit – nichts anderes verkörperten diese Resolutionen.

Später hielt ich in der Ledergewerkschaft ein Referat über den spanischen Bürgerkrieg. Kaum hatte ich das Podium betreten, kam der Zwischenruf »Agent des japanischen Imperialismus!« Es war bezeichnend, daß es verhältnismäßig ruhig im Saal blieb, als ich sagte, die Stalinisten seien nach den Faschisten der Feind Nummer zwei, weil sie die besten Kämpfer des spanischen Proletariats ermordeten, weil sie Spanien in ein Schlachthaus verwandelt hatten, in das Revolutionäre aus der ganzen Welt gelockt wurden, um sie dort zu ermorden. Darauf wurde nur gerufen, ich hätte Polen, die Tschechoslowakei und China verkauft.

Ich war naiv genug, mich darüber aufzuregen. Ich glaubte, daß die stalinistische Maßlosigkeit schon den tiefsten Abgrund erreicht hätte; es zeigte sich aber, das ich das nicht richtig eingeschätzt hatte.

* Eine liberale jüdische Partei, die wie der Bund für Gleichberechtigung und kulturelle Autonomie der Juden eintrat, aber nicht sozialistisch war.

Bereits vorher hatten die Stalinisten, denen meine Artikel im „Arbeiter-Wort" nicht gefielen, mich als Renegaten, als trotzkistischen Banditen, als Kriegshetzer, als Sowjet-Fresser, als Faschisten und als Kosmopoliten bezeichnet. Ich traf den inzwischen verstorbenen Dichter Katscherginski, der spottete, ich sei doch ein glücklicher Mensch, denn mir hätten sie nun schon alle denkbaren Ausdrücke an den Kopf geworfen, mehr könnten sie doch wohl nicht sagen, das Reservoir sei ausgeschöpft. Aber auch er irrte sich. Einige Wochen darauf sah ich einen Artikel in der Warschauer „Volks-Stimme", in dem ich unmittelbar beschuldigt wurde, für die Ermordung von Maxim Gorki verantwortlich zu sein.

Inzwischen hatten die berühmten Moskauer Prozesse begonnen. Darüber ist sehr viel geschrieben worden, allerdings nur sehr wenig über den Zusammenhang zwischen Moskauer Prozessen und Volksfront. Die Frage, warum Stalin diese Prozesse gerade zur Zeit der Volksfront inszenierte, wurde fast nie gestellt. Aber dieser Zusammenhang wirft ein bezeichnendes Licht auf Stalins Charakter. Er wußte, daß ihn gerade in dieser Zeit niemand in seinen Absichten hindern, niemand wegen einer solchen Kleinigkeit die „Brüderschaft" stören wollen würde. Für mich ist damals wie heute nicht klar, ob Stalin die Volksfront ausgenutzt hat, um seine schändlichen Morde zu begehen, oder ob er zu diesem Zweck die Volksfront extra inszeniert hat.

Man muß zugeben, daß Stalin ein guter Psychologe war. Sogar einem Menschen wie Leon Blum* fiel zu den Prozessen nicht mehr als die Bemerkung ein, daß jede Revolution ihre Kinder frißt. Man kann über Leon Blum unterschiedlicher Ansicht sein, aber er war niemals banal. Und ausgerechnet angesichts dieser großen Tragödie hatte er nicht mehr zu sagen als diese banale Phrase! Man kann sicher sein, daß seine Gedanken dazu anders aussahen, aber er war durch die Volksfront gefesselt. Es ist anerkennenswert, daß Sozialisten, die nicht mit der Politik der Volksfront-Bewegung verknüpft waren, schärfer reagierten. Ich bin sicher, daß Ehrlich und Alter ihre Haltung zu den Moskauer Prozessen mit ihrem Leben bezahlt haben – jedenfalls war sie einer der Hauptgründe dafür, daß Stalin sie umgebracht hat.

Zu jener Zeit schrieb unser Genosse Schlomo einen Artikel über die Prozesse in der bundistischen „Volkszeitung". Die stalinistischen Elemente in der Redaktion hatten den Artikel nicht abdrucken wollen, aber Viktor Alter kam gerade vorbei und erklärte, es sei die moralische Pflicht eines jeden ehrlichen Sozialisten, in einem solchen historischen Augenblick die Trotzkisten zu Wort kommen zu lassen, und so wurde der Artikel abgedruckt.

* Führer der Sozialistischen Partei Frankreichs, Ministerpräsident während der Volksfront 1936–37, nochmals 1938 und 1946.

Zu den Moskauer Prozessen gaben wir eine Broschüre heraus, eine hervorragende Arbeit, die Deutscher verfaßt hatte. Im Jahre 1937 begann die Ausrottung der Führer der polnischen Kommunistischen Partei, aber schon vorher waren einige ermordet worden. Begonnen hatte es mit dem Prozeß gegen Sochazki. Aber erst im Jahre 1937 wurde klar, daß es um die vollständige Vernichtung aller Führer aller Franktionen ging. Es war nicht leicht zu verstehen, was Stalin damit erreichen wollte. Wir wußten zwar, daß viele Führer anderer illegaler Parteien ermordet wurden, aber die totale Ausrottung wurde nur über die Führer der polnischen Partei verhängt. Es war schwer zu begreifen.

Die Sache wurde noch verwickelter, als Stalin die polnische Kommunistische Partei auflöste. Stalin wußte besser als jeder andere, daß die Beschuldigung, die polnischen Kommunisten seien ausnahmslos Spione, eine teuflische Erfindung war. Was also war der Grund? Man mußte nur zwei Jahre warten, dann wurde das Ganze verständlich. Als nämlich Stalin mit Hitler das Abkommen über die Neuaufteilung Polens schloß, wurde klar, daß jede Partei – sogar eine im Dienste Stalins – überflüssig geworden war. Keine einzige Partei, auch keine stalinistische, hätte die Verantwortung für dieses Verbrechen auf sich nehmen können. Die totale Ausrottung der polnischen kommunistischen Führer und schließlich die Liquidierung der KPP waren bereits früher geplant gewesen. Trotz aller Zickzackbewegungen war es Stalins Politik in der damaligen Zeit stets gewesen, zu einem Bund mit Hitler zu kommen – und er begriff, daß dies auf Kosten von Polen geschehen mußte.

Die Trotzkisten in Polen beschlossen genau zu dieser Zeit, aus dem Bund auszutreten. Mag sein, daß hierbei die Hoffnung eine große Rolle spielte, daß nach Auflösung der kommunistischen Partei bessere Bedingungen entstehen würden, um die kommunistischen Massen zu gewinnen, daß es leichter wäre, sie mit einer selbständigen Organisation zu erreichen. Ich war jedenfalls mit dem Austritt nicht einverstanden – ich habe niemals geglaubt, daß die Trotzkisten eine eigene Bewegung schaffen könnten. Dagegen war ich sicher, daß die Bildung eines eigenen Parteiflügels gute Perspektiven für unsere Arbeit eröffnen würde. Aber die Mehrheit beschloß es anders. Für mich löste sich das Problem auf eine unvorhergesehene Weise.

Anfang 1938 erinnerte sich die polnische politische Polizei an mich und wollte meine „Schuld" von 32 Monaten Gefängnis bei mir anmahnen. Man schickte mir eine Aufforderung, mich bei Pogoschelski, dem Chef der polnischen Geheimpolizei, zu melden. Ich verstand natürlich, worum es ging, und verließ meine Wohnung. Statt meiner ging meine Frau hin. Pogoschelski empfing sie sehr freundlich, führte mit ihr eine Unterhaltung über philosophische Themen (er hielt sich für einen Psycho-Philosophen) und kam schließlich auf die konkreten

Dinge zu sprechen. Er zeigte meiner Frau einen Berg von Akten mit vielen Fotografien und sagte ihr, er wolle mich persönlich kennenlernen. Er erklärte ihr, ich hätte so viele Namen, daß er bis zum heutigen Tag nicht habe feststellen können, welches mein richtiger sei – darum wolle er sich mit mir unterhalten. Als meine Frau ihn um ein Foto bat, antwortete er ihr, auf den Fotos sähe ich wie ein Bandit aus und es lohne nicht, sie aufzubewahren. Zum Schluß sagte er ihr, ich müsse selbst kommen, und wenn ich das nicht täte, werde er sie an meiner Stelle festnehmen.

Mir blieb kein anderer Ausweg, als mich wieder auf den Weg zu machen. Geld für die Reise hatte ich natürlich nicht, und auch einen falschen Paß herzustellen kostete viel Geld. Wiederum half mir Deutscher; ein Genosse, der heute in Israel lebt, brachte mir seine letzten zwanzig Dollar und auch Emanuel Nowogrodski, der Sekretär des Zentralkomitee des Bund, gab mir einen Betrag. So brachte ich genug Geld für die Reise zusammen.

Ehe ich abreiste, bat mich die trotzkistische Gruppe um zwei Dinge. Erstens sollte ich zwischen ihr und der trotzkistischen Zentrale in Paris die Verbindung halten, und zweitens sollte ich Alexander, der sich in Paris in den Bund einzutreten anschickte, bitten dies nicht zu tun. Ich versprach beides, ließ sie aber gleichzeitig wissen, daß ich persönlich in Paris nicht aus dem Bund austreten werde.

Zum dritten Mal in Paris

Im August 1938 traf ich wieder in Paris ein; Ljowa Sedow wußte bereits von meinem Kommen. Wir waren nahe Freunde und es war ganz klar, daß ich ihn als ersten besuchen würde. Die Genossen erzählten mir, er sei krank, aber ich könne am nächsten Tag um die Mittagszeit zu ihm ins Spital gehen. Als ich dort am Vormittag ankam, sagte man mir, er sei in der Nacht gestorben. Sein Tod war rätselhaft. Er hatte sich sehr gut gefühlt, und stand kurz vor seiner Entlassung aus dem Spital. Trotzki war sicher, daß stalinistische Agenten ihn ermordet hatten. Ich bekam den Rat, nicht zur Beerdigung zu gehen, weil mir das schaden könnte, wenn ich Asyl beantragen wollte. Es war für mich eine moralische Qual, aber ich befolgte den Rat und ging nicht zur Beerdigung.

Ich traf mich mit Alexander und überbrachte ihm den Beschluß der polnischen Trotzkisten. Dabei sagte ich ihm, daß ich den Beschluß für falsch hielt und selbst die Absicht habe, im Bund zu bleiben. Alexander sagte mir, er seinerseits werde in den Bund eintreten, aber nicht als Trotzkist, sondern als unabhängiger Einzelner. Gerade zu dieser Zeit trat aber eine größere Gruppe unter Führung von Schrager und

Jechiel Neumann aus der kommunistischen Partei Frankreichs aus, und zusammen mit ihnen trat Alexander in den Bund ein.

Es folgten die traurigen Septembertage, die Tage des Münchener Abkommens. Mir waren zwei Dinge klar: Erstens, daß die europäischen Demokratien für ihr kriminelles Verhalten im Spanischen Bürgerkrieg einen hohen Preis zahlen würden. Dank Francos Sieg wurde die Waffenbrüderschaft zwischen Hitler und Mussolini geschmiedet, und Hitler bekam freie Hand, an allen Fronten zum Angriff überzugehen. Auch Chamberlain setzte mit seinem Münchener Abkommen mit Hitler die Politik der europäischen Demokratien aus der Zeit des Spanischen Bürgerkrieges fort, das heißt: den Faschismus siegen, die Völker unterdrücken zu lassen, nur um einem bewaffneten Konflikt mit Hitler aus dem Weg zu gehen. Das nutzte Hitler aus, und bald nach Francos Sieg begann er, ein Land nach dem anderen einzusacken. Die Niederlage des spanischen Volkes war die unmittelbare Einleitung zum Zweiten Weltkrieg.

Zweitens fand in Frankreich in den Tagen von München eine Teilmobilisierung statt, und bestimmte militärische Abteilungen wurden an die deutsche Grenze geschickt. Aber die Stimmung im Lande war sehr traurig, ja eigentlich niedergeschlagen. Ich konnte mich an Frankreich im Ersten Weltkrieg erinnern, und fragte mich mehr als einmal, was hier passiert war. Es war doch klar, daß Hitler für Frankreich ein größerer Feind war als Wilhelm der Zweite; warum also diese defätistische Stimmung? Ihre Wurzel lag in der Haltung der reaktionären Schichten, die in Hitler einen Schutzwall gegen die Arbeiterbewegung sahen. Im Kampf gegen Wilhelm war die Sache einfach gewesen: damals ging es um die nationale Vorherrschaft. Im Kampf gegen Hitler ging es aber nicht nur um nationale Interessen, sondern auch um soziale. Hitlers Sieg hätte die Vernichtung der Arbeiterbewegung bedeutet, und das war bestimmend.

Obwohl Chamberlain versicherte, er habe den Frieden für viele Generationen gebracht, war allen klar, daß er die Völker an den Rand der Katastrophe geführt hatte, daß er die Straße gepflastert hatte für Hitlers schnellen Marsch auf dem Wege, Herr über Europa zu werden. Jeder spürte, daß ein großes Unglück kommen würde, und es war keine Kraft zu sehen, die den Mut gehabt hätte, sich dem entgegenzustemmen. Es schien, als seien alle Bemühungen um die menschliche Entwicklung auf dem Wege des Fortschritts und der Freiheit verloren und hundert Jahre Arbeiterbewegung zunichte gemacht. Schlimmer noch: es stellte sich heraus, daß Chamberlain in Bezug auf die Sowjetunion genau das Gegenteil von dem erreicht hatte, was er wollte. Das Münchener Abkommen erschreckte Stalin zu Recht, und erleichterte ihm den Weg, eine Verständigung mit Hitler zu suchen. Hitler nutzte dies klug aus und stellte die Sowjetunion in den Dienst seiner Pläne.

Heute ist das alles begreifbar, aber in jenen Tagen war es nicht so klar. Die reaktionären Schichten freuten sich über das Münchener Abkommen, und die Stalinisten waren begeistert – oder taten so, als wären sie begeistert – über den Hitler-Stalin-Pakt. Beide brachten großes Unheil über die Menschheit. Gewiß, es gab sozialistische Parteien und sogar liberale Gruppen, die gegen beide Abkommen waren, aber bei all diesen Gegnern herrschte eine seltsame Kraftlosigkeit. Als das Münchener Abkommen gebrochen wurde, gab es niemanden, der sich dem Hitler-Stalin-Pakt hätte entgegenstellen können. Ich habe die ganze Tragödie jener Tage aus tiefstem Herzen mitempfunden. Fast dreißig Jahre sozialistischen Kampfes gingen verloren. Im Namen dieses Kampfes hatte ich alles gegeben, was ein Mensch nur zu geben vermag. Ich habe mich niemals zur höchsten Spitze gedrängt. Wenn ich von Zeit zu Zeit in die höheren Ebenen der Bewegung aufstieg, dann nur, weil bestimmte historische Ereignisse mich ohne eigene Anstrengungen und oft gegen meinen Willen aus den Reihen heraustreten ließen. Für mich war der Kampf für den Sozialismus alles. An andere Dinge hatte ich nie gedacht, und nun wurde ich Zeuge des furchtbaren Sturmes, der alles zerstören würde. Ein ganzes Leben voll Kampf und Hoffnung ging verloren. Das war die Tragödie, die ich erlebte – eine persönliche und gesellschaftliche Tragödie in einem. Mein Herz war schwer und alles um mich herum war düster.

Zwei Monate vor Ausbruch des Zweiten Weltkrieges hatte ich noch ein erschreckendes Erlebnis. Ich erwähnte bereits, daß die polnischen Trotzkisten mich gebeten hatten, die Verbindung zum trotzkistischen Zentrum in Paris zu halten. Der Sekretär der Vierten Internationale war damals ein Genosse aus Deutschland, der Adolf hieß*. Wir trafen uns mehrmals in der Woche und dabei kam einmal auch noch ein anderer Mann dazu. Mir ist nie eingefallen, Adolf zu fragen, woher er ihn kannte. Dieser Mensch erschien auch zu allen unseren Zusammenkünften. Er stellte sich als reicher Sohn eines jüdischen Bankiers aus Kowno vor, der nach Paris gekommen war, um an der Sorbonne zu studieren. Er hatte Geld und bestand jedesmal darauf, für uns drei zu zahlen. Für mich und für Adolf war das eine große Erleichterung – wir hatten sehr häufig kein Geld. Mehrfach schlug uns der neue „Genosse" vor, mit ihm zusammen einen Ausflug zu machen – natürlich auf seine Kosten. Lange Zeit gingen wir auf seinen Vorschlag nicht ein, aber schließlich waren wir einverstanden: an einem Sonntag im Juli wollten wir in den Bois de Boulogne hinausfahren. Ich kann mich nicht mehr daran erinnern, aus welchem Grunde ich nicht erschien. Sie fuhren zu zweit hinaus. Am nächsten Tag stellte sich heraus, daß der neue „Genosse" verschwunden war, und Adolf fand man ohne Kopf und mit abgehackten Händen in der Seine.

* Der junge deutsche Trotzkist, Sekretär Trotzkis, hieß Rudolf Klement.

Trotzki erklärte später, warum man ihm die Hände abgeschnitten hatte. Er hatte sehr lange Hände mit sehr langen Fingern, und ohne Kopf hätte man ihn noch immer an den Händen erkennen können. Die französischen Genossen rieten mir, eine Zeitlang zu verschwinden. Ich fuhr zur Genossin Genia König nach L'Hay les Roses, einem Dörfchen unweit von Paris. Bei ihr blieb ich einen Monat, bis man mich dann wissen ließ, daß ich wieder nach Paris zurückkommen könne. In der französischen Presse war die Geschichte mit Adolf eine Sensation, denn jedem war klar, daß der Mord die Arbeit der G. P. U. war. Aber nach einigen Tagen wurde es wieder ruhig, denn Frankreich hatte damals ganz andere Sorgen. Die französische Militärmission saß in Moskau und verhandelte über ein Militärbündnis, und die französische Regierung wollte sich nicht mit Kleinigkeiten wie der Untersuchung eines Mordes befassen, bei dem jemandem Kopf und Hände abgeschnitten worden waren.

Trotzki warnte schon damals, daß Stalin einen Betrug vorhabe, daß er nicht mit Frankreich und England ein Bündnis schließen werde, sondern mit Hitler. Er erklärte, daß Stalin nur mit England und Frankreich verhandele, um bei Hitler bessere Bedingungen herauszuholen. Zwei Wochen später bestätigte sich sein Verdacht. Aber was für Trotzki klar war, ist es für andere nicht gewesen – man schätzte Stalin damals noch nicht richtig ein.

Auf mich wirkte der Mord an Adolf furchtbar. Ich war zwar schon an Stalins Morde gewöhnt; tausende Genossen, mit denen ich während der Zeit meiner kommunistischen Tätigkeit in Berührung gekommen war, waren durch ihn ermordet worden. Aber hinter diesem letzten Mord steckte etwas Neues: Hände abschneiden und einen Kopf abhacken konnte nur jemand, der dafür besonders ausgebildet worden war. Das bedeutete, daß es unter Stalin eine Schule gab, in der man solche Dinge lernen konnte... Diese neue Entdeckung jagte mir Schauder ein.

So hatte ich mich im Laufe eines Jahres von einer Katastrophe zur anderen bewegt, durch Terror und persönliche Gefahren hindurch bis zu den schrecklichen Augusttagen des Hitler-Stalin-Paktes, dieses Bündnisses zweier Mörder. Über die europäischen Völker senkte sich die Nacht der langen Messer, organisiert und angeführt durch Hitler, unterstützt und begrüßt durch Stalin.

Wenn über andere Völker die Nacht der langen Messer kam, so stand unserem Volk die unbarmherzige und totale Ausrottung bevor. Darüber müßte man gesondert schreiben; ich will hier nur in wenigen Worten meinen Eindruck der Lage der Juden in Frankreich in jener Zeit schildern, das heißt in der Zeit zwischen München und dem Kriegsbeginn.

In den Tagen von München verstärkte sich die antijüdische Hetze außerordentlich. Die faschistischen Elemente wurden aktiv, und schon ehe ihnen Hitler die Macht übergab, begannen sie auf die Juden einzuschlagen. Die Faschisten wählten mit Absicht Belleville, das größte jüdische Stadtviertel von Paris aus, um jeden Abend Versammlungen zu veranstalten, die stets mit Überfällen auf Juden beendet wurden. Einmal wurde ich in eine solche Schlägerei hineingezogen, und als ich in mein Hotel auf dem Boulevard Belleville 64 hineinging, sah ich durchs Fenster wie einer der Schläger die Hausnummer notierte. Ich wußte, daß ich mich in Gefahr befand, und verließ das Hotel in der gleichen Woche.

Nacht für Nacht kamen aus Ménilmontant faschistische Gruppen von Franzosen und Marokkanern; sie warfen jeden Juden, dem sie begegneten, zu Boden und schlugen ihn fürchterlich. Das Stöhnen und Schreien der geprügelten Juden ließ das Blut erstarren. Es war, als sei man nicht in Frankreich, sondern im Lande der zaristischen Pogrome. Ich will nicht sagen, daß es das französische Volk war, das so handelte. Im Gegenteil – das französische Volk bewies bekanntlich bei der Rettung von Juden in der Zeit der Hitler-Besatzung sehr viel Mut und Einsatz. Aber damals, in den Tagen die ich beschreibe, hörte man nicht die Stimme des französischen Volkes, sondern die des Auswurfs dieser faschistischen Banden.

Charakteristisch war die Stellungnahme der jüdischen Stalinisten. Zusammen mit ihren französischen Genossen begrüßten sie den Hitler-Stalin-Pakt. Als der Krieg ausbrach, und meine Frau mir schreckliche Briefe aus Warschau schrieb, las ich einigen Stalinisten einen dieser Briefe vor, und zwar in der Wohnung des Schriftstellers Chlawne Kagan. Sie antworteten mir, ich verbreite Greuel-Propaganda, und einer von ihnen – er ist selbst später durch Hitler umgekommen – sagte, es wäre kein Unglück, wenn drei Millionen Juden umkommen würden und statt 14 nur 11 Millionen Juden übrigblieben.

Ich habe mir mehr als einmal die Frage gestellt, warum sich der jüdische Stalinist so ausdrückte. Er selbst machte den Eindruck eines zarten und weichen Menschen.

Etwas später wurde mir das klar. Als die Hitler-Armee sich Paris näherte, und ich mit einer Genossin aus der Stadt floh, trafen wir einen französischen Chauffeur, einen Stalinisten. In unserer Unterhaltung fragte ihn meine Genossin, was er von der Hitler-Armee halte. Der Chauffeur antwortete, daß sie nicht besser und nicht schlechter sei als andere Armeen. Daß man Hitlers Armee, die unter Führung der SS stand, mit anderen Armeen vergleichen konnte, war schon bezeichnend genug. Aber einige Zeit später ging eine Delegation der französischen Kommunistischen Partei zu Hitlers Botschafter in Paris, (zu jenem Abetz, der vor dem Krieg wegen Spionage aus Frankreich ausgewiesen worden war) und bat ihn um die Erlaubnis, die „Humanité" herauszugeben, und zwar mit einem Agitationsprogramm gegen den französischen Imperialismus. Das war eine Folge der furchtbaren Theorie, daß Hitler besser sei als die Sozialdemokratie, und der Forderung von Thorez, Daladier solle sofort nach Moskau reisen, um sich dem „fortschrittlichen" Friedenspakt von Stalin und Hitler anzuschließen.

Andererseits hatte auch die Haltung der deutschen Sozialdemokraten ihre Auswirkung, die erklärt hatten, man könne gegen Hitler nicht kämpfen, weil er doch legal an die Macht gekommen sei. Alles das hat die Arbeiterklasse demoralisiert und gespalten, sie unfähig zu jeder Aktion gegen den deutschen Faschismus gemacht und so den Weg für Hitlers Siege gebahnt.

Fast alle Völker Europas mußten dafür einen blutigen Preis bezahlen, und mehr als alle anderen unser jüdisches Volk.

Nachwort

Dieses Buch enthält nur einen Teil meiner Erinnerungen. Das zweite Buch über meinen Weg zum proletarischen Zionismus muß noch geschrieben werden; hoffen wir, daß es nicht lange dauern wird. Inzwischen möchte ich einige Dinge erklären.

Ich, der ich mein ganzes Leben dem Kampf für den Sieg des Sozialismus gewidmet habe, selbstverständlich auch für den Sieg eines sozialistischen jüdischen Volkes, erlebte die schwerste moralische Krise, als Hitlers Armee in Frankreich einfiel. Die französischen Stalinisten hatten ein positives Verhältnis zu Hitlers Armee, ich aber fragte mich: was muß ich als jüdischer Arbeiter tun? Mir war klar, daß Hitlers Siege den Untergang des Judentums in allen europäischen Ländern bedeuteten. Wer unter der Besatzung gelebt hat, weiß: wenn der Krieg noch ein weiteres Jahr gedauert hätte, wären überhaupt keine Juden mehr übrig geblieben. Die moralische Standfestigkeit und die physische Kraft zum Überleben hätten nicht mehr ausgereicht. Hitlers Mordtaten an den Juden in Frankreich waren in der letzten Zeit seiner großen Niederlagen besonders furchtbar.

Nach langem Ringen und vielen Überlegungen kam ich zu der Überzeugung, daß jetzt nur noch der jüdische Arbeiter in Israel in der Lage war zu kämpfen, denn nur in Israel würde sich das jüdische Volk wieder sammeln und damit beginnen, ein neues und freies Leben zu schaffen, in dem die Arbeiter herrschen würden. Darum beschloß ich, mich den Reihen des proletarischen Zionismus anzuschließen.

Als ich 1946 meine alten Genossen traf, und sie ihr Erstaunen darüber ausdrückten, daß ich mich den Zionisten angeschlossen hatte, erklärte ich ihnen, daß ich mich sogar wenn ich kein Jude gewesen wäre, nur als Marxist, daß heißt als internationaler Sozialist, unter die Fahne des jüdischen nationalen Befreiungskampfes gestellt hätte. Engels sagte einmal, daß kein Volk auf der Welt frei sein könne, wenn nur ein einziges Volk unterdrückt sei. Er hatte recht, und tausendmal richtiger ist sein Satz noch, wenn es um das unterdrückte und blutig gepeinigte jüdische Volk geht. So hätte ich als Nichtjude gehandelt, und als Sohn des jüdischen Volkes gab es überhaupt keine Frage, wie ich handeln mußte.

Sie warfen mir vor, ich sei sentimental geworden. Ich gestehe, daß man ohne große und tiefe Gefühle keiner großen Idee dienen kann. Wir Juden haben ein Recht darauf, sentimental zu sein. In den letzten Wochen vor dem Rückzug von Hitlers Armee aus Frankreich erlebte ich ein Ereignis, das mich tief erschütterte. Die Hitler-Soldaten gingen in Grenoble von einer Wohnung zur anderen, zerrten alle Juden heraus und erschossen sie sofort. Aus einer Wohnung schleppten sie ein jüdisches Kind. Viele Franzosen auf der Straße rangen die Hände und weinten. Nur eine Frau stand auf der Seite und weinte nicht. Das war die Mutter des kleinen jüdischen Jungen. Sie hatte Angst zu weinen, weil sie Angst hatte, erkannt zu werden. Ich stand an der Seite und beobachtete das Gesicht der jüdischen Mutter, ich spürte geradezu ihre ungeweinten Tränen.

Wer so etwas einmal gesehen hat, wird es nie vergessen und er wird niemals ruhen, bis die Bedingungen geschaffen sind, daß es sich nicht wiederholen kann. Er wird stets bereit sein, alles dafür zu geben, daß die jüdische Existenz in einem jüdischen Land sichergestellt ist.

Nicht selten hört man noch heute die Reden von Menschen, die von dem großen Unglück nichts gelernt und nicht begriffen haben. Sie argumentieren noch immer, die reaktionären Kräfte seien schuld gewesen, und nach dem Sieg der Demokratie würden solche Dinge nicht mehr möglich sein. Daß es immer die reaktionären Kräfte sind, die die Ausrottung der Juden anzetteln, wissen wir auch. Aber diese Leute beantworten, ja sie stellen nicht einmal die Frage, warum die Reaktion stets das jüdische Volk als Opfer wählt. Würden sie diese Frage stellen, dann müßten sie zu dem Ergebnis kommen, daß dies die Folge davon ist, daß wir keinen eigenen Boden haben. Sie müßten zu der Schlußfolgerung gelangen, sich den Reihen des proletarischen Zionismus anzuschließen.

Wir sind Anhänger von Hegels dialektischer Philosophie, die Marx seiner materialistischen Weltanschauung angepaßt hat. Wir wissen, daß alles was geschieht, wirklich ist, das heißt, daß es wirkliche Gründe gibt, warum es geschieht. Das muß uns zu der Schlußfolgerung führen, daß es, sollten wiederum die gleichen Bedingungen entstehen, wieder zu den gleichen Resultaten kommen kann. Wenn wir die heutige Lage der Juden in verschiedenen Ländern betrachten, bemerken wir, daß der Antisemitismus noch nicht seine Waffen gestreckt hat. Überall sind die Juden in größerem oder geringerem Ausmaß bedroht.

Die Existenz der Menschheit hängt nicht vom Völkerhaß, sondern von der Verbrüderung der Völker ab. Fast in allen Ländern gibt es anti-jüdische Ausschreitungen in der einen oder anderen Form. Welche Formen diese Ausschreitungen in Zeiten einer großen Krise annehmen werden, kann niemand voraussehen. Jeder, der sich selbst und dem Volk gegenüber ehrlich sein will, muß zu dem Schluß kommen, daß in verschiedenen Ländern die Existenz des jüdischen Volkes auf unterschiedliche Weise bedroht ist, in einigen Ländern durch physische Ausrottung, in anderen durch die Assimilation. Die einzige Hoffnung des jüdischen Volkes bleibt das eigene Land. Die einzige Hoffnung des jüdischen Proletariats, das jüdische Volk auf den Weg zum Sozialismus zu führen, ist der Aufbau und die Verteidigung dieses Landes.

Nachwort zur deutschen Ausgabe

Den angekündigten zweiten Teil der Erinnerungen – über seinen Weg zum »proletarischen Zionismus« – hat Hersch Mendel nie geschrieben. Er starb am 22. 7. 1968 in Israel.

Das Schlüsselerlebnis für seine Bekehrung zum Zionismus bleibt erschütternd genug, auch wenn man nicht die gleichen Schlußfolgerungen daraus zieht wie Hersch Mendel und dennoch seine Ansicht teilt, daß man ohne große und tiefe Gefühle keiner großen Idee dienen kann. Er sah, wie ein jüdisches Kind von Hitler-Soldaten in Grenoble aus einer Wohnung gezerrt wurde in der es versteckt war, um zusammen mit anderen Juden erschossen zu werden. Viele Franzosen standen dabei, sahen all dies, rangen die Hände und weinten. Nur *eine* Frau weinte nicht. Es war die Mutter des Jungen. Sie hatte Angst zu weinen, weil sie Angst hatte, als Jüdin erkannt zu werden. »Ich spürte geradezu ihre ungeweinten Tränen«, schreibt Hersch Mendel.

Das Fazit, das er selbst aus seinem Leben zieht, lautet: »Die Existenz der Menschheit hängt nicht vom Völkerhaß, sondern von der Verbrüderung der Völker ab«. Werden aber die palästinensischen Mütter, die um Tausende ihrer im Kampfe um die geraubte Heimat gefallenen Kinder weinen, davon zu überzeugen sein, daß die Verbrüderung der Völker über den Weg zu erreichen ist, den der »proletarische Zionismus« in Israel ihnen gegenüber eingeschlagen hat?

Mein politischer Weg hat sich mit dem von Hersch Mendel gekreuzt. Während ihn die Ausrottung des jüdischen Volkes in Polen und in den von den Nazis besetzten Ländern vom Internationalisten zum Zionisten machte, haben mich 15 Jahre Aufenthalt in Palästina und das furchtbare Schicksal des palästinensischen Volkes vom »proletarischen Zionismus« zum Internationalismus geführt.

Mit der »Rohübersetzung« der Erinnerungen von Hersch Mendel und des Vorworts von Isaac Deutscher aus dem Jiddischen* will ich die heroische Generation jüdischer Arbeiter-Revolutionäre auch hierzulande in Erinnerung rufen. Gerade bei uns hat man bisher nur etwas von jüdischen *Opfern* der Nazis erfahren und weiß nichts von dem opfervollen Kampf des jüdischen Proletariats für den Sozialismus. In der Geschichte der internationalen Arbeiterbewegung hat dieses Proletariat einige großartige Seiten geschrieben.

* Nele Löw-Beer, die für die »Reinübersetzung« verantwortlich zeichnet, hat auch zusammen mit polnischen Freunden das Vorwort Deutschers nach dem polnischen Original korrigiert (die in Israel gefertigte jiddische Übersetzung wich in einigen Punkten vom Original ab). Viele Angaben in den Fußnoten verdanken wir Pierre Frank und seinen hervorragenden Kenntnissen über die Geschichte der osteuropäischen KP's und der Komintern. Eine wichtige Quelle für die Geschichte der polnischen KP ist seine »Histoire de l'Internationale communiste (1919–1943)«, éditions la brèche 1979.

Wer weiß schon, daß bereits im Jahre 1896, auf dem Kongreß der Sozialistischen Internationale, die in London tagte, Plechanow als Vertreter der russischen Sozialdemokratie erklärte: »...wir machen unsere westeuropäischen Genossen mit besonderer Genugtuung auf die Erfolge der sozialdemokratischen Propaganda unter den Juden ... aufmerksam ... Diese Parias Rußlands, welche nicht einmal im Besitze derjenigen elenden Rechte sind, welche die christlichen Angehörigen des russischen Reiches genießen, haben im Kampfe mit ihren Ausbeutern so viel Ausdauer und Verständnis der sozialpolitischen Aufgaben der modernen Arbeiterbewegung an den Tag gelegt, daß man sie in gewisser Hinsicht als die Avantgarde der Arbeiterarmee Rußlands betrachten kann.«*

Wer weiß schon, daß der Schustergeselle und Bundist Hirsch Lekkert am 18. Mai 1902 den zaristischen Gouverneur von Wilna, Viktor von Wahl, zu erschießen versuchte, weil dieser bundistische Maidemonstranten öffentlich hatte auspeitschen lassen, und daß Hirsch Lekkert hingerichtet wurde, obwohl sein Attentat mißlang?

Wer weiß heute noch, daß nur darum Jiddisch und nicht Polnisch oder Russisch zur Sprache der sozialistischen und gewerkschaftlichen Agitation unter den jüdischen Massen wurde, weil Jiddisch die Sprache des jüdischen Proletariats war?

Der bürgerliche Zionismus fand in der jüdischen Arbeiterschaft keinen Anhang und stellte darum auch keine Konkurrenz zum »Bund« dar. Der vierte Kongreß des »Bund« im Jahre 1901 nannte die zionistische Ideologie ein feindliches, bürgerlich-nationalistisches Mittel, die jüdischen Arbeiter vom Klassenkampf abzulenken, sie von ihren nicht-jüdischen Klassengenossen zu isolieren, um einen bürgerlichen Klassenstaat in Palästina zu errichten. In einem Bericht an die Internationale im August 1904 bezeichnete der Bund den Zionismus als »schlimmsten Feind des organisierten jüdischen Proletariats, das unter der sozialdemokratischen Fahne des Bund kämpft.«**

Der »proletarische Zionismus«

Der »proletarische Zionismus«, dessen bedeutendster Theoretiker Ber Borochow war, ging von der unbestreitbaren Tatsache aus, daß die »soziale Pyramide« der Juden anders aussah als die einer »normalen« Nation. Eine jüdische Bauernschaft fehlte fast völlig. In Handel, Industrie und Transport waren sie in Osteuropa viel stärker vertreten als die nichtjüdische Bevölkerung. Im zaristischen Rußland durften

---

* Zitiert nach John Bunzl, Klassenkampf in der Diaspora – Zur Geschichte der jüdischen Arbeiterbewegung, S. 60.
** John Bunzl, a.a.O., S. 111.

sich Juden nur in bestimmten Gebieten (Rayons) ansiedeln. Die jüdische Arbeiterklasse, eine der ärmsten Schichten des russisch-polnischen Gebietes, war kaum in der Schwerindustrie vertreten und meist nur in den Endstadien der Produktion beschäftigt (Lebensmittel, Getränke, Tabak, Bekleidung), zumeist in kleinen oder handwerklichen Betrieben. Borochow meinte deshalb, für die Revolution würde der jüdische Klassenkampf eine ebenso geringe Rolle spielen wie die Nadel des jüdischen Arbeiters verglichen mit dem Dampfhammer des russischen. Diese »ökonomistische« Theorie übersah die große *politische* Bedeutung der revolutionären jüdischen Arbeiter.

Um nicht in den Endstadien der Produktion steckenzubleiben, forderte Borochow, die Juden sollten nicht – wie sie es zu Millionen taten – in die entwickelten kapitalistischen Staaten (besonders die USA) auswandern, sondern dorthin, wo sie eine überragende Stellung im Land einnehmen könnten, dorthin, wo ihre Einwanderung den »Charakter einer Kolonisation« annehme.* In Palästina, meinte er, würden die Juden auf keine nationale Konkurrenz stoßen. Die zu majorisierende »fellachische Bevölkerung« würde sich in einem jüdischen Palästina assimilieren lassen! Die Existenz einer arabischen nationalen Bewegung wurde von Borochow überhaupt nicht in Rechnung gestellt.

Marx und die Judenfrage

Sich auf Marx zu berufen, um die zionistische Ideologie zu untermauern, wie Borochow und fast alle Strömungen des »proletarischen Zionismus« es versuchten, ist geradezu verwegen. Karl Marx hat in seiner kleinen Schrift »Zur Judenfrage«, die von bürgerlichen Zionisten und ihren Nachbetern als »Zeugnis jüdischen Selbsthasses« angeprangert wird, den Schlüssel zum Verständnis des Problems geliefert.**

»Der Jude hat sich auf jüdische Weise emanzipiert, nicht nur indem er sich die Geldmacht angeeignet, sondern indem durch ihn und ohne ihn das Geld zur Weltmacht und der praktische Judengeist zum praktischen Geist der christlichen Völker geworden ist. Die Juden haben sich insoweit emanzipiert, als die Christen zu Juden geworden sind.« Der Kern der Argumentation von Marx lautet: Das Judentum hat sich nicht *trotz* der Geschichte erhalten, sondern *durch* die Geschichte – weil die Juden eine besondere *ökonomische* Rolle in den Poren der feudalen Gesellschaft gespielt haben. Die »*chimärische* Nationalität der Juden ist die Nationalität des Kaufmanns, überhaupt

---

* Ber Borochow, Grundlagen des Poale-Zionismus (1905), Reprint Frankfurt/M. o. J., S. 46.
** Karl Marx, Zur Judenfrage, in: Marx/Engels, Werke, Bd. 1, die folgenden Zitate auf den S. 372–376.

des Geldmenschen«. Der aufsteigende Kapitalismus hat die Christen zu Juden gemacht. Sie sind in die ökonomische Sphäre eingedrungen, die vorher den Juden vorbehalten war. »Aus ihren eigenen Eingeweiden erzeugt die bürgerliche Gesellschaft fortwährend den Juden.« Die Frage nach »der Emanzipationsfähigkeit des Juden« ist für Marx die Frage danach, welches »besondere gesellschaftliche Element zu überwinden sei, um das Judentum aufzuheben«. In dieser Frühschrift zur Judenfrage aus dem Jahre 1843 hatte Marx die geniale Erkenntnis, daß erst, wenn die Unmenschlichkeit »der heutigen Lebenspraxis, die im Geldsystem ihre Spitze hat«, aufgehoben ist – also erst in der verwirklichten sozialistischen Gesellschaft – auch das Judentum »aufgehoben« sein kann.

Die gescheiterte Assimilation

Marx stimmt also in *einem* Punkt mit dem »proletarischen Zionismus« überein: die *politische* Emanzipation der Juden in der bürgerlichen Gesellschaft löst *nicht* die Judenfrage. Diese Illusion der Assimilation der Juden in den fortgeschritteten kapitalistischen Staaten ist aus zwei Gründen gescheitert. Erstens hat das Nachdrängen verfolgter Juden aus Osteuropa immer neue Wellen »unassimilierter« Juden in den Westen gebracht. Zweitens aber verschärfte die kapitalistische Weltwirtschaftskrise der 30er Jahre die Konkurrenz zwischen den zu »Juden« gewordenen Christen und den Juden. Im verelendenden Mittelstand fand deshalb der Antisemitismus einen besonders günstigen Nährboden.
In Polen, dessen Wirtschaft zwischen den beiden Weltkriegen völlig stagnierte, stieß das Eindringen pauperisierter jüdischer Kleinbürger in die Arbeiterklasse oder in die Bauernschaft auf heftigsten Widerstand. Das kapitalistische Polen konnte das Problem der sozialen Umschichtung der Juden nicht lösen, und der Antisemitismus wurde immer offener für die Herrschenden zu einem Ablenkungsmittel, zum »Sozialismus der dummen Kerls«, wie August Bebel es nannte.
Allein in der Sowjetunion erfolgte dank der raschen wirtschaftlichen Entwicklung auch eine tiefgreifende soziologische Umschichtung der Juden. Die stalinistische (und nachstalinistische) – zwischen Kapitalismus und Sozialismus steckengebliebene – sowjetische Gesellschaft konnte die Judenfrage demnach ebenso wenig lösen wie die Probleme anderer nationaler Minderheiten. Die Erwartungen einer baldigen jüdischen Assimilation konnten sich in einer Gesellschaft, die schweren sozialen und politischen Erschütterungen ausgesetzt war, nicht erfüllen. Die unterschiedlichen Versuche zur Lösung der Judenfrage hätten nur dann erfolgreich sein können, wenn man den Juden die Freiheit gelassen hätte, sie auf den von ihnen eingeschlagenen Wegen selbst zu finden: Assimilation, Erhaltung der nationalen Kul-

tur und der eigenen Sprache, territoriale Konzentration (es gab zwei Versuche, einen in der Krim, den anderen in Birobidjan, die beide fehlschlugen). Keiner dieser Wege stand im Widerspruch zu den Interessen des Sozialismus. Ohne Zwang und bei beständigem Kampf gegen den Antisemitismus – wie er unerbittlich von Lenin in den ersten Jahren der Revolution geführt wurde – hätte in der Sowjetunion das Modell einer Lösung entwickelt werden können, wenn nicht die stalinistische Bürokratie selbst alle eigenständigen Ansätze der Juden zerstört, in den Moskauer Prozessen ihre Führer hingerichtet und sich ab und zu auch des Antisemitismus als Mittel der Ablenkung von internen Schwierigkeiten bedient hätte. Die Hinwendung vieler sowjetrussischer Juden zum Zionismus ist die direkte Folge dieser Politik.

Der »Arbeiterzionismus« verengte
die Perspektive Hersch Mendels

Im Leben von Hersch Mendel spiegelt sich ein halbes Jahrhundert Geschichte der Arbeiterbewegung mit all ihren ideologischen Strömungen wieder – angefangen vom sozialistischen Reformismus, über den Anarchismus, bis zum Bolschewismus und Trotzkismus. Trotz der unsäglichen Leiden, die er erdulden mußte, sind seine Erinnerungen nicht die Geschichte eines persönlichen Martyriums. Sie enthalten nicht einen Funken von Selbstmitleid, sondern eher eine ironisch kritische Distanzierung von Menschen und Ereignissen, einschließlich derer, in denen er selbst eine heroische Rolle spielte.

Hersch Mendel hat die gewaltige Perspektive, die sich der Arbeiterbewegung der ganzen Welt in der in der Nach-Stalin-Ära eröffnete, nicht mehr voll wahrgenommen. Eingezwängt in die Enge des nationalistischen-israelischen »Arbeiterzionismus«, der ihm Ersatz war für die ausgerottete internationalistische jüdische Arbeiterbewegung Polens, wurde ihm der Blick für die Bedeutung der antiimperialistischen Befreiungsbewegungen der ehemaligen Kolonien und Halbkolonien verstellt.

Die Ironie der Geschichte wollte es, daß die gleichen Traditionen des Opfermutes, der Treue zum Ideal, der Entschlossenheit in der Aktion trotz größten materiellen Elends, die er für die jüdische Arbeiterklasse bezeugt, heute ein Kennzeichen der arabischen Revolution geworden sind. Aber die Ironie der Geschichte wollte es auch, daß die rassistische Ideologie der Nazis, deren Opfer die Juden Polens wurden, heute von jener Welt der Farbigen aktiv und wirksam bekämpft wird, denen Hitler ebenso wie den Juden den Makel der rassischen Minderwertigkeit an die Stirne geheftet hatte. Der Sieg der kolonialen Revolution ist in diesem Sinne auch ein posthumer Sieg des jüdischen Proletariats in Polen. Der Aufstand des Warschauer Ghettos nimmt in der Geschichte der Befreiungsbewegungen einen würdigen

Platz ein neben der Pariser Kommune, der Erhebung des spanischen Volkes gegen Franco, dem Freiheitskampf des algerischen Volkes*.

Eine Welt der Freiheit und der sozialistischen Gerechtigkeit

Der Vertreter des Bund in der polnischen Exilregierung, Schmul Ziegelboim, der am 12. Mai 1943 wegen der Passivität der Welt gegenüber dem Schicksal der Juden in Polen Selbstmord beging, hat in dem von ihm hinterlassenen erschütternden politischen Testament berichtet, daß von den zirka 3 500 000 polnischen Juden und den 700 000, die aus anderen Ländern nach Polen deportiert wurden, im April 1943 nur noch 300 000 am Leben geblieben waren. »Und die Ausrottung geht pausenlos weiter.«

»Ich kann nicht ruhig bleiben. Ich kann nicht leben, während die Reste des jüdischen Volkes in Polen, dessen Vertreter ich bin, liquidiert werden«, schrieb Ziegelboim. »Meine Kameraden im Warschauer Ghetto sind mit der Waffe in der Hand im letzten heldenhaften Kampf gefallen. Es war mir nicht beschieden, so wie sie, zusammen mit ihnen zu sterben. Aber ich gehöre zu ihnen und zu ihren Massengräbern.

Durch meinen Tod möchte ich den schärfsten Protest gegen die Passivität zum Ausdruck bringen, mit der die Welt der Ausrottung des jüdischen Volkes zusieht und sie erduldet. Ich weiß, daß ein Menschenleben in unserer Zeit wenig bedeutet. Da ich jedoch zu meinen Lebzeiten nichts tun konnte, trage ich vielleicht durch meinen Tod dazu bei, daß die Gleichgültigkeit derjenigen gebrochen wird, die die Möglichkeit haben, vielleicht im letzten Augenblick, die noch am Leben gebliebenen polnischen Juden zu retten. Mein Leben gehört dem jüdischen Volk in Polen, und deshalb opfere ich es ihm. Es ist mein Wunsch, daß die Reste, die von den Millionen polnischer Juden übriggeblieben sind, zusammen mit der polnischen Bevölkerung eine Welt der Freiheit und der sozialistischen Gerechtigkeit erleben werden. Ich glaube daran, daß ein solches Polen entsteht und daß eine solche Welt kommt.«

Ein solches sozialistisches Polen und eine solche Welt sind noch nicht entstanden. Gerade darum ist es unsere Pflicht, den Kampf der jüdischen Arbeiterklasse für »eine Welt der Freiheit und der sozialistischen Gerechtigkeit« der Vergessenheit zu entreißen.

Jakob Moneta, Frankfurt, August 1979

---

* Über die hervorragende Rolle, die der Bund in der Organisation des Aufstandes im Warschauer Ghetto gespielt hat, berichtet Bernhard Goldstein in seinem Buch: Die Sterne sind Zeugen – Der Untergang der polnischen Juden, München 1965.

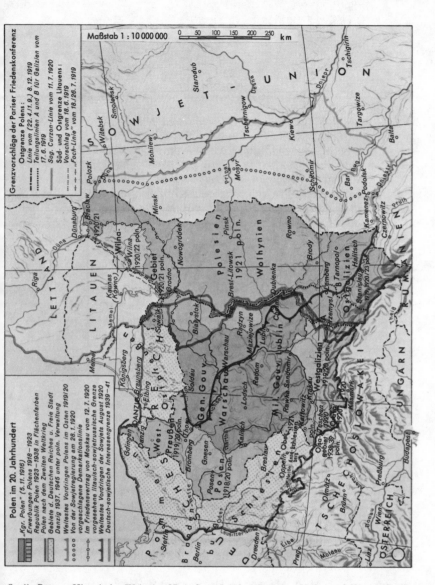

Quelle: Putzger, Historischer Weltatlas, 97. Auflage, S. 116, © Cornelsen-Velhagen & Klasing, Berlin

Rotbücher:

Isaac Deutscher, *Die ungelöste Judenfrage*
Zur Dialektik von Antisemitismus und Zionismus
Rotbuch 159 · 144 Seiten · DM 8,– (im Abonnement DM 7,–)

Vielleicht war das alles erst der Anfang
Hanna Lévy-Hass, Tagebuch aus dem KZ Bergen-Belsen 1944–1945
und ein Gespräch mit Hanna Lévy-Hass 1978 (Hg. Eike Geisel)
Rotbuch 191 · 112 Seiten · DM 7,– (im Abonnement DM 6,–)

David Cooper, *Wer ist Dissident*
Rotbuch 190 · 64 Seiten · DM 6,– (im Abonnement DM 5,–)

Ulf Wolter, *Grundlagen des Stalinismus*
Die Entwicklung des Marxismus
von einer Wissenschaft zur Ideologie
Rotbuch 137 · 144 Seiten · DM 8,– (im Abonnement DM 7,–)

E. Preobrashenskij, *UdSSR 1975*
Ein Rückblick in die Zukunft
Mit zwei Beiträgen von Bernd Rabehl
Rotbuch 129 · 160 Seiten · DM 8,– (im Abonnement DM 7,–)

Miklós Haraszti, *Stücklohn*
Vorwort von Heinrich Böll
Rotbuch 130 · 120 Seiten · DM 7,–

aus der Reihe · die bereits erschienenen Titel:

Giuseppe Fiori, *Das Leben des Antonio Gramsci*
Biographie · aus der Reihe · 272 Seiten · DM 25,–

M. A. Macciocchi, *Der französische Maulwurf*
Eine politische Reise · aus der Reihe · 360 Seiten · DM 29,–

Peter-Paul Zahl, *Die Glücklichen*
Schelmenroman · aus der Reihe · 528 Seiten · DM 28,–

Mehr über unsere Bücher erfahren Sie im kostenlosen Almanach
»*Das kleine Rotbuch*«, Postkarte genügt:
Rotbuch Verlag · Potsdamer Straße 98 · 1000 Berlin 30